Edição
POWER

365

CAÇA-PALAVRAS

Meio Ambiente

PÉ da letra

001

W	G	B	L	Z	D	W	W	D	T	D	H	Y	C	K	X	Y
C	U	M	U	P	G	C	F	B	L	N	O	S	Q	Y	C	S
F	N	B	V	C	S	Q	A	X	K	Q	Y	S	K	F	W	E
E	E	N	J	Y	H	Y	Z	J	V	C	I	S	Y	V	W	R
Z	R	Y	N	A	V	A	B	K	Á	O	C	A	B	R	A	I
G	A	C	O	R	F	R	T	K	K	I	A	E	J	K	D	G
J	F	I	Q	R	Y	G	S	T	H	T	U	D	N	Y	M	U
W	O	H	W	U	Q	Q	V	E	A	Í	N	I	W	X	J	E
L	Q	Ã	M	D	F	P	Y	F	F	D	V	C	Y	W	X	L
H	T	J	O	A	R	I	G	Q	R	A	S	S	Z	E	C	A
N	B	X	X	D	X	P	G	H	M	B	G	C	D	G	É	G
R	R	F	I	E	E	I	K	V	J	A	C	A	E	R	E	U
S	I	F	H	F	Y	R	F	U	A	H	C	B	E	P	Q	D
D	R	G	Y	O	O	A	O	T	Z	I	Q	R	O	M	O	G
D	V	X	J	L	A	P	N	R	V	A	U	E	N	N	Y	A
X	R	Y	V	H	K	A	B	H	A	M	B	Ú	V	G	M	P
R	L	U	R	A	M	R	Z	X	M	I	J	V	J	B	N	F
G	D	L	W	L	R	D	D	W	X	V	M	A	M	H	K	K
M	N	B	I	A	Z	A	S	D	X	K	I	A	S	Q	J	I
B	I	P	I	R	E	J	G	W	M	Z	D	E	D	A	V	V
S	F	O	J	G	V	L	O	A	T	N	R	L	Q	W	K	P
F	H	N	H	A	B	B	S	K	W	K	N	L	E	K	Y	F
K	X	A	L	T	D	L	M	F	J	P	G	Y	Q	R	M	F
L	M	H	F	V	A	R	O	E	I	R	A	S	A	L	S	A
J	U	H	H	P	J	G	F	C	N	O	G	U	E	I	R	A
M	Z	S	I	Y	I	C	Y	T	X	W	E	W	B	Z	O	T

AROEIRA SALSA, ARRUDA-DE-FOLHA-LARGA, BUCHA, CABRA, CABREÚVA, CAJÁ, GUNERA, JOÃO-DE-RORAIMA, MURERÉ, NOGUEIRA, OITÍ-DA-BAHIA, PIPIRA-PARDA, SERIGUELA

S	J	R	P	F	Z	S	M	M	N	E	Q	A	H	Y	Q	W
M	J	J	O	Ó	A	W	L	R	A	A	D	H	E	M	H	C
X	C	T	I	V	G	O	H	X	V	M	K	T	R	O	Q	Y
V	X	P	X	X	L	C	W	O	M	O	Ã	F	E	Q	N	F
O	I	D	M	F	O	V	P	U	F	V	Y	O	J	H	X	R
T	L	C	M	Q	S	R	Y	Y	M	L	I	W	U	L	U	Z
C	I	N	B	K	S	L	Y	A	E	U	M	D	E	B	A	T
J	F	T	Y	W	O	X	V	M	Q	S	N	X	J	J	R	F
Q	H	G	C	V	C	O	A	A	I	I	D	H	A	E	R	M
I	T	G	F	J	R	P	C	D	I	I	H	E	U	R	M	V
P	H	U	W	I	P	E	R	E	M	A	Y	Z	B	V	U	T
M	O	R	D	V	K	P	T	Q	E	Q	D	H	A	O	Z	R
T	J	N	A	H	H	N	A	K	I	P	M	B	N	D	S	U
U	A	O	B	M	C	L	Q	R	N	S	N	E	W	P	O	C
Y	H	M	G	P	B	U	K	P	Q	F	M	H	L	X	B	M
P	C	L	S	S	O	U	V	A	L	W	I	N	Q	V	N	F
X	P	K	G	A	F	I	T	A	J	D	J	Z	E	Y	Y	B
X	V	D	I	N	G	O	F	Ã	I	W	Z	F	B	R	R	J
O	V	B	A	Q	D	E	S	A	O	A	R	P	B	W	E	Q
G	J	C	J	G	R	W	Y	J	M	G	J	F	A	N	V	Q
G	J	G	M	O	P	W	D	V	Y	P	S	J	Q	C	O	K
D	B	P	G	H	A	A	D	O	J	P	Q	O	K	G	U	Q
O	K	Z	N	W	G	H	Q	F	R	D	C	M	S	J	J	Y
V	A	K	P	I	K	D	F	C	U	F	R	E	V	G	N	P
X	R	U	Y	C	K	H	U	C	H	A	C	A	L	S	A	S
V	V	P	K	F	F	D	Z	V	Y	U	L	F	G	H	D	D

ANDIROVA, CAQUI, CHACAL, DINGO, MAMÃO, OSGA, PACU,
PEREMA, RAMBUTÃO, TIPIÓ, UVAIA, XARU, ZAGLOSSO

003

R	M	N	F	F	J	W	U	X	Q	L	R	X	U	Q	G	O
E	L	L	W	R	X	S	D	F	H	Z	A	B	J	Z	L	G
A	A	C	P	A	F	W	D	R	X	S	M	I	R	E	R	Ê
L	G	Y	E	Y	X	O	S	I	P	A	W	U	O	D	P	H
I	M	Z	E	R	N	A	H	M	N	M	H	O	D	S	I	S
T	A	R	Y	H	W	M	G	Y	L	M	Q	C	H	J	M	T
O	L	Y	A	S	X	C	Y	F	P	A	S	L	U	A	M	G
W	L	X	I	O	Z	G	G	E	C	M	W	B	P	R	Z	S
Z	P	K	J	P	P	S	L	C	I	I	F	P	H	A	X	A
X	A	I	H	Y	G	Z	M	C	J	Q	V	D	V	C	L	H
S	H	O	M	Y	D	B	T	T	Q	U	P	F	F	A	M	L
N	D	S	L	K	T	M	B	K	F	E	M	M	N	T	P	Í
E	S	Z	A	X	E	U	H	V	S	I	C	G	Z	I	U	R
A	H	U	C	P	J	A	L	I	J	R	L	T	M	Á	H	I
U	P	Y	I	V	U	F	Q	U	Q	A	K	W	C	L	Y	O
U	V	S	N	N	Q	L	G	P	L	F	O	H	U	Q	J	T
B	D	U	X	C	D	N	I	P	H	Y	S	A	L	I	S	O
H	Y	H	L	W	A	A	A	C	R	Q	Q	O	O	O	J	C
Z	L	L	D	E	F	A	R	P	R	H	A	P	R	P	O	H
U	N	D	D	S	Q	S	W	A	W	A	U	C	T	H	W	A
Q	N	U	Q	P	M	D	A	A	G	P	N	C	M	S	H	I
L	A	F	J	P	Z	T	F	C	G	I	G	Ç	H	V	F	D
P	H	G	F	G	J	C	O	H	P	N	R	Y	O	P	G	A
K	E	N	I	M	M	W	U	K	U	H	P	G	I	H	Y	N
V	P	R	Í	N	C	I	P	E	J	K	R	D	U	W	N	C
A	T	I	Ê	P	R	E	T	O	F	N	X	P	J	M	G	M

IRERÊ, JARACATIÁ, LICRANÇO, LÍRIO-TOCHA, MAMIQUEIRA, PAU-DE-ANGU, PHYSALIS, PRÍNCIPE, REALITO, SUINDARA, TEJU, TIÊ-PRETO, YNAMBU

X	L	O	T	W	E	T	D	M	C	Y	X	Z	Ê	G	M	S
R	O	W	D	P	G	Q	A	O	I	F	M	P	Y	K	L	N
X	B	Y	L	Z	A	Q	Q	V	V	S	A	H	G	Y	C	R
B	F	A	A	A	Y	H	E	M	W	U	F	B	P	H	P	S
X	L	U	L	W	E	P	C	T	G	J	H	M	W	Y	F	C
S	S	L	E	J	E	O	C	A	H	J	H	E	C	L	S	X
O	T	P	G	E	X	J	S	E	R	U	Y	R	D	R	F	T
Z	V	V	R	L	X	N	K	J	L	I	K	X	Z	U	M	A
X	V	Y	I	G	E	N	G	P	Ó	Q	J	A	M	A	A	G
G	S	C	N	O	C	R	K	W	G	X	E	O	V	X	R	G
B	G	W	H	N	M	K	A	T	E	V	P	E	M	T	M	U
A	G	O	O	B	E	W	L	R	A	M	L	S	E	C	I	E
L	G	A	D	T	Q	Z	F	F	O	Á	C	Q	L	V	X	C
A	L	K	O	O	D	X	H	P	E	S	A	O	A	U	A	O
M	O	B	R	I	T	T	A	R	C	K	X	U	N	W	N	R
A	J	M	I	P	U	I	P	O	B	V	Q	R	C	Y	E	A
N	U	P	O	M	C	C	W	O	A	Q	W	K	I	G	T	L
D	T	M	Z	Á	J	K	G	T	C	T	V	S	A	O	P	I
A	N	J	C	V	Q	Q	P	L	S	A	L	U	V	J	P	N
R	D	A	F	X	M	M	M	D	H	R	J	I	U	U	I	A
O	D	E	C	B	F	X	W	U	D	W	A	Q	N	M	Q	Q
X	Q	N	P	X	Q	H	H	N	N	G	Z	V	F	E	I	Y
A	I	F	I	E	N	Y	S	C	I	I	C	V	U	N	V	Z
X	D	M	B	K	I	O	T	D	N	Q	L	S	C	T	U	O
F	Z	K	X	B	O	A	W	L	A	G	A	R	T	O	Y	A
Q	O	Y	O	S	E	C	J	O	C	N	C	G	F	H	M	F

ACÁCIA-POMPOM, ALAMANDA ROXA, ALEGRINHO-DO-RIO, CORALINA, DEPEIA, GAIVOTA, GUAPÊ, JUMENTO, LAGARTO, MARMIXA, MELANCIA, ÓGEA, PREÁ

005

P	G	C	O	G	Z	K	W	M	W	O	B	Z	T	K	D	N
M	Q	M	E	N	J	L	E	T	E	U	B	H	J	B	Q	S
R	D	H	B	Ô	Z	A	A	L	I	O	B	O	O	A	K	R
L	N	N	D	V	T	I	H	B	H	O	K	D	W	K	Z	H
J	O	O	U	M	Q	M	A	C	B	I	R	W	G	Q	W	Q
A	D	U	M	U	D	F	S	O	A	D	T	D	K	P	G	C
F	K	B	R	F	G	Y	N	P	M	G	F	Z	D	U	T	G
U	Z	D	W	O	Y	F	M	J	L	V	P	D	F	I	D	K
V	W	N	U	F	D	S	V	A	D	L	E	B	K	Y	L	M
E	P	R	F	G	T	O	W	T	T	P	R	V	Q	I	E	H
P	C	H	M	K	E	Z	S	Y	U	D	F	G	I	J	W	V
A	Y	M	S	E	B	C	Q	U	L	T	I	T	P	Q	O	I
P	W	J	L	E	N	H	A	J	L	F	P	Z	G	S	S	U
A	H	C	F	J	Z	F	G	Z	U	Z	Q	A	B	E	F	S
T	T	V	S	R	N	L	D	C	A	R	R	A	Y	P	H	T
A	Z	R	C	Z	F	B	I	O	R	J	N	O	A	A	Y	O
O	P	V	E	B	S	F	V	H	Á	S	G	C	X	E	Y	M
C	I	S	K	O	G	O	B	G	R	O	S	E	L	H	A	N
A	I	X	O	F	M	Q	V	R	J	H	O	Q	J	X	M	I
Q	H	E	C	C	G	K	V	A	I	Y	M	Y	F	A	E	M
X	A	Z	K	I	Ó	Q	J	H	H	G	A	A	V	C	N	R
B	H	Q	H	R	R	B	C	V	V	J	C	K	J	M	D	D
R	R	M	R	N	H	Y	O	F	C	U	A	F	I	I	O	F
H	L	R	X	C	Y	M	A	I	I	M	Ú	D	A	L	I	W
M	D	S	H	S	Q	F	L	D	J	G	B	Y	O	H	M	P
Y	W	E	A	I	H	F	A	V	D	L	A	L	P	O	R	L

ABIU, AMENDOIM, COALA, DIUCA, DODÔ, GROSELHA, KIWI,
LOURO-DO-SUL, MACAÚBA, MILHO, PAPA-TAOCA, SOCÓ-BOI, UARÁ

T	D	S	N	C	G	K	K	W	I	B	W	J	X	H	L	K
M	I	H	Z	I	T	P	G	I	Q	S	K	O	I	H	J	N
T	C	B	N	S	S	W	N	E	P	X	A	I	X	I	J	F
T	R	E	W	Y	S	G	A	L	D	E	W	P	J	N	A	A
G	I	Y	K	H	Q	R	E	N	F	D	P	J	U	K	W	E
Y	A	O	Z	T	L	D	T	H	J	N	T	B	N	V	E	J
C	U	T	I	M	B	O	I	A	M	A	I	B	C	T	A	O
A	H	Q	U	M	E	J	N	Q	X	B	A	L	H	O	X	B
G	Z	O	Q	R	I	P	X	M	I	P	J	J	B	T	M	Ú
U	E	X	R	S	A	Z	P	Q	T	J	A	S	F	R	Z	T
A	E	A	I	O	E	M	B	A	Ú	B	A	U	Z	M	V	I
P	J	X	J	B	R	G	O	A	V	E	L	G	L	Q	B	O
É	V	D	M	C	J	Ó	X	E	H	B	A	O	T	Ã	R	E
A	I	I	Z	U	B	I	C	W	G	C	V	D	N	H	A	T
R	G	U	S	Y	I	G	J	I	T	Q	A	A	J	M	N	C
H	O	K	R	L	S	P	O	S	N	X	S	B	Z	R	Q	U
C	L	R	Z	G	B	V	C	R	U	Z	B	D	P	K	U	R
U	U	J	A	W	I	B	D	B	Q	D	E	Z	O	T	I	I
Q	S	F	Z	N	S	W	D	X	V	S	L	N	P	A	L	C
Z	B	N	F	T	D	X	W	V	J	O	P	F	T	J	H	A
O	Q	W	W	T	M	G	Q	O	H	S	B	J	V	O	O	U
S	E	W	M	Z	D	N	U	W	F	Q	Y	O	Q	E	R	R
R	E	M	A	A	Y	I	M	R	Z	P	R	F	F	U	Z	U
Z	F	Z	N	V	B	B	W	I	S	L	Z	V	I	P	I	B
E	G	Q	G	U	O	U	C	B	Y	P	W	N	C	C	R	U
Z	M	Y	C	D	O	O	N	D	B	D	I	S	W	Z	G	V

AGUAPÉ, ALHO, BIS-BIS, BRANQUILHO, BÚTIO, CHORORÓ-CINZENTO, CUBIU, CURICA-URUBU, CUTIMBOIA, EMBAÚBA, GATURAMO, SANÃ, SAPUVA

007

H	I	K	P	Z	T	X	Y	W	R	J	M	C	R	Q	D	J
W	G	H	O	C	I	K	R	Y	H	I	V	Z	J	N	L	Z
B	T	W	X	J	G	O	I	A	B	A	K	M	T	S	I	O
X	Y	F	Z	S	J	M	O	L	X	D	R	T	O	W	N	T
E	R	V	O	H	A	I	K	D	P	X	M	P	D	L	R	D
S	Q	N	F	I	G	D	Z	C	V	A	G	H	S	T	W	F
E	M	T	D	C	L	R	A	I	L	N	C	A	G	T	W	T
N	U	P	U	Q	P	O	C	D	O	G	P	V	W	G	W	G
B	Ç	S	B	B	I	J	A	C	A	É	K	S	H	A	I	H
S	U	Q	A	C	A	V	T	G	E	L	E	Z	J	Z	G	N
A	R	C	G	F	N	R	F	W	K	I	C	S	N	Â	N	E
J	A	A	Y	Ê	S	W	Ã	D	J	C	W	I	T	N	W	X
P	N	E	H	N	C	Q	K	O	O	A	U	G	U	I	G	Ó
I	A	L	G	I	H	S	X	M	C	H	Q	S	E	A	N	R
R	P	P	T	X	Z	H	K	H	E	M	X	A	D	C	O	R
A	A	W	A	Z	O	X	F	U	F	G	A	N	R	X	U	J
U	M	W	C	V	H	A	R	P	H	N	Q	G	N	M	H	K
A	P	L	V	Q	E	V	R	T	A	C	I	R	U	Y	G	Z
Z	E	X	V	J	Q	N	A	S	D	E	Z	A	H	A	J	S
G	A	C	A	U	Ã	H	T	N	N	P	P	D	O	J	R	E
D	N	W	N	A	O	U	S	O	Q	B	C	Á	Y	R	A	I
X	A	E	T	Y	M	Z	W	E	Y	J	D	G	D	W	R	U
S	X	U	H	Q	B	T	W	K	X	P	V	U	J	B	E	T
A	R	T	Q	N	O	S	A	X	Q	Z	B	A	N	Y	F	A
T	U	S	N	L	R	Q	E	E	F	R	J	Z	F	L	L	O
C	P	Z	B	O	O	W	Z	P	F	W	E	A	L	P	U	Z

ACAUÃ, ANGÉLICA, FÊNIX, GAZÂNIA, GOIABA, GUIGÓ, JACA, MAGUARI, MUÇURANA-PAMPEANA, PAPA-VENTO, SANGRA-D'ÁGUA, TRUTA, TUBARÃO

G	E	Z	J	B	Y	F	V	P	C	O	A	P	U	Z	X	D
O	F	H	M	W	X	Z	Q	X	C	T	N	K	C	M	P	A
C	U	R	U	B	A	O	B	M	A	Q	A	Q	N	E	J	Z
C	R	X	H	W	C	L	X	L	B	L	M	Q	M	O	B	U
Z	O	G	X	V	A	L	R	I	M	H	B	P	M	H	Y	L
D	P	C	U	X	J	E	B	W	U	J	É	I	L	I	E	Ã
F	C	I	L	A	U	R	W	E	Q	F	F	N	Y	K	A	O
B	I	C	R	G	T	N	K	I	B	Y	U	U	Y	E	P	G
V	P	W	Z	A	F	I	W	R	A	Q	S	S	B	U	S	W
A	I	K	E	G	N	A	Z	F	S	D	C	G	A	Q	J	P
W	K	G	S	I	R	H	E	J	P	A	O	S	J	E	Z	S
J	N	O	C	M	T	N	A	G	P	E	I	B	G	T	F	Y
Q	C	E	I	Q	H	K	A	N	I	Y	R	U	N	B	X	C
B	Q	K	L	K	Q	V	F	L	Z	M	P	C	S	A	A	X
L	K	H	A	D	L	G	D	M	P	I	A	F	A	D	H	W
Y	Z	B	S	U	G	J	X	A	I	D	U	F	P	D	F	N
U	L	R	U	J	T	S	D	N	M	O	J	Z	T	B	G	L
U	P	C	Q	D	G	F	G	J	R	R	A	G	W	A	M	X
H	G	B	X	Q	T	G	B	U	Z	U	N	E	X	B	Q	N
L	J	R	Z	H	K	D	D	B	X	O	G	G	H	A	C	F
C	X	W	F	E	Z	I	C	A	C	G	A	M	Z	Ç	Q	E
U	Z	H	C	N	R	O	I	V	G	R	D	D	J	U	J	W
W	Y	B	A	A	C	P	W	J	Y	F	A	U	W	H	A	D
H	T	Q	U	N	E	Q	Y	J	U	C	A	Q	V	T	W	U
M	F	A	Z	I	Y	H	L	U	P	R	V	D	O	E	G	A
S	T	A	G	E	T	E	S	A	N	Ã	O	J	I	C	M	S

ANAMBÉ-FUSCO, AZULÃO, BABAÇU, CAJU, CURUBA, ESCILA, PAU-JANGADA, PERCA, PINUS, PIRANHA, TAGETES-ANÃO, TAUARI-DURO, ZOLLERNIA

M	O	F	V	A	T	M	X	I	E	F	D	T	S	I	E	N
M	C	C	F	Q	H	G	N	U	U	N	Y	P	H	P	J	C
W	Z	K	B	A	C	O	R	Á	N	M	B	U	S	F	D	T
J	F	B	Z	R	Z	D	S	J	T	P	B	N	W	X	O	A
L	W	M	G	C	X	E	Q	L	L	U	Q	H	B	R	C	D
E	S	K	W	A	K	C	U	W	E	T	J	Y	N	O	F	T
M	T	B	I	S	O	C	G	U	A	I	M	B	Ê	S	X	K
Z	Q	E	F	J	D	A	U	G	X	Q	G	U	P	Á	C	J
A	C	A	A	S	J	R	J	N	F	C	X	P	E	R	A	M
Q	O	X	K	Y	P	C	U	Y	C	O	B	V	G	I	B	Q
U	B	Z	K	U	Q	A	U	K	P	N	F	H	H	O	Z	O
S	T	I	G	G	S	R	G	Q	M	T	F	W	Y	I	N	D
L	A	T	K	V	A	Á	I	Z	T	J	C	N	V	A	R	V
T	E	R	J	M	P	H	W	X	K	T	N	P	G	Q	E	W
C	O	L	E	I	R	I	N	H	O	C	K	É	E	Z	F	K
O	H	K	D	W	R	W	R	I	C	S	R	A	J	X	C	Q
Y	X	S	S	J	E	T	R	G	M	O	A	F	E	O	D	S
B	P	R	I	X	J	Y	R	M	D	L	I	E	T	Q	K	Z
J	T	W	N	I	T	I	L	E	H	O	N	X	H	P	O	E
O	W	O	R	G	S	Y	I	E	B	I	H	W	J	M	D	S
M	E	X	L	T	K	O	G	Á	B	S	Q	V	A	R	C	G
X	E	R	R	H	W	V	Ç	L	O	X	U	G	J	X	O	I
D	X	K	T	Q	B	A	U	B	U	R	I	P	W	Ã	T	R
M	X	S	Q	L	R	B	O	J	K	H	X	Q	L	L	T	I
Z	P	A	N	A	Z	Y	W	W	A	M	K	E	U	A	W	N
Y	P	I	J	L	I	Y	F	J	J	I	M	V	L	J	Y	O

ARAÇÁ-BOI, BACORÁ, BULBINE, BURI, CARCARÁ, COLEIRINHO,
GAMO, GIRINO, GUAIMBÊ, MELÃO, ORÉGANO, PERA, ROSÁRIO

010

H	L	Q	T	C	Y	L	W	K	W	U	U	I	E	W	N	U
W	F	K	Y	V	B	A	N	G	R	F	C	B	G	C	Ó	I
V	U	N	J	Z	J	I	V	W	S	W	O	H	Á	C	C	B
O	C	P	X	A	V	B	Y	X	L	Z	B	N	O	A	S	A
D	U	T	J	R	R	M	N	M	V	J	R	M	U	E	Ç	C
N	C	B	A	R	Q	A	D	Q	P	H	A	N	A	X	K	U
J	O	H	B	O	C	C	G	Z	J	J	W	H	S	F	X	R
K	F	O	U	J	W	A	B	I	B	E	O	J	W	G	P	I
I	N	I	T	R	A	B	O	D	E	A	R	A	M	E	U	X
C	M	P	I	M	J	B	A	G	D	K	A	W	L	Q	E	C
G	U	A	X	I	M	A	D	O	M	A	N	G	U	E	D	C

ABIBE, BACURI, COBRA, CUCO, GUAXIMA-DO-MANGUE
JABUTI, MOCÓ, RABO-DE-ARAME, UBÁ-AÇU, ZARRO

011

S	A	G	U	A	R	A	J	I	A	M	A	R	E	L	O	H
F	E	K	D	O	U	M	Y	R	M	K	P	I	D	E	W	M
Q	Y	B	O	C	P	O	C	W	Ê	H	E	H	X	A	C	D
Z	E	U	N	N	W	D	C	L	X	R	L	Z	Q	A	I	K
D	M	H	M	U	X	B	E	N	U	M	G	V	V	R	G	Z
S	T	Z	K	H	W	B	P	A	K	Q	L	U	I	A	A	U
B	L	Z	F	P	A	O	P	O	D	P	H	B	C	N	N	F
H	B	W	I	Z	F	O	C	T	M	O	V	E	L	H	A	E
N	E	G	R	I	N	H	O	P	H	B	Y	L	M	A	Z	R
Y	W	K	C	O	F	C	V	V	O	B	O	Z	R	Q	E	N
N	A	R	C	E	J	A	I	U	T	B	E	Z	E	R	R	O

ARANHA, BEZERRO, CIGANA, NARCEJA, NEGRINHO,
OVELHA, PAU-REI, POMBO, SAGUARAJI-AMARELO, ZABELÊ

012

X	W	K	G	M	A	T	A	F	O	M	E	U	Z	K	A	N
N	C	T	U	K	Y	K	C	S	A	M	F	X	O	I	X	I
F	W	W	V	B	T	A	M	A	C	U	A	R	É	T	P	C
L	B	G	L	G	E	Y	X	A	K	H	X	D	S	J	I	U
I	K	M	H	J	V	H	R	W	K	G	J	X	H	T	N	R
T	W	G	Y	M	M	I	U	J	Q	O	N	O	J	E	T	I
R	I	X	U	T	E	V	L	Z	P	H	A	G	N	L	A	M
B	S	N	F	R	B	L	K	P	S	M	Z	Z	E	Y	D	Q
R	X	H	A	G	H	Y	G	R	F	T	P	A	Y	F	I	F
R	X	M	G	U	J	O	K	Y	R	K	N	I	A	S	N	E
W	A	D	S	B	S	E	P	M	L	A	E	C	T	O	H	A
T	Z	K	F	A	A	N	B	M	D	Z	A	T	S	I	O	E
R	J	I	P	V	B	C	P	F	X	R	Z	O	K	L	Ú	F
U	A	N	I	A	P	C	Q	L	A	R	E	B	M	U	C	X
E	C	L	B	W	L	H	P	R	O	N	I	Z	C	Y	B	V
G	O	V	K	G	K	K	A	D	Q	X	V	Z	W	Y	T	T
T	O	D	Z	G	N	J	O	P	J	F	J	Y	V	A	Z	E
A	I	S	F	N	V	I	T	S	C	N	Q	V	A	Q	P	I
C	O	D	O	R	N	I	Z	Ã	O	W	W	E	T	M	L	Ú
C	V	W	I	L	U	V	V	A	V	I	R	Y	O	M	L	A
E	K	S	J	O	O	C	N	Q	B	L	R	K	C	A	O	Ç
T	I	V	K	J	M	Ú	U	B	Q	A	B	U	O	C	P	U
Y	Z	L	J	N	A	Y	U	N	L	N	X	V	J	U	V	A
M	J	O	H	R	E	Z	I	B	X	K	L	N	W	C	E	R
A	U	W	A	Q	A	S	P	A	R	G	O	X	L	O	J	J
D	D	B	K	V	G	S	F	P	J	K	M	F	S	C	E	P

ASPARGO, BARAÚNA, CODORNIZÃO, CUCO, JARARACA,
MATA-FOME, NICURI, OLIVA, PINTADINHO, PITIÚ, TAMACUARÉ,
TAMAREIRA, TEIÚ-AÇU

P	M	W	I	G	W	T	O	G	U	R	I	R	I	R	B	S
I	F	B	M	B	U	Ã	N	U	Z	R	H	P	V	Q	Q	I
N	W	T	C	F	C	A	N	M	B	C	E	G	K	S	Y	H
H	A	K	G	I	F	G	I	Z	L	E	Q	Z	B	U	K	G
E	B	R	P	C	L	N	H	Ç	F	Z	C	M	U	M	A	E
I	H	M	R	L	N	F	W	J	A	B	I	O	D	I	R	T
R	Q	J	A	U	R	U	U	X	L	R	G	K	A	Y	A	A
O	V	I	J	U	D	W	Q	V	D	G	A	B	P	Ç	C	R
B	E	R	A	X	B	A	Y	G	Z	C	M	M	I	W	O	U
R	Z	N	R	Q	P	P	X	C	K	A	U	R	K	A	R	M
A	H	V	K	X	C	J	C	U	M	F	R	T	X	L	U	Ã
V	N	G	I	O	V	I	E	A	B	A	S	L	I	M	J	B
O	C	F	Z	L	A	F	S	Q	C	R	H	P	S	E	I	R
Y	B	H	H	T	D	O	E	H	T	U	I	M	T	I	N	A
L	Z	F	M	X	G	B	H	C	F	W	Q	I	J	R	H	N
Z	S	A	Z	R	D	B	D	E	S	N	G	O	P	Ã	A	C
B	G	R	A	L	H	A	G	M	M	E	Z	P	K	O	R	O
D	T	P	K	W	D	Q	U	A	S	V	B	E	U	R	E	N
L	S	V	H	E	C	N	Y	I	B	D	E	U	U	O	L	H
A	H	Q	G	G	E	M	O	K	D	L	T	S	O	X	Ó	Y
C	D	T	S	E	Z	K	F	M	D	Q	N	S	X	O	G	J
D	Q	E	A	L	P	A	C	A	K	F	G	F	Z	E	I	B
S	R	K	I	O	D	D	E	M	K	S	Y	A	H	A	O	U
M	H	L	Q	E	A	D	V	L	N	N	L	L	Z	Q	W	N
J	G	C	F	N	D	G	W	E	G	O	V	W	G	Y	G	U
U	C	L	T	L	P	L	G	Q	F	N	B	L	P	J	G	S

ALMEIRÃO-ROXO, ALPACA, ARRUDA, ASPARGO-SAMAMBAIA, CARRIÇA, CORUJINHA-RELÓGIO, GRALHA, GUAIÇARA, GURIRI, PICÃO, PINHEIRO-BRAVO, TARUMÃ-BRANCO, UGLI

M	K	V	P	D	Y	P	G	A	U	N	F	I	Z	Z	X	V
N	G	Y	E	R	S	W	O	F	Z	L	G	P	V	J	V	B
E	Y	Z	I	A	U	U	F	F	H	I	C	U	P	T	F	E
R	S	V	D	N	W	D	E	U	T	Z	I	A	A	N	Y	R
O	Y	F	Z	O	C	F	G	N	A	L	Z	H	U	X	S	A
M	I	I	L	W	R	R	Z	E	M	V	Z	J	Z	A	E	U
Q	N	F	Y	G	V	Y	O	X	A	D	C	R	E	V	P	W
T	S	F	O	G	Z	H	W	K	R	T	K	N	T	P	H	Q
L	N	X	G	N	Y	O	I	T	I	Á	G	D	P	J	X	S
S	N	Z	T	E	R	J	D	F	L	R	O	R	B	U	D	K
O	H	J	X	R	N	C	Y	N	H	S	C	N	J	Q	K	C
A	E	J	Y	I	K	I	N	O	O	I	E	Y	L	J	I	S
B	Y	N	A	R	J	M	V	H	V	O	W	T	B	Z	N	O
I	H	A	G	J	U	Q	O	N	C	Í	D	I	O	H	A	C
I	M	F	M	U	F	N	A	I	V	X	O	M	Y	U	L	O
M	I	Q	A	A	Z	B	G	Y	A	R	P	H	N	V	F	Í
R	M	A	Q	M	M	Q	A	A	V	Q	C	R	J	B	B	Z
W	J	N	U	S	Q	O	O	Z	J	B	S	E	T	A	D	I
L	Z	T	B	Y	G	U	M	A	U	Z	B	N	L	W	P	G
B	G	Q	M	Q	S	R	I	O	Q	Y	B	O	B	W	J	U
A	J	N	D	K	L	I	V	Y	G	B	T	F	I	Z	M	E
J	O	Y	B	U	A	C	X	R	J	F	L	N	D	F	G	Z
J	N	X	S	P	D	A	Z	X	C	U	K	H	O	D	Á	A
Q	G	A	S	U	O	N	Z	D	G	B	Y	G	O	M	D	G
B	N	O	O	I	S	A	Y	H	W	T	V	R	V	H	A	U
C	V	N	Q	X	Q	K	J	M	A	B	T	S	V	B	X	E

ÁDAX, DEUTZIA, GUAXE, JAPU, KINO, OITI, ONCÍDIO, OURICANA, RUDGEA, SOCOÍ-ZIGUE-ZAGUE, TAMARILHO, TÁRSIO, YAMAMOMO

G	N	Y	Q	X	F	B	E	S	F	R	Y	E	R	B	X	J
F	Y	J	K	I	D	O	X	V	O	C	K	P	T	A	F	U
T	F	M	J	X	N	M	X	M	T	U	G	E	I	T	U	S
W	K	R	O	U	L	B	Q	F	N	G	M	Z	Q	I	C	T
A	S	G	U	P	P	A	U	J	N	R	F	C	S	T	P	Í
J	H	I	T	I	N	W	Q	G	U	G	E	E	H	Ô	W	C
S	N	L	V	Q	A	J	V	A	I	E	B	R	B	S	A	I
G	J	K	Z	O	Y	S	S	O	C	O	H	U	X	S	L	A
S	C	H	O	Y	L	O	F	K	Y	A	Q	W	D	A	L	J
X	S	Y	O	H	L	V	B	X	E	D	T	B	F	J	A	I
C	O	K	B	H	V	Q	P	H	P	B	R	R	U	D	B	R
B	S	U	Z	M	K	M	U	M	X	A	U	I	A	J	Y	L
F	H	Q	Z	K	V	F	P	L	D	W	E	B	X	C	F	D
A	D	R	S	P	I	L	U	H	V	W	R	W	H	Q	A	K
E	Z	O	P	V	X	W	N	C	V	Q	D	W	T	I	V	I
X	B	W	B	I	Z	L	H	S	E	M	Â	N	I	A	Z	Y
D	O	F	F	G	U	G	A	U	H	H	N	I	E	G	C	G
I	K	R	U	I	C	H	I	C	H	Á	F	U	G	S	D	E
K	K	H	W	R	W	N	L	I	D	W	X	M	Z	Z	I	R
S	G	H	R	K	R	Z	K	L	Y	V	K	X	Z	T	D	Â
Q	G	R	K	X	U	M	L	Y	H	Q	H	Z	G	G	R	N
B	N	S	T	T	O	N	G	I	U	R	W	J	R	B	C	I
Q	Q	C	K	Z	O	C	O	T	E	A	I	A	B	A	J	O
L	Y	Q	Y	P	X	E	T	F	V	R	D	C	T	R	K	I
K	G	G	Z	D	X	J	O	B	L	D	W	U	F	U	A	J
S	B	U	I	W	S	P	X	K	Y	T	L	K	R	S	G	P

BARU, BATITÔ, BOMBA, BUGIO, CATRACA, CHICHÁ, GERÂNIO, JACU, JUSTÍCIA, OCOTEA, PUPUNHA, SEMÂNIA, WALLABY

016

O	Q	T	W	X	Z	Y	B	A	R	A	P	A	Ç	U	R	L
E	O	H	I	B	X	L	V	Q	G	R	U	W	Q	R	S	M
S	O	R	T	V	B	W	V	Q	N	G	T	G	V	L	P	K
S	L	D	G	J	Q	R	Z	T	U	V	A	T	I	N	G	A
P	B	W	R	Z	F	C	Y	B	Z	L	W	J	G	N	T	H
A	X	E	U	E	P	U	S	Z	K	C	F	H	P	T	Z	S
K	X	J	R	A	F	V	K	O	T	H	E	M	L	J	R	V
Z	H	V	I	F	Y	O	U	A	K	A	N	L	I	Z	E	U
D	B	V	N	V	O	N	K	R	S	O	K	G	J	H	E	Q
A	K	O	I	I	Z	Y	H	O	A	C	V	D	G	T	X	C
V	T	B	Q	G	F	S	G	E	C	U	Y	W	R	G	T	O
V	I	G	U	A	X	I	N	I	M	I	F	E	U	M	D	R
E	I	I	I	Y	Z	X	K	R	F	H	J	L	M	R	X	A
H	X	J	M	W	P	G	W	A	P	T	X	A	I	B	Y	L
T	L	T	A	P	I	R	U	D	X	K	O	G	X	X	B	Z
R	T	N	A	E	D	R	S	O	U	Z	W	L	A	L	N	I
A	M	E	T	I	S	T	A	B	J	K	L	L	M	G	M	N
H	G	M	L	W	R	F	Q	R	D	Z	U	S	A	R	W	H
U	V	Z	M	Y	O	V	I	E	N	Y	W	V	Q	A	O	A
Q	M	R	F	B	C	Í	N	J	F	H	M	K	H	N	B	X
M	T	S	Q	E	A	U	B	O	K	C	V	N	S	A	M	Z
I	S	J	A	T	A	N	Z	T	M	Y	V	X	K	D	W	Q
V	R	B	U	G	G	A	H	D	Y	V	A	E	G	I	B	Q
Q	Z	R	S	T	A	J	M	D	O	K	H	I	L	L	G	L
T	U	I	M	S	A	N	T	O	O	G	J	P	A	H	L	R
L	Z	W	F	K	S	R	W	U	Z	G	V	C	B	O	Z	O

AMETISTA, ARAPAÇU, AROEIRA-DO-BREJO, CORALZINHA, DUKU, GRANADILHO, GRUMIXAMA, GUAXINIM, NIQUIM, TAPIR, TUIM-SANTO, URUTAÍ, UVATINGA

G	U	X	J	L	Y	G	B	D	P	E	X	D	Z	D	R	H
A	X	R	P	U	U	O	J	D	M	Y	K	Y	Y	H	R	S
V	J	F	P	S	U	E	U	W	H	I	A	V	W	Z	W	O
I	E	U	L	F	Y	P	C	T	I	M	R	M	J	R	Y	L
Ã	W	W	G	J	A	R	A	R	A	C	A	R	V	A	M	H
O	W	W	J	S	H	Z	G	A	E	H	V	G	Y	W	J	O
B	T	R	T	M	J	X	P	A	X	I	H	I	K	W	P	D
E	C	G	K	E	A	S	U	F	E	M	W	G	S	T	S	E
L	V	I	H	I	Q	A	F	S	Z	A	Z	N	W	L	J	P
O	L	M	D	N	Z	C	V	T	Z	N	D	S	N	T	L	A
U	N	A	O	V	R	A	D	Z	C	G	O	O	Z	L	R	V
F	R	R	E	W	B	S	L	Q	U	O	P	X	T	H	I	Ã
U	K	I	B	K	W	C	B	V	V	O	M	U	J	X	R	O
M	H	A	T	T	V	A	Y	X	E	P	D	J	S	F	H	J
O	D	M	S	N	H	D	F	L	C	R	N	Q	D	A	S	F
B	P	O	J	H	A	A	R	O	T	E	B	O	F	N	P	F
R	C	L	Y	X	X	N	Q	I	B	G	F	P	T	S	F	O
A	O	E	A	X	Q	T	G	A	Z	U	L	O	N	A	G	X
V	G	M	D	M	I	A	V	I	O	I	X	L	D	X	E	Q
O	B	G	Y	V	R	O	U	U	C	Ç	H	N	J	I	R	J
I	P	D	B	T	X	M	Y	X	F	O	C	W	I	R	W	P
N	F	A	N	F	C	U	V	V	W	S	R	C	M	O	D	W
B	G	F	E	P	J	S	K	S	R	A	C	O	W	S	A	W
A	O	W	W	X	I	N	U	P	Q	A	K	X	X	A	H	J
M	G	Y	C	V	K	Q	W	C	F	H	J	W	O	O	E	N
B	B	J	L	D	W	P	L	A	P	V	I	N	G	K	V	F

ANGICO ROXO, AZULONA, CASCA-D'ANTA, CHIMANGO, FUMO BRAVO, GAVIÃO-BELO, JARARACA, LEOPON, MARIA-MOLE, OLHO DE PAVÃO, PREGUIÇOSA, ROSA, SAPO

F	X	N	G	U	V	H	N	Y	S	M	K	D	Z	Y	W	K
I	H	C	O	U	N	P	Q	S	G	V	G	Y	L	B	P	J
S	A	U	Á	G	U	T	S	C	O	T	R	H	Z	T	Q	D
X	L	Q	B	C	M	J	A	Y	N	O	C	J	G	Q	O	A
C	S	D	U	R	O	R	D	Z	G	J	R	I	I	B	F	Z
Y	U	S	U	P	I	G	E	X	Y	S	O	P	N	D	B	M
Y	I	R	Z	E	F	O	O	N	H	K	G	I	J	V	A	S
I	I	R	U	Z	C	Q	Z	E	C	W	C	A	P	I	D	O
R	G	G	A	Q	U	Y	N	S	T	K	C	U	V	K	R	N
C	I	U	M	T	X	F	H	W	L	E	E	D	G	M	F	S
F	C	D	O	P	I	L	A	Q	U	T	T	E	K	I	A	L
I	Q	J	U	L	A	M	K	I	G	D	B	C	I	U	F	E
H	L	A	M	S	X	V	A	H	R	I	Y	O	J	J	D	J
L	E	V	W	O	T	I	B	L	E	V	L	S	F	O	S	U
M	I	R	M	X	G	K	Q	L	U	R	Y	T	C	E	N	H
B	T	R	W	I	W	P	P	N	T	T	N	A	H	Y	M	A
K	E	L	M	H	B	A	P	P	J	A	V	S	I	Z	E	U
R	I	Y	Q	V	K	Z	B	F	Q	Ú	B	C	R	A	V	O
V	R	F	A	H	F	P	V	W	I	I	Z	L	I	Q	Ô	A
Y	O	X	I	E	S	B	S	V	C	J	J	A	T	Q	N	O
A	S	D	N	O	M	H	R	L	B	D	B	R	O	L	I	T
M	D	C	X	K	E	V	W	H	J	I	M	A	R	E	M	S
C	N	R	C	W	W	Y	M	M	X	Z	E	S	P	K	O	J
H	K	Z	Z	J	W	E	T	G	P	Y	I	R	C	P	Z	K
D	W	R	D	O	J	Ô	Y	D	K	L	J	T	T	N	D	K
I	I	D	F	W	R	C	S	U	R	F	X	L	R	E	L	A

CHIRITO, CRAVO, DOJÔ, EVÔNIMO, FIGUEIRA, GOETE, IRATIM, KUDU, LEITEIRO, PIAU-DE-COSTAS-CLARAS, RELA, SAUÁ, VIÚVA

J	D	J	J	L	Y	N	Q	F	X	R	V	F	X	L	X	N
U	E	C	C	Y	A	F	X	V	D	F	J	Q	P	M	A	K
J	R	Z	O	M	W	S	G	K	E	I	Y	R	I	A	R	E
I	O	S	L	Z	S	I	C	B	B	Y	W	F	E	Ç	B	V
T	F	A	O	Q	S	N	G	Q	O	L	Y	V	G	Ã	U	B
Z	P	U	H	C	G	I	K	N	R	B	S	D	X	W	S	V
A	A	H	A	A	T	N	M	T	V	B	W	M	B	X	T	B
T	E	B	A	U	M	H	W	F	I	I	N	J	U	K	O	T
D	X	O	G	Z	X	O	U	F	F	Ê	E	W	E	B	B	W
G	U	Q	T	P	A	H	V	V	Z	F	G	F	F	R	O	E
G	C	Q	V	G	R	K	T	P	B	A	I	A	J	L	R	Q
N	B	P	I	D	Á	W	H	M	Y	C	T	Q	L	B	B	E
N	D	B	I	R	U	U	H	T	X	Z	L	S	Q	O	O	G
L	L	O	H	D	Y	L	A	G	S	S	G	M	Y	M	L	P
I	C	C	V	R	M	K	E	H	A	H	A	R	K	T	E	P
B	N	Y	T	S	K	N	C	O	X	V	J	C	M	Z	T	F
R	N	Y	N	K	I	U	G	I	B	I	R	A	Ú	N	A	S
R	L	H	A	G	F	E	K	F	W	H	P	Y	G	F	Q	Q
E	N	F	B	X	J	X	E	Ã	U	Y	R	V	G	G	L	N
P	C	J	L	Y	U	D	T	E	E	R	S	C	Y	I	N	Q
I	W	P	W	N	R	N	E	N	E	S	V	D	P	O	P	L
B	C	N	J	H	A	S	H	B	W	E	K	F	W	Z	I	B
W	X	T	U	R	W	T	N	G	R	I	C	I	A	Z	X	T
S	N	T	A	P	H	A	D	R	T	U	N	G	U	E	O	J
R	A	U	K	T	R	O	K	H	N	K	Q	V	J	Y	X	I
B	G	Q	F	C	S	C	D	Z	P	N	G	C	P	A	Ó	M

ARBUSTO-BORBOLETA, BIRU, CRANBERRY, GUARANTÃ, IBIRAÚNA, MAÇÃ, PALMA, PIXOXÓ, SININHO, TIÊ-GALO, TUNGUE, URSO, XARÁ

R	X	L	H	X	M	Z	T	J	S	U	Y	G	S	V	G	J
S	W	X	R	B	C	R	C	M	K	Z	P	A	Y	L	K	V
F	I	I	W	E	B	K	K	J	H	R	D	R	A	G	J	M
V	O	P	I	X	Z	M	F	G	R	Y	G	A	U	L	O	G
F	T	X	Ê	D	B	V	B	I	X	W	E	C	M	I	C	R
T	C	U	M	U	A	H	J	E	G	H	F	U	Q	R	H	L
W	A	M	E	U	N	T	M	D	Q	O	U	Ã	Q	W	M	F
S	S	B	L	O	G	A	W	D	Z	U	M	P	U	O	I	W
A	F	U	Z	X	I	L	Z	E	K	O	J	E	A	E	N	R
E	N	C	J	R	C	Y	Y	X	I	V	W	Q	H	M	G	M
V	R	A	M	T	O	S	R	C	Y	E	H	U	G	B	A	H
F	J	J	A	Z	V	H	C	A	T	R	W	E	G	Q	R	V
W	P	Á	N	T	E	Q	A	D	O	S	Z	N	L	I	A	P
X	V	C	G	N	R	J	F	N	T	H	O	O	C	Y	N	C
G	Y	S	A	K	M	E	P	E	S	V	A	C	R	U	A	C
C	X	P	B	D	E	U	H	K	V	D	H	L	Ç	A	V	A
P	O	I	R	C	L	I	S	Q	I	N	C	A	U	D	R	J
S	F	N	A	U	H	L	G	Q	W	G	R	W	M	B	M	A
K	E	H	V	U	O	W	F	C	W	I	F	I	O	D	J	B
W	G	Ã	A	K	P	Y	Q	D	U	L	R	C	K	M	W	U
J	V	O	I	U	P	U	A	Y	É	G	U	A	K	A	I	T
B	T	B	U	E	Q	O	F	A	Z	L	P	J	J	R	U	I
G	T	R	Z	T	Z	D	P	M	T	T	E	U	W	A	J	B
F	O	A	W	Q	F	K	K	W	G	Z	J	N	F	N	W	O
A	D	V	E	X	Q	L	C	Y	E	A	D	T	K	G	Y	I
X	W	O	I	U	A	Q	A	J	Q	C	W	E	C	W	K	A

ANGICO-VERMELHO, ARACUÃ-PEQUENO, COBRA, ÉGUA, FIGO, INGARANA, IPÊ-UNA, JABUTIBOIA, MANGA-BRAVA, MARANG, PINHÃO-BRAVO, UIRAÇU, UMBU-CAJÁ

021

O	G	G	C	Q	G	O	S	X	E	A	J	W	P	P	F	J
H	T	V	V	V	B	P	S	R	A	A	V	G	K	V	S	I
Q	C	Ó	R	I	X	P	W	Z	F	Y	Q	P	G	C	Q	A
N	S	C	C	P	X	R	C	P	U	N	M	A	N	H	R	D
Q	C	R	C	I	P	M	G	U	I	T	Y	A	G	E	M	M
X	Z	E	R	Á	O	U	T	M	T	Y	S	G	T	R	U	K
N	H	L	R	K	P	N	W	O	J	A	N	N	S	N	L	A
B	V	A	O	N	Q	T	J	R	G	J	A	O	W	E	N	N
H	U	S	Q	U	V	S	M	S	Z	P	O	T	L	E	H	H
G	A	L	O	Z	Z	G	O	A	X	N	R	O	R	L	N	I
H	Y	V	T	I	P	A	K	B	B	W	J	E	O	J	R	N

CHERNE, GALO, GUARÁ, MORSA, ÓRIX, OSGA,
OTÓCION, PANTERA, RELA, RENA

022

I	Y	T	Q	J	A	B	I	R	U	K	Z	P	W	T	E	N
V	V	A	N	X	M	E	Z	H	Y	X	R	H	T	D	D	K
A	G	I	Ú	T	G	W	P	N	X	D	U	E	O	Z	N	R
Í	Q	C	T	B	V	D	Y	C	S	Q	D	B	M	K	H	I
B	C	J	R	I	I	H	K	T	K	E	G	V	H	Z	G	L
B	J	G	I	P	N	Z	J	O	X	Y	B	F	S	L	O	L
S	U	I	A	R	P	G	Z	A	A	V	O	T	R	U	T	A
H	Q	Z	K	P	Z	D	A	R	Q	Z	F	C	D	M	I	U
L	T	Q	P	D	Z	L	O	J	F	F	S	P	G	L	M	T
L	Y	F	M	A	R	T	A	J	Y	P	A	I	R	E	R	Ê
V	I	K	I	W	P	V	W	J	K	T	R	A	C	A	J	Á

BODE, IRERÊ, IVAÍ, IVITINGA, JABIRU, KRILL,
MARTA, NÚTRIA, TRACAJÁ, TRUTA

023

T	R	X	K	M	R	T	B	A	F	U	S	A	K	U	Y	M
H	C	M	O	H	H	N	T	I	D	X	K	A	W	S	N	M
E	L	B	D	Q	A	W	G	P	O	T	F	S	Z	B	X	B
V	G	P	J	M	H	F	Y	I	F	F	C	Á	U	S	W	I
L	H	W	Z	A	M	V	W	H	R	R	O	W	C	N	M	A
S	O	R	L	E	O	S	L	D	O	D	N	I	L	A	I	U
N	T	G	Z	J	Z	J	D	G	N	G	O	V	Z	Q	R	M
P	P	M	Q	N	P	V	N	Y	F	G	E	I	R	N	P	O
L	Q	I	T	R	G	A	U	M	F	E	A	C	J	T	R	C
S	P	J	S	K	L	T	S	H	N	Y	C	R	K	R	K	I
Q	N	P	L	A	T	G	P	F	A	O	A	C	W	C	H	T
S	C	G	C	C	M	Y	G	Q	G	B	T	H	U	A	G	C
L	Q	F	N	P	Q	I	D	L	A	Y	A	J	E	G	U	E
O	Z	M	F	O	N	U	S	B	L	T	I	W	L	Ã	T	A
P	O	B	B	R	K	U	Q	O	Z	X	A	E	M	E	D	C
P	I	U	E	U	O	S	B	I	I	M	T	O	K	I	V	A
V	X	E	E	S	T	C	L	R	X	R	R	G	X	W	I	R
B	N	S	J	K	T	R	C	K	M	U	U	C	N	Y	B	Á
V	E	O	G	Y	Y	A	Z	I	O	P	A	B	R	I	C	Ó
U	P	N	H	V	N	Q	M	L	W	K	V	X	F	J	E	H
K	J	L	C	C	U	O	G	E	D	K	N	R	Z	W	C	O
D	F	A	X	A	T	Z	R	C	P	Y	C	E	Q	G	B	H
J	X	T	U	T	N	H	A	N	D	I	Á	X	I	Y	Ó	A
J	F	I	N	U	Í	B	A	Z	Y	W	K	U	H	N	T	I
C	K	D	X	K	C	T	I	B	Q	R	V	W	M	Z	I	D
I	X	S	E	Á	X	S	U	U	G	V	W	Z	W	O	A	E

ABRICÓ, ACARÁ, ÁCARO, BÓTIA, CALANGO, CATAIA, ESTAME, INUÍBA, JEGUE, LOURO, NHANDIÁ, ROMÃ, XIXÁ

P	R	E	C	G	Y	T	H	X	Z	T	U	X	X	K	Z	Z
Y	G	P	V	J	E	U	D	H	J	B	P	Z	L	U	A	V
Z	D	M	C	U	D	I	M	M	C	A	Q	A	P	C	F	O
Y	F	B	I	W	V	M	A	R	S	T	V	C	S	B	M	G
E	O	M	T	E	E	B	X	O	M	G	V	A	G	K	T	W
K	S	F	A	R	A	B	P	E	A	N	J	R	L	G	J	D
Q	Q	A	B	U	U	V	W	A	R	R	W	Y	G	I	W	W
I	U	U	T	Y	M	W	C	V	I	N	S	Y	M	M	K	O
C	N	A	S	A	Y	G	N	G	R	K	L	K	O	O	T	Q
U	C	W	G	O	N	N	S	C	O	R	H	V	N	O	I	B
S	S	A	U	R	Á	G	I	K	S	B	A	E	B	F	Q	O
I	K	S	J	I	C	P	A	O	A	R	P	R	R	Z	Z	Q
Y	V	G	D	Y	Q	J	K	R	A	L	L	Ô	T	A	S	K
P	H	R	V	P	W	W	G	B	Á	D	S	N	A	J	Y	Z
E	K	S	L	C	Z	R	M	H	G	O	S	I	H	G	L	S
J	E	K	R	M	K	U	T	F	M	A	V	C	O	O	Y	E
J	J	M	K	G	D	D	L	X	P	J	V	A	Ã	X	T	U
M	J	M	X	U	N	H	M	O	F	N	N	I	W	Y	C	B
L	B	C	E	R	C	C	Q	I	R	S	P	V	Y	U	U	F
G	Y	Z	D	Z	O	S	Z	G	B	U	U	X	Q	S	R	E
Y	Z	Z	X	L	Q	E	Q	S	R	G	E	J	Z	M	U	I
C	F	J	I	L	X	C	T	R	Y	C	Q	X	S	Q	N	I
M	L	R	X	H	Y	S	O	M	E	Z	S	M	A	V	D	T
W	B	F	V	C	M	C	B	P	D	U	K	I	C	A	I	K
A	T	V	O	N	V	Q	Q	M	M	E	N	J	O	P	U	Y
S	N	T	M	R	V	K	L	F	T	G	U	W	B	O	C	R

BOTO, CATUABA, CORRUPIÃO, CURUNDIU, HERA, IAQUE, JAVALI, MARIROSA, SAURÁ, TANGARÁ, TUIM, UDUMBARA, VERÔNICA

025

D	S	A	O	H	N	V	S	H	I	N	A	M	M	M	U	I
G	M	D	P	A	R	O	B	C	B	X	F	O	A	R	F	C
R	Í	B	E	X	Z	D	W	Q	I	H	H	Q	U	U	W	U
S	Z	U	G	G	Y	T	F	J	B	D	E	J	X	J	I	R
X	J	E	R	I	V	Á	L	T	O	Y	A	W	T	K	P	U
J	H	D	L	F	B	K	N	B	C	Q	Z	T	J	Y	T	T
L	L	Y	Y	O	F	D	G	S	A	W	Z	C	P	L	N	I
V	E	C	A	U	I	P	S	H	J	J	J	N	I	H	K	É
Q	U	J	T	Q	I	W	C	P	E	J	V	B	S	J	G	A
H	D	I	S	D	D	G	D	W	Y	E	W	R	N	C	K	G
X	J	S	Z	J	X	D	W	G	O	O	C	G	A	P	C	S
N	K	W	M	R	J	B	R	L	Q	Q	A	B	E	I	A	Z
E	C	Y	Q	Z	V	I	R	A	T	O	S	D	H	R	A	B
G	W	I	X	E	G	Y	C	R	I	F	B	W	E	X	B	G
A	Q	A	V	V	Y	L	W	D	Q	T	X	Z	A	I	X	O
M	H	A	B	Q	O	B	B	R	T	I	C	E	F	P	L	M
I	Y	A	L	E	N	K	O	F	I	D	W	E	C	B	L	T
O	P	Z	L	J	X	N	Y	E	P	E	V	P	S	M	E	G
V	S	K	Q	R	Z	R	X	K	U	Q	T	Ã	N	U	M	G
A	Z	V	C	O	F	N	M	S	I	N	M	M	L	R	U	D
U	A	O	C	Q	B	I	D	R	M	U	I	H	P	S	L	R
L	U	T	O	I	P	R	J	N	R	T	V	J	M	M	A	F
B	H	P	P	U	F	V	Q	A	S	K	A	D	Q	X	B	Z
W	G	P	C	P	F	J	T	H	T	D	Í	V	J	X	P	O
W	V	S	I	T	O	G	E	N	W	J	Z	E	I	T	F	M
S	A	R	G	E	N	T	O	P	B	D	Z	G	G	Y	Y	Z

AJURU, CUPIM, CURUTIÉ, GAMIOVA, GERBO, ÍBEX, IBIBOCA, IVAÍ, JERIVÁ, RAIA, RATO, SARGENTO, TARUMÃ

D	T	P	A	O	F	Z	U	J	G	A	O	P	G	F	O	W
Y	X	R	T	B	T	Y	T	G	R	W	A	U	Z	F	C	A
N	Q	J	D	T	T	W	Q	E	S	Z	K	W	F	T	R	B
B	A	K	D	N	B	V	T	S	Y	B	O	O	O	H	O	R
V	J	A	Z	R	W	N	Z	B	A	Z	X	I	P	X	C	I
Z	F	Z	J	B	A	I	W	C	K	I	F	P	E	Q	O	B
L	I	J	S	D	D	G	U	E	R	S	L	S	R	I	D	A
S	V	L	I	U	W	I	Q	I	R	Q	V	O	R	J	I	I
V	L	C	B	G	L	B	R	Q	K	V	D	C	A	A	L	D
T	A	A	Y	Y	J	I	N	U	M	N	V	Ó	W	P	O	C
T	V	U	O	I	P	Y	J	A	J	W	W	Y	B	A	U	K
O	Z	A	A	A	H	W	I	Y	L	E	Q	Y	Y	R	Y	Í
Y	K	B	T	C	A	S	B	A	Z	V	O	H	I	A	O	N
U	D	P	F	A	T	M	A	R	R	E	C	Ã	O	N	I	Z
Q	J	D	W	L	M	K	F	U	I	X	Z	D	U	D	W	G
O	A	R	D	H	D	O	L	W	X	Z	T	X	U	U	G	I
K	C	I	G	D	F	T	O	K	Y	B	Z	D	U	B	O	K
V	Z	Y	C	G	Z	Q	R	S	W	V	Y	L	I	A	B	C
O	K	S	G	F	K	F	D	L	N	Q	K	H	H	F	K	G
X	J	A	M	E	L	Ã	O	Q	Q	D	S	U	T	G	R	D
F	W	R	B	A	W	M	C	O	U	G	L	H	B	M	I	Q
V	D	Q	Q	Z	A	S	A	A	W	T	Ó	C	N	A	L	T
G	Y	R	F	Y	P	Q	C	P	T	S	M	Q	V	J	L	S
L	K	R	J	F	M	K	T	A	U	A	G	Q	D	G	X	V
G	U	A	R	I	T	Á	O	R	R	K	Q	L	T	H	E	T
T	M	M	B	M	T	K	K	W	F	E	X	K	S	D	H	P

ACIDANTERA, APUÍ, BRIBA, CROCODILO, FLOR DO CACTO, GUARITÁ, JAMELÃO, JAPARANDUBA, KRILL, MARRECÃO, ÓCNA, SOCÓ, TAPIRIRI

027

Q	C	A	R	R	A	S	C	O	A	B	D	W	O	J	X	O
V	Q	U	F	J	V	M	V	R	N	E	L	B	Q	J	V	Z
N	H	L	N	G	R	U	A	G	U	A	N	O	V	W	C	P
F	U	L	X	D	C	Ç	H	U	L	T	K	L	K	T	U	M
U	N	X	F	G	I	U	J	Z	I	Y	C	W	Q	Y	K	I
P	G	I	C	A	Q	R	C	F	Y	I	R	K	J	E	E	G
J	N	P	C	M	D	A	T	A	X	I	A	V	Y	M	H	X
L	U	H	J	O	G	N	H	O	Z	D	V	O	W	A	K	C
O	I	C	H	R	S	A	H	K	H	C	I	R	I	Ç	Y	P
V	S	M	Y	A	O	P	M	J	N	R	N	C	C	A	S	T
P	A	A	Z	V	Z	A	O	D	B	W	A	Y	Z	R	N	D
A	Z	U	A	E	M	R	B	X	D	Z	G	Z	Q	I	X	R
U	C	V	V	R	W	D	U	S	G	N	I	V	Z	C	P	X
M	M	L	S	D	I	A	B	W	F	A	X	N	Z	O	M	P
X	H	G	R	E	U	J	W	T	V	I	V	C	I	D	R	A
R	Q	T	Q	B	O	Z	E	C	A	Ç	A	R	I	E	Q	F
V	X	F	I	N	C	S	V	V	F	L	I	C	K	B	L	W
X	M	J	N	J	H	Z	G	B	U	G	D	K	R	I	R	W
T	I	J	O	L	N	W	F	A	F	N	N	X	U	C	O	A
T	K	J	B	D	W	N	W	U	O	P	R	J	Q	O	V	M
L	Z	O	C	Z	M	P	Á	B	E	X	D	O	G	V	C	U
Z	X	I	A	R	W	C	O	S	L	D	V	O	B	I	C	V
Í	F	T	X	U	A	Z	E	T	I	O	T	O	H	R	F	X
N	F	S	O	R	T	M	U	Z	J	T	X	C	J	A	V	G
I	M	B	A	Ú	B	A	Y	I	Y	U	U	G	Y	D	S	G
A	E	J	V	A	X	Q	G	D	I	V	O	C	A	O	V	K

AGUANO, AMORA-VERDE, CAÇARI, CAIÇARA, CARRASCO, CIDRA, CRAVINA, IMBAÚBA, JARACÁ, MAÇARICO-DE-BICO-VIRADO, MUÇURANA-PARDA, TIJIBU, ZÍNIA

028

L	O	U	J	O	T	G	I	Ç	A	R	A	N	X	K	P	B
T	E	G	A	O	X	A	I	B	S	S	A	I	O	M	N	E
R	S	B	S	I	I	R	Z	B	P	G	X	B	X	Y	Z	U
Z	P	Q	B	P	W	Ç	W	T	A	J	Y	U	R	N	S	W
H	P	V	D	C	D	A	V	A	K	T	O	T	B	H	O	Y
H	B	B	O	R	U	R	L	T	A	N	Ã	A	T	U	L	M
N	H	M	X	E	A	E	N	A	J	J	U	O	S	U	R	X
A	R	E	Q	N	H	A	C	P	N	L	X	B	U	E	L	S
X	B	E	E	M	A	L	W	V	H	I	K	I	J	O	E	D
O	P	R	D	Y	G	X	S	F	R	Y	D	L	N	A	K	S
F	D	I	E	F	N	I	J	Q	T	X	Ú	I	Q	G	M	D
G	F	C	Q	A	Q	O	W	G	H	I	I	H	L	L	W	R
M	W	X	J	T	S	Y	W	C	T	X	G	Q	C	Ê	R	C
S	Z	S	C	T	B	A	X	E	I	D	K	R	Z	M	C	R
C	U	E	H	D	S	E	P	X	Z	O	S	G	C	U	V	W
K	L	R	S	J	R	A	T	H	C	I	K	C	J	R	N	O
D	N	I	Z	F	R	N	V	Q	U	O	D	F	I	E	P	F
Q	L	E	W	A	L	N	H	V	G	O	R	J	D	S	Z	O
D	Q	M	R	R	S	T	I	O	A	H	H	N	F	J	Q	C
P	F	A	Y	U	Q	Y	F	I	P	A	S	L	O	T	X	Y
Q	M	G	S	A	K	W	L	J	N	E	V	E	N	S	S	N
E	I	O	C	T	H	K	O	I	D	T	D	S	E	U	Z	O
D	O	S	Q	Y	A	V	D	A	L	C	A	L	C	E	P	V
C	F	R	N	A	S	N	T	N	J	R	I	M	W	I	X	U
L	F	E	K	T	A	D	G	C	R	Y	P	Z	A	H	U	H
J	C	Q	V	N	T	G	V	O	N	T	M	I	D	E	T	G

ABRE-ASA, AIPO, ALCE, ARARA-PETIÚ, CORNOS, GARÇA-REAL, GIBATÃO, IÇARA, LÊMURE, NANDINA, RENA, SERIEMA, TANGO

029

I	E	I	J	X	G	D	L	T	R	C	I	H	B	A	N	R
Y	J	X	U	Z	P	A	L	V	Y	P	D	D	O	S	P	B
U	T	X	T	A	R	B	Y	C	Í	I	N	Z	F	L	L	T
Z	G	P	E	O	N	B	G	U	Z	D	F	X	N	L	T	H
E	S	H	C	U	J	A	Z	B	L	F	C	W	C	H	N	B
Z	I	J	A	F	S	M	X	E	A	S	J	E	G	F	X	A
P	G	W	P	U	F	Y	Z	A	M	Z	R	L	K	S	M	T
M	J	F	W	K	I	S	O	K	X	S	R	S	A	U	I	M
A	M	G	B	K	V	L	Q	Y	B	S	Q	B	P	E	Q	V
R	P	G	D	K	F	T	Y	U	C	N	P	A	D	N	Y	E
M	L	G	W	A	Y	S	I	A	K	F	L	H	Y	L	F	O
E	K	V	E	L	E	I	T	E	I	R	O	E	M	P	N	U
L	Z	Z	E	U	A	C	C	A	B	E	L	E	I	R	A	P
A	N	V	G	L	W	O	R	M	J	P	E	M	L	K	R	D
D	F	X	E	N	E	X	U	K	T	C	V	Z	V	D	Q	F
A	S	T	F	F	C	A	N	E	B	Q	Q	O	U	U	S	R
Y	H	W	S	L	B	Z	D	P	U	C	L	E	O	M	E	M
L	K	Z	H	E	J	G	P	C	X	Q	M	K	H	A	S	Z
B	R	Q	P	U	G	H	H	Q	X	H	I	O	V	R	T	N
F	W	A	P	W	C	Y	V	E	T	S	H	D	M	O	N	O
A	B	B	N	N	Q	N	G	T	K	W	U	F	S	D	Q	E
X	W	E	X	A	O	A	Q	A	R	N	L	J	Y	Y	V	D
B	B	R	E	C	R	S	X	R	Q	F	M	E	T	A	D	G
W	B	J	X	B	V	H	E	C	R	G	N	B	G	Q	Y	W
V	U	O	É	J	U	B	A	T	U	Í	R	A	X	P	Y	Q
D	Q	Z	U	Q	L	L	L	M	L	M	M	O	S	U	S	E

AGAVE, BAPEBA, BATUÍRA, CABELEIRA, CLEOME, CORAL,
LEITEIRO, MARMELADA, MONO, PUMA, SAUIM, UÍ-PI, XEXÉU

C	K	N	G	Y	M	G	N	M	K	P	Q	E	Z	W	T	D
O	G	Q	W	Z	W	O	L	R	G	R	A	Z	I	N	A	F
W	L	V	V	U	C	X	M	A	F	J	G	A	K	E	M	R
R	F	D	Q	P	Q	U	U	R	M	R	U	S	Y	A	V	N
O	B	K	Z	G	W	N	L	W	F	W	M	K	O	U	T	H
O	K	B	C	T	E	C	P	Y	H	B	F	X	B	C	N	H
Q	A	T	A	D	M	M	G	G	I	P	N	S	R	G	J	G
L	D	A	G	D	Q	I	X	I	L	P	K	A	L	Z	P	A
Q	B	R	U	I	E	R	G	H	S	U	B	D	Q	M	I	R
I	P	T	A	A	Y	M	H	J	I	D	D	M	D	D	M	Ç
O	P	A	Í	M	R	K	R	I	N	J	T	A	Q	P	E	A
X	B	R	I	Q	X	A	R	E	W	G	P	H	X	R	N	R
K	F	U	X	O	G	R	P	J	C	C	I	A	J	D	T	O
D	B	G	X	M	R	Z	D	O	M	A	I	N	M	K	Ã	X
E	U	A	H	L	K	H	R	A	S	W	X	K	W	O	O	A
X	S	P	S	D	G	R	D	M	L	Ã	Y	J	N	P	R	I
A	T	E	A	R	A	L	P	C	U	X	O	G	Y	U	A	A
K	B	Q	J	M	H	D	B	S	J	L	G	U	O	N	N	Q
A	O	U	P	Y	T	O	V	C	A	N	G	A	T	I	E	X
W	J	E	D	Z	M	P	Z	L	C	J	T	P	W	O	N	P
Q	O	N	L	H	A	J	L	I	A	P	D	E	V	Y	Ú	R
X	U	A	P	A	M	B	K	Q	J	N	J	R	F	P	F	J
U	M	R	Z	V	N	E	A	K	U	Z	T	Ô	W	A	A	C
V	K	P	Q	N	C	D	K	C	Í	K	K	A	X	D	R	M
R	P	H	E	W	L	Z	E	I	E	E	G	G	N	L	L	U
B	R	H	K	Z	W	Y	E	N	M	Y	J	W	P	A	U	H

AGUAÍ, AMORA, CAJUÍ, CANGATI, ELANDE, GARÇA-ROXA
GRAZINA, GUAPERÔ, LANTANA, NENÚFAR, PIMENTÃO, RAPOSÃO,
TARTARUGA-PEQUENA

031

E	H	J	B	G	W	J	M	L	R	A	D	A	O	E	F	E
Q	S	U	Z	E	V	P	I	U	M	J	L	E	G	F	D	C
P	M	H	H	C	Y	H	N	Q	K	E	W	E	G	Q	N	M
W	N	Q	S	S	I	Y	I	R	B	I	R	S	J	B	F	I
B	C	O	W	P	R	P	A	U	E	S	T	O	P	A	A	L
O	A	G	D	I	F	S	E	I	R	X	O	D	J	M	S	K
N	J	A	G	R	I	I	W	C	A	F	W	I	P	H	A	I
F	U	I	I	R	W	Y	P	X	X	H	V	X	G	H	R	W
N	D	Z	W	U	O	R	I	W	U	D	N	F	W	B	E	Z
V	A	W	M	U	F	L	S	H	D	M	Q	M	P	W	N	J
S	P	T	L	A	G	A	R	T	O	V	E	R	D	E	G	W
M	R	E	H	T	V	E	L	V	N	A	W	F	R	H	A	M
F	A	X	E	Z	M	C	O	U	V	E	T	I	N	G	A	Z
C	I	N	F	O	R	Z	F	U	L	G	H	P	D	O	O	B
L	A	B	C	U	R	S	Y	Z	F	I	A	F	R	E	N	I
H	F	J	E	A	Q	I	S	P	D	L	X	Y	V	I	Q	I
V	H	Z	S	S	P	H	E	G	L	Y	A	W	Z	C	S	O
J	Y	W	T	U	H	A	T	A	L	T	C	H	S	Z	F	T
Y	Q	N	O	V	P	F	C	B	K	F	T	V	D	E	M	D
G	M	V	D	X	Y	T	V	E	U	P	P	R	M	O	C	A
Y	H	A	E	S	S	W	S	Q	T	Z	H	T	K	O	C	I
F	S	I	O	N	L	E	J	H	K	I	C	D	L	W	A	J
P	W	G	U	A	K	D	N	I	L	G	N	I	S	U	X	D
V	Z	I	R	C	I	S	N	E	X	L	R	H	U	H	T	L
A	D	C	O	I	Z	T	O	R	X	G	Q	H	O	Q	S	M
F	N	B	T	D	W	U	H	L	V	K	E	Z	S	S	F	Y

ARENGA, CAJU-DA-PRAIA, CALLA, CAPACETINHO, CESTO-DE-OURO, CISNE, COUVETINGA, GRILO, LAGARTO-VERDE, LIXA, MERO, NONI, PAU-ESTOPA

032

L	X	F	X	M	U	Q	R	R	E	P	P	V	Z	A	X	W
Z	B	Z	T	J	A	Q	K	L	G	N	G	B	U	N	A	U
A	R	O	E	I	R	A	D	O	C	A	M	P	O	Z	V	K
Y	V	K	D	J	U	O	C	R	S	J	Q	X	Y	D	I	Q
V	A	S	E	M	A	C	U	R	A	N	A	U	G	X	C	N
F	C	U	N	A	L	H	V	I	Q	T	Q	I	L	A	U	Y
D	U	L	E	O	N	C	U	I	U	F	R	I	O	N	N	Q
N	M	G	I	V	C	B	Y	H	P	A	F	C	U	G	H	D
S	Ó	C	B	Q	A	B	T	K	C	D	Z	I	R	Ó	A	S
M	I	G	Q	D	R	V	O	A	J	Z	P	Z	O	E	N	Z
D	S	M	R	M	E	Z	U	X	Y	M	A	W	U	S	U	I

ACURANA, AROEIRA-DO-CAMPO, LOURO, ÓGEA,
UACARI, UARU, UNAU, VACUM, VICUNHA, XANGÓ

033

B	A	R	O	E	I	R	A	D	O	S	E	R	T	Ã	O	I
A	I	G	Q	Z	C	X	I	X	A	U	I	M	W	T	A	Q
T	J	G	P	I	S	L	Z	C	I	E	F	H	X	O	H	G
F	I	B	U	Q	I	R	Z	S	L	H	V	N	E	R	B	Q
E	K	M	Q	Á	K	Á	D	T	T	Z	Z	A	Q	D	Z	M
G	S	X	H	K	I	P	G	H	P	O	V	R	E	O	G	I
V	W	K	U	D	B	W	Z	A	K	Y	W	V	I	H	R	L
P	G	J	N	Z	H	P	E	S	I	R	I	A	Q	J	I	C
G	M	A	S	B	P	L	E	A	S	R	U	L	D	Z	L	Y
V	H	K	T	R	K	G	O	P	D	U	V	M	X	C	O	T
N	N	B	X	R	Y	M	J	O	P	O	L	V	O	W	X	W

AROEIRA-DO-SERTÃO, BIGUÁ, GRILO, NARVAL,
NHANDIÁ, POLVO, SAPO, SIRI, TORDO, XAUIM

F	G	N	U	L	D	X	Í	T	H	A	E	X	B	F	J	A
T	K	S	W	S	G	U	A	Ç	A	T	O	N	G	A	X	Q
H	A	U	S	S	T	H	Q	W	U	X	V	V	I	D	C	P
C	I	O	C	A	Ú	N	A	J	K	O	M	P	X	G	A	W
Z	S	J	T	L	Y	H	E	R	C	S	B	W	T	K	C	R
Z	N	U	W	Ó	U	T	C	T	S	L	C	O	V	B	M	X
Z	N	V	S	V	C	E	Q	F	E	M	N	V	W	G	L	G
B	Z	J	Z	Z	L	I	D	X	F	C	G	T	Q	R	W	A
G	V	J	Y	G	S	K	O	S	X	S	I	C	H	L	N	M
H	M	O	H	W	N	W	R	N	G	A	D	T	F	I	G	K
V	H	H	K	L	W	K	H	T	I	X	N	V	V	F	B	T
E	Y	A	X	N	L	E	E	A	C	L	X	W	C	A	F	N
C	G	P	M	Q	C	Q	J	D	J	N	E	C	D	V	E	Y
I	X	B	E	M	T	E	V	I	V	L	A	S	R	V	H	V
H	K	A	J	L	F	Q	K	R	M	O	E	O	X	M	F	Y
U	B	C	H	A	R	A	P	A	P	N	O	S	B	J	I	Y
D	R	R	F	N	G	Z	W	M	I	S	P	M	S	X	J	C
Z	P	Y	A	U	I	E	A	O	X	P	G	B	U	W	V	N
M	O	G	O	P	M	C	Y	Y	E	I	H	G	S	G	H	E
Q	Z	L	U	N	O	X	P	T	D	Ê	F	G	L	A	Y	L
C	A	O	Y	D	Q	S	E	S	U	J	Z	I	M	J	J	U
E	Z	M	O	G	D	A	A	R	A	J	R	K	A	B	D	S
E	T	C	F	T	P	G	A	Z	M	R	U	B	T	S	G	Z
O	E	E	C	Q	I	S	G	A	J	M	S	K	I	Y	P	F
G	I	W	C	A	C	J	A	R	A	H	F	Y	X	X	M	G
M	D	V	T	M	X	K	U	L	C	J	R	N	Q	A	N	O

AIAI, BEM-TE-VI, CAÚNA, CHARAPA, GECO-DO-CAMPO, GUAÇATONGA, OTÓCION, RAPOSA, SARUÊ, TATUÍ, TEJU, TIJU, TUJU

L	B	V	V	S	K	W	P	A	U	R	E	I	S	T	O	E
B	E	J	S	O	H	B	B	S	G	P	G	C	Á	V	B	U
M	R	P	W	O	V	L	Z	H	K	K	V	A	L	Y	B	G
O	T	L	L	E	Ã	O	N	C	P	N	S	J	V	T	B	E
I	M	E	C	B	B	L	H	H	M	R	G	M	I	Y	X	K
R	G	L	L	U	M	M	D	S	B	T	O	X	A	I	V	P
O	N	M	B	G	R	O	S	I	H	Z	A	X	R	J	E	X
S	Q	L	B	U	I	A	J	C	L	W	R	C	I	T	H	I
A	S	A	P	O	T	A	J	F	U	T	A	W	P	N	K	R
L	C	J	X	X	J	F	E	U	N	O	P	J	I	E	H	A
O	O	G	C	D	D	J	K	O	I	N	A	S	L	J	K	O
U	I	C	O	B	C	J	B	F	Q	M	Ç	O	C	E	Q	D
C	T	J	D	R	H	U	O	V	I	O	U	V	I	P	M	G
A	M	V	W	G	I	M	W	N	D	N	E	T	V	D	E	V
M	I	C	Z	I	T	L	W	E	R	H	S	R	G	W	R	A
B	I	P	F	K	W	F	A	T	E	F	C	I	V	C	L	X
G	F	X	F	T	Z	H	C	U	M	B	A	R	U	Y	U	K
P	I	I	M	T	D	I	W	Q	W	J	M	Q	O	W	Z	Y
O	G	P	B	Z	T	N	A	J	A	O	O	G	Z	Q	A	O
P	N	L	D	K	W	R	G	V	L	C	S	W	N	E	V	I
T	A	M	A	R	I	L	L	O	Y	G	O	E	I	R	E	A
U	E	A	J	Y	Y	R	V	O	X	D	R	F	F	J	H	O
S	J	P	F	Y	M	E	Q	N	V	G	W	O	V	N	S	Y
U	P	Y	T	C	F	E	T	O	N	B	H	K	T	B	C	Y
K	L	W	F	D	H	W	P	J	P	T	J	W	X	U	J	A
A	O	F	S	O	F	J	C	P	H	A	B	X	M	Q	H	Y

ARAPAÇU-ESCAMOSO, CUMBARU, GORILA, LEÃO, MERLUZA, NAJA,
PAU REI, ROSA-LOUCA, ROXINHO, SÁLVIA, SAPOTA, TAMARILLO, XIRA

F	H	L	H	P	V	U	L	K	C	B	O	V	A	O	B	P
Y	A	T	O	U	R	O	P	N	E	W	R	D	K	B	M	H
E	E	F	G	B	U	G	V	K	M	X	R	T	P	Q	A	Z
Z	K	L	V	U	N	L	B	H	A	A	M	H	E	E	W	D
C	A	M	A	R	Ã	O	X	F	S	V	T	T	V	N	O	U
O	S	C	X	H	L	C	J	O	I	H	Y	U	E	L	F	L
I	T	O	M	A	D	H	A	M	C	J	E	L	R	D	B	G
C	I	U	B	R	I	I	V	Z	I	T	R	O	N	E	D	F
A	F	P	H	P	I	U	E	Q	I	L	M	Y	W	G	J	O
W	O	L	B	T	B	D	I	G	O	J	W	O	I	U	R	Y
R	A	E	R	D	O	X	A	U	Q	K	N	M	P	R	T	N
U	F	N	X	G	C	R	Ç	V	L	Q	A	Y	O	Z	V	I
D	E	S	C	T	U	U	M	E	L	Y	E	M	J	P	P	R
U	Z	Z	Y	O	C	E	Y	J	G	L	O	U	B	F	L	D
M	G	I	L	A	Q	S	R	X	O	D	H	F	N	W	R	L
W	I	W	V	J	L	L	N	M	Ê	R	V	A	X	Q	O	Í
T	I	O	E	O	X	K	O	P	V	C	I	R	K	C	U	R
C	T	V	Z	E	X	R	I	H	E	X	T	N	F	A	A	I
J	T	O	I	R	U	B	F	O	R	C	N	X	C	B	S	O
G	Z	X	B	O	I	T	D	I	E	E	Q	A	P	N	X	D
G	F	W	L	B	E	O	Q	Y	V	L	C	W	X	T	G	A
Y	A	Q	C	Z	Q	E	E	V	U	Ó	G	B	B	S	R	P
D	I	U	U	Y	A	X	E	N	O	S	L	V	I	E	L	A
R	C	N	A	B	T	E	I	S	Y	I	X	R	X	A	R	Z
C	A	B	E	C	I	N	H	A	C	A	S	T	A	N	H	A
P	H	D	M	J	W	T	S	A	J	G	A	L	J	V	T	N

AVEIA, CABECINHA-CASTANHA, CACAUÍ, CAMARÃO, CELÓSIA, DEGU, IPÊ-DO-MORRO, LÍRIO-DA-PAZ, LOURO-MOLE, SARDA, TOURO, TOVACUÇU, ZITRONE

037

U	M	K	L	D	H	I	M	A	V	J	S	E	J	V	Z	N
S	P	S	J	D	O	Q	E	J	K	S	Z	L	A	L	S	K
D	X	X	U	Q	M	T	U	A	C	K	V	U	Y	W	I	N
S	K	N	S	O	G	Q	H	S	T	A	W	J	D	W	U	G
V	Q	B	O	W	N	B	P	A	W	O	C	S	N	H	E	X
S	W	S	A	L	S	O	C	H	O	R	Ã	O	M	M	B	S
I	M	V	I	I	R	W	I	X	W	L	C	N	M	A	C	Q
C	Q	L	Z	C	Q	A	P	G	U	N	R	R	P	B	P	S
W	K	O	K	C	H	R	Ó	V	M	O	V	I	Q	O	R	O
R	B	P	Z	L	H	V	F	Y	Q	X	P	U	M	Q	I	C
E	Q	Q	O	E	A	N	M	E	H	M	C	E	U	U	B	A
E	Z	S	R	P	Y	Z	Y	A	F	D	W	W	F	E	B	V
P	G	M	S	P	M	N	O	I	V	N	C	K	R	E	T	M
I	G	T	O	I	X	V	B	T	K	V	Q	X	P	O	E	J
I	C	V	D	B	V	Y	L	K	I	E	I	I	K	O	N	Q
G	M	E	L	G	G	Z	B	H	J	U	O	D	T	F	U	N
F	L	M	P	H	Q	O	V	K	P	B	P	E	A	Z	F	U
E	C	Y	K	I	M	Y	U	B	M	L	R	G	F	L	O	X
D	Z	X	S	M	P	J	Q	Z	K	P	Z	X	P	N	H	O
E	I	C	G	Y	A	Ê	G	U	I	O	L	M	Y	S	O	C
G	J	O	K	H	V	K	R	U	V	B	U	M	U	Q	C	R
O	B	R	H	F	Ã	L	I	O	K	U	P	D	R	L	S	V
S	Y	I	V	B	O	P	S	U	S	D	X	L	Í	R	I	O
O	E	R	U	A	D	P	T	S	J	A	R	R	J	X	U	F
S	T	F	I	M	C	F	P	R	A	P	I	B	J	J	X	X
O	N	V	Q	P	T	A	E	P	X	F	J	O	V	V	E	J

BOIPEBA, CIPÓ, FEDEGOSO, FLOX, IPÊ-ROSA, LÍRIO, MABOQUE, PAVÃO, PAVÓ, PIUI-PRETO, SALSO-CHORÃO, SOLHA, VACA

038

D	Z	Y	L	C	K	E	O	N	D	B	Y	L	S	P	F	B
H	B	C	O	Y	A	Z	R	Q	L	E	V	U	W	G	A	U
I	A	V	K	T	V	L	E	J	H	M	K	T	A	Q	C	N
Z	D	G	R	F	C	E	Z	W	Y	Z	B	I	J	A	W	J
M	E	N	S	N	P	G	R	O	N	Ç	A	K	S	B	O	T
J	H	B	M	D	C	S	V	R	X	C	Q	S	U	P	C	I
N	A	P	N	L	S	J	N	U	U	S	A	D	F	Q	B	M
H	M	E	X	J	W	D	E	R	B	G	E	X	U	A	B	A
X	C	E	U	V	O	K	U	R	D	A	O	Y	H	V	Z	L
N	Y	J	U	K	Z	G	L	U	I	O	S	S	H	Q	W	V
U	J	I	E	H	D	W	W	W	C	C	Z	Q	A	X	V	A
R	F	T	E	W	I	Z	G	R	T	G	O	P	G	A	E	Á
Z	D	S	V	T	L	A	J	B	S	I	X	Á	H	D	Ç	V
D	L	G	T	W	P	A	S	S	U	A	R	É	T	A	X	V
N	Z	M	E	N	E	P	Y	P	W	T	R	U	I	Q	B	Z
G	Q	C	N	F	P	P	C	E	F	Y	E	Q	U	I	R	I
W	K	I	Z	W	I	F	X	G	K	Q	N	I	B	I	X	M
G	F	P	P	V	N	A	T	G	D	S	R	V	R	M	X	B
R	S	Ó	U	C	D	Y	Q	I	R	D	H	C	Z	J	T	É
A	F	O	Q	F	A	X	A	L	J	F	C	T	R	S	D	A
K	C	L	W	N	Í	F	H	O	D	M	E	D	K	P	M	U
Z	G	H	J	H	B	A	L	V	I	W	W	P	S	A	W	L
O	D	U	J	H	A	S	A	B	D	B	R	X	O	K	N	R
N	R	D	V	J	G	U	G	I	F	A	F	S	N	E	U	Q
J	K	A	Q	W	B	R	I	M	C	X	C	J	I	H	Y	Q
D	B	S	I	G	L	P	P	K	I	I	Q	A	R	A	R	A

ARARA, ASSACU, CIPÓ-OLHUDA, GURUCAIA, IAÇÁ, IMBÉ, JERICOÁ, MALVA, ONÇA, PASSUARÉ, PINDAÍBA, QUIRI, VERRUGOSA

039

T	R	Ê	S	M	A	R	I	A	S	Q	N	I	R	O	L	A
K	V	É	U	D	E	N	O	I	V	A	E	H	A	K	V	R
C	A	G	A	M	E	H	H	E	S	S	G	G	U	B	M	O
A	U	K	I	I	T	I	N	J	F	J	Y	X	U	A	I	S
R	R	T	T	P	R	P	J	A	C	A	R	E	Ú	B	A	L
A	H	W	B	R	N	G	Z	K	Z	Q	Y	D	A	C	W	Y
C	I	S	U	M	S	S	Y	E	T	F	R	K	E	P	C	V
U	E	T	Z	I	M	C	E	N	X	F	P	F	C	U	A	B
Ã	I	U	I	E	I	K	S	B	P	U	S	S	F	H	M	Y
D	A	P	I	S	A	F	E	G	S	P	C	T	X	R	B	E
E	C	I	S	G	O	X	R	N	F	C	C	K	X	G	R	Z
S	S	N	M	B	V	F	W	B	B	O	D	C	I	S	O	T
O	T	D	R	C	F	Z	K	S	K	R	C	O	B	U	É	I
B	X	A	D	G	L	P	E	K	W	D	W	F	N	P	K	K
R	M	Í	M	J	V	A	K	S	V	I	N	D	X	Y	V	D
A	T	V	M	L	S	E	I	F	O	A	M	V	A	C	U	M
N	F	A	R	V	S	H	Y	V	O	P	F	X	Q	H	M	B
C	A	R	A	R	I	B	Á	P	V	R	A	L	Z	X	Z	U
E	Z	U	R	M	B	U	K	M	H	E	M	R	K	W	S	W
L	N	P	J	Y	F	F	S	L	R	T	K	Y	R	F	Y	T
H	I	H	A	X	C	F	F	X	T	A	N	O	A	A	Y	R
A	E	H	T	N	A	P	D	O	B	C	Ã	E	T	H	I	P
S	Y	W	M	K	D	R	F	J	K	M	M	W	R	U	E	A
V	L	Y	P	H	L	A	R	A	I	S	F	C	U	B	E	P
J	C	I	E	D	G	M	N	L	Z	M	P	C	P	C	C	A
R	U	K	A	R	N	P	I	O	M	O	X	G	V	C	M	L

AKEE, ARACUÃ-DE-SOBRANCELHAS, ARRAIA, CAMBROÉ, CARARIBÁ, CORDIA-PRETA, JACAREÚBA, LIMÃO, PANDANO PINDAÍVA, TRÊS MARIAS, VACUM, VÉU-DE-NOIVA

040

Q	T	X	G	Z	I	M	S	G	I	F	R	P	M	G	J	R
I	T	C	P	R	F	J	C	L	E	V	J	M	H	G	G	U
I	W	R	P	S	I	L	W	I	O	C	V	K	C	H	Y	T
Y	Q	O	O	C	R	G	S	B	D	P	D	F	K	C	X	I
Z	T	H	D	A	F	T	L	A	N	B	J	V	A	K	J	P
M	V	A	L	C	B	T	E	W	K	Y	F	M	N	V	S	C
Q	D	G	Q	F	Q	B	O	A	P	O	H	H	F	P	N	P
J	E	D	Q	I	R	H	O	N	L	X	Y	N	R	O	N	H
G	R	T	D	R	C	D	Q	Z	Q	U	J	V	C	D	N	A
S	J	Z	I	O	S	T	R	Z	J	K	J	N	H	K	N	W
S	A	Í	V	E	R	D	E	T	P	X	A	T	U	K	I	T
F	S	P	H	O	L	Y	L	P	I	R	J	B	M	B	A	T
L	R	L	L	V	M	I	K	E	B	T	U	M	B	O	P	O
O	U	N	M	Q	T	P	B	E	Y	T	G	B	E	W	V	L
R	W	Z	T	X	W	M	U	H	V	U	E	L	G	K	Y	E
D	E	J	M	J	D	G	C	P	Q	C	V	R	U	O	O	I
E	P	I	D	E	N	D	R	O	U	C	S	Y	A	C	Q	T
C	O	H	N	A	L	J	I	M	K	G	J	Y	Ç	R	Z	E
E	J	L	M	J	W	G	H	P	T	X	C	J	U	A	G	I
R	R	E	N	D	A	D	I	N	H	O	S	U	E	V	T	R
A	K	V	C	W	I	T	Z	P	B	U	U	T	Y	E	Z	A
J	O	A	F	T	O	O	O	F	O	Z	O	E	L	I	A	R
U	S	R	W	C	G	T	Q	B	A	C	P	C	X	R	S	X
C	S	N	B	P	Z	R	J	H	Á	S	E	V	G	O	O	M
Á	G	G	P	J	O	R	H	Y	J	Y	I	N	M	P	J	N
T	I	C	O	T	I	C	O	R	E	I	C	I	N	Z	A	V

CHUMBEGUAÇU, CRAVEIRO, EPIDENDRO, FLOR DE CERA, JATOBÁ, JUCÁ, LEITEIRA, MANGUE-BRANCO, RENDADINHO, SAÍ-VERDE, SOJA, TICO-TICO-REI-CINZA, TUMBO

N	K	G	L	X	D	P	J	Q	R	A	F	X	X	L	G	Z
A	M	C	S	B	P	M	F	Z	X	T	A	K	W	T	T	F
O	C	O	A	F	E	U	M	J	Q	B	A	L	Y	A	J	Q
N	L	A	G	A	R	T	I	U	C	G	W	N	O	W	A	F
Y	B	D	P	R	E	Z	A	Y	M	S	G	D	A	I	B	L
L	R	P	D	A	N	J	Y	R	S	S	U	T	W	R	U	Y
B	W	B	X	Ç	Q	D	J	R	A	L	Q	K	J	S	T	X
K	D	W	H	Á	A	S	F	O	C	F	P	L	O	T	I	Y
L	W	S	U	G	G	U	A	N	A	N	D	I	D	X	M	X
D	V	D	J	O	W	Q	V	C	D	Q	X	M	B	U	S	P
R	D	A	P	I	P	Z	O	N	X	N	J	E	B	J	K	V
A	O	M	P	A	U	N	R	R	S	J	F	I	M	N	P	X
S	G	Y	H	B	K	F	Q	L	C	R	H	R	A	M	G	A
J	M	R	Z	A	Y	W	Z	S	V	C	E	A	W	W	X	U
A	J	M	K	F	P	M	G	A	R	I	R	A	N	H	A	K
U	V	D	K	K	U	W	T	Q	K	U	A	B	P	Z	O	R
W	V	M	M	U	U	M	W	Y	M	U	D	P	K	X	E	D
N	M	H	E	M	E	S	Y	P	O	C	A	L	N	M	J	V
O	D	E	X	L	H	X	Y	A	D	F	A	L	Z	J	H	Q
E	C	E	D	R	O	R	O	S	A	B	L	R	X	K	P	S
C	H	X	T	M	D	G	H	R	M	O	G	A	O	D	R	F
U	F	G	U	O	P	U	O	I	A	A	É	J	Q	J	I	W
V	V	J	Ã	Y	O	L	M	L	I	S	R	K	C	E	N	M
U	B	M	T	I	Q	V	G	D	D	X	I	Z	N	H	I	Y
J	A	M	B	O	R	O	X	O	J	B	A	E	F	W	D	O
D	A	R	S	F	V	Y	W	Y	K	M	T	J	Z	M	O	D

ARAÇÁ-GOIABA, ARIRANHA, BETARA, CEDRO-ROSA, CHIBUM, DAMÃO, GUANANDI, HERA-DA-ALGÉRIA, JABUTI, JAMBO-ROXO, LAGARTIU, LIMEIRA, MELOGOLD

042

U	Q	H	Z	O	G	K	R	H	H	M	G	O	I	I	M	J
M	M	G	H	G	T	Y	A	R	N	Y	M	Q	L	L	O	R
B	R	T	F	P	C	Q	X	D	C	R	I	K	Y	F	M	B
U	F	T	R	D	E	I	K	L	D	A	U	T	C	Z	Q	D
Z	E	P	Q	V	F	X	N	E	Y	O	T	L	X	Z	V	I
E	E	X	X	A	K	Q	L	A	Y	J	C	E	X	M	Y	I
I	X	J	Y	K	O	O	K	E	C	Q	R	J	N	H	J	S
R	V	J	T	X	X	H	I	N	J	I	K	G	K	D	D	T
O	B	J	F	G	O	E	M	Y	T	D	N	P	Q	N	E	W
X	B	E	Q	W	L	E	O	F	V	F	O	A	U	N	S	I
O	D	L	K	G	R	X	W	J	M	X	L	N	H	K	L	P
Y	M	E	O	Z	P	G	E	O	I	L	Y	I	A	G	U	I
C	K	U	D	T	S	H	E	D	C	W	V	F	D	N	S	D
A	M	E	N	D	O	I	M	B	R	A	V	O	H	H	H	Y
A	G	T	U	S	J	C	E	N	S	I	X	O	R	A	U	O
D	K	Y	K	I	C	B	C	X	A	O	K	O	R	Q	V	W
V	R	A	S	I	E	I	J	O	Ã	D	Z	Q	O	G	G	D
E	E	H	N	J	V	B	Y	P	R	R	C	P	V	A	H	P
G	G	I	J	N	Q	A	A	Y	Z	U	M	H	I	M	U	E
W	J	M	W	W	B	T	T	J	N	Z	J	U	J	B	K	H
K	B	L	W	Z	U	P	V	I	A	B	G	A	F	Á	R	G
Q	J	M	A	R	S	Q	E	Y	N	A	I	Ç	N	U	K	T
A	U	U	F	A	W	L	Z	T	S	G	W	O	T	J	G	M
W	C	P	B	W	M	Y	H	B	A	C	U	R	I	A	Ç	U
Q	Á	L	Y	H	Q	U	X	Z	O	C	Y	I	M	B	H	V
G	K	Y	S	U	R	O	F	O	Q	M	A	S	G	Q	H	I

AÇOR, AMENDOIM-BRAVO, BACURI-AÇU, CATENDE, CINA-CINA, CORUJA, FRUTA-PÃO, GAMBÁ, IVATINGUI, IXORA, JUCÁ, SAGUI, UMBUZEIRO

043

S	S	A	B	B	L	Y	D	V	W	P	K	L	P	E	O	H
N	T	R	K	S	I	A	L	J	P	K	D	Y	K	B	B	Z
C	F	F	X	V	C	D	I	W	K	Z	I	M	I	P	K	O
I	O	I	D	T	U	C	M	E	G	O	X	K	F	N	R	X
P	A	C	K	U	R	O	A	A	A	S	S	R	T	R	P	T
B	M	X	Y	T	A	R	Q	B	F	I	A	H	U	W	U	Y
P	A	B	J	F	N	Ç	L	B	K	T	E	B	A	G	R	E
L	K	J	A	O	A	A	Q	E	V	V	W	A	I	C	H	X
S	N	R	T	G	A	R	Ç	A	G	X	C	B	O	Á	A	E
N	I	A	N	F	S	A	L	A	Z	U	L	Ã	O	D	A	D
G	M	D	Z	Q	W	H	N	K	W	F	G	E	Á	K	W	H

ÁDAX, AIE-AIE, AZULÃO, BAGRE, BURRO, CORÇA,
GARÇA, GIRAFA, LICURANA, SABIÁ

044

V	O	M	S	O	M	E	G	R	N	A	V	T	Q	Q	J	B
C	G	F	T	B	Z	E	D	R	D	Z	Z	Y	U	K	A	N
A	O	O	R	Y	V	Q	G	Y	A	A	I	A	I	Y	L	C
I	B	W	X	B	S	U	S	A	P	Ú	Y	V	W	S	P	O
M	I	U	A	I	V	I	G	V	V	K	N	H	M	Z	A	R
Ã	E	J	F	S	G	D	K	F	G	I	H	A	H	P	C	U
O	Y	R	T	Ã	J	N	B	U	B	X	Ã	N	U	T	A	J
Z	V	J	B	O	N	A	Z	Z	I	B	G	O	N	B	Y	A
L	T	U	H	S	W	W	C	A	Q	D	K	Q	N	E	N	L
T	I	O	P	S	C	L	Y	I	X	P	Q	S	J	G	U	F
X	I	Q	C	Z	V	A	A	B	M	Z	I	L	U	L	A	D

AIAI, ALPACA, BISÃO, BOTO, CAIMÃO, CORUJA,
EQUIDNA, GAVIÃO, GRAÚNA, LULA

045

J	A	C	A	R	É	A	N	Ã	O	D	I	A	S	A	P	C
K	Y	Y	M	F	P	S	A	X	X	W	O	J	D	U	H	W
J	S	M	N	H	F	X	Y	S	U	J	X	H	U	F	L	O
C	W	F	A	J	V	F	U	R	T	R	X	U	I	G	T	K
T	V	U	B	R	K	G	T	J	Y	O	R	F	R	S	I	I
O	E	H	P	O	M	B	B	S	O	Y	A	Q	I	U	Q	W
R	C	I	Z	U	P	E	W	T	U	O	W	F	B	E	T	T
A	G	L	Ú	G	Z	B	L	A	O	B	Y	T	O	R	Ó	U
P	Q	J	D	H	S	P	Z	E	Y	Z	L	B	Q	B	D	H
R	M	B	D	L	A	A	V	F	I	S	P	V	C	M	O	M
O	L	H	Z	E	T	N	X	L	N	R	F	B	P	O	N	P
N	Q	I	Z	M	B	F	Y	C	W	V	O	U	F	S	R	I
Ó	K	E	V	O	S	G	T	S	S	P	B	W	R	T	B	Z
B	A	N	O	N	N	Q	A	S	H	P	N	M	V	A	U	V
I	J	R	H	Y	F	B	T	P	U	E	Z	F	L	R	P	V
S	F	I	O	S	T	I	U	I	A	B	T	Q	N	D	P	Y
H	J	M	T	S	U	T	C	D	T	I	N	J	V	A	I	D
Z	R	S	C	O	E	R	A	N	A	Z	T	S	P	I	W	H
F	P	U	G	V	I	H	N	N	T	T	S	S	G	C	R	H
Z	H	E	Y	I	C	J	A	L	A	Y	T	A	B	X	P	N
F	W	M	X	J	R	Z	S	Z	G	X	G	P	Q	C	H	W
T	G	Á	L	A	G	O	T	X	I	D	O	T	Q	J	V	I
R	I	S	G	I	U	P	R	F	W	H	E	M	I	C	Z	B
I	E	F	G	G	A	N	A	H	I	F	L	B	Y	N	S	C
G	K	Q	H	K	P	O	Q	E	J	Z	B	S	G	P	P	R
O	Y	V	J	K	D	I	H	Q	X	B	L	V	O	M	H	H

ANAHI, COERANA, GÁLAGO, JACARÉ-ANÃO, MARMELEIRO, MOSTARDA, ORA-PRO-NÓBIS, ROUGH LEMON, TATU-CANASTRA, TEIÚ, TORÓ, TRIGO, URUTU

A	N	D	O	R	I	N	H	A	D	E	B	A	N	D	O	I
E	H	D	X	H	B	R	H	Y	S	W	D	L	D	L	C	W
X	V	J	H	X	E	E	E	N	V	L	Q	F	N	P	T	Q
M	K	S	L	Z	E	L	R	F	G	O	L	J	P	F	P	P
R	E	Z	D	M	K	O	N	U	W	D	L	S	V	Z	G	A
A	N	I	W	D	J	S	O	R	T	W	E	R	J	Q	R	U
W	T	I	V	Q	M	M	L	U	I	N	B	E	Y	U	Q	R
X	N	N	F	X	S	K	J	B	Y	B	Q	J	H	T	T	O
L	I	S	V	P	E	T	Q	U	H	N	S	A	H	F	E	X
N	N	C	X	U	Y	N	O	R	G	N	Y	C	T	C	Y	O
M	H	R	G	B	U	E	J	E	T	A	I	A	Q	Y	R	S
J	J	G	W	W	N	M	Y	I	H	G	Z	R	K	O	A	W
L	R	F	Z	O	I	I	X	D	J	U	A	A	S	Z	N	B
V	O	M	E	D	U	S	A	Q	G	O	N	T	L	V	G	Q
B	Y	M	I	K	E	M	J	Y	N	W	W	I	D	E	D	P
I	A	I	T	X	Q	H	P	M	U	L	A	Á	R	J	I	J
O	E	X	K	Y	T	A	Q	U	G	T	Q	K	O	Z	H	A
U	E	U	E	L	U	D	A	B	Q	J	L	F	N	I	N	M
Z	A	C	Q	S	I	S	M	R	X	E	E	G	G	Z	S	S
M	A	F	U	X	G	P	E	D	R	E	I	R	O	I	A	S
B	G	D	M	M	Y	U	U	U	C	Z	A	A	I	P	Z	Z
A	C	M	E	X	J	M	X	O	T	U	S	X	U	H	A	X
L	S	Q	N	F	U	K	V	E	A	P	Y	A	V	U	N	I
I	I	C	Z	I	P	Q	W	W	W	E	B	J	J	S	K	I
A	B	U	X	K	K	C	L	J	I	F	F	C	Z	L	A	Z
O	O	J	L	I	M	P	A	M	A	T	O	X	X	U	R	I

ANDORINHA-DE-BANDO, AZALEIA, DRONGO, JACARATIÁ, LIMPA-MATO, MEDUSA, MULA, PAU-ROXO, PEDREIRO, SAZANKA, URUBU-REI, XURI, ZIZIPHUS

047

A	P	Ê	A	Ç	U	S	L	D	X	D	A	L	S	U	U	M
N	X	T	O	U	B	I	N	U	O	B	D	C	N	D	W	A
C	R	G	U	I	S	X	L	D	W	I	A	L	W	M	X	Ç
I	X	L	T	U	W	Z	R	P	Z	K	Z	E	K	O	R	A
A	I	J	W	M	Q	O	B	O	I	R	U	L	L	A	V	R
U	T	A	T	A	T	I	N	B	O	T	Q	L	N	Q	B	I
C	V	G	K	O	W	N	S	S	A	Q	V	U	A	L	A	C
N	J	J	Y	H	M	S	Z	H	M	Z	Á	V	B	J	N	O
O	D	D	E	Y	P	K	A	X	P	D	D	G	E	L	A	E
W	X	H	Z	Z	A	Q	O	Y	N	O	G	C	L	V	N	S
T	D	J	W	I	Y	V	R	A	W	B	D	H	H	E	A	Q
C	K	D	M	Z	T	X	R	W	U	C	L	B	A	F	D	U
G	X	G	P	R	V	A	D	X	F	R	V	T	A	H	Á	I
C	A	S	U	T	C	U	I	I	X	U	U	C	M	B	G	M
A	Z	J	M	A	C	Z	L	P	B	F	B	T	A	I	U	Ó
T	F	P	J	E	M	R	G	C	O	Y	P	U	R	F	A	U
L	Z	W	L	W	F	A	B	V	W	E	N	C	E	R	Z	Q
E	K	U	Y	I	U	M	D	E	Z	L	I	S	L	E	D	D
I	W	D	U	M	N	G	V	G	Z	R	N	T	A	N	C	Y
A	B	R	Ó	C	O	L	I	S	Z	N	X	E	I	A	J	P
I	E	G	H	X	T	C	J	Q	E	J	Y	C	I	R	U	R
F	E	R	I	C	A	J	P	G	K	A	V	U	B	I	X	B
Q	P	C	C	F	E	N	Z	M	L	N	J	C	I	A	E	E
B	Y	R	C	G	Y	C	W	P	N	E	B	W	O	N	K	S
G	C	W	V	F	L	K	B	S	M	A	J	Z	V	A	F	P
Y	I	R	K	X	V	X	Z	W	G	H	P	E	D	E	O	R

ABELHA-AMARELA, APÊ-AÇU, BAEL, BANANA-D'ÁGUA, BIFRENARIA, BOIRU, BRÓCOLIS, CATLEIA, ERICA, GUAMA, JACARANDÁ-UNA, MAÇARICO-ESQUIMÓ, TORDO

P	E	I	D	T	U	F	Z	E	K	I	E	H	M	L	N	I
D	E	R	V	U	E	P	C	E	X	T	K	W	U	T	P	V
A	P	N	R	D	M	T	B	V	C	V	F	X	T	W	B	K
H	R	E	D	L	D	U	K	P	S	M	L	W	J	P	L	N
N	P	A	T	U	N	X	Y	B	R	W	Z	N	P	H	S	B
R	J	U	E	H	L	N	U	J	W	K	N	S	I	Y	U	A
Q	V	P	S	I	K	A	U	W	E	S	A	H	Y	M	D	Y
N	N	L	O	P	F	C	O	M	P	C	O	L	B	F	E	C
Q	T	O	U	L	P	M	T	C	L	G	E	N	G	P	L	T
S	I	X	R	G	W	Q	M	U	J	P	D	N	B	Q	E	J
U	J	E	I	D	A	D	N	B	D	I	O	V	A	R	F	E
M	S	R	N	E	S	O	X	P	F	T	U	D	N	A	A	R
P	Z	Y	H	I	O	P	F	O	K	O	D	M	C	K	N	I
X	I	M	A	X	Y	R	V	M	P	P	A	O	H	W	T	Z
T	L	U	M	L	F	K	V	P	C	V	B	H	S	T	E	E
N	K	A	I	I	R	L	R	S	N	O	A	B	X	C	Z	L
W	J	F	U	F	W	F	Q	L	B	H	I	J	M	P	O	U
E	B	V	L	M	V	S	W	I	M	P	X	N	Q	A	L	V
P	M	T	W	H	P	X	B	L	D	G	K	R	A	Y	C	T
L	V	A	Y	R	U	I	H	Á	G	L	C	H	J	M	A	A
A	G	S	W	Y	F	N	U	S	F	G	A	J	C	X	I	U
X	M	A	K	N	W	L	Y	H	I	Y	D	C	F	N	M	H
W	P	O	T	J	Q	E	B	W	A	T	U	M	R	X	Ã	A
B	U	Z	G	O	P	Z	T	C	U	G	U	A	B	A	O	Y
W	H	S	C	R	U	D	D	O	G	I	A	S	B	Z	I	X
U	L	B	Z	C	W	I	C	W	I	R	P	N	D	T	F	A

ATUM, CAIMÃO, ELEFANTE, GATO, GUABA, IBIBOBOCA, LACRAIA, LILÁS, NUBE, PENDULA, PERU, PIUI, TESOURINHA

J	Q	K	Y	K	M	U	M	A	L	C	Z	Q	O	V	X	X
Y	R	A	S	T	A	F	O	B	V	Y	K	D	A	C	X	H
I	F	P	R	Y	E	X	L	J	F	S	S	E	H	W	N	B
Z	B	B	G	M	J	R	S	N	J	F	I	C	L	D	O	A
H	U	C	Y	A	I	V	M	Z	T	H	P	U	T	M	R	L
N	S	A	R	V	V	V	I	G	G	B	M	T	U	D	Q	E
K	V	X	W	E	P	M	M	W	S	V	E	W	V	B	U	I
B	Z	M	M	L	L	T	U	A	A	Q	E	U	Q	A	Í	A
V	S	I	U	Ó	S	E	L	I	T	N	W	K	D	Z	D	J
K	J	I	T	S	W	H	E	E	Z	A	V	V	K	A	E	U
K	T	M	D	X	J	G	E	V	C	V	O	P	B	B	A	B
U	S	U	C	U	P	I	R	A	N	A	X	L	N	Ó	H	A
U	U	P	X	J	Á	P	A	P	B	J	R	V	H	B	H	R
K	Z	J	M	V	Q	N	B	W	M	W	P	K	C	O	X	T
W	V	Q	I	G	Ú	W	R	S	U	Q	W	T	Y	R	A	E
J	I	R	X	I	V	O	H	F	W	Z	G	O	I	A	C	J
I	E	K	P	X	M	M	D	P	C	E	U	H	E	G	A	D
J	A	D	S	E	V	L	C	U	N	X	A	H	C	O	R	L
D	Z	T	L	X	Q	R	G	M	B	Z	I	Z	D	H	H	E
S	W	I	R	E	K	T	W	G	D	N	L	K	C	J	J	B
A	Y	N	E	U	C	H	A	R	A	P	I	T	A	J	H	Z
B	H	D	C	S	G	G	P	S	B	J	N	Y	E	Z	L	R
R	J	X	A	M	S	Y	D	H	K	X	E	T	U	E	O	Q
K	U	N	L	F	N	U	O	L	N	A	J	Q	H	O	X	C
O	E	G	X	A	Y	O	K	G	M	J	I	P	V	L	X	K
C	Q	M	H	J	X	Q	A	H	D	Á	I	J	B	M	X	Z

ABÓBORA, AVELÓS, BALEIA-JUBARTE, CHARAPITA, GUAILI, JERIVÁ, MATA-OLHO, OCNA, ORQUÍDEA, PIÚNA, SUCUPIRANA, TIGRE, XAJÁ

H	E	T	T	H	T	C	A	M	B	U	I	M	Q	M	F	A
W	I	A	R	E	Y	U	X	C	U	H	L	L	P	Z	G	X
H	L	Ó	R	I	S	T	B	B	L	C	G	M	H	Q	B	P
L	T	A	Q	Z	T	I	K	Y	W	J	A	E	O	X	H	Z
G	L	A	M	B	A	R	I	T	G	A	U	U	D	S	L	W
W	N	G	C	K	E	V	O	Q	P	A	R	T	L	V	I	H
O	T	A	W	Q	U	T	R	I	R	I	O	C	Z	A	C	J
Z	M	A	B	C	W	E	D	H	C	N	B	W	R	E	H	Q
H	W	E	D	S	K	S	X	G	L	Z	M	B	O	T	I	G
J	K	B	P	A	N	D	A	V	D	M	U	G	B	F	A	E
A	E	G	Y	K	S	X	W	M	U	R	R	W	O	V	Q	W
K	C	E	G	G	Z	C	U	U	A	D	V	L	V	A	N	P
R	T	Y	N	B	I	N	S	I	X	P	P	T	V	R	M	D
Z	J	G	I	V	P	G	É	I	W	T	E	P	R	R	Z	O
Q	H	B	A	F	W	L	Y	Q	D	C	L	M	W	P	Y	I
C	L	M	G	I	X	W	D	X	P	E	I	T	F	V	W	N
D	A	V	S	W	P	Q	G	T	Q	Z	C	U	C	J	A	B
K	S	W	G	C	U	R	N	S	G	B	A	Y	S	S	S	E
E	G	H	O	S	E	P	W	H	N	P	N	V	I	C	S	Q
D	B	K	S	V	M	X	W	R	O	X	O	L	O	G	Y	Q
U	P	R	I	L	M	X	C	N	B	W	Ó	S	T	D	L	M
P	W	T	U	X	D	J	I	I	L	N	S	I	P	E	O	H
Y	E	A	T	U	W	A	Y	V	A	Q	U	J	K	H	O	E
V	N	H	W	Q	U	A	G	A	J	B	O	M	P	W	O	D
U	N	T	D	I	S	Y	R	K	V	K	H	T	C	J	B	O
G	A	T	C	U	Z	U	V	K	S	U	D	C	Q	U	B	U

ANÓLIS, CAMBUIM, GAURO, LAMBARI, LÉIA-RUBRA, LICHIA, LÓRIS, PANDA, PELICANO, QUAGA, ULMO, UNAU, VETIVER

051

P Z A B E P C E Q I D Q Z O Z J L
A V Y H R I A I T Z Y W R G B M P
L A M B O A L M I S A X M D D M I
M C B A G F D I E R V A Q I O E N
E O O E T M N C I A A Y J B I O D
I B L X L U L Y C Q F Ú H X T R A
R R I W M H P J H T F A N V B S U
A A B F Z O A I Y S V O R A K U B
T C T C R V Y B R A M T Q G P D U
R O Z Z H K J Y R I L A P W Z Q N
I R K N G T Z Q Z A A Z R O C I A
Â A F L V U J A Q Q V Y Z T H W G
N L L Y T X H G G T L A Q K A I I
G C N Y T F R O K P S W A M R F S
U D P D K G K E J A O W L U A V Y
L W Y E A S Q L V A H J W H R S S
O E U C T N X O Z T K G I A I L O
G R K Z D D N D L Q A N A A B X C
H N A T A A V E S C W E T X Á E A
M O F X R C N Q N V C M M X A X U
B Y R R H N D E E U C I P J M E P
E O E A P B V G K Q G O Q O A G C
V T N W L A Q K E H M Z I R R C N
K T R I Á L I S A C T V W R E H G
H H W T T A T Q T H O N G A L L C
B J Q N E O C X Z K R Q U Z O Y Z

ABELHA-BRAVA, ARARIBÁ-AMARELO, AVENCA, BONITO, COBRA-CORAL, GECO, IRAÚNA, MARTA, MATUPIRI, PALMEIRA-TRIÂNGULO, PINDAUBUNA, TERRA-NOVA, TRIÁLIS

E	W	H	B	Z	W	C	G	W	Q	Z	Y	T	E	C	O	J
E	P	U	R	U	R	U	C	A	K	Y	Q	Y	E	K	E	L
V	N	S	V	S	Y	I	T	A	V	P	E	A	I	L	F	U
U	F	L	O	A	A	J	L	Z	J	N	Z	N	P	Q	L	A
A	A	W	S	K	L	N	L	B	W	U	G	X	Q	M	O	M
E	M	E	M	X	U	H	G	E	W	Y	A	T	R	E	R	O
B	T	R	M	D	M	H	E	H	N	W	P	N	G	T	D	R
I	H	F	V	C	Í	P	M	I	C	P	Q	M	Ã	F	E	P
A	W	A	U	H	N	A	F	M	R	H	D	B	U	O	O	E
P	A	S	V	A	I	U	T	A	T	A	H	O	C	X	U	R
P	D	Z	O	J	O	P	B	E	F	U	J	C	H	P	T	F
O	O	Q	U	M	J	Ó	O	J	K	I	U	U	Z	P	U	E
M	J	B	P	L	V	L	D	J	D	K	K	P	B	W	B	I
C	U	X	H	Z	Ã	V	Q	F	G	P	G	D	F	B	R	T
Q	P	A	M	S	F	O	J	N	J	I	S	S	A	Q	O	O
G	I	E	Q	O	H	R	B	C	H	F	B	U	Z	B	E	P
Q	J	J	U	N	K	A	C	O	D	K	R	R	K	A	X	Z
A	D	A	N	Z	L	X	J	P	I	T	G	I	Q	A	F	F
J	I	U	C	G	N	A	U	V	E	A	X	K	W	D	P	G
T	R	N	U	U	N	R	W	N	K	Q	T	I	T	L	I	I
L	X	X	D	A	G	K	M	E	B	J	M	A	N	T	W	M
V	A	M	R	R	K	U	Y	F	H	X	A	Y	M	D	L	Z
E	M	U	Z	F	I	I	A	P	E	C	C	T	V	F	K	I
K	C	L	Ú	S	I	A	E	Ç	Z	G	A	J	A	Q	E	T
A	A	X	B	T	U	X	M	C	U	X	F	V	L	Í	A	I
V	M	W	H	X	D	P	L	X	E	G	O	P	D	Y	R	I

ACURANA, ALUMÍNIO, AMOR-PERFEITO, AZULÃO-BOIA, CAJU-ANÃO, CLÚSIA, FLOR-DE-OUTUBRO, INDRI, JACUGUAÇU, JATAÍ, PAU-PÓLVORA, PURURUCA, UVALHEIRA

A	Ç	A	Í	D	A	A	M	A	Z	Ô	N	I	A	N	E	U
F	T	X	F	L	C	Z	F	Z	P	P	F	U	B	E	F	P
O	S	A	K	J	G	X	Y	B	I	E	Y	U	Q	X	T	T
R	H	U	E	S	X	M	C	K	G	Y	Z	Z	V	R	U	C
M	U	C	U	V	R	Q	Z	Y	W	J	A	R	A	N	A	A
I	N	A	Q	C	Y	E	U	R	S	B	Y	O	Y	B	Y	A
G	I	R	O	N	E	P	S	U	I	U	G	F	P	K	L	O
U	N	V	J	U	D	D	Y	C	W	R	V	E	E	K	O	M
E	W	C	G	T	I	I	R	H	L	I	Y	S	D	C	E	J
I	F	W	C	X	P	J	A	O	P	J	Z	I	E	I	N	C
R	W	L	Y	W	H	C	S	J	R	M	U	L	S	F	G	A
O	E	D	Q	O	M	Q	E	P	V	O	K	Q	M	K	O	R
C	L	N	L	C	W	I	R	T	Q	J	S	O	E	P	P	R
I	H	V	V	A	F	Y	R	B	N	M	J	A	D	Z	C	E
N	T	R	N	F	J	V	A	O	Q	C	Z	G	E	I	A	T
Z	M	B	B	A	H	I	V	I	T	D	I	N	B	Z	N	Ã
A	F	J	N	M	S	U	E	C	B	J	A	L	T	Z	E	O
J	U	T	O	O	E	M	I	O	A	N	C	Y	F	H	L	P
T	G	X	A	D	F	S	A	R	A	Z	A	S	K	U	A	V
Q	T	M	T	E	V	N	O	Á	I	I	Z	H	X	E	P	C
Y	Y	T	L	L	L	V	O	G	R	L	U	W	I	N	I	H
W	D	K	O	I	E	U	D	O	F	Q	Y	C	U	Y	N	V
M	I	L	C	G	M	I	T	X	V	F	U	M	R	M	H	A
C	G	C	T	R	C	C	S	P	A	U	D	A	R	C	O	N
A	I	T	B	E	I	N	V	Z	Z	Z	F	N	S	W	T	D
F	G	Z	W	V	J	O	C	L	Z	J	U	R	Q	W	Q	A

AÇAÍ-DA-AMAZÔNIA, BOICORÁ, CANELA-PINHO, CARRETÃO, CEDRO-ROSA, FORMIGUEIRO-CINZA, JARANA, LIGRE, LOENGO, PAU-D'ARCO, SERRA-VEIA, VANDA, VICTORIA

054

A	S	G	F	S	Y	Q	X	Q	D	J	E	S	A	L	R	S
J	F	A	J	E	Q	V	C	V	C	W	Q	P	C	F	Q	U
O	Z	M	R	P	P	A	K	J	E	M	S	O	S	C	A	R
Q	N	B	Z	O	X	U	G	B	Y	E	K	P	E	P	L	U
O	E	B	N	K	T	K	Q	B	V	P	R	Y	U	C	W	B
L	N	W	Z	D	Z	A	R	Q	R	V	C	R	O	A	E	I
A	E	Q	U	B	Ú	F	A	L	O	X	X	Z	M	N	O	C
N	L	P	C	X	C	R	Z	U	K	E	D	O	S	G	H	M
D	Y	F	O	P	L	R	D	H	Í	I	U	I	V	A	P	V
I	C	Q	G	I	K	B	Y	M	L	P	C	A	R	T	R	P
T	F	C	R	O	A	Z	C	O	R	V	I	N	E	I	R	O

BÚFALO, CANGATI, CISNE, LEBRE, OLANDI, OSCAR, ROAZ-CORVINEIRO, SURUBI, UÍ-PI, VESPA

055

C	O	R	A	L	C	H	A	M	F	F	D	E	Y	Z	D	K
W	U	T	N	S	B	V	X	F	A	C	P	A	G	G	D	I
X	H	R	O	D	Í	P	J	X	A	D	F	G	M	R	E	C
Y	M	V	H	A	F	I	L	V	H	B	I	E	J	Ã	O	I
E	A	L	D	M	H	W	S	A	L	J	M	C	Z	Y	O	T
M	S	N	O	L	B	I	G	U	U	O	F	O	A	H	C	J
P	I	X	R	G	P	F	T	D	N	Q	I	F	A	Y	F	G
P	I	H	M	W	M	U	Y	O	D	C	M	O	T	E	V	V
E	M	I	G	A	L	A	M	F	R	E	I	R	I	N	H	A
R	L	I	F	P	F	A	K	A	L	L	B	V	S	E	R	G
U	C	G	E	G	A	U	T	Z	H	H	U	W	B	V	Q	A

CORAL, DAMÃO, FIM-FIM, FREIRINHA, GECO, MIGALA, MONO, PERU, PINDAÍVA, PUMA

056

G	D	D	I	Z	L	D	J	C	P	X	O	T	N	C	L	X
P	Z	G	R	W	R	Z	I	W	A	J	I	O	Z	G	O	C
S	V	W	N	Q	D	Y	I	X	E	O	U	A	Y	S	E	G
O	T	T	Q	B	R	A	N	R	X	T	L	S	J	U	X	Q
N	A	P	I	V	E	Q	B	M	U	R	N	Í	B	I	S	T
L	B	G	P	N	R	O	C	R	I	B	S	M	Q	V	J	H
H	A	P	I	G	D	K	U	Y	V	Q	A	C	Y	F	S	E
W	C	N	Q	O	I	J	O	U	E	C	O	K	F	U	H	W
G	O	N	T	X	K	B	W	G	A	W	K	C	X	N	G	C
E	O	A	O	Q	I	N	I	S	Z	N	E	N	O	W	V	A
V	R	K	O	A	N	S	Q	Q	Z	Q	W	X	W	G	A	C
L	N	Z	A	L	M	Z	S	I	L	Q	J	G	P	N	K	T
B	A	C	M	G	P	R	P	F	R	E	I	R	A	E	Z	O
F	M	I	P	G	U	N	E	N	H	O	M	R	I	G	O	D
M	E	B	P	F	I	Q	A	J	H	P	U	C	G	K	A	O
B	N	T	O	C	L	P	B	D	N	C	R	M	T	W	U	P
A	T	L	X	I	M	H	A	J	U	Z	F	G	D	C	O	E
H	A	C	I	L	C	E	C	C	H	F	U	P	N	J	J	R
M	L	Z	D	K	O	O	A	I	H	V	H	G	O	V	C	U
L	J	X	S	N	X	M	T	U	P	P	Q	Q	K	Z	M	Q
D	G	B	Z	L	F	R	E	I	R	I	N	H	A	M	V	Q
R	S	Q	L	D	W	H	I	O	A	U	O	Q	C	S	C	J
O	T	L	S	M	E	E	R	Y	E	R	W	V	B	H	B	Z
D	X	J	F	A	E	P	O	G	H	I	A	X	P	X	I	A
M	F	L	O	R	D	O	B	E	I	J	O	H	G	J	M	G
A	Y	I	Y	A	O	N	Z	U	P	V	Z	P	K	L	Z	R

ABACATEIRO, BOICOTIARA, CACTO-DO-PERU, ENHO, FLOR-DO-BEIJO, FREIRA, FREIRINHA, ÍBIS, MACUCURANA, RATO--DO-BREJO, SACAMBU, TABACO-ORNAMENTAL, URUTU

V	Z	R	H	O	I	A	Q	A	L	P	K	U	F	G	Q	X
L	J	N	P	N	R	A	G	I	F	Y	F	X	U	N	R	D
E	A	B	T	T	A	V	D	M	A	X	A	I	V	D	L	K
N	Q	D	N	M	W	A	R	O	A	M	X	O	J	Q	P	F
L	U	O	Z	S	E	Z	M	M	O	L	T	S	N	Q	Z	Q
E	L	W	J	O	I	A	I	U	A	A	L	C	R	V	Z	S
Z	S	N	I	Y	U	N	O	M	P	Y	C	O	M	Y	W	A
Q	O	L	N	Y	I	S	B	E	A	W	V	E	E	R	L	B
E	M	D	L	P	U	I	D	Z	Q	W	X	E	R	E	B	X
Q	V	J	I	I	S	O	O	B	G	Z	J	H	G	L	X	Q
T	G	O	H	N	C	T	R	G	T	U	S	I	X	S	K	V
V	B	D	Z	I	D	X	K	I	A	M	E	P	K	U	L	E
S	O	M	B	R	E	I	R	O	D	V	R	M	A	R	C	B
Q	G	O	D	Q	P	O	Z	F	E	Z	I	C	R	U	Q	L
G	A	Z	M	Z	E	F	H	H	A	K	B	Ã	Q	Z	A	Q
M	S	R	Q	R	J	I	P	Z	D	V	Y	A	O	G	W	C
M	P	V	T	W	A	R	M	X	D	Q	X	C	W	C	Á	A
Q	M	K	J	C	F	X	I	A	V	X	Y	J	W	U	C	M
A	C	P	P	D	S	L	H	M	S	P	Q	Z	G	J	A	B
O	Z	Y	O	D	T	O	A	Ê	H	O	T	I	F	C	P	U
F	Y	J	M	E	J	N	R	N	B	A	B	E	O	Q	I	I
Y	T	O	W	S	T	C	N	D	E	F	C	U	O	V	T	Z
D	G	N	T	Y	Q	I	J	O	J	M	H	A	O	R	A	I
N	R	I	H	F	D	N	G	A	C	Y	C	S	N	D	R	N
Z	O	Q	Z	B	E	H	M	P	K	U	U	C	R	R	I	H
Z	U	C	B	X	G	A	B	D	F	I	P	T	H	Z	I	O

AMÊNDOA, BICO-DE-PATO, BIGUÁ, BOIPINIMA, CAMBUIZINHO, CAPITARI, GAVIÃO, GROU, LONTRA, ONCINHA, SOMBREIRO, SOVI, VEIGELA

058

Y	R	E	L	S	D	T	M	J	V	Y	C	O	Q	R	I	G
J	T	X	W	P	V	P	Q	U	P	A	P	A	O	V	O	O
U	T	T	J	F	T	I	C	J	O	E	H	O	N	J	L	N
R	R	S	Q	R	D	A	H	M	J	M	Ã	A	Q	K	G	D
D	A	J	U	R	U	R	A	M	A	B	M	V	V	Q	G	C
Z	G	B	H	I	L	R	W	M	A	P	F	K	U	C	Y	I
M	P	P	Y	B	P	Q	Y	I	O	O	U	J	Z	N	Z	G
F	R	R	A	A	C	B	O	P	K	K	B	P	U	L	H	L
W	C	R	K	F	V	G	E	H	Z	D	O	G	O	O	I	H
O	N	E	A	B	Q	E	X	V	J	T	B	E	Z	R	I	P
I	E	Z	R	I	B	X	M	V	G	Q	G	F	C	T	C	X
V	G	X	Y	E	B	A	U	U	X	Z	C	V	S	A	F	O
B	R	D	N	J	J	C	L	J	V	A	G	L	R	R	P	V
W	A	K	Z	D	A	I	U	C	G	L	A	L	J	A	A	B
E	M	B	P	D	L	S	N	T	I	B	C	L	F	G	T	K
A	I	O	B	S	P	D	G	H	F	I	N	M	N	U	F	P
W	N	U	W	P	S	B	U	D	A	Z	F	A	O	I	W	G
S	A	M	K	X	V	A	D	L	J	I	R	A	K	R	L	R
U	F	Y	P	Y	B	E	O	J	B	A	O	R	K	A	Z	T
T	H	W	L	I	F	G	L	F	R	R	Y	G	V	X	P	A
Y	B	H	R	E	I	O	I	A	Y	S	E	Y	R	N	H	B
X	A	B	H	B	D	E	T	U	D	F	J	J	M	Q	K	I
O	E	B	R	M	S	I	O	J	N	G	W	T	A	T	T	B
G	G	V	P	I	O	L	R	M	Q	Z	R	M	N	Ú	X	E
G	D	X	Y	W	F	W	A	A	Y	S	Q	J	E	M	V	Y
C	Z	R	Z	H	Y	N	L	V	F	M	L	M	Q	P	N	A

ABIBE, AJURURAMA, ALBIZIA, BREJAÚVA, BRIBA, CEREJINHA, GOIABÃO, ITARARANGA, MULUNGU-DO-LITORAL, NEGRAMINA, PAPA-OVO, PORCO, TARAGUIRA

W	P	G	V	G	Y	T	O	M	I	L	H	O	V	E	J	H
U	C	S	Q	W	L	Y	L	G	J	L	D	Z	M	R	R	S
J	R	P	Q	Y	H	B	F	M	C	B	M	I	U	L	Y	C
C	A	T	S	V	J	V	Q	J	J	Y	F	C	M	T	V	B
V	B	W	I	W	H	U	U	E	I	S	T	K	U	F	Z	J
V	Ú	C	Y	B	C	W	W	C	V	U	D	X	R	H	Z	O
Z	L	F	E	T	P	U	P	O	Y	R	R	A	U	Q	V	Z
N	U	H	B	N	N	Q	M	G	U	A	C	O	M	V	J	H
D	S	R	B	P	S	L	Z	A	S	P	Y	R	U	L	N	I
S	Y	A	H	P	R	B	U	Y	G	W	U	C	R	Q	A	H
Q	R	D	F	G	H	Y	P	Y	D	G	N	Z	U	K	N	P
I	E	B	I	V	U	P	B	N	J	Q	Q	O	S	U	D	P
K	A	S	P	J	R	R	O	C	J	A	Z	I	V	O	U	K
V	B	V	P	V	F	U	F	B	G	J	Q	Y	Ã	N	W	D
N	E	Y	Q	Q	A	N	T	E	F	Q	U	C	O	G	B	N
I	T	D	L	T	D	U	W	J	P	J	A	D	Y	B	V	X
D	O	G	I	O	H	I	V	P	Z	R	W	K	B	V	C	W
W	U	J	O	K	E	C	D	H	T	K	Y	O	O	G	Q	E
N	R	Y	F	R	B	B	C	A	I	K	F	T	T	C	R	L
H	O	R	M	M	S	F	M	D	L	A	V	U	K	S	X	X
S	I	Z	C	Z	T	O	S	G	J	X	C	C	V	O	R	U
Y	I	C	U	F	Y	J	R	G	H	Z	L	O	A	R	B	F
Y	Z	X	R	U	A	Q	D	R	R	U	Q	E	V	E	U	Y
J	W	E	I	A	Z	T	A	R	O	M	T	L	Z	A	L	R
U	C	P	C	F	S	N	W	K	P	Y	G	H	X	Z	A	U
M	E	R	A	T	E	I	R	A	G	O	J	O	H	O	T	W

ABETOURO, COELHO, CRABÚ, CURICA, GUACO, KUONG, MATRACÃO, MURUMURU, NANDU, RATEIRA, TARO, TOMILHO, ZEBU

060

D	T	N	R	N	T	V	R	R	N	B	P	C	A	E	T	É
S	N	I	B	L	F	G	X	F	W	A	H	A	F	Q	Q	Y
B	K	M	P	I	B	P	U	P	N	X	T	A	P	L	N	O
K	A	N	X	Z	M	H	M	R	V	N	S	T	F	Y	Z	F
O	W	M	F	H	E	N	Y	P	A	L	J	M	R	I	B	B
U	E	Z	B	L	V	I	C	W	M	Z	X	K	Q	A	K	D
B	A	M	M	U	H	T	I	G	U	L	O	B	T	F	Ç	Z
A	S	F	D	F	X	B	Z	O	I	Y	L	E	F	I	E	A
S	O	S	E	R	P	K	Z	G	R	N	U	T	N	P	H	M
P	W	D	N	F	N	O	C	Z	A	Y	U	G	N	A	M	N
N	R	D	F	T	D	O	R	N	P	P	D	S	W	I	R	T
Y	P	C	E	D	T	K	T	O	U	E	R	V	V	X	H	E
L	E	O	A	S	J	J	H	A	R	H	G	G	Q	T	H	L
V	C	D	A	U	F	J	K	E	U	O	E	A	Q	M	M	Q
E	C	E	L	O	D	H	Y	I	A	T	C	S	W	J	U	V
I	Y	Z	K	B	C	H	W	U	Z	K	U	A	X	U	Ç	V
B	T	K	V	N	T	U	E	G	U	D	S	J	H	V	U	O
Q	B	H	R	F	L	G	I	H	L	A	V	G	B	Á	Ã	S
U	G	M	Y	V	M	F	H	G	K	X	U	Q	S	V	G	E
Q	O	U	U	T	A	Á	I	Z	Y	S	Q	U	O	D	G	R
E	Y	L	W	H	P	E	L	K	J	T	Y	J	B	M	R	I
U	M	N	T	A	N	G	U	U	G	Q	O	L	P	B	I	S
G	E	Q	M	Ô	T	A	K	Y	Z	X	D	A	O	N	O	S
H	U	A	P	H	G	U	T	A	I	G	D	J	P	E	R	A
I	A	J	A	S	M	I	M	D	A	Í	N	D	I	A	P	N
U	S	J	F	I	L	U	X	P	H	K	S	R	R	X	E	Z

AMAPÁ, ANTA, BAMBU, CAETÉ, JASMIM-DA-ÍNDIA, JUVÁ, MUÇUÃ, PEGA, PÔNEI, POROROCA, SERISSA, TRAÇA, UIRAPURU-AZUL

061

Z	W	X	U	F	S	X	H	A	R	F	C	I	I	M	F	J
D	U	I	N	R	U	B	U	G	Q	T	N	P	Y	D	C	P
M	V	P	R	I	Y	U	G	P	F	Q	H	S	S	G	Y	H
H	D	G	R	W	S	E	H	Y	D	C	W	X	L	V	L	T
P	D	A	T	Z	H	K	J	V	U	A	Q	D	E	Q	V	Y
X	M	S	P	F	K	S	X	H	F	B	P	X	R	T	C	N
U	R	H	I	U	O	B	Y	M	V	O	I	H	H	F	I	O
V	S	Q	A	V	Z	T	E	T	U	I	D	R	V	A	R	M
U	M	D	L	Z	K	Q	K	P	Q	R	M	C	A	E	R	G
M	V	Q	E	L	U	Q	I	E	A	A	L	I	X	A	U	F
I	V	C	Q	I	C	O	S	E	R	N	B	N	M	S	G	E
G	W	B	S	T	N	R	P	J	Z	A	T	R	I	K	R	X
O	W	Y	G	C	H	Ó	F	Ã	C	U	R	F	A	I	A	G
N	Z	C	U	Z	L	U	N	R	F	O	N	R	K	Ú	O	O
P	V	W	N	E	T	A	N	F	T	R	F	U	L	X	N	R
W	O	W	T	F	U	F	R	N	O	V	U	V	E	H	K	A
I	Y	J	V	R	U	P	A	F	Q	A	R	S	V	K	Y	U
U	W	W	U	H	O	C	I	E	A	Ç	C	Q	X	F	H	N
R	B	M	H	V	Á	H	J	M	Q	A	R	D	E	J	B	O
X	T	A	F	I	A	A	E	E	W	Í	É	R	Z	A	I	D
L	L	I	S	N	U	S	Z	E	R	Q	I	P	I	O	V	W
C	O	S	N	G	N	T	Y	V	T	S	A	P	X	C	K	S
J	I	R	A	G	A	L	O	H	C	S	I	E	L	Y	P	H
V	B	T	J	C	A	Q	G	W	L	T	P	Z	K	H	G	U
Y	N	E	P	E	O	Q	H	F	R	D	J	W	G	M	W	Y
B	E	Q	Q	S	A	N	Ã	P	R	E	T	A	S	S	V	D

ABOIRANA, AÇAÍ, AGUAJE, BRAÚNA, FURCRÉIA, GALO, SANÃ--PRETA, TELÓPEA, TINGA, UMARI, URUANÃ, VISSIÁ-CANTOR, XERO

062

B	N	Y	G	Y	C	I	H	U	F	D	Y	W	D	F	M	F
W	E	Z	Q	C	J	G	D	I	T	Z	R	O	O	N	K	L
N	R	B	K	J	Y	Z	F	T	P	S	G	K	W	B	C	O
J	F	M	D	Q	L	O	J	I	L	I	D	R	C	J	O	R
V	A	V	R	L	A	B	X	N	G	U	I	A	N	A	B	D
K	G	I	Z	B	L	G	Q	G	O	N	H	O	T	O	R	E
S	X	L	F	X	R	E	L	U	F	L	N	R	X	B	A	M
O	S	A	U	W	A	L	A	I	B	Y	U	V	R	S	C	E
R	K	X	K	O	Y	V	M	E	V	M	O	C	M	J	E	L
U	S	M	H	Q	I	M	O	R	Q	W	Z	T	I	F	G	C
G	F	W	C	K	K	V	R	Z	Q	P	I	B	Ó	S	A	I
X	N	E	D	S	G	W	E	N	T	I	G	Z	P	U	D	X
P	I	P	R	N	Q	G	I	F	Q	S	L	S	O	M	A	V
S	D	G	G	A	P	H	R	S	R	H	P	I	R	R	É	D
C	N	M	S	I	X	W	A	X	R	W	O	Q	O	P	W	L
P	A	U	F	O	R	M	I	G	A	T	G	M	G	T	U	I
A	V	S	Y	E	N	U	U	H	R	T	G	T	Q	M	C	P
K	J	R	Y	V	F	W	B	A	A	V	Z	E	D	G	U	S
O	U	X	P	C	K	Q	G	R	A	S	N	P	M	L	T	Z
E	T	O	L	K	B	A	E	K	P	H	T	W	G	H	N	B
G	P	Á	F	A	L	U	H	I	F	X	P	A	T	O	B	Á
I	O	Í	R	A	Y	E	U	E	G	P	Q	G	E	B	J	M
B	Y	C	R	I	Z	W	W	T	O	G	H	A	N	R	K	C
R	R	B	S	I	A	P	T	D	F	R	O	X	O	U	K	E
T	O	X	U	P	S	P	V	N	Y	Z	J	I	A	I	U	Q
C	U	N	D	G	P	O	I	N	S	É	T	I	A	W	S	Z

AMOREIRA, ATOBÁ, COBRA-CEGA-DA-GUIANA, COBRA-LAGARTO, FLOR-DE-MEL, ÍRIS, IRRÉ, MIÓPORO, MURTA, OTÁRIA, PAU-FORMIGA, POINSÉTIA, TINGUI

E	O	K	E	S	I	K	U	C	G	O	G	P	M	O	E	L
K	R	K	N	C	A	N	U	D	E	I	R	O	N	B	I	A
I	M	I	V	E	A	G	T	T	Q	A	J	Z	J	H	N	Y
P	S	X	V	R	H	V	K	B	K	H	M	T	T	E	R	Ê
U	K	U	C	D	L	G	P	A	T	D	C	P	C	P	D	V
R	I	R	Q	A	O	P	R	N	B	T	Q	U	X	N	B	F
U	F	O	F	U	N	I	J	M	D	X	E	I	E	T	O	A
M	Y	E	R	Q	Z	I	N	Z	L	L	T	D	M	I	Q	L
U	R	D	K	G	R	S	N	S	S	D	J	S	U	A	C	S
T	S	P	O	A	G	X	J	A	S	A	O	O	G	C	J	A
U	E	O	W	M	A	A	I	V	N	B	T	Q	W	H	Q	C
M	L	L	C	M	H	O	G	M	P	A	C	M	L	A	M	O
Z	W	A	K	H	B	Z	C	A	A	E	H	B	R	T	C	R
T	P	D	E	G	V	B	M	T	Z	C	U	X	A	A	T	A
K	B	I	I	M	R	D	L	A	U	T	P	G	I	D	A	L
I	Z	R	S	E	N	F	J	M	N	F	I	V	X	E	B	Q
N	A	I	B	W	S	J	E	A	S	G	M	N	L	I	U	M
A	G	P	L	F	D	Q	V	T	F	C	D	J	O	R	A	P
N	L	L	J	B	E	Y	W	Á	R	H	O	Z	Z	A	I	C
U	R	E	H	N	A	Q	L	V	O	U	S	L	C	B	W	J
B	K	H	Q	D	D	T	K	H	E	N	N	H	D	K	A	L
R	K	J	P	F	I	P	V	J	K	L	S	F	R	W	S	S
A	G	H	Z	P	J	O	Ã	O	E	S	C	A	M	O	S	O
N	Q	M	P	K	C	R	B	C	Z	V	O	E	Z	V	F	S
C	F	N	M	W	M	S	U	U	W	L	Y	C	V	M	N	Q
O	M	E	C	G	T	A	Q	L	D	D	U	L	B	L	E	B

ACHATADEIRA, ANU-BRANCO, ARIGBOIA, CANINANA, CANUDEIRO, CHUPIM, DENDÊ, FALSA-CORAL, JOÃO-ESCAMOSO, LEUCENA, MATAMATÁ, TABUA, URUMUTUM

064

T	S	D	V	K	V	O	T	Q	Z	T	G	N	I	Y	F	I
C	I	Y	Z	Y	J	S	L	I	N	D	A	I	Á	B	O	M
Q	O	B	P	E	G	O	U	R	Y	G	P	S	H	X	I	L
W	U	S	T	B	D	X	T	M	N	T	M	Q	A	Q	A	G
Q	L	E	V	F	W	N	N	Y	B	I	A	J	Z	D	E	Z
U	E	V	T	Q	B	A	R	B	A	D	O	V	F	F	P	B
P	Z	U	C	Z	O	U	Y	N	V	N	W	Z	G	C	Q	V
L	X	M	O	U	A	N	Z	S	W	T	Y	A	B	Q	C	Z
O	V	I	M	P	S	L	R	D	P	M	N	W	T	H	P	I
H	A	A	B	U	F	R	P	K	O	O	J	K	Y	Y	E	I
Y	R	M	M	K	J	V	M	A	X	P	E	M	E	M	P	I
Y	N	K	R	T	P	M	X	K	V	D	X	W	U	Y	E	N
B	K	I	E	C	S	E	A	Y	V	Ã	H	O	G	U	R	A
C	X	B	V	W	X	P	O	Q	H	U	O	U	Ê	X	Ô	J
S	X	L	F	J	F	L	H	E	S	M	Y	A	N	V	M	Á
I	R	U	S	U	G	B	Z	S	G	J	V	Y	I	H	I	O
K	B	I	C	U	Í	B	A	A	Q	H	L	P	A	T	A	R
S	C	B	W	K	A	P	U	N	A	R	É	J	K	Q	M	E
D	R	X	F	L	F	N	C	H	T	H	B	O	R	C	V	M
S	V	Y	M	J	W	W	A	U	L	J	M	A	Z	R	F	N
N	M	D	Q	B	A	Z	U	M	T	J	R	Q	K	I	V	U
G	X	O	H	N	E	X	L	A	B	N	D	U	P	N	W	S
X	Y	W	Z	Y	X	S	J	C	B	É	O	L	C	O	A	I
A	L	Y	G	W	K	U	N	W	H	H	I	S	I	X	Y	B
A	R	P	M	T	O	M	N	D	P	H	R	I	C	X	J	T
J	L	F	B	F	R	L	X	Q	Y	D	C	A	A	B	H	I

ANAMBÉ, ANHUMA, BARBADO, BICUÍBA, CICA, CRINO, EUGÊNIA, INAJÁ, INDAIÁ, PEPERÔMIA, PUNARÉ, QUETZAL-PAVÃO, TEJO

065

Z	P	Q	U	O	L	L	E	Z	V	T	O	M	L	F	C	C
X	O	G	A	K	U	H	E	E	A	C	Y	T	H	T	Z	U
E	S	G	N	C	T	I	V	A	G	P	G	S	R	I	M	T
X	F	K	A	P	P	T	T	S	C	G	S	U	A	T	V	I
É	A	P	W	M	M	C	R	I	R	Z	E	J	D	H	G	A
U	J	R	Y	V	W	J	P	X	C	W	O	R	X	E	H	W
D	D	X	Á	Q	A	M	X	E	N	Y	N	I	Z	P	Z	Q
D	X	W	V	C	B	W	R	O	F	F	X	F	W	E	B	W
O	Y	H	A	H	D	A	R	A	T	U	N	N	A	Q	W	O
J	U	V	E	V	Ê	I	D	T	M	O	W	A	X	U	N	H
Ô	M	C	Y	C	I	C	P	X	P	K	K	I	K	I	P	T

ARATU, CUTIA, DOJÔ, JUVEVÊ, PACU, PEQUI,
QUOLL, VACA, XARÁ, XEXÉU

066

H	Z	K	Y	U	C	C	Y	M	N	O	M	S	I	S	U	Y
X	L	W	X	U	Ê	A	Ç	U	Q	O	W	Q	J	M	X	N
S	C	Y	T	U	W	P	F	A	I	V	J	J	J	A	D	B
J	Y	M	L	P	I	C	H	G	W	F	M	P	C	K	N	F
M	U	W	E	N	E	C	U	T	K	X	J	D	Z	U	I	J
K	H	L	N	X	A	B	E	R	H	R	F	T	Z	R	K	Ó
L	I	A	K	C	P	V	A	F	U	L	M	A	R	S	C	O
U	H	Y	S	M	Q	P	F	L	P	X	P	U	X	O	B	S
G	U	I	O	E	X	H	D	P	W	A	E	X	S	C	V	T
R	V	B	H	K	V	A	B	E	L	H	A	W	D	L	Y	R
E	V	I	T	Ó	R	I	A	R	É	G	I	A	M	X	E	A

ABELHA, BUGIO, FULMAR, LUGRE, OSTRA,
SOCÓ, URSO, VISCACHA, VITÓRIA-RÉGIA, XUÊ-AÇU

067

H	A	H	S	E	N	S	I	T	I	V	O	N	T	Y	Q	O
T	R	E	A	K	R	F	E	F	B	O	J	R	S	U	B	R
C	A	K	W	Á	P	D	B	G	K	G	T	D	E	I	X	B
G	B	D	R	A	R	T	R	G	C	B	Q	F	U	S	I	F
Y	M	I	N	V	B	S	Z	A	C	X	L	D	D	G	C	T
T	U	Z	S	G	P	D	J	B	R	Z	C	V	I	Z	D	U
G	C	B	J	D	A	V	L	I	A	X	Q	M	O	G	L	V
L	W	W	S	C	C	Z	K	R	A	U	C	R	X	L	Y	P
A	M	O	I	I	H	W	U	A	M	I	T	I	W	W	T	U
M	J	A	K	O	I	G	M	B	F	A	J	P	Z	J	A	I
H	F	W	O	K	J	N	Q	A	B	S	F	O	X	K	N	G
O	I	D	U	S	O	V	Y	L	T	C	Q	G	O	X	T	P
M	I	L	C	E	E	T	A	P	A	I	R	J	A	E	I	R
W	C	S	J	F	P	P	V	M	N	Y	R	H	B	U	L	E
C	E	P	J	B	S	I	F	P	H	G	U	I	U	M	A	C
S	U	C	U	R	I	Ú	N	A	A	H	I	F	T	I	A	S
N	T	T	Z	F	Y	S	V	P	O	U	D	H	R	I	A	N
R	H	I	W	V	L	U	L	L	T	X	T	P	E	W	R	V
R	G	K	U	C	M	W	D	P	W	S	T	O	D	L	M	I
F	L	R	C	B	R	R	H	X	R	X	I	P	O	S	C	O
C	X	R	J	G	X	M	N	F	D	A	C	Y	E	R	H	I
M	V	C	E	O	O	X	A	L	H	R	E	C	G	Z	Y	A
X	F	S	L	J	V	T	O	H	V	F	R	T	I	V	C	W
O	P	G	Y	I	B	O	A	Z	W	Y	V	Y	T	X	N	R
E	E	Z	G	V	D	Y	U	T	U	F	O	L	O	I	U	F
Q	R	T	J	W	K	E	A	L	U	B	B	U	V	S	J	E

ABUTRE-DO-EGITO, ALBATROZ, CERVO, GABIRABA, GOJI, GUIRÁ, HUIA, SENSITIVO, SUCURIÚNA, TANTILLA, TATU, TIRITIRI

S	P	T	I	V	G	I	P	Q	T	H	V	G	D	Z	A	Z
F	T	T	Q	V	H	A	A	E	U	O	R	G	C	H	C	Q
D	G	X	D	G	Q	R	X	S	W	R	I	B	O	I	J	E
S	C	B	K	L	L	A	U	K	Q	L	J	K	C	O	B	H
R	K	P	R	T	I	Ç	E	P	E	L	H	B	O	A	B	E
Y	R	K	Y	M	M	A	D	G	H	A	U	I	R	E	G	U
O	G	U	R	I	A	R	A	A	C	E	F	L	U	S	C	X
H	S	G	U	Q	P	I	K	A	A	R	K	T	T	U	B	H
M	U	P	T	U	W	D	K	D	S	Z	K	J	A	M	A	B
U	F	T	Q	R	J	E	W	I	U	F	B	G	R	A	R	M
J	V	Y	K	Y	O	C	Z	H	U	Y	Y	U	X	Ú	B	K
Y	X	U	X	H	P	I	Q	K	B	K	J	A	H	M	O	L
U	F	Z	S	U	D	N	P	D	J	N	A	P	B	A	K	P
I	I	B	U	P	H	T	S	J	G	W	L	E	M	D	F	O
X	B	J	A	Y	N	A	R	X	A	N	L	R	E	O	V	H
A	J	O	Ç	N	Á	D	W	T	R	W	X	Ê	J	O	Q	I
H	N	X	U	L	W	U	G	Z	Ç	N	U	H	K	K	G	X
G	A	Y	A	Y	X	P	C	U	A	L	I	F	N	M	I	O
W	H	L	H	F	T	L	L	B	N	M	O	W	C	B	R	O
C	K	P	W	Q	T	A	U	F	S	C	K	T	T	M	R	M
C	D	D	A	B	E	I	J	O	O	R	L	S	H	Q	I	H
B	A	R	B	U	D	O	R	A	J	A	D	O	N	F	L	G
W	E	R	R	N	T	M	I	T	K	O	T	T	M	J	V	H
F	F	S	L	L	T	C	X	K	K	S	I	I	P	C	H	E
X	J	L	J	K	M	L	M	R	M	N	F	M	O	V	D	A
Q	F	F	F	G	U	F	C	J	R	W	T	I	N	G	U	I

ARAÇARI-DE-CINTA-DUPLA, BARBO, BARBUDO-RAJADO, BEIJO, COCORUTA, FIM-FIM, GARÇA, GUAPERÊ, LALÁ, LIMA, SUAÇU, SUMAÚMA, TINGUI

069

S	V	C	C	O	P	N	E	I	N	E	I	M	Z	Y	G	W
Z	J	A	E	W	A	H	W	X	A	Q	O	O	T	M	V	T
Q	N	Q	U	Q	Z	T	Z	H	Q	D	G	N	S	B	E	R
Q	Y	U	G	S	E	F	M	Q	Y	V	H	G	S	W	R	G
A	R	I	H	D	A	V	B	J	G	X	J	U	B	A	H	H
I	H	D	K	X	J	K	Q	B	U	C	Q	B	O	W	E	X
A	D	O	E	V	B	C	N	B	V	M	H	A	E	W	P	N
M	H	M	U	K	V	U	M	P	Z	G	Q	A	H	L	O	E
Q	J	A	G	B	E	U	O	I	B	W	X	G	U	H	M	U
S	M	T	E	R	O	H	A	P	B	M	G	K	W	Á	B	B
N	A	O	N	A	Z	A	O	Q	S	A	C	N	J	P	A	I
G	R	H	G	N	M	L	S	N	Z	C	F	U	I	O	G	T
D	I	Z	I	Q	K	Y	P	G	E	U	P	V	I	F	A	D
H	N	J	B	U	E	U	X	H	W	R	A	K	R	C	L	B
Z	H	P	R	I	S	V	G	U	E	U	U	U	X	E	E	E
G	E	P	E	N	M	B	Ç	T	I	E	D	O	W	W	G	D
E	I	W	V	H	N	A	C	K	J	S	E	Y	I	J	A	O
L	R	Q	E	O	É	S	B	X	U	X	Ó	N	U	A	T	G
S	O	J	R	B	C	T	X	W	C	L	L	X	E	R	U	Y
U	A	R	M	U	A	F	S	T	N	Q	E	P	G	C	C	E
S	I	A	E	X	R	K	V	S	H	F	O	L	A	H	C	Y
W	N	U	L	J	I	P	K	L	C	R	X	H	R	N	K	G
A	P	F	H	A	L	B	Í	Z	I	A	X	K	G	O	H	X
L	X	I	O	J	H	F	A	N	A	C	O	N	D	A	M	W
I	U	M	J	A	W	S	A	P	G	B	H	P	A	I	Y	Q
O	Y	B	K	E	Q	Q	B	Q	E	C	H	J	U	X	H	A

ALBÍZIA, ANACONDA, ANAMBÉ-AÇU, BRANQUINHO, CAQUI-DO-MATO, CHAUÁ, GENGIBRE-VERMELHO, MARINHEIRO, MACURU, MONGUBA, NEINEI, PAU-DE-ÓLEO, POMBA-GALEGA

K	F	H	D	P	Q	B	K	A	U	W	W	Y	A	H	T	Z
Y	S	Y	C	R	R	Z	N	N	O	E	O	Z	S	K	A	K
R	Z	R	I	T	J	A	B	Z	Q	B	R	R	O	W	D	B
Q	U	N	V	Q	R	S	N	M	P	E	W	I	F	X	Y	Z
I	Z	V	F	O	I	W	O	M	B	A	T	N	C	F	U	T
I	J	B	P	A	R	N	T	A	P	I	N	F	I	B	L	B
O	H	A	C	B	T	M	D	L	S	U	M	U	O	Z	H	T
E	I	Q	W	F	F	T	P	O	J	M	A	E	U	C	V	R
T	O	M	I	M	N	G	I	E	L	Y	R	N	E	N	A	T
O	D	O	R	X	U	U	N	S	A	U	A	C	R	T	F	I
C	X	W	V	E	E	A	D	Y	W	N	P	G	A	D	V	L
K	D	W	O	M	Ã	I	A	S	D	I	A	T	O	P	E	Â
J	N	Z	K	M	T	U	Ú	T	E	R	Ç	B	S	K	Y	N
W	R	S	U	J	Y	V	V	X	A	X	U	G	T	T	J	D
A	Q	C	L	V	N	I	A	B	T	M	R	N	L	D	P	S
S	A	W	A	I	A	R	P	O	P	G	A	A	L	L	U	I
Y	P	B	S	V	W	A	R	Q	C	N	J	Q	N	W	Q	A
K	P	W	U	E	C	O	E	M	F	S	A	U	U	X	P	P
Q	H	P	A	Q	U	B	T	E	T	Q	D	X	I	A	F	F
M	A	I	T	D	L	N	A	L	D	G	O	I	C	E	R	A
S	R	U	U	D	V	W	Q	C	Y	S	S	Y	N	C	M	É
U	N	J	T	C	U	J	B	C	U	E	A	V	P	A	K	V
E	P	N	E	R	Z	X	D	O	S	R	M	X	L	Y	E	B
A	E	S	X	C	L	C	I	W	W	G	A	I	D	T	X	N
L	R	S	W	Y	S	B	V	I	J	P	T	U	U	F	M	D
B	J	N	X	F	P	O	H	W	P	N	S	J	Z	H	M	W

ACUMÃ, ARAPAÇU-RAJADO, BACURAU, FOCA, GUAIUVIRA, ILAMA, PINDAÚVA-PRETA, SAPUVA, TAMAQUARÉ, TAPI, TIAPORANA, TILÂNDSIA, WOMBAT

071

I	F	M	R	V	Q	T	U	L	Q	M	O	H	F	S	Z	S
Z	L	A	R	O	G	D	T	Z	B	L	K	G	T	E	X	A
D	O	L	N	V	N	C	W	N	L	E	I	V	D	O	K	I
O	R	H	N	H	D	C	H	H	Y	P	G	M	V	E	S	I
U	D	V	M	F	R	V	T	L	V	B	B	A	L	L	V	S
A	E	V	W	G	Y	S	V	P	D	F	S	C	P	I	X	W
U	L	M	Q	H	U	V	F	A	F	T	E	A	Q	F	Y	U
K	I	P	N	R	I	F	Q	N	E	F	G	C	U	N	S	J
Q	S	Z	O	F	D	H	K	F	E	G	R	O	Q	F	D	R
M	D	C	C	U	V	A	C	V	W	X	T	B	Y	L	W	K
Q	A	U	G	O	I	P	E	V	A	Y	G	A	J	G	C	S
E	S	Q	M	K	C	X	A	V	U	O	P	R	U	A	U	O
I	I	X	P	Q	O	W	T	I	M	B	U	R	I	V	S	L
D	B	P	C	O	E	X	L	H	T	U	T	I	B	I	K	A
L	É	I	T	A	N	L	U	O	F	C	F	G	C	Ã	U	N
A	R	V	K	P	P	A	U	R	E	I	G	U	L	O	F	O
G	I	S	O	Q	B	H	P	T	X	A	G	D	E	P	C	A
A	A	V	Q	G	R	O	Q	Y	K	B	L	O	M	O	I	Z
R	X	Q	F	P	K	F	Z	P	H	E	G	P	E	M	N	U
T	V	M	Q	R	R	X	O	B	H	D	X	R	N	B	E	L
I	L	N	H	C	B	K	I	O	B	B	T	A	T	O	R	R
X	C	E	C	N	O	K	I	O	R	U	Y	T	I	K	Á	C
A	K	S	V	C	H	T	A	D	B	R	I	E	N	E	R	X
S	U	W	R	J	V	Y	L	A	T	O	N	A	A	J	I	Y
I	P	Ê	O	P	A	F	Q	Q	F	H	R	D	U	R	A	B
X	M	I	H	N	W	K	M	S	I	Z	R	O	U	Z	K	G

ABUTRE, ACORUS, CINERÁRIA, CLEMENTINA, FLOR-DE-LIS-DA-SIBÉRIA, GAVIÃO-POMBO, GOIPEVA, IPÊ-OPA, LAGARTIXA, MACACO-BARRIGUDO-PRATEADO, PAU-REI, SOLANO-AZUL, TIMBURI

072

X	V	U	W	R	F	Z	L	C	O	S	G	A	J	J	Z	V
R	P	R	Y	A	N	M	P	C	B	A	T	A	T	Á	L	J
Q	P	Q	P	F	L	U	L	B	Q	T	J	Q	T	G	S	P
U	M	M	E	U	M	I	A	S	Z	D	E	O	Q	M	A	Y
T	O	E	L	Y	Y	L	C	C	G	O	I	M	F	R	G	C
M	M	A	S	W	D	G	M	C	U	G	N	A	M	M	G	L
H	L	O	T	I	Q	R	J	A	C	A	T	I	R	Ã	O	M
J	F	F	F	X	N	V	L	T	L	L	Q	K	T	G	F	F
F	X	A	V	E	X	I	G	U	I	K	S	X	U	T	S	X
D	X	Z	N	Z	D	M	M	A	P	A	Z	X	L	K	E	O
X	Y	P	G	O	I	G	Z	B	F	Z	K	L	H	R	B	Q
H	P	I	B	M	J	Y	Y	A	U	Y	Q	D	F	O	C	F
K	N	K	S	X	Y	F	B	B	M	L	F	W	J	D	G	P
E	Z	A	L	X	N	N	Z	R	D	M	J	M	I	Q	X	S
H	Y	A	J	I	F	R	I	A	H	U	V	P	B	B	B	Q
O	C	Z	K	S	Z	F	B	N	A	X	X	T	E	O	V	V
V	E	I	Z	C	H	K	L	C	U	X	R	Q	R	W	X	P
S	Z	Y	V	X	G	P	O	A	Y	I	M	I	Z	A	C	W
Q	C	G	V	T	B	A	B	N	A	F	E	T	K	N	G	L
A	A	Q	Y	E	T	L	V	X	J	U	L	Z	K	H	A	S
Z	R	R	B	E	H	A	V	J	G	E	H	V	A	K	S	V
U	O	V	D	G	A	F	P	N	J	Q	A	F	V	Z	I	H
G	B	E	X	U	E	N	A	N	O	A	R	G	Q	K	D	L
H	Ã	X	D	D	K	S	I	L	A	I	U	T	A	S	N	O
M	O	I	F	Y	Z	F	B	S	F	M	C	K	N	K	Q	X
T	D	L	T	H	C	H	Y	H	K	N	O	E	Q	T	B	F

ANIS, ASNO, BATATÁ, CAROBÃO, CATUABA BRANCA, JACATIRÃO, JOBO, MÃE-DE-TAOCA, MELHARUCO, OSGA, SANGUEIRO, SINIMBU, YASMIM

073

J	G	I	F	T	R	M	A	C	A	Ú	V	A	F	S	R	P
G	A	F	B	D	T	E	V	I	J	J	T	V	S	A	H	G
L	R	B	E	Q	O	R	W	L	N	N	H	I	O	N	T	R
K	F	W	O	J	I	G	D	G	T	C	C	A	Ç	Ã	O	X
Y	Q	G	L	T	V	U	S	F	R	U	V	E	M	P	M	U
J	C	A	X	K	I	L	I	Q	B	O	U	O	X	A	Z	F
V	M	N	L	U	C	H	E	U	U	G	W	Q	D	R	G	J
V	L	C	L	G	T	Ã	I	S	R	V	H	A	W	D	N	B
I	O	A	U	I	D	O	H	R	L	P	L	N	V	A	P	O
H	P	L	F	U	B	D	P	G	D	B	X	O	C	N	Q	N
G	R	I	U	D	Q	E	O	A	E	E	D	I	F	Q	K	V
Q	C	B	C	V	V	O	G	B	T	C	E	F	U	D	J	L
H	R	R	U	R	C	R	G	T	P	E	N	G	U	I	A	M
O	E	A	Z	Q	W	E	I	O	C	K	J	T	W	X	U	A
E	Z	C	G	U	L	L	U	B	T	G	V	Ú	G	Z	X	V
O	M	H	N	Z	G	H	K	F	O	Y	J	I	M	F	C	E
J	Y	O	P	E	Q	A	W	I	R	U	C	Y	W	Z	I	L
J	G	A	X	F	N	A	U	A	M	A	V	Q	D	I	F	Ã
B	V	R	X	G	S	M	M	P	P	B	C	O	E	J	R	U
S	K	M	Y	N	C	A	P	Z	F	L	F	V	J	W	Q	I
H	K	G	G	N	C	R	Y	Q	D	Q	S	Z	Z	F	K	D
T	W	Q	V	L	L	E	B	I	N	D	V	J	A	Q	T	R
E	N	A	A	J	Y	L	K	W	N	N	N	Q	U	N	T	G
E	V	C	W	R	V	A	B	K	K	I	V	A	J	U	R	U
E	A	K	I	T	O	L	O	M	K	G	W	J	B	U	E	J
C	I	U	U	M	A	N	D	O	V	I	C	C	D	H	J	D

AJURU, AVELÃ, BOIUBU, CAÇÃO, CALCAMAR, CALIBRACHOA, ENGUIA, JABOTI, MACAÚVA, MANDOVI, MERGULHÃO-DE-ORELHA--AMARELA, SANÃ-PARDA, TEJÚ

V	V	K	B	V	N	X	U	H	A	J	P	X	C	A	P	C
Z	B	V	K	R	C	F	Q	P	S	V	C	Y	S	M	E	B
R	R	B	V	V	B	A	J	M	S	C	W	D	L	R	N	U
T	L	I	U	S	K	E	R	W	W	Q	N	W	E	S	P	I
D	J	W	W	S	E	W	I	O	F	X	P	X	I	G	B	Y
H	I	L	K	X	G	J	L	J	B	Q	D	R	R	A	K	Q
B	Y	J	M	G	V	Z	O	O	L	O	Í	R	Z	R	E	Q
L	J	U	S	V	L	J	N	X	V	O	Ç	E	U	A	B	X
T	D	S	O	U	I	L	A	G	S	V	L	U	W	P	O	M
V	S	G	Y	R	T	G	T	L	T	W	R	B	F	A	I	E
N	S	N	N	U	K	B	A	W	N	V	S	E	A	H	T	W
S	W	B	N	B	H	F	F	J	K	Z	P	R	I	N	K	C
B	N	S	K	U	S	N	D	Z	T	F	U	I	O	F	V	Q
J	X	K	B	B	X	W	M	Q	Y	W	K	J	C	E	Q	B
S	U	K	K	W	G	H	M	P	R	X	P	Z	V	C	N	M
B	B	P	Z	M	B	W	Q	H	U	K	G	R	V	S	P	E
I	S	J	A	N	U	T	Z	O	E	M	A	K	V	M	W	J
Z	I	M	R	R	Q	D	P	H	J	N	U	G	Y	G	Q	N
H	I	T	R	G	Á	A	K	C	A	X	K	O	L	U	F	J
H	W	E	C	A	P	G	V	R	B	R	V	E	C	A	G	Y
X	M	W	N	I	R	Q	A	Q	U	U	P	M	W	I	X	P
D	M	B	N	D	A	M	I	G	X	L	P	B	Q	Ç	W	O
Z	L	E	N	P	U	J	A	Y	I	F	I	A	B	A	L	K
K	J	R	R	R	M	E	O	W	N	G	Q	Ú	Z	R	Z	G
H	W	A	A	A	I	M	P	I	H	Y	U	B	T	A	M	G
M	C	T	N	O	R	C	S	N	O	K	I	A	Z	F	T	R

BUXINHO, CAROBOÇU, CARPA, EMBAÚBA, FALSO-ÍRIS, GARAPA, GUAIÇARA, JENIPAPO, JOIO, JUPARÁ, PIQUI, TARUMARANA, URUBU

075

Y	E	R	Z	G	S	Y	X	P	O	N	M	C	I	K	T	I
P	S	Q	U	H	P	G	U	A	R	A	I	U	V	A	Q	Q
B	V	T	L	T	U	T	R	H	A	C	V	L	N	G	H	T
O	L	H	W	E	L	T	Q	U	E	R	O	Q	U	E	R	O
N	P	G	N	N	M	A	S	K	P	H	U	E	V	I	N	U
Z	Z	Y	U	X	N	P	G	Á	K	Q	S	Q	R	X	I	C
B	A	A	Z	A	S	M	J	O	L	U	H	X	J	O	X	K
O	I	K	N	K	I	A	L	I	S	C	A	N	Ç	O	A	U
Y	O	A	T	Y	R	A	M	Y	O	T	O	Q	K	J	V	X
V	H	Z	R	A	H	M	N	M	I	T	A	E	E	J	G	J
C	A	D	M	J	V	Q	D	Ã	G	C	S	V	G	B	E	J
N	R	R	L	R	E	C	J	P	N	Z	D	I	K	Y	R	H
S	Q	S	I	B	O	T	H	S	I	S	R	E	A	I	R	V
Z	L	L	E	H	U	L	H	K	M	A	X	I	A	X	G	R
P	L	R	Q	U	J	E	G	T	H	Y	T	R	A	B	I	L
J	V	W	Y	C	U	N	G	H	N	A	Y	A	I	Ó	A	V
B	D	A	S	L	W	Q	T	I	K	F	D	Q	P	X	Q	N
Q	C	R	X	M	T	F	E	O	M	P	O	I	K	B	I	X
V	H	F	G	G	L	G	F	W	P	L	T	P	X	C	X	R
Z	F	V	D	L	Q	Y	R	G	A	I	A	T	A	O	J	G
I	U	S	C	P	U	J	T	M	O	M	V	S	Q	P	Y	R
P	U	G	C	W	X	V	L	B	H	A	O	Z	I	E	J	A
X	W	I	F	E	S	K	V	Y	C	R	Z	Y	M	R	P	C
Q	V	K	W	X	T	R	B	R	Ê	Y	X	U	U	E	X	U
C	A	Z	J	I	A	R	A	P	I	R	A	C	A	T	C	Í
W	E	Q	X	T	Q	V	I	Y	Q	B	S	E	H	E	S	X

ABIL, ALISCANÇO, ARAPIRACA, BOITIPÓ, COPERETE, GRACUÍ, GUAIANÃ, GUARAIUVA, IPÊ-ROSA, LAGOSTA, MARAJÁ, QUERO-QUERO, VIEIRA

076

W	S	G	R	H	A	W	M	M	N	G	G	A	C	A	R	Á
T	N	G	D	I	K	P	O	A	Y	A	C	B	J	D	Y	A
R	F	E	U	M	S	O	Z	R	H	V	O	T	F	S	V	R
W	O	B	X	B	R	G	N	Z	C	Z	A	J	V	I	U	S
Z	M	K	E	A	Z	O	Y	A	X	A	T	U	C	A	N	O
I	B	H	P	K	G	S	I	V	Y	G	I	L	U	U	H	W
K	N	Á	J	N	L	M	X	K	Q	R	R	P	G	Í	D	F
W	L	U	O	D	J	K	A	A	A	J	W	S	A	B	G	S
U	A	R	O	E	I	R	A	M	A	N	S	A	I	E	D	Q
U	D	S	U	R	C	R	E	O	X	V	X	I	O	X	T	B
B	W	D	G	A	U	Z	O	A	Q	R	E	Z	S	R	F	A

ACARÁ, AROEIRA-MANSA, COATI, DRONGO, GAIO,
ÍBEX, IMBUIA, LÁPARO, ORCA, TUCANO

077

T	O	N	I	N	H	A	S	Ã	O	J	O	Ã	O	R	I	H
O	J	X	O	N	I	R	C	D	Z	L	O	A	H	A	R	N
H	H	F	A	X	A	S	R	O	W	C	Y	P	M	L	R	D
H	S	H	G	Q	R	T	C	O	N	E	M	H	Y	C	É	W
D	P	L	T	P	P	V	Q	A	G	J	E	R	B	E	P	E
C	K	E	G	I	E	F	R	M	U	A	I	K	P	B	G	T
R	Q	J	H	N	H	B	X	U	A	W	L	X	A	Y	U	T
P	O	X	H	T	U	L	N	C	P	O	M	Y	A	D	A	O
X	T	Q	J	A	Z	F	M	C	E	C	X	S	P	W	R	U
D	S	C	P	D	D	U	Z	H	R	A	R	W	C	R	U	R
K	X	Z	M	A	L	R	I	P	Ê	R	O	X	O	U	P	O

ALCE, GUAPERÊ, GUARU, IPÊ-ROXO, IRRÉ, PAU-BRANCO,
PINTADA, SÃO-JOÃO, TONINHA, TOURO

H	C	S	O	G	P	Q	P	E	D	Y	U	H	S	O	C	V
E	A	N	M	N	A	M	D	D	M	H	C	G	D	L	J	A
V	Y	V	F	D	R	K	A	A	V	Q	L	Z	E	I	C	W
Z	F	G	T	A	A	J	V	R	B	E	W	E	Q	H	M	N
F	C	L	C	H	R	Z	U	A	F	N	E	W	Y	T	L	C
R	H	D	T	F	U	R	V	P	A	S	V	H	T	F	I	W
Q	C	Y	O	J	A	W	L	A	M	A	S	U	K	M	Z	B
P	K	N	T	U	Z	R	P	Ç	D	Í	F	L	Z	E	K	B
Q	N	J	L	D	U	T	W	U	Z	R	J	C	P	K	V	A
I	H	U	E	P	L	F	J	E	X	A	W	G	V	C	F	T
S	K	U	J	U	V	I	J	S	L	O	P	J	B	E	Q	I
P	W	F	O	P	P	Z	R	C	E	P	P	A	X	P	K	A
B	A	L	M	U	I	S	W	A	N	A	D	U	A	Z	U	A
N	P	P	C	F	R	C	M	M	I	L	J	H	N	S	I	G
L	W	U	E	J	A	W	J	O	N	A	R	U	U	A	N	L
X	C	D	U	X	C	E	Z	S	C	K	J	C	U	M	B	O
J	O	Q	K	V	A	C	V	O	J	F	G	A	H	Q	A	M
L	U	O	H	N	N	A	L	D	V	Q	H	I	S	U	K	I
G	K	J	O	V	T	I	Y	O	H	R	E	N	G	M	R	W
X	Z	M	O	H	A	J	C	S	X	L	I	A	G	I	I	A
J	A	H	B	T	W	T	P	U	J	R	P	N	S	G	T	M
C	R	B	H	O	F	L	K	L	O	T	P	A	A	Y	J	K
Y	X	A	X	Q	I	C	W	R	N	T	S	F	R	C	S	X
Q	O	R	S	L	N	U	R	E	F	J	U	N	D	I	A	Í
Q	M	L	V	V	G	S	Ç	L	X	O	F	H	Ã	T	Y	I
F	D	P	R	V	Á	P	Y	U	B	B	P	A	O	S	N	E

ARAPAÇU-ESCAMOSO-DO-SUL, BOIUÇU, CAINANA, CAMON, INGÁ, JASMIM, JUNDIAÍ, PARARU-AZUL, PIRACANTA, SAÍRA-OPALA, SARDÃO, SIRI, UARU

079

M	G	P	U	I	V	D	U	R	C	B	P	C	S	H	I	U
L	B	V	R	U	O	M	Y	E	N	E	S	U	D	P	R	K
K	G	A	O	P	A	N	R	E	A	K	V	P	Q	W	T	A
P	P	E	A	C	J	N	Z	G	M	X	U	V	O	P	A	H
R	L	F	U	P	A	Y	P	E	B	O	A	N	O	I	T	E
L	C	M	N	F	L	X	D	P	H	B	V	G	Q	X	K	N
W	A	S	I	X	X	A	K	V	X	O	E	Q	K	C	R	Z
C	P	P	U	A	X	C	R	P	A	K	R	O	B	A	L	O
C	U	A	M	B	O	I	A	M	R	D	A	A	S	B	O	U
B	T	A	F	E	I	C	D	L	V	F	W	Y	S	E	L	A
I	P	Q	W	Q	S	T	G	K	I	A	B	K	B	Ç	I	K
S	E	V	Y	M	Z	O	G	N	L	X	F	Z	K	A	M	J
P	Q	A	Z	J	X	R	O	P	B	E	J	X	Z	B	P	Y
S	C	C	L	X	Z	D	Q	U	O	H	I	I	R	R	A	P
K	K	O	M	Z	S	Z	M	L	H	F	B	A	T	A	P	J
H	M	N	B	D	Y	W	E	A	B	F	O	R	U	N	A	T
I	F	G	U	R	G	R	E	P	X	F	I	J	O	C	S	A
D	G	V	X	M	A	P	U	U	O	F	A	Q	J	A	T	A
U	H	N	O	M	P	J	K	L	Z	R	P	J	U	O	O	R
F	N	O	A	B	D	H	E	A	M	B	A	D	R	C	A	O
I	E	U	R	P	Z	T	G	R	K	Q	R	I	X	E	U	E
V	A	C	J	I	D	B	J	V	I	Q	D	S	O	Q	T	I
P	C	L	H	C	Q	C	J	Q	D	C	A	X	K	A	P	R
J	O	Ã	O	D	A	P	A	L	H	A	O	T	Y	V	U	A
L	R	J	Q	U	E	N	S	X	N	P	Y	Á	I	B	F	T
P	C	U	Z	O	Z	M	F	K	F	I	A	I	A	Q	W	T

AROEIRA, BOA-NOITE, CABEÇA-BRANCA, CAMU-CAMU, COBRA--JERICOÁ, CUAMBOIA, JIBOIA-PARDA, JOÃO-DA-PALHA, LIMPA--PASTO, ONZE-HORAS, PAU-AMARELO, PULA-PULA, ROBALO

080

U	T	I	P	R	G	Q	K	X	S	R	B	D	P	D	N	S
M	I	U	K	E	F	U	G	B	Y	Y	U	G	T	K	Z	A
A	J	R	F	M	O	V	T	G	C	Z	B	X	L	G	P	U
R	I	Z	B	S	B	B	E	D	H	S	N	U	N	E	K	N
I	V	X	S	A	F	I	R	A	I	I	D	A	R	G	G	C
R	H	C	D	C	K	P	I	Y	C	M	M	W	J	R	J	P
A	Z	T	U	H	F	M	H	K	H	P	X	T	Z	Z	O	A
N	J	D	Z	A	H	C	P	X	Á	J	Y	J	L	S	J	O
A	W	C	A	N	D	F	L	O	Q	T	X	V	R	H	Z	S
M	V	L	G	A	Z	N	G	A	X	Y	F	E	T	A	Q	A
M	G	R	T	N	W	O	H	I	Q	D	U	L	B	N	S	R
E	S	G	Y	A	U	O	J	S	D	E	Q	U	I	N	L	U
C	S	Q	S	O	O	S	A	U	F	G	J	A	V	I	I	Z
W	A	S	X	M	W	X	N	R	Z	A	T	Z	I	U	M	N
B	A	F	G	I	F	A	E	O	T	Y	S	A	X	V	J	B
B	P	Z	E	M	D	T	D	A	N	V	C	U	R	I	Ó	H
Y	Q	C	N	O	E	R	T	B	M	P	K	Y	E	Y	T	U
I	D	J	X	V	A	Y	L	I	H	P	D	Z	D	F	L	A
Q	Y	N	I	P	H	D	O	P	E	D	U	Y	U	P	C	I
N	C	N	U	D	Z	X	W	Ê	J	Y	D	F	H	Y	T	D
M	A	P	Q	V	T	L	I	B	U	H	U	E	B	R	R	N
C	A	S	V	D	U	Y	H	R	T	W	N	W	R	O	A	F
J	Z	K	Y	L	R	O	T	A	J	N	X	X	B	K	C	X
K	G	M	O	I	C	M	I	N	B	P	A	M	F	K	A	T
F	M	I	F	S	O	D	T	C	V	I	A	X	E	O	J	W
V	H	Z	W	G	B	N	X	O	Q	J	E	S	H	C	Á	F

BURRO, CANIVETE, CHANANA, CHICHÁ, CURIÓ, IPÊ-BRANCO, JAMBO, JAPU-PARDO, SAFIRA, TATAJUBA, TRACAJÁ, TURCO, UMARIRANA

081

H	K	I	R	U	E	A	V	S	D	E	T	M	Y	O	U	W
D	I	A	D	E	M	A	M	C	R	E	F	G	A	R	U	V
M	X	P	D	X	Y	N	P	V	K	L	R	T	C	Q	K	C
D	I	B	I	R	L	L	B	A	V	T	C	D	A	L	W	Y
N	Z	P	E	D	Y	G	R	P	X	C	X	X	P	A	T	O
J	V	T	R	X	U	M	B	F	G	W	S	T	Z	C	P	E
N	N	M	W	T	C	Z	F	G	Q	Z	I	I	L	B	G	E
A	S	S	Q	Q	J	V	J	S	E	X	O	V	C	N	N	O
M	P	L	N	Y	C	H	G	H	Y	Z	K	R	P	J	G	O
W	S	V	A	A	I	V	C	T	Q	Q	K	Z	Z	I	K	J
K	J	B	H	X	R	O	B	S	Y	H	K	O	K	Z	B	W
O	C	E	T	I	N	C	J	W	Z	C	O	E	X	V	M	G
X	L	Q	A	F	N	W	E	Z	W	J	R	R	L	V	N	R
U	K	S	B	R	Y	X	F	J	O	K	E	S	T	R	D	Z
K	W	F	O	A	N	Z	G	L	Ã	S	Q	A	Q	E	P	A
C	W	O	C	R	B	H	M	O	P	O	G	Q	Y	R	L	A
M	F	D	U	C	V	S	U	D	D	J	N	D	I	U	F	Ã
Z	G	W	V	L	K	A	D	E	N	C	N	V	L	Z	B	W
M	W	I	A	Y	Z	V	H	H	A	J	F	L	Ó	T	U	S
Y	U	B	K	T	C	C	U	D	A	L	D	L	B	Q	Q	U
W	L	S	E	K	A	Y	R	M	E	C	V	G	B	J	K	D
T	S	V	E	T	O	R	W	O	M	E	Y	S	R	S	U	C
W	P	R	S	J	M	B	R	W	D	A	Q	S	J	P	O	S
H	J	I	J	H	U	B	G	O	B	A	T	E	B	I	C	O
O	P	R	F	E	K	I	B	F	Z	S	W	M	A	T	B	I
A	B	S	O	O	O	U	O	W	F	Q	U	G	G	O	L	U

ARROZ, BATE-BICO, BODE, DIADEMA, GAIO, HORTELÃ, LÓTUS, LULA, NARCEJÃO, PATO, PISTACHE, SORVA, TABOCUVA

P	U	G	X	Y	X	K	C	Y	T	G	P	G	R	T	J	L
Y	I	Y	E	E	F	K	S	A	K	L	M	F	C	X	A	A
H	Y	C	T	K	L	K	Q	J	M	Y	R	V	F	T	W	V
N	L	R	A	D	P	H	M	C	N	G	E	T	P	W	V	A
L	F	V	P	N	N	I	L	G	Ó	O	M	K	O	L	I	D
U	S	Q	B	A	Ç	X	A	M	K	D	W	E	M	L	T	E
Z	A	Z	A	W	Q	O	Q	J	A	T	V	Z	B	C	T	I
B	S	W	H	C	A	C	T	O	T	J	Y	C	O	D	D	R
Y	G	Y	J	A	U	M	K	H	Z	K	C	Z	N	I	S	A
W	C	K	O	J	J	Z	U	D	V	U	H	T	G	O	P	D
Y	M	L	A	D	D	S	U	T	F	B	R	A	Ú	N	A	O
J	K	F	J	C	I	J	T	B	Z	Z	O	O	V	E	P	N
N	A	X	E	J	E	R	V	A	M	A	T	E	A	I	M	O
W	W	N	Y	U	P	K	O	Y	F	O	H	M	I	A	K	R
B	D	U	K	Z	E	Z	O	N	Z	E	H	O	R	A	S	T
T	P	O	V	D	H	F	G	S	F	O	U	H	H	W	I	E
G	R	K	Y	M	V	I	I	A	G	N	R	R	Y	T	L	H
B	L	C	U	Y	L	D	Q	Ú	F	K	U	X	A	D	E	W
V	M	U	E	X	T	M	P	V	C	G	M	U	Z	Q	L	G
W	H	G	Z	G	Z	C	A	A	C	O	Q	O	R	L	M	X
T	L	Z	J	I	U	H	K	K	Z	Q	M	X	C	S	Y	Q
V	E	J	B	O	D	W	S	B	N	R	B	U	R	Ó	A	Z
H	V	V	O	E	X	I	S	U	Q	E	U	O	W	B	X	O
E	M	J	F	I	F	Q	O	X	O	J	X	I	M	R	P	I
A	N	I	W	C	R	A	B	K	Y	U	C	X	J	R	M	H
I	X	O	C	M	N	H	S	F	L	W	L	G	E	Z	X	R

BRAÚNA, CACTO, DIONEIA, ERVA-MATE, LAVADEIRA-DO-NORTE, LUZIDIO, MOCÓ, NILGÓ, ONZE-HORAS, PICANÇO, POMBO, QUATI, SAÚVA

U	L	C	C	B	P	C	Q	R	L	X	S	V	W	S	G	D
A	P	X	V	W	Y	P	V	U	T	K	G	Y	V	A	B	R
S	W	X	A	C	Z	A	E	G	G	M	H	R	B	O	A	D
S	T	C	A	R	Ã	O	R	Z	O	W	A	P	D	L	R	N
S	R	F	M	R	P	M	P	A	L	E	G	R	I	N	H	O
Z	Y	T	K	T	U	O	U	H	Ç	T	C	B	C	X	H	M
J	I	L	G	J	P	W	C	V	Z	Á	D	F	T	E	I	Ú
G	Q	J	U	N	Z	M	G	D	G	V	I	N	I	E	O	W
U	T	I	B	Y	K	C	O	R	R	U	Í	R	A	G	E	Q
A	R	N	E	X	Q	Y	F	J	L	G	W	J	G	S	P	H
B	P	Z	K	A	I	D	P	O	N	W	X	R	E	P	Y	A
I	S	Z	E	Q	N	G	G	P	M	G	A	E	S	A	T	N
R	D	I	S	F	G	U	W	G	J	Y	O	E	A	B	V	A
O	X	N	E	N	X	P	F	Z	D	K	G	X	B	R	M	M
B	H	K	O	E	M	L	T	E	I	B	O	A	H	Q	M	B
A	P	J	T	W	L	A	R	W	I	M	X	J	W	Q	O	É
G	U	M	H	U	T	G	E	I	F	T	S	R	H	C	E	B
R	Z	U	M	W	R	A	V	Z	B	N	H	R	U	O	R	R
A	E	R	D	M	Z	R	O	Z	N	U	B	X	L	R	I	A
N	Q	T	U	K	N	T	X	V	M	T	U	Y	J	O	Z	N
D	S	I	Y	B	D	O	T	I	P	R	S	R	J	M	S	C
E	D	N	E	U	Q	V	D	C	F	G	R	B	I	A	U	O
V	U	H	D	S	T	D	A	C	R	G	S	K	P	N	Z	P
K	F	A	V	C	S	J	Q	J	B	I	Y	M	A	D	T	Y
B	R	J	H	W	X	E	G	Q	W	P	Y	P	I	E	I	U
P	U	J	C	I	L	U	C	D	V	F	C	U	H	L	X	Z

ALEGRINHO, ANAMBÉ-BRANCO, ARAÇÁ, CARÃO, COROMANDEL, CORRUÍRA, FRUXU, GUABIROBA GRANDE, LAGARTO, MURTINHA, TEIÚ, TEXUGO, TREVO

A	N	G	E	L	I	M	V	E	R	M	E	L	H	O	U	O
U	B	J	E	T	A	C	V	G	C	R	O	J	L	E	F	C
A	N	D	I	K	T	V	P	U	O	T	D	Y	R	U	L	B
G	O	G	A	U	Q	U	W	R	D	C	A	M	B	U	C	Í
K	K	Z	P	I	M	N	I	K	S	B	H	M	T	W	D	P
D	U	N	X	Y	I	E	B	V	V	P	Y	Y	N	N	A	J
Q	R	M	S	Z	Z	G	U	M	H	S	R	X	A	Z	C	Z
G	N	P	F	I	J	A	B	N	D	Y	Q	H	K	X	U	V
I	Q	R	U	H	I	N	G	Á	P	I	L	O	S	O	R	Z
Q	K	Q	R	E	U	S	Z	Y	B	X	B	R	V	N	I	C
Z	A	K	N	T	V	D	R	J	A	X	J	H	Z	N	E	Ã
C	S	D	G	H	M	Y	M	X	R	D	Q	T	B	G	T	R
C	V	I	V	U	X	D	D	W	A	E	E	P	O	N	S	P
C	H	B	Y	N	C	Y	S	T	Ç	C	Z	K	A	Z	L	J
X	Z	Z	N	B	S	C	P	M	Á	E	D	U	T	O	G	B
C	Q	E	Z	K	H	P	M	D	A	M	G	K	Q	O	S	M
B	A	C	A	L	H	A	U	R	F	A	O	D	X	H	K	N
Q	H	C	H	G	T	Z	Q	E	C	D	A	E	X	W	C	P
O	J	S	F	Y	W	M	L	O	X	Y	C	V	Q	F	J	N
A	E	F	X	O	N	Y	G	I	M	A	Y	Q	X	T	G	G
O	L	O	D	X	Q	N	N	O	O	I	E	B	G	U	A	B
V	P	H	M	J	S	X	E	Y	S	F	R	L	T	T	U	W
L	E	S	P	E	D	E	Z	A	N	G	U	A	R	I	B	A
O	C	X	D	F	Q	X	C	Y	I	Y	W	O	Q	U	P	R
C	A	L	A	N	G	O	D	A	M	A	T	A	J	A	G	K
F	I	G	U	E	I	R	A	B	E	N	J	A	M	I	N	J

ACURI, ANGELIM-VERMELHO, ARAÇÁ, BACALHAU, BUFO, CAGUANTÃ, CALANGO-DA-MATA, CAMBUCÍ, CAQUIZEIRO, FIGUEIRA--BENJAMIN, GUARIBA, INGÁ-PILOSO, LESPEDEZA

B	H	P	I	L	L	A	D	I	A	D	L	S	T	M	R	B
E	M	P	W	K	V	T	F	X	C	O	W	H	H	T	C	H
J	J	M	D	D	L	A	W	M	R	V	V	J	A	C	W	R
F	T	I	Z	X	I	L	I	A	D	O	G	M	Z	I	Q	H
D	M	N	R	Z	P	H	H	T	S	L	L	A	C	G	A	M
J	S	O	K	Z	C	C	N	S	N	P	F	N	I	C	O	E
N	T	E	E	P	Á	S	W	G	C	X	B	G	L	U	A	B
I	G	L	O	U	G	Z	G	A	H	A	R	A	R	U	R	V
H	B	C	G	J	A	R	Q	U	Z	X	B	B	S	I	L	I
N	Y	I	A	B	D	S	B	V	Z	J	M	E	N	G	M	O
A	M	C	F	T	O	B	V	G	U	W	Y	I	Ç	T	Q	X
T	N	W	L	E	P	E	Y	U	Q	U	T	R	J	U	S	Z
Y	P	W	Y	A	R	Z	C	O	F	Y	F	A	G	C	D	Z
V	F	V	K	B	E	I	Y	Q	S	A	E	L	Q	U	X	A
U	T	L	A	D	T	M	S	U	A	M	W	N	K	M	A	U
B	O	A	D	R	O	O	E	O	H	D	B	N	R	M	B	U
J	A	U	W	C	H	A	I	X	U	X	Q	C	E	E	R	Y
N	W	O	H	K	P	B	M	P	N	B	A	N	S	U	K	R
T	I	P	E	N	J	V	A	J	E	L	O	Y	C	R	Y	K
A	V	Q	K	P	N	K	N	Y	M	R	I	I	B	O	L	R
R	W	G	N	L	E	I	G	R	I	W	P	G	S	O	R	T
A	M	A	P	B	E	T	U	P	Z	A	A	É	W	G	V	P
R	H	B	O	E	L	T	S	K	T	R	R	I	T	H	K	J
I	R	G	T	Q	R	E	T	X	M	C	S	Q	C	U	G	O
B	O	S	B	F	X	Q	O	N	I	S	A	Ú	C	O	A	G
Á	E	K	Y	A	M	O	R	E	I	R	A	N	E	G	R	A

AMOREIRA-NEGRA, ARARIBÁ, CABEÇUDA, CÁGADO-PRETO, ESPIRONEMA, GUÁCHARO, LULO, MANGABEIRA, MANGUSTO, PERPÉTUA, SAÚCO, TAPICURU, TUCUM

086

I	L	I	S	X	Z	N	Q	I	G	B	A	F	T	P	G	X
H	V	N	M	A	E	A	A	W	Z	M	J	K	Q	E	C	M
O	H	E	W	E	G	J	Q	V	A	Y	C	Q	V	R	L	X
F	L	R	N	O	T	B	E	H	D	V	I	I	H	O	F	N
U	A	M	L	K	E	E	L	H	O	T	E	O	R	B	S	R
N	W	C	U	Y	T	R	J	X	I	L	U	Y	G	A	T	A
Q	S	Á	Z	W	W	F	U	U	R	L	E	C	O	D	J	P
X	S	G	P	F	B	E	L	A	Q	M	U	I	U	E	F	A
W	U	U	X	R	W	W	S	U	A	I	V	B	K	M	P	P
Y	H	I	J	A	Q	Z	S	M	S	H	R	T	J	I	Ã	A
X	U	A	D	G	V	Q	U	B	E	Z	M	A	L	C	D	R
O	U	R	U	O	V	J	D	C	M	V	O	M	R	O	K	A
N	X	E	C	N	Y	P	J	T	R	D	R	M	G	A	V	P
S	G	A	E	A	E	G	D	Y	N	D	J	I	U	T	G	A
R	U	L	C	N	H	H	U	I	I	S	O	S	T	K	P	R
N	N	V	H	D	T	O	R	A	Q	B	L	P	H	V	A	Á
W	L	E	A	R	N	A	T	P	M	S	M	E	G	B	I	U
X	L	C	N	A	M	E	G	O	X	V	M	X	E	I	N	G
I	C	Q	W	A	A	L	P	M	Q	L	O	N	W	G	A	V
L	H	I	T	N	C	É	R	C	E	I	J	W	B	R	A	H
R	T	E	T	C	B	S	U	Q	P	T	N	J	L	Q	M	O
Y	B	T	I	M	F	P	I	C	O	D	E	J	A	C	A	R
B	E	F	A	M	O	M	W	U	X	F	D	B	A	D	R	Y
L	H	N	Z	P	X	H	F	N	P	I	Q	U	I	Á	E	A
H	A	D	X	Q	U	B	X	Z	A	R	X	S	W	S	L	K
Z	F	G	Y	B	R	C	V	R	E	V	T	Z	C	C	A	J

AGONANDRA, ÁGUIA-REAL, ANAMBÉ-POMBO, IRARA, LHAMA, MAMEY, PAINA-AMARELA, PARAPARÁ, PEROBA-DE-MICO, PICO-DE--JACA, PIQUIÁ, TAMARINDO, TUCUMÃ

087

G	M	C	C	O	T	E	H	Y	Y	V	K	H	I	E	N	A
Y	E	V	K	W	K	K	H	X	X	A	O	N	V	A	X	F
Q	N	Í	J	T	B	A	R	B	A	Ç	A	S	L	A	U	O
A	V	B	T	U	R	H	U	J	G	U	R	Q	M	G	F	S
A	G	O	H	A	J	R	D	E	I	J	R	Ú	A	U	U	M
J	I	R	H	I	H	S	Q	Z	R	D	A	F	B	X	X	Q
S	F	A	P	U	M	O	C	O	Y	H	I	K	Q	A	D	J
Z	I	T	C	I	B	K	Ç	J	N	S	A	Z	W	N	P	G
U	O	A	W	N	Ú	A	Y	I	U	W	C	B	B	C	R	E
H	J	G	Y	G	G	N	Y	X	P	B	Q	O	M	T	Q	S
A	B	R	E	A	S	A	A	B	S	C	V	O	G	N	T	C

ABRE-ASA, AÇOR, ARRAIA, BARBAÇAS,
BUFO, HIENA, INHAÚMA, JACU, PIÚNA, VÍBORA

088

A	B	X	E	R	Z	K	V	I	Y	X	G	A	E	J	Y	T
W	P	P	O	H	Z	X	Q	V	A	M	A	S	T	R	U	Z
W	P	C	M	M	X	O	U	S	P	J	D	X	X	U	S	W
F	P	A	T	I	W	Z	T	X	A	Y	N	P	O	S	M	E
U	H	G	B	B	N	R	H	Z	R	T	Y	C	N	S	H	T
U	N	A	T	I	F	H	M	K	A	D	Q	H	A	P	Z	M
V	K	R	S	E	E	N	O	G	R	H	J	I	N	P	U	O
E	O	R	K	H	Z	N	F	C	A	K	C	T	D	F	M	S
T	V	A	T	D	J	D	C	U	A	P	U	A	U	W	A	C
V	D	A	S	U	C	R	X	W	C	M	F	D	H	Q	R	A
A	V	X	Z	J	L	N	F	R	E	I	R	A	U	B	L	O

ARARA, ATUM, CAGARRA, CHITA, FREIRA,
KUDU, MASTRUZ, MINHOCA, MOSCA, NANDU

089

H	M	A	G	J	T	M	D	V	X	Z	E	Q	Q	Z	W	T
E	A	H	I	L	K	T	G	B	A	U	O	W	Q	R	O	I
V	R	T	Q	C	D	F	E	O	P	Y	G	R	G	Z	Y	H
U	R	V	T	L	F	G	B	B	X	X	J	W	C	A	T	I
K	E	J	P	D	N	C	K	D	D	W	D	I	E	A	M	K
Q	C	H	B	I	G	H	C	Q	S	C	H	P	B	U	N	I
I	A	U	A	C	J	R	U	P	N	A	M	K	M	O	Y	P
C	D	P	A	A	W	W	E	L	F	M	R	A	E	N	Í	Ê
E	E	P	H	N	M	R	Z	B	M	J	U	D	U	W	Q	P
Z	C	T	M	E	W	U	D	W	W	I	B	X	Ã	F	T	R
S	A	X	T	L	W	H	T	U	N	H	A	I	S	O	B	E
K	B	K	I	E	S	F	L	P	V	Q	G	T	W	B	O	T
P	E	S	W	I	I	M	T	P	V	B	U	E	X	E	Z	O
A	Ç	Y	S	R	K	V	T	D	N	U	A	N	V	T	Z	Q
U	A	T	T	O	N	L	F	A	J	P	Ç	M	A	Z	Y	F
S	P	G	C	V	Y	M	X	K	Q	E	Ú	R	S	Y	A	U
A	R	S	I	N	B	I	K	U	L	E	Q	K	W	O	C	A
N	E	X	X	Y	L	E	K	E	K	G	U	G	K	L	U	F
G	T	V	Q	E	P	Q	M	B	M	D	N	R	H	X	B	M
U	A	S	D	K	R	O	L	E	O	N	L	M	G	Q	S	H
E	D	U	I	G	E	Q	R	Í	X	I	F	Y	P	Z	Y	X
D	A	M	E	L	P	J	B	X	M	O	U	V	L	D	X	H
P	K	A	P	X	A	L	P	O	V	U	P	N	T	U	L	X
Y	P	U	V	O	F	A	O	K	G	O	L	Q	A	P	R	C
W	O	M	Q	K	K	H	A	B	E	S	L	O	G	M	M	T
A	K	A	D	B	D	T	F	P	O	Z	S	K	C	T	L	Y

BAGUAÇÚ, BOIUNA, CANELEIRO, IPÊ-PRETO, JIBOÍ, LÍMULO, LOBO, MARRECA-DE-CABEÇA-PRETA, PAU-DE-LIXA, PAU-SANGUE, PLEOMELE, SARDÃO, SUMAUMA

X	Q	N	C	P	Q	K	X	I	S	Ã	E	T	F	L	R	K
S	R	C	Q	P	T	B	A	K	C	O	T	R	E	A	B	P
Q	A	H	L	L	J	R	O	E	O	D	R	T	A	F	W	Z
B	B	E	I	A	O	U	P	C	C	P	T	O	W	K	X	X
W	D	Z	W	T	K	Z	T	R	G	W	U	N	R	P	B	P
E	A	C	S	O	O	K	M	Z	D	N	U	J	G	O	A	H
Z	P	A	K	N	S	Q	G	T	G	P	Z	N	N	S	C	P
B	C	N	H	I	O	X	E	B	M	J	O	Q	V	V	A	A
Q	J	V	R	A	E	H	Q	O	O	U	X	C	M	M	C	T
P	Q	F	S	S	C	U	D	I	U	Q	D	X	T	A	U	O
O	C	C	X	I	L	Z	L	C	X	D	H	H	G	R	P	D
I	P	U	Z	I	Y	Y	Z	I	V	H	X	H	Z	A	R	E
S	U	P	D	N	B	F	D	N	A	B	J	Q	K	C	E	C
O	F	A	R	X	I	Z	M	I	X	B	N	J	M	Á	T	R
L	N	U	U	A	U	W	F	N	Z	M	P	P	E	D	O	I
E	Z	D	Q	M	W	D	C	G	M	N	U	S	Y	K	O	S
A	U	E	Y	J	N	J	C	A	V	P	K	A	T	M	U	T
S	Y	P	Q	F	A	C	O	C	H	I	C	H	O	Ç	O	A
S	F	O	F	D	Á	L	I	A	Y	F	I	I	A	S	Z	T
O	R	M	T	Q	H	A	Z	M	O	B	E	U	N	L	R	I
B	T	B	T	R	G	W	O	F	J	Z	P	K	X	I	J	L
I	O	A	F	W	D	L	R	F	P	U	R	C	D	H	Y	Y
E	Q	H	Y	M	G	E	R	G	C	H	Z	F	W	T	P	S
I	I	R	Z	R	Q	V	P	Y	F	F	M	C	O	S	M	S
R	K	B	D	N	R	K	J	B	I	P	T	W	M	B	W	G
A	N	B	V	O	B	Y	G	D	C	A	Y	A	V	E	T	B

ASSOBIEIRA, BACACU-PRETO, BOICININGA, CASTOR, COCHICHO, CUPUAÇU, DÁLIA, MARACÁ, NOZ-PECÃ, PATO-DE-CRISTA, PAU-DE--POMBA, PLATONIA, SOROROCA

K	H	Q	M	T	B	I	Z	L	H	O	W	D	D	O	O	Y
A	Q	Q	N	P	Q	N	Z	J	Y	A	B	V	C	H	L	Q
E	T	E	S	R	Q	D	Q	H	N	P	G	O	S	Z	O	P
P	D	V	Z	N	H	D	H	I	E	N	C	Y	U	T	G	Z
Z	S	E	J	R	K	V	B	O	J	Z	M	E	N	J	U	J
T	N	F	A	B	R	U	H	Y	L	U	Q	B	P	I	P	A
O	S	K	C	W	J	U	W	C	Y	G	A	I	A	W	N	H
C	S	Q	A	I	A	O	Q	B	C	Y	Z	C	N	G	W	G
B	K	W	T	Q	N	N	J	A	G	V	M	A	H	P	R	K
B	Y	I	U	P	G	U	L	E	H	Q	S	F	Q	O	O	E
D	V	R	P	C	I	L	A	H	G	O	C	T	Z	U	Z	N
J	K	X	É	I	C	I	R	U	L	J	M	F	G	O	A	T
V	X	Z	E	U	O	P	G	E	K	Q	T	P	J	T	E	I
V	P	H	T	R	B	Ê	F	J	A	M	E	R	I	G	H	A
A	H	T	Y	X	R	R	O	E	B	W	W	F	V	B	U	L
P	C	F	K	E	A	O	Q	V	W	G	X	Z	V	Z	R	M
W	H	J	R	B	N	X	S	W	S	B	W	H	T	R	I	Q
X	O	W	P	F	C	O	B	B	Q	R	F	C	E	B	X	R
D	R	X	T	S	O	S	W	C	O	E	V	Z	E	Z	W	H
M	Ã	Q	Z	Z	H	I	A	A	H	I	L	M	N	E	M	G
P	O	Q	I	C	N	X	J	R	N	H	N	L	Y	M	X	R
A	C	A	N	G	U	Ç	U	A	B	E	E	I	Z	E	L	R
G	J	D	P	P	P	Z	Q	C	K	J	R	P	N	M	B	J
A	T	R	A	L	J	G	X	A	T	J	W	P	L	H	N	P
B	V	U	L	E	V	R	B	L	L	B	E	C	V	D	A	N
R	H	U	S	E	R	V	Q	M	Y	X	K	W	V	F	W	A

ACANGUÇU, ANGICO-BRANCO, BAGRE, BOININHA, CARACAL, CHORÃO, COCO, FELOSA, IPÊ-ROXO, JACATUPÉ, JAMERI, KENTIA, TIJUBINA

T	I	Q	J	F	E	L	I	N	M	C	G	M	B	C	R	J
U	J	V	H	Z	S	H	P	A	U	J	A	C	A	R	É	T
I	B	A	B	O	S	A	B	R	A	N	C	A	B	C	B	A
A	I	G	C	M	K	X	S	C	M	B	V	N	V	B	B	R
J	C	R	I	S	Â	N	T	E	M	O	G	F	S	N	H	H
A	P	A	M	L	H	T	G	L	F	E	I	A	C	Z	W	U
C	T	E	B	Q	T	F	N	F	Y	I	S	M	X	C	N	S
A	W	K	L	P	W	L	D	W	Z	U	M	B	U	F	Q	H
R	C	M	N	U	R	A	B	B	K	X	A	J	A	A	U	P
É	Y	A	Q	L	C	S	U	M	K	A	V	R	X	A	C	S
F	H	T	I	K	H	P	Q	U	W	O	C	Y	T	S	L	S
P	O	R	K	J	Z	D	D	D	F	X	G	U	J	E	E	D
O	S	C	U	O	T	V	F	U	H	U	R	O	B	V	M	Z
C	H	O	R	Ó	B	O	I	M	T	U	E	Q	U	U	A	E
W	E	X	H	J	N	B	A	N	A	I	I	H	X	X	T	E
N	O	M	Y	T	K	Z	C	P	G	F	N	H	J	R	I	R
W	C	S	C	L	C	F	A	J	S	Z	W	M	W	G	T	B
M	A	R	U	L	A	P	P	S	R	G	B	T	Q	H	E	O
H	K	Q	B	J	F	P	R	E	G	U	I	Ç	A	J	H	X
C	H	E	R	I	M	O	I	A	F	A	B	M	D	C	U	F
X	V	T	I	A	A	M	W	H	Y	P	G	Q	N	E	N	M
M	J	M	S	B	P	E	X	Z	V	N	Q	U	V	J	U	N
A	M	F	H	W	S	X	Z	A	V	X	F	Z	F	I	Y	Z
C	T	A	R	D	W	W	M	K	J	J	U	Q	R	F	X	O
Z	Q	F	P	R	I	G	I	U	T	L	K	P	B	A	W	A
D	I	W	T	X	K	C	Z	R	V	Q	A	S	F	J	E	R

APRIUM, BABOSA-BRANCA, CHERIMOIA, CHORÓ-BOI, CLEMATITE, CRISÂNTEMO, FUNCHO, MARULA, PAU-JACARÉ, PREGUIÇA, TUIA-
-JACARÉ, UMBU, URUTAU

093

N	I	X	X	C	K	Y	A	D	H	X	H	Z	V	I	A	M
L	I	G	R	D	Y	E	F	W	A	W	Z	U	C	G	L	A
Z	O	U	A	O	J	M	U	Q	W	G	C	I	N	C	H	O
U	X	S	V	A	Z	N	Q	K	J	M	V	U	M	N	W	N
P	R	R	E	L	E	L	H	K	U	F	B	W	I	C	E	Y
K	O	A	L	D	T	U	M	W	L	M	Q	N	D	B	Z	S
C	R	J	A	T	B	W	M	L	A	H	A	Z	B	R	D	Z
S	P	F	M	E	G	O	U	H	E	U	N	Y	Q	O	R	K
R	G	H	E	X	Z	N	N	X	G	X	V	Q	F	X	P	V
G	R	W	X	E	J	I	Y	I	Z	F	A	Z	Z	O	Y	P
R	A	C	U	S	A	B	L	N	N	F	R	U	D	M	L	D
H	D	B	E	S	Z	V	Q	N	C	A	T	A	T	A	U	W
T	H	G	Q	T	F	A	U	Z	R	I	G	Z	X	J	I	F
H	V	P	A	B	S	U	I	B	V	G	B	A	H	Z	R	Q
B	E	A	Z	N	X	Z	H	I	E	T	F	K	J	Z	X	U
N	Q	Z	L	R	M	G	I	Y	P	D	I	J	G	Q	V	E
G	N	B	S	Z	I	E	R	H	X	J	E	J	O	U	G	O
L	G	Q	Y	J	I	L	P	A	M	D	F	Z	U	Y	X	X
P	N	J	P	J	V	J	I	N	P	R	J	K	N	B	D	P
Z	F	X	F	M	A	N	F	Y	M	J	Q	K	Y	C	Ú	A
S	O	R	C	A	Â	P	O	J	O	C	F	T	Y	M	W	U
H	D	W	S	F	O	E	O	Q	V	S	D	X	M	E	K	T
H	P	M	E	I	O	H	B	B	I	F	C	D	F	I	R	E
F	C	T	W	W	D	S	T	K	O	O	M	B	P	J	N	R
C	S	F	V	N	K	K	S	D	D	I	U	N	S	T	N	R
E	O	M	P	V	X	J	I	A	U	I	A	Q	E	M	K	A

BONINA, CATATAU, CINCHO, CORVO, ESTEFÂNIA, FOSSA,
IGUANINHA, INHAMBU, JAPOBOIA, ORCA,
PAU-TERRA, TIJUBÚ, VELAME

L	V	A	S	B	Q	V	B	A	C	U	R	I	I	B	N	K
J	H	A	P	O	X	D	E	J	A	C	I	A	O	K	X	L
P	E	I	A	H	C	S	V	R	S	F	J	H	K	R	L	B
A	M	Z	U	X	G	I	Y	B	D	V	G	G	T	C	O	V
B	S	V	D	T	W	C	C	V	T	E	P	D	T	A	Z	R
Q	Q	A	E	G	V	V	T	L	U	G	R	E	A	S	Y	G
P	N	I	V	C	K	B	Y	K	K	I	M	A	N	K	Y	T
Q	D	Y	I	K	G	L	A	B	C	W	D	G	G	E	T	B
K	A	P	N	J	X	V	M	C	E	X	O	X	E	C	H	X
B	L	C	H	J	M	M	J	T	A	E	J	H	R	A	F	D
N	Á	S	O	F	K	K	E	T	K	B	O	X	I	F	R	B
L	Y	L	D	U	H	I	A	J	T	S	A	É	N	Q	X	Y
A	V	S	S	B	Q	F	P	Y	Q	L	L	Ç	A	K	K	O
G	U	Z	Y	A	U	F	Q	M	B	D	H	T	U	V	C	X
A	V	H	L	C	M	Y	P	E	U	O	U	F	S	K	G	V
R	Z	X	X	O	Z	O	T	B	I	J	E	O	R	M	K	R
T	A	J	G	P	S	G	C	N	X	U	E	R	R	X	I	Q
O	O	C	O	A	S	A	B	I	Á	P	R	E	T	O	D	Y
D	R	R	F	Í	N	J	B	P	T	X	J	P	J	N	G	O
A	P	I	L	B	M	I	H	A	K	U	U	E	N	J	T	U
C	T	F	Y	A	Q	N	W	K	Q	H	Q	X	Y	M	R	D
A	I	G	K	O	V	D	R	M	K	P	M	P	H	N	W	T
U	K	Z	A	R	A	P	A	Ç	U	G	A	L	I	N	H	A
D	J	W	M	J	R	J	Q	V	P	E	F	B	M	M	C	G
A	O	V	X	Z	M	R	U	P	R	S	F	M	P	U	G	W
E	N	J	R	U	É	L	I	A	A	Z	U	L	I	I	H	K

ARAPAÇU-GALINHA, BACABAÇU, BACURI, BÁLSAMO, BUDLÉIA, COPAÍBA, JACI, LAGARTO-DA-CAUDA-VERDE, LUGRE, PAU-DE--VINHO, RUÉLIA-AZUL, SABIÁ-PRETO, TANGERINA

095

D	U	D	X	F	W	K	D	U	L	T	N	R	I	I	U	J
I	T	V	X	R	K	C	C	I	C	L	W	H	V	T	H	S
A	W	F	M	R	B	X	M	Y	A	U	I	K	M	P	S	R
N	Q	Q	B	H	U	H	R	Q	L	Z	Ú	N	Q	A	J	V
M	H	J	S	O	N	X	U	Y	G	L	G	B	F	R	G	G
O	V	K	P	R	F	D	N	B	B	Q	S	T	A	O	U	V
U	H	Y	R	M	S	U	J	V	C	E	E	V	H	E	F	S
J	I	H	P	Y	T	K	X	J	Q	O	T	A	P	I	A	T
X	I	S	J	M	H	E	M	J	S	K	A	R	Y	R	B	A
P	A	P	O	D	E	P	E	R	U	H	G	T	W	A	Y	P
R	B	D	U	I	Y	J	Y	S	U	F	X	O	I	P	Q	U
L	Y	N	E	T	B	L	P	V	N	K	O	G	J	I	T	R
B	D	U	V	N	A	J	I	A	J	A	O	H	Q	M	A	U
Y	D	V	V	G	R	B	K	D	T	F	B	V	U	E	L	S
L	K	D	B	D	B	M	Q	I	U	T	Q	O	G	N	C	F
L	W	F	N	P	A	B	V	C	C	P	P	Z	A	T	A	M
F	V	M	V	A	T	A	D	D	Y	G	G	R	E	E	T	D
Q	R	H	E	V	I	Q	Z	X	S	E	R	L	Y	I	R	X
M	I	C	O	F	M	F	L	K	E	Y	A	L	C	R	A	A
P	Y	E	Y	D	Ã	B	G	X	B	K	V	A	S	A	Z	U
E	G	C	T	M	O	P	H	N	J	I	I	R	M	T	D	E
R	C	I	J	J	V	B	K	R	F	X	O	A	X	H	D	M
Z	A	X	U	D	P	F	M	Q	L	G	L	N	K	M	M	B
F	E	B	S	W	X	C	Z	T	J	M	A	J	H	K	D	I
I	M	K	V	S	B	H	Ó	L	E	O	P	A	R	D	O	R
N	E	W	O	T	E	P	A	H	J	C	W	W	I	Z	C	A

ALCATRAZ, AROEIRA-PIMENTEIRA, BARBATIMÃO, COATI, EMBIRA, GRAVIOLA, LARANJA, MICO, NABO, ÓLEO-PARDO, PAPO-DE-PERU, TAPURU, UCUÚBA

B	R	U	M	Y	V	Y	U	J	L	I	X	X	Y	N	K	V
R	N	E	O	R	E	G	E	L	I	A	Q	I	A	C	X	G
A	G	Q	K	E	R	R	O	Y	P	U	Z	Z	P	S	G	D
N	T	P	H	B	H	M	F	R	O	M	Ã	Z	E	I	R	A
Ú	K	Y	J	I	G	B	K	B	R	V	T	W	Z	K	U	A
N	K	L	E	Z	I	A	N	J	R	D	E	N	U	R	F	R
C	V	C	B	S	J	A	O	E	T	A	C	N	Y	B	T	A
U	H	A	J	K	Q	P	I	T	A	G	I	Q	Z	F	A	P
L	I	E	H	R	V	W	F	X	L	A	H	N	E	P	L	A
O	N	P	N	C	H	W	L	W	B	R	V	B	D	V	R	Ç
J	U	R	U	V	I	A	R	A	E	Ç	E	S	E	H	Q	U
D	N	G	J	K	N	S	W	T	Q	A	A	L	N	J	Z	B
C	T	K	P	B	Y	G	K	U	I	N	B	U	Y	S	X	E
Y	F	D	M	R	Z	B	N	C	P	E	Z	F	T	O	M	I
O	R	I	F	X	A	X	K	T	L	G	T	V	M	T	A	J
L	H	G	N	M	T	F	O	L	R	R	B	A	M	X	N	A
T	A	Y	X	X	A	W	H	A	Z	A	J	M	K	K	U	F
S	Q	R	E	E	J	P	R	T	V	U	Q	L	D	W	P	L
B	B	Z	A	W	J	I	S	Y	P	J	M	G	Y	B	R	O
K	T	J	I	N	E	P	B	K	Y	O	Y	V	A	L	E	R
W	Q	L	X	H	J	N	K	S	U	B	V	T	I	I	T	F
D	F	R	C	S	X	I	W	G	I	W	T	I	X	N	O	O
F	G	I	P	N	K	E	N	C	P	E	F	M	X	C	K	S
H	F	Y	S	Y	H	S	X	H	B	I	X	I	D	E	H	C
J	H	F	L	B	S	A	W	O	A	K	C	F	S	Y	V	Q
G	P	U	Q	O	O	R	E	A	N	G	E	L	Ô	N	I	A

ANGELÔNIA, ANU-PRETO, ARAPAÇU-BEIJA-FLOR, BETTA, FICHEIRA, GARÇA-NEGRA, JURUVIARA, LARANJINHA, LINCE, NEOREGELIA, PUJAMO, RANÚNCULO, ROMÃZEIRA

097

O	E	A	Z	I	G	A	A	V	N	A	G	K	T	F	K	I
Y	I	N	N	X	J	X	Q	D	P	Y	D	T	S	H	S	F
F	M	W	F	P	A	P	P	A	H	Y	P	R	T	K	H	R
G	A	M	Y	Z	E	C	R	H	J	A	C	A	M	I	M	K
T	V	L	O	J	U	A	B	F	A	B	J	Y	H	F	P	O
S	O	Y	U	G	C	U	R	P	X	E	H	M	X	V	C	A
T	W	N	F	O	L	H	O	D	E	B	O	I	L	A	Y	O
P	E	K	T	J	F	L	W	I	V	D	I	U	U	A	T	L
A	A	F	M	G	M	U	C	G	E	C	S	Y	A	Y	S	H
R	R	Y	P	T	Z	N	M	W	M	A	C	D	S	Q	E	O
I	D	C	F	J	F	B	X	M	D	F	G	I	T	M	Z	D
R	N	I	S	U	L	G	S	P	N	G	A	G	R	P	G	E
I	Z	T	T	R	N	A	I	Q	V	C	B	U	O	H	L	G
L	O	G	R	E	P	P	L	B	U	N	É	A	M	T	M	A
W	O	W	U	M	A	H	U	F	H	C	L	E	É	O	A	T
E	M	U	B	A	C	K	Z	O	B	E	I	S	L	M	Q	O
B	L	K	R	I	A	J	R	P	R	F	A	B	I	A	Z	R
N	W	D	A	O	A	L	B	A	I	H	C	K	A	T	U	L
U	C	G	L	F	P	R	M	K	T	B	H	X	O	E	W	O
Y	B	U	P	U	L	A	J	G	J	V	C	O	A	I	T	R
V	N	J	I	K	Í	L	R	M	Q	J	U	M	U	R	R	Q
B	I	Y	G	A	U	L	Z	D	R	Y	E	D	A	O	T	V
B	F	E	S	J	O	F	Y	S	O	P	A	P	B	W	R	F
D	F	J	T	H	V	G	I	N	A	S	X	I	Z	G	W	M
N	U	L	L	A	D	K	S	T	L	P	Q	X	H	A	F	Y
I	A	C	O	M	D	L	I	B	N	K	B	T	U	L	L	W

ABÉLIA, ASTROMÉLIA, CARAPA, ITAPEMA, JACAMIM, JUREMA, LOURO-PARDO, OLHO-DE-BOI, OLHO-DE-GATO, PACA, PARIRI, SAÍ-AMARELA, TOMATEIRO

098

A	R	O	E	I	R	A	V	E	R	D	A	D	E	I	R	A
C	P	B	O	G	S	G	Z	L	Y	A	I	L	M	R	B	U
A	B	F	O	Q	P	A	Z	X	Q	O	N	G	O	S	W	Y
N	U	M	K	U	W	M	K	J	D	U	L	T	H	E	B	A
G	E	A	Z	T	L	O	R	Q	G	V	S	O	A	T	A	Q
U	K	C	K	Z	D	H	Z	D	A	A	N	T	Y	E	J	R
R	Z	A	T	G	O	E	T	E	C	E	U	U	T	C	M	U
U	W	C	G	D	D	D	R	P	R	M	A	B	W	A	O	L
L	H	O	P	K	G	Y	H	Z	Y	U	R	K	G	P	N	K
M	A	T	A	P	A	U	L	Q	S	L	N	G	F	A	C	C
E	S	W	T	L	W	C	P	F	S	A	A	B	T	S	P	W

ANTA, AROEIRA-VERDADEIRA, CANGURU, CASTOR, GAMO,
GOETE, MACACO, MATA-PAU, MULA, SETE-CAPAS

099

H	K	U	O	I	R	O	M	B	U	D	O	X	U	L	A	K
E	A	V	E	L	A	M	E	R	R	Q	H	Y	E	X	W	T
H	W	J	P	Y	O	Q	P	A	H	O	Y	M	C	R	X	U
O	X	F	G	N	M	F	T	P	H	J	H	P	V	O	O	B
V	Q	A	R	O	E	I	R	A	V	E	R	M	E	L	H	A
P	F	K	L	T	B	W	C	X	G	L	D	F	Y	L	C	R
F	A	H	O	V	P	D	Ã	A	L	C	A	T	R	A	Z	Ã
Z	É	C	O	D	M	N	A	P	I	Q	G	W	G	L	B	O
L	G	Q	A	N	A	Y	O	O	G	A	H	W	X	L	W	S
U	U	A	C	S	J	U	R	I	T	I	X	X	J	C	X	E
A	A	B	E	F	T	E	F	H	O	W	D	Y	U	G	A	H

ALCATRAZ, AROEIRA-VERMELHA, ÉGUA, JURITI, PACA,
ROMBUDO, SANÃ, TUBARÃO, VELAME, XERO

100

I	T	O	L	H	O	D	E	D	R	A	G	Ã	O	N	L	O
X	C	H	C	O	Z	Z	M	Y	B	A	R	L	É	R	I	A
T	R	Z	C	Z	F	Z	H	D	W	Z	I	P	G	Q	O	C
B	Q	A	N	C	R	H	R	R	A	V	V	A	P	I	Y	C
K	I	N	N	Q	U	B	N	P	T	C	R	P	D	B	V	A
Q	C	F	A	H	T	R	N	F	A	A	Q	R	G	U	J	C
J	S	X	J	C	A	J	L	M	I	A	U	F	J	Y	C	Z
X	Q	R	V	H	D	Y	M	T	V	Q	C	D	E	K	A	O
C	W	D	N	X	E	N	O	F	E	O	C	J	B	Y	X	R
M	F	I	M	P	E	C	U	X	E	U	C	S	J	X	A	W
U	U	K	N	P	M	N	X	E	P	A	L	N	P	Q	P	U
C	H	A	A	X	A	B	Q	A	C	X	O	J	K	Y	K	S
K	S	L	T	G	X	I	Q	G	M	A	K	Q	P	U	U	M
R	U	A	X	E	Z	V	E	U	N	B	W	L	T	G	L	R
U	L	N	K	O	T	D	A	L	P	J	L	U	Q	E	H	N
T	N	C	P	T	Q	B	J	H	A	V	E	A	C	O	I	E
J	X	H	P	D	C	K	I	E	T	A	O	W	B	V	F	B
Z	N	O	V	M	N	Y	D	I	B	M	T	U	L	I	L	F
C	S	E	Q	K	C	B	E	R	W	R	G	Z	A	H	G	G
Y	V	L	K	U	K	P	V	O	W	U	S	Q	N	T	K	Ó
B	K	J	Ç	D	L	J	Z	E	R	L	B	B	C	P	E	A
D	N	U	K	G	I	I	N	S	V	B	H	Z	H	P	E	Y
B	B	R	B	F	G	T	K	N	U	I	B	S	O	F	X	Z
U	E	U	W	V	D	U	G	U	E	T	I	A	V	R	C	Q
F	F	T	L	J	K	J	J	J	I	E	R	Q	A	P	H	V
T	D	É	R	E	N	D	E	I	R	A	O	W	R	B	F	X

AGULHEIRO, ANCHOVA, BARLÉRIA, COTIARA, CUINHA, DUGUETIA, FRUTA-DE-EMA, JURUTÉ, KALANCHOE, LABIGÓ, OLHO-DE--DRAGÃO, RENDEIRA, UBUÇU

A	B	F	H	H	I	X	O	W	C	I	A	F	A	A	A	W
L	E	L	R	X	Q	P	I	S	U	L	M	H	F	M	Y	J
O	X	A	N	I	R	I	A	P	J	Y	N	Q	T	R	I	Z
P	P	U	O	S	L	N	B	C	E	A	D	V	X	F	Y	Q
L	I	T	D	G	V	T	V	E	T	K	Q	G	P	S	M	Z
B	N	I	B	N	H	O	F	A	N	K	L	V	E	S	F	Q
Z	G	M	A	N	G	R	R	A	C	U	A	M	B	O	I	A
Z	O	R	B	V	F	A	F	O	D	E	T	H	U	O	Q	Z
E	D	U	V	B	W	Q	V	W	J	L	A	J	U	Y	L	H
E	E	I	U	H	B	K	D	B	S	C	E	Q	Q	T	N	T
N	O	V	A	J	A	R	A	R	A	Q	U	I	N	H	A	P
B	U	O	C	I	O	J	G	X	F	T	I	R	L	P	C	R
Q	R	Q	Á	C	B	Q	M	M	K	W	A	Z	J	W	B	Y
G	O	T	C	Y	N	C	K	W	Z	M	N	S	A	O	H	M
B	A	U	I	Y	B	R	A	X	B	F	A	O	R	X	O	K
O	T	C	A	A	D	I	O	K	M	I	P	L	J	O	Q	Q
R	D	X	B	Z	P	B	P	D	A	F	G	A	Q	N	J	H
U	W	A	R	F	H	X	M	L	C	F	R	N	P	Z	Z	Y
R	R	M	A	J	Q	W	T	E	A	N	I	D	G	E	M	M
B	I	Y	N	M	U	X	E	B	Í	E	F	R	G	H	Y	J
D	X	D	C	U	O	L	S	Y	B	X	Í	A	A	O	B	O
Z	G	J	A	F	A	H	O	D	A	X	N	Y	K	R	Q	G
X	Z	F	F	O	W	O	U	C	U	T	I	A	R	A	W	Y
J	Q	S	N	C	Y	H	R	Q	A	W	A	D	T	S	N	V
D	V	P	M	T	X	M	Ã	A	W	I	Z	Y	S	A	O	V
M	P	B	T	L	Y	Q	O	P	B	S	L	K	E	Z	X	X

ACÁCIA-BRANCA, ACUAMBOIA, ARATANHA, CUTIARA, FLAUTIM-
-RUIVO, GRIFÍNIA, JARARAQUINHA, MACAÍBA, ONZE-HORAS,
PINGO-DE-OURO, PINTOR, SOLANDRA, TESOURÃO

P	A	P	A	L	E	S	M	A	Z	O	H	R	E	R	T	Q
K	F	E	H	Y	F	O	W	H	U	W	X	Q	A	S	E	Y
L	S	Q	S	Z	I	C	B	Y	F	P	D	S	Y	I	Z	A
R	L	N	V	Q	H	E	L	O	Z	A	O	L	L	E	R	X
G	J	X	M	G	J	X	H	K	O	N	Y	Y	Z	I	K	X
I	S	K	R	O	E	E	I	A	A	E	Z	I	V	Y	P	T
B	F	K	V	O	Q	J	Q	L	O	P	B	I	F	K	H	D
B	U	W	U	S	H	H	A	Q	B	T	A	B	X	Y	T	W
C	D	T	P	Z	F	C	Z	F	T	U	I	D	U	N	T	N
F	T	E	E	D	Í	A	A	N	G	B	V	M	M	X	B	R
A	Q	X	D	U	T	V	F	B	K	Y	E	R	B	X	P	B
H	P	M	C	S	Y	N	S	R	P	W	X	B	E	Ó	D	J
N	D	B	J	U	I	P	J	C	K	O	Y	O	R	Y	M	W
S	U	T	T	A	S	N	J	N	L	R	X	R	G	U	Ã	V
E	H	D	O	A	H	O	Z	K	T	B	I	O	A	S	E	Y
H	M	P	O	L	A	F	V	M	P	X	M	J	D	L	D	C
V	F	O	D	N	D	L	A	P	D	X	B	Ó	U	D	E	E
A	U	P	R	B	K	N	U	R	J	A	B	I	R	U	M	H
K	U	Z	J	S	U	R	U	M	B	E	T	A	W	L	I	S
W	J	A	F	R	P	V	X	U	A	R	Q	L	H	P	L	X
A	D	M	A	U	F	R	X	C	P	A	D	J	T	Q	H	C
Z	Z	P	S	X	A	G	E	X	A	X	T	O	A	M	A	O
Q	I	Y	I	C	R	D	T	W	T	Y	X	L	P	K	R	R
S	K	W	S	M	V	E	R	N	O	N	I	A	E	Z	E	A
H	E	I	E	L	S	R	W	W	N	B	U	E	T	V	S	L
Q	U	E	G	L	U	G	H	O	H	B	B	B	E	F	S	T

BOROJÓ, CORAL, CUÍCA-LANOSA, GUAIVIRA, JABIRU, MÃE-DE-MILHARES, PAPA-LESMA, SIPARUNA, TAPETE, TIMBÓ, URUMBETA, VERNONIA, XUMBERGA

V	S	L	X	T	N	S	K	G	X	W	L	N	I	D	D	T
P	H	P	M	D	Y	W	G	U	I	E	L	A	L	S	E	F
F	K	H	Y	R	H	L	E	T	A	N	C	R	J	L	R	T
U	I	B	I	N	N	G	A	Y	R	K	I	I	G	Z	D	N
U	A	P	C	H	Z	P	K	X	A	J	R	G	P	C	N	A
H	A	N	L	W	A	D	G	A	Ç	L	C	U	J	Z	F	M
A	A	S	D	M	O	I	G	C	Á	S	K	D	F	U	K	W
S	C	J	P	O	B	Z	G	U	R	R	I	A	H	M	J	M
S	C	O	Z	A	R	S	S	S	O	C	D	C	C	Q	W	W
Q	H	E	F	Q	R	I	D	M	X	K	H	E	S	V	N	K
A	V	A	X	X	A	G	N	D	O	Y	K	N	H	C	K	P
J	U	F	F	A	U	I	O	H	J	O	G	X	I	H	A	C
E	A	D	Q	A	N	R	H	P	A	W	W	A	F	Y	L	U
X	Z	N	S	W	F	T	R	T	L	D	E	D	X	S	X	C
Q	Q	P	X	O	L	H	E	T	E	U	O	A	P	L	K	F
I	Q	T	X	W	I	J	K	O	M	B	M	M	N	M	D	M
G	V	K	J	C	K	H	C	H	K	I	B	A	A	E	D	D
Q	T	I	E	Z	G	A	Y	R	J	C	C	N	X	R	G	E
K	L	U	W	J	N	B	B	B	Y	J	Y	V	V	E	P	N
K	K	C	A	A	W	A	O	N	U	G	S	R	O	N	A	U
R	F	X	U	B	O	C	U	D	A	R	M	P	X	D	P	F
I	F	G	P	Q	I	F	S	V	U	A	U	N	B	I	A	S
F	F	F	S	F	D	P	U	I	Y	O	J	T	S	B	O	E
B	N	P	S	X	R	R	Q	J	B	Z	Z	G	I	A	V	Y
M	U	Z	N	B	Y	X	N	M	Q	P	Y	T	C	F	A	M
W	O	D	C	E	B	L	E	Z	K	U	P	U	M	N	C	F

ANDORINHA-DO-MAR, ARAÇÁ-ROXO, ASPARGO-PLUMA, BOCUDA, BURUTI, CHUFA, ENXADA, GUANACO, MAPATI, MERENDIBA, NARIGUDA, OLHETE, PAPA-OVA

104

L	J	E	W	M	E	W	M	K	T	M	E	B	N	G	R	O
U	O	T	Y	D	F	L	O	V	S	Y	F	W	U	K	K	S
T	T	H	T	K	H	C	L	I	B	H	R	P	J	B	B	D
G	N	E	C	M	N	A	I	R	U	C	U	K	T	H	J	X
O	G	F	A	T	V	C	Y	L	S	S	J	F	U	J	B	U
D	C	H	P	U	O	B	M	C	A	N	C	Ã	O	G	T	R
G	Q	U	I	I	K	N	N	H	W	M	I	Q	G	T	Y	G
Q	E	Y	U	U	M	V	N	C	M	A	E	C	S	P	U	E
L	L	T	L	I	H	I	Z	N	A	M	R	U	R	W	M	Q
G	R	Y	K	Ú	A	J	G	S	M	A	P	J	H	S	U	A
V	L	N	J	C	N	P	Q	S	Q	C	C	S	G	A	I	M
O	Y	K	U	B	V	A	K	P	B	A	O	Q	H	R	J	V
F	T	P	I	C	Z	U	N	R	L	D	U	N	B	U	J	E
V	A	W	J	C	T	A	C	H	I	E	Q	Q	U	É	T	Y
S	W	B	A	O	W	M	Z	E	I	L	A	O	T	I	Â	N
O	P	W	M	L	E	E	E	Q	C	A	R	X	I	O	M	W
D	E	X	B	I	V	N	M	P	T	V	Q	T	Á	X	A	K
H	I	R	O	G	Z	D	T	B	B	E	G	Y	Z	H	R	A
Q	A	Z	L	C	Y	O	H	U	P	R	C	X	Y	K	A	I
K	X	R	Ã	J	Y	I	E	I	Z	M	Y	A	R	G	V	G
B	P	H	O	E	A	M	U	A	N	E	U	U	C	P	W	C
R	E	N	Y	H	S	R	T	X	C	L	C	M	P	F	N	G
L	F	N	D	C	H	M	A	P	M	H	L	F	B	T	R	V
K	W	N	H	W	J	O	Q	Q	F	A	P	G	X	E	W	D
Z	D	Z	A	I	S	U	C	U	U	B	A	G	H	T	L	N
T	A	X	R	K	G	M	N	B	A	I	Z	G	Z	P	R	A

BUTIÁ, CANCÃO, JAMBOLÃO, JARAQUI, MAMA CADELA VERMELHA, PAU-AMENDOIM, SAPUCAINHA, SARUÉ, SUCUUBA, TACHI, TÂMARA, TUIUIÚ, UMBELA

D	W	W	U	U	O	J	S	E	W	J	V	H	A	U	L	U
J	F	Y	T	U	H	V	U	A	F	P	Q	T	A	H	U	T
G	X	W	W	F	H	Q	M	Q	Q	G	E	T	F	M	E	C
Z	H	R	M	K	J	C	M	G	R	R	A	W	J	R	P	A
G	P	K	F	W	D	C	B	Z	P	N	M	E	E	N	U	I
P	P	M	O	W	K	Z	O	A	A	S	J	L	U	Z	R	X
A	C	W	Y	I	K	Y	I	T	E	C	M	S	U	W	U	E
N	E	Q	B	Z	F	U	Ç	M	I	D	J	S	W	Q	C	T
G	I	V	S	O	B	H	U	Y	S	E	O	P	J	L	H	A
E	F	S	K	M	C	P	N	R	H	C	R	E	R	S	É	V
L	C	A	I	K	U	U	N	R	N	T	U	L	E	S	M	A
I	T	I	J	R	E	M	I	U	I	B	C	J	Q	R	Z	F
M	Q	A	E	X	N	D	J	V	D	I	S	W	T	A	D	S
V	Q	B	R	H	Q	Y	O	H	K	S	M	J	B	S	E	H
W	K	R	I	A	P	A	G	J	W	M	H	A	N	X	K	Y
V	D	A	V	T	N	T	R	M	F	H	C	W	O	B	G	Q
S	W	N	Á	S	G	H	B	U	L	I	J	A	Y	X	R	V
C	H	C	I	W	W	Z	R	Y	B	V	Z	D	V	F	Z	Q
H	P	A	Y	X	Y	C	Q	F	L	A	I	D	R	A	H	T
R	V	R	E	F	I	O	U	J	V	O	F	O	L	X	L	J
G	D	K	B	U	L	O	I	V	D	R	W	E	Q	B	Z	A
U	H	E	G	X	W	D	K	Y	Q	Z	N	N	X	J	N	C
S	Q	V	W	I	X	J	A	B	S	I	N	T	O	Q	D	Q
E	P	H	L	G	T	V	R	S	M	N	N	Y	X	T	Y	C
N	A	M	S	Q	H	R	U	S	V	J	A	V	O	V	C	O
H	Q	B	A	O	B	C	E	F	X	S	S	E	K	C	L	Q

ABSINTO, ANGELIM, ARUBA, BOIÇU, CAIXETA, CAVALA,
IMBUIA-PRETA, JERIVÁ, JUNCO, LESMA, PURUCHÉM,
SAIA-BRANCA, TANATAU

G	I	W	N	D	L	C	F	D	X	V	R	S	D	J	O	L
B	G	S	X	A	D	P	O	P	U	B	O	G	J	V	D	C
C	R	J	N	X	X	I	K	I	R	F	P	K	C	H	O	V
G	R	B	X	N	B	B	O	Z	B	O	I	I	D	Q	N	C
U	Z	C	S	H	Z	C	F	D	C	T	A	P	R	C	T	C
A	K	H	C	K	O	V	N	N	F	G	R	J	K	I	O	Á
I	J	D	H	C	L	M	A	E	L	S	U	D	D	Y	N	S
A	X	U	I	F	R	R	R	Y	E	N	A	N	T	J	E	S
N	T	X	W	N	B	A	W	I	Q	D	A	U	Y	P	M	I
Ã	O	Z	S	O	W	Z	U	S	V	L	R	P	V	F	A	A
L	Z	G	R	W	V	E	A	N	O	Z	C	Z	H	X	J	R
D	N	D	X	H	B	I	N	Y	A	H	O	L	C	Y	Y	O
F	E	V	Q	R	A	T	D	L	A	C	D	U	X	X	D	S
C	A	R	I	E	O	O	O	U	N	H	E	X	M	K	K	A
A	O	Z	Q	A	K	N	R	B	N	A	P	E	T	Z	M	I
L	S	I	K	M	K	A	I	A	J	S	I	U	C	V	C	D
U	Z	F	A	H	P	U	N	R	Z	E	P	Y	A	R	V	O
K	B	X	L	O	N	N	H	A	P	E	A	J	F	I	I	O
O	T	M	T	Ã	N	J	A	N	U	A	X	M	R	Y	N	O
W	U	L	N	J	F	U	D	A	Y	Z	U	Y	R	O	S	M
M	Q	I	F	I	V	S	O	S	W	B	F	D	T	Z	N	Y
J	U	P	Z	S	P	I	M	L	H	L	T	Ó	A	J	O	T
S	K	O	X	B	K	G	A	R	K	Q	R	S	M	L	H	N
Y	Y	I	Q	F	W	N	T	I	I	C	K	X	G	I	H	K
J	Q	C	N	U	P	U	O	M	N	V	T	T	B	X	F	O
W	E	K	P	A	E	L	B	C	D	K	Z	A	J	U	K	J

ANDORINHA-DO-MATO, ARCO-DE-PIPA, AZEITONA, CÁSSIA-ROSA, CEDRO-BRANCO, CRÓTON, GUAIANÃ, ODONTONEMA, OLANDI, OXICOCO, PAU-D'ALHO, SUINÃ, UBARANA

O	Q	P	T	N	P	F	Y	X	S	C	A	N	D	F	K	D
O	R	A	E	H	Q	K	S	A	F	B	Z	I	U	X	M	M
Z	R	F	L	E	Y	T	X	X	P	Z	N	Y	Z	O	W	U
G	G	V	E	E	A	S	L	F	J	C	A	W	S	G	Z	T
A	X	P	L	K	W	A	K	P	G	A	E	J	H	Y	Q	A
W	R	K	J	J	S	I	B	X	K	C	E	H	O	P	T	M
A	A	B	F	C	N	J	L	S	G	S	A	D	J	E	J	B
C	U	R	H	X	J	T	D	T	O	N	I	N	H	A	A	O
Á	J	F	J	U	Q	C	L	I	A	A	A	O	G	U	C	N
F	I	U	N	H	F	H	I	C	N	C	E	O	Q	U	U	D
E	T	G	A	M	S	S	P	A	Q	A	A	Q	B	Z	R	G
R	E	D	I	Z	Y	L	K	U	D	T	L	R	E	Z	U	U
R	S	J	I	Q	L	I	I	B	J	J	Y	Z	R	J	A	O
O	E	B	D	X	M	V	Z	R	N	F	B	N	I	D	R	F
M	F	P	R	Q	C	J	C	T	Y	E	C	M	N	W	U	H
H	P	H	O	P	L	X	Q	P	Y	O	L	D	J	L	G	P
E	Y	G	N	L	W	Z	Z	E	H	C	B	Y	E	Y	L	I
E	P	N	G	L	H	I	Q	Q	L	U	S	M	L	Z	V	P
G	A	O	A	Y	L	O	Z	X	L	F	A	Y	A	V	V	E
T	Q	N	Q	O	Z	Q	P	C	T	V	N	Q	F	I	U	T
G	S	D	P	I	D	Z	N	I	C	D	Z	Z	E	O	L	Ú
T	J	V	X	Y	H	Z	O	L	F	G	T	G	H	L	N	N
P	M	O	S	T	N	V	C	O	R	T	I	Ç	A	E	L	I
A	B	A	C	Y	S	Y	I	U	J	C	S	B	J	T	Q	A
S	H	C	Y	E	F	T	A	K	U	K	W	W	Ã	A	I	Z
B	E	I	J	A	F	L	O	R	C	I	N	Z	A	O	R	P

ACÁ FERRO, BEIJA-FLOR-CINZA, BERINJELA, CANGURU, CORTIÇA, GIBÃO, JACURUARU, MIKAN, MUTAMBO, PETÚNIA, REPOLHO, TONINHA, VIOLETA

108

C	D	Z	U	H	P	P	A	T	U	D	G	H	H	V	R	C
S	R	I	H	M	B	C	L	G	H	I	I	Z	O	G	B	S
I	C	E	D	R	O	J	M	C	I	T	X	J	U	P	M	Q
B	S	Y	P	R	K	X	V	T	C	A	R	B	W	U	M	F
D	A	L	D	K	H	Z	Q	V	E	M	H	P	V	F	I	H
B	E	R	O	K	G	W	E	O	L	A	I	F	Y	V	X	K
X	T	O	C	S	P	G	I	U	A	N	E	U	B	A	G	E
G	I	B	K	B	H	T	S	O	D	Q	S	E	T	Y	K	P
A	Z	F	G	J	N	Q	F	O	F	U	H	S	U	V	O	A
D	F	X	F	D	F	C	H	Á	D	E	B	U	G	R	E	T
D	Y	J	J	K	G	V	A	D	H	I	I	W	C	H	G	A
P	F	E	H	A	I	C	K	N	N	R	J	J	L	Y	D	T
U	D	S	E	T	E	F	O	L	H	A	S	A	O	F	J	U
M	B	I	V	D	Z	X	Z	O	N	U	O	N	V	A	Y	Á
G	G	G	X	L	F	X	V	Z	S	Ã	X	D	X	E	C	M
T	C	T	G	L	T	N	I	L	R	D	L	Z	R	I	I	B
W	F	D	S	M	W	G	L	I	N	V	S	F	E	Z	L	N
V	A	Q	L	J	V	Z	E	K	W	U	G	T	R	T	H	R
P	M	O	O	E	A	L	T	Q	Q	S	N	E	Y	Z	Y	D
I	Y	H	D	P	I	A	R	H	O	A	J	D	Q	K	T	H
X	Z	M	S	L	N	H	M	Ã	B	L	C	U	U	W	O	V
O	V	V	G	A	T	O	S	I	C	S	J	I	E	R	F	P
X	M	N	Y	U	F	I	H	P	L	A	R	R	U	H	G	K
O	R	Z	G	P	B	C	Q	J	B	X	E	I	F	E	Y	V
B	Z	R	A	B	O	D	E	C	U	T	I	A	J	C	M	Q
C	Z	Z	G	P	M	E	S	C	A	B	E	Ç	U	D	O	T

BISÃO, CABEÇUDO, CEDRO, CHÁ-DE-BUGRE, CHIBANTE, FEIJOA, GATO, LEIRÃO, PATATUÁ, RABO-DE-CUTIA, SALSA, SETE FOLHAS, TAMANQUEIRA

109

I	A	Q	U	E	P	Z	J	S	E	A	S	N	O	Q	W	S
I	C	U	U	K	M	Y	X	A	Z	E	U	G	W	K	C	A
Q	G	E	G	W	S	X	Y	L	G	E	K	Z	I	S	U	L
G	G	I	W	D	E	G	U	M	Z	V	B	C	A	U	P	E
M	K	X	C	H	J	Q	E	Ã	I	E	C	B	K	S	I	M
E	U	A	Q	A	N	U	J	O	M	H	H	N	O	Z	M	A
G	O	D	A	O	G	Q	G	I	M	U	O	N	H	I	J	Y
Y	F	A	Q	H	E	O	J	E	N	I	Y	X	R	K	J	Q
H	H	A	R	U	I	P	V	P	J	A	W	S	O	L	H	A
M	A	K	G	P	Q	Q	Q	G	Z	R	J	I	A	Y	I	V
T	K	G	Z	Y	S	Z	X	O	B	H	G	Á	X	G	H	O

ASNO, CUPIM, DEGU, HUIA, IAQUE, INAJÁ,
QUEIXADA, SALEMA, SALMÃO, SOLHA

110

E	P	W	A	P	Q	I	P	I	E	M	M	K	C	K	K	Q
U	X	C	C	U	N	K	J	S	P	I	R	A	N	H	A	L
T	W	X	A	V	M	W	M	P	C	Ê	A	W	K	G	S	Q
I	E	H	D	K	V	Y	O	V	F	L	U	E	W	O	A	R
G	X	R	E	G	R	H	J	V	G	Q	A	N	T	I	P	E
R	G	U	B	K	L	U	S	M	W	E	H	L	A	A	I	I
E	S	S	K	E	N	G	U	H	N	B	G	P	M	B	T	G
J	T	Z	O	Q	R	C	U	R	X	Ó	U	N	I	A	Z	A
P	G	C	C	P	D	R	O	M	A	T	U	P	I	R	I	U
N	R	E	Q	L	B	G	U	Y	X	I	G	B	D	K	R	R
H	Q	K	D	S	A	X	Y	S	L	A	N	X	R	A	T	O

BÓTIA, COELHO, GAURO, GOIABA, IPÊ-UNA,
MATUPIRI, PIRANHA, RATO, TIGRE, TUPAIA

111

I	G	U	A	N	A	V	E	R	D	E	H	M	V	M	G	D
Y	S	T	N	X	L	F	C	T	X	G	S	M	M	Y	E	V
P	U	V	W	P	J	T	W	P	U	S	X	W	I	Z	Q	A
G	X	S	T	E	Y	X	J	L	C	J	E	C	I	V	V	O
A	U	C	E	I	Y	K	S	T	D	T	H	E	J	T	U	G
T	H	A	E	M	A	N	T	Z	V	M	G	T	E	C	U	U
H	G	O	B	R	Z	M	P	V	I	I	B	J	U	I	Á	A
L	U	I	Í	I	B	B	R	I	V	O	T	B	V	A	L	P
W	Z	A	C	E	J	E	D	S	P	O	Q	A	U	H	A	I
T	S	D	K	V	W	U	G	O	V	Q	S	L	P	X	M	N
G	M	H	B	V	M	O	F	N	Q	B	S	M	L	I	O	O
R	J	A	K	F	R	G	W	U	V	L	X	S	Z	M	T	L
R	Z	W	Y	A	G	R	A	X	A	I	M	G	M	D	J	Z
A	C	B	F	Z	X	L	D	Q	D	O	U	U	D	Z	R	O
W	L	D	S	W	D	P	D	X	J	B	D	I	I	H	A	X
C	H	A	A	C	L	W	T	D	F	K	A	X	H	R	C	S
F	Y	C	M	L	E	Q	K	Q	G	O	U	D	U	Q	H	B
B	E	B	T	A	T	S	A	K	B	R	W	C	E	M	T	L
T	K	I	U	F	N	L	Z	R	U	V	U	N	Z	J	S	O
U	Z	Z	B	N	A	D	G	C	Y	M	T	N	I	T	O	U
G	Y	J	Q	V	S	X	A	M	X	X	L	V	L	V	P	X
C	A	T	E	T	O	J	B	S	Q	V	L	E	W	Y	A	D
E	B	H	R	P	R	A	W	Z	X	P	U	K	X	Y	X	J
A	A	N	D	O	R	I	N	H	A	D	O	R	I	O	P	K
B	S	I	Y	C	I	V	P	Z	O	T	E	P	W	S	G	W
N	C	O	W	I	B	S	H	D	G	G	A	W	M	L	R	N

ALAMANDA, ÁLAMO, ANDORINHA-DO-RIO, BADEJO, CATETO, GRAXAIM, GUABIJU, GUAPINOL, IGUANA-VERDE, JACURUXI, MUCURA, SAÍRA, VISON

J	E	C	L	R	U	C	Y	V	I	D	R	F	S	R	O	F
H	G	W	B	S	T	U	G	O	C	I	N	C	C	E	H	V
Y	W	Y	P	K	Q	B	D	A	I	C	Z	A	Q	N	E	Y
W	J	L	N	C	P	C	B	K	U	O	H	R	N	X	D	K
X	J	X	T	X	D	P	M	P	N	N	Y	X	V	K	X	E
T	K	E	H	B	T	X	T	W	O	D	A	T	E	U	K	E
U	J	F	V	H	C	T	U	G	L	R	X	K	I	P	V	T
Z	I	D	K	K	E	E	N	X	I	A	S	N	P	A	S	U
D	Q	E	O	V	U	O	R	W	N	M	T	P	K	U	I	B
S	M	Y	F	S	C	Z	R	E	G	S	J	E	M	D	U	S
G	W	F	U	Q	A	G	F	K	O	C	V	F	T	E	V	Y
B	R	E	B	E	L	A	D	O	N	A	A	T	W	L	W	R
Z	M	V	O	B	I	C	U	D	I	N	H	O	Z	A	R	N
G	S	T	N	U	P	X	S	O	V	U	F	E	P	N	Q	V
N	J	Y	C	T	T	B	H	U	X	U	A	J	A	Ç	B	Q
X	W	Q	X	T	O	H	L	B	B	S	K	F	R	A	X	Z
B	P	X	F	K	E	M	A	M	M	Z	F	L	D	J	S	X
P	Z	F	W	C	W	G	E	G	K	G	P	O	A	O	Y	U
T	D	K	V	Y	N	I	D	E	V	U	N	H	L	I	F	K
A	N	K	W	E	G	I	O	V	S	I	P	R	X	X	A	O
T	A	V	I	D	F	W	G	J	F	U	S	E	L	O	J	X
P	Y	S	C	F	N	Y	W	N	L	E	A	D	O	R	I	X
R	W	T	M	A	D	G	J	F	S	I	M	M	R	A	T	D
S	Y	Q	K	J	T	Q	L	U	U	X	L	E	B	R	E	O
K	I	K	X	Q	D	U	F	G	O	Y	R	Q	Q	E	C	L
Y	K	I	D	F	A	L	Á	V	D	R	A	R	H	I	S	O

ÁGUIA, BELADONA, BICUDINHO, CATUÁ,
CONGONHA, DICONDRA, EUCALIPTO, FUSELO, IXORA-REI, LEBRE,
OLINGO, PARDAL, PAU-DE-LANÇA

113

G J U Y J U R F O V S F O U Z A G
F A U X M G G P N Q O C R U Q J D
Z R S A M X C K V W B L H S X Q T
C A V Q Y R H A O S O Z T U Q I D
X R P U S B Q F V Q A Q H V V O Z
A A J U R Q N T H I C H D K M B U
X C B V G K H K E F Ú F Z R W F P
G A N Q M T C T D B O N U R U A A
A D E G A L A K A Z P C A I G Q P
V A V B H G H E T K F Z A U X A A
I C V Z C Z V N W B M Y L I H F G
Ã A L K O V F V D T V E C O D N A
O A C G G M T C P B B M N O U J I
P T S D J Z V P Q N Q P D Q H P O
A I N P G A G O U U A P J Z R I J
T N I M B U I A V E R M E L H A X
O G L I H K J O J D E M B I F H G
I A J A V A J M F C J X Q U P O S
A C O H Z N T S G Q W Y G A D E U
C N G W R T F T R D V K X A I T I
E U L Q J F T N U A O F U A Z W N
L A G T S D V A F E Y G A U U B Ã
G O X V C O L V S L N U S Y L I B
A M N U L S D S P I O V R T I R M
C O R U C Ã O Z L H T S H I W C D
G R A L H A D A G U I A N A T D J

ACELGA, BELUGA, CAVIÚNA, CORUCÃO, GAVIÃO-PATO, GRALHA-DA-GUIANA, IMBUIA-VERMELHA, JARARACA-DA-CAATINGA, LINGUADO, NAMBU, PAPAGAIO, SUINÃ, XAUIM

W	G	W	B	B	I	O	R	M	G	B	E	W	F	K	Y	K
P	U	G	V	Z	W	J	Q	L	U	D	C	T	I	M	B	Ó
E	E	U	P	I	G	L	P	J	X	P	B	V	E	V	L	I
R	F	B	O	Y	S	P	L	J	O	Ã	O	B	O	B	O	I
O	H	R	X	T	V	G	R	K	P	E	Q	U	I	N	A	J
B	U	E	S	Y	A	J	T	V	S	D	R	I	U	A	O	C
A	J	Z	G	W	B	R	H	M	Z	U	Z	E	F	X	H	Z
R	D	C	C	C	D	J	L	S	C	R	Z	A	F	J	A	K
O	T	X	X	Y	S	T	K	G	G	X	S	D	Q	S	B	C
S	R	H	M	J	F	V	D	O	I	O	Q	N	Q	K	R	A
A	M	W	N	S	I	V	P	Y	R	C	D	B	C	V	Ó	N
N	G	U	G	H	J	F	T	R	C	M	Q	F	M	X	T	G
K	L	N	Q	W	D	L	O	B	G	W	B	O	B	P	E	I
F	U	S	R	D	P	C	L	O	D	N	Ã	E	D	B	A	C
Y	O	Y	Z	B	A	D	R	A	C	E	N	A	P	H	H	O
J	Z	V	P	S	U	O	Z	Q	L	P	F	O	J	B	H	A
A	D	Z	O	X	T	Q	G	A	H	A	K	Y	V	S	L	M
D	A	R	P	N	F	D	M	M	D	U	F	U	T	J	W	A
G	I	I	G	U	I	A	Y	F	S	D	Y	Q	J	S	E	R
H	C	H	R	S	C	U	R	N	Y	E	C	P	V	I	B	E
X	P	C	G	O	U	N	A	Y	R	B	P	Z	L	P	P	L
U	A	B	S	H	T	C	R	G	Y	I	Z	N	E	L	Z	O
O	R	L	J	A	E	M	U	J	T	C	O	W	Q	H	D	J
D	A	K	T	P	T	Z	I	R	S	H	Q	U	E	L	E	A
F	X	O	H	P	G	H	P	P	I	O	B	J	G	P	P	I
I	P	Ê	R	O	X	O	R	R	S	A	B	K	J	J	P	X

ABRÓTEA, ANGICO-AMARELO, DRACENA, FALSO-CAMALEÃO, IPÊ-ROXO, JOÃO-BOBO, PAU-DE-BICHO, PEQUI, PEROBA-ROSA, QUELEA, ROSA COR ROSA, SUCURI, TIMBÓ

115

C	D	D	P	E	Y	D	O	V	E	G	T	W	N	K	S	E
M	H	K	O	J	E	J	Z	N	U	K	W	K	Y	L	M	N
T	B	U	B	U	R	I	T	I	G	P	B	C	L	R	D	P
O	K	R	P	E	D	N	Q	K	M	F	T	P	K	Z	T	U
F	P	S	U	A	D	L	K	P	U	R	H	A	I	N	J	F
C	Y	G	B	X	F	E	L	S	T	K	E	C	N	N	Z	P
H	P	P	W	M	Z	E	M	P	A	A	U	N	G	G	G	M
Q	B	S	E	U	B	G	R	P	M	L	Y	R	U	E	O	A
W	H	R	W	L	C	D	U	R	B	Q	J	Y	I	O	O	R
G	D	U	O	M	T	I	V	O	O	W	Y	E	O	E	V	P
O	A	F	Q	Q	X	A	F	Y	W	P	O	I	M	T	A	Y
E	Z	R	S	G	X	B	J	U	X	H	A	N	A	P	L	D
S	I	U	A	Y	E	L	C	D	H	L	N	G	L	D	T	X
Z	W	J	G	B	Q	O	J	D	W	C	L	Á	M	Z	Z	K
M	R	Q	E	H	O	T	W	C	O	P	A	F	É	H	F	S
Q	Y	J	W	F	V	I	B	T	F	T	J	E	C	X	A	A
X	J	G	C	E	G	M	A	K	M	K	H	R	E	A	V	N
A	G	X	P	T	X	M	M	Y	V	F	X	R	G	J	L	Ã
D	N	A	L	R	O	C	S	S	L	C	F	A	A	V	X	A
G	H	H	U	D	Q	P	K	B	S	L	F	D	T	A	J	M
J	U	O	O	H	J	F	V	Y	V	J	Z	U	H	N	X	A
D	D	T	H	K	L	G	N	E	G	Z	V	R	V	S	Q	R
M	A	P	A	N	A	R	E	H	R	A	J	A	R	B	X	E
P	E	H	I	R	A	P	U	C	A	G	V	S	Z	P	O	L
S	G	Z	Z	H	W	L	I	O	F	N	N	F	Z	A	E	A
G	N	Y	F	P	D	Z	G	O	K	T	P	Q	W	X	T	U

ALMÉCEGA, ARABOIA, BURITI, CHUPA-FERRO, DIABLOTIM, INGÁ-FERRADURA, IRAPUCA, KINGUIO, MAPANARE, MUTAMBO, PATO-DO-MATO, SANÃ-AMARELA, TANGOR

L	J	T	H	O	H	R	N	K	C	L	R	X	R	T	Q	S
G	L	N	U	K	M	A	V	Y	J	X	G	Z	X	F	B	V
C	D	X	A	K	C	B	F	B	I	S	S	L	M	R	I	Y
C	T	F	G	A	L	A	Q	I	J	M	P	F	G	F	T	J
C	G	B	N	X	E	N	X	L	S	N	N	B	P	K	A	A
V	V	V	W	B	H	E	L	B	E	A	B	R	P	F	P	T
T	U	O	P	N	V	T	K	V	H	K	L	L	R	S	E	P
R	W	P	O	S	R	E	Z	A	N	I	K	I	E	F	R	Q
T	Z	A	N	O	W	O	T	P	Q	F	D	V	S	W	U	F
P	O	D	U	E	K	F	L	P	K	U	V	J	Q	Y	Ç	B
Z	H	C	Y	L	K	I	K	D	A	K	Q	C	F	I	U	E
B	L	Q	C	Y	B	P	M	C	J	A	C	I	R	A	D	W
H	X	K	D	V	J	H	C	C	B	D	T	T	B	J	E	Q
W	O	H	P	T	A	U	O	W	C	V	Y	U	R	Q	M	V
I	G	K	Z	A	Y	Q	R	F	U	G	A	U	L	D	E	S
V	T	C	Z	B	X	C	O	V	H	C	R	R	U	Y	N	A
M	N	K	G	E	Z	F	B	S	I	R	U	P	W	N	T	P
C	A	F	Z	B	J	V	J	U	B	S	C	G	U	Q	O	U
A	X	R	U	U	C	E	Q	D	Z	M	K	X	L	Y	B	C
A	L	X	I	I	F	I	Y	H	F	Q	X	V	I	S	R	A
V	E	B	Q	A	A	V	K	H	M	P	K	W	C	M	A	I
O	Y	A	F	U	P	P	H	V	R	G	O	M	X	G	N	A
C	S	M	G	W	F	R	Y	Z	W	U	P	P	S	Q	C	F
A	O	G	V	Q	G	X	E	S	A	A	P	S	C	L	O	Q
D	S	O	T	B	B	A	U	T	G	R	A	B	U	T	U	A
O	K	S	K	U	E	T	C	V	A	U	Z	D	Z	W	A	V

ABUTUA, AVOCADO, DOM-FAFE, FISALIS, GUAIQUICA, GUARU, MARIA-PRETA, RABANETE, SAPUCAIA, TABEBUIA, TAPERUÇU-DE-MENTO-BRANCO, VESPA, YUCCA

117

G	R	U	M	I	X	A	M	A	M	I	R	I	M	E	I	Z
P	G	P	O	X	F	S	U	C	U	R	I	J	Ú	C	E	U
K	H	J	Y	T	R	M	C	W	A	E	Y	C	C	A	D	K
S	W	M	Ã	E	D	A	S	A	Ú	V	A	A	I	N	G	Y
Z	C	O	I	J	E	J	A	F	O	J	B	T	J	D	G	V
V	G	S	F	T	N	L	V	H	M	S	G	M	Y	E	D	U
N	L	C	R	D	D	W	U	D	U	N	L	A	E	I	Y	S
E	N	A	A	V	R	N	M	O	Z	N	Y	R	K	A	R	X
D	C	F	M	A	O	H	U	A	I	H	W	A	J	U	T	G
D	W	I	B	G	H	L	Z	U	E	V	C	N	R	K	Z	C
R	M	C	O	I	F	C	K	Z	D	D	R	H	N	U	T	H
Q	L	K	E	W	C	X	P	Z	Q	T	W	A	D	R	Q	A
Y	C	I	S	X	N	N	X	V	J	L	Z	C	N	P	B	X
V	P	Q	A	W	X	C	L	C	X	N	L	A	G	C	K	U
R	K	Y	J	X	Z	B	H	P	H	G	Z	R	N	T	X	Q
D	J	T	K	S	C	V	Z	D	Q	P	U	A	Q	C	V	Y
W	P	Y	V	T	B	Z	D	T	C	I	U	N	B	T	W	J
M	L	B	U	D	G	V	V	X	L	U	Q	G	V	P	X	R
N	O	U	F	K	P	W	F	K	W	T	Y	U	V	C	Q	B
C	B	R	A	U	N	A	P	R	E	T	A	E	N	J	J	S
V	Z	R	X	D	D	T	A	S	F	P	U	J	U	T	B	B
A	D	D	P	W	R	V	H	E	N	E	J	E	C	E	Q	F
C	E	P	U	D	U	Q	S	X	P	P	C	I	D	T	S	G
U	K	Q	P	A	C	Y	Z	M	C	É	Y	R	R	R	C	Y
M	I	F	T	Q	Q	I	R	Q	X	U	G	A	M	A	B	K
G	J	K	W	C	D	S	H	D	K	A	B	J	B	O	Q	S

ARANHA-CARANGUEJEIRA, BRAUNA-PRETA, CANDEIA, ENDRO, FRAMBOESA, GRUMIXAMA-MIRIM, MÃE-DA-SAÚVA, MOSCA, PEPÉUA, SUCURIJÚ, TAUVA, TETRA, VACUM

N	K	J	E	P	H	X	E	G	P	M	G	R	A	Ú	N	A
J	Y	D	I	D	C	A	M	B	A	R	Á	G	U	A	Ç	U
A	R	O	H	W	Y	S	R	Y	X	X	Y	Y	O	A	F	D
Q	Z	O	U	H	M	P	W	O	Y	F	R	T	W	A	J	E
U	H	S	S	I	U	U	Q	J	W	N	V	M	L	G	A	J
E	I	J	P	B	T	A	C	U	H	G	K	A	A	R	R	B
I	G	U	A	N	A	R	A	J	A	D	A	S	Y	I	A	F
R	I	D	Z	V	I	G	O	N	H	O	H	T	A	Ã	R	P
A	Y	M	J	A	T	W	W	Z	X	L	J	R	L	O	A	P
L	B	Z	J	T	G	Q	N	O	H	S	D	U	T	D	C	I
G	J	C	T	R	E	N	G	C	N	H	H	Z	A	O	Ã	B
P	U	H	F	K	C	A	V	I	Ú	N	A	G	E	S	O	J
R	M	Q	K	C	O	X	L	E	I	F	A	N	B	E	Q	S
N	J	O	O	Z	X	T	X	C	L	L	X	I	M	C	F	D
L	Z	V	K	X	G	B	S	T	L	V	U	X	D	O	Q	L
U	C	P	H	A	V	B	K	R	F	A	D	W	E	R	X	N
W	O	E	H	C	C	I	D	P	E	D	F	R	B	A	C	B
X	U	M	N	U	A	L	U	V	D	K	X	M	A	R	N	S
O	E	U	I	T	L	C	A	C	A	U	A	L	M	F	M	S
Z	R	C	F	I	W	I	J	Q	T	U	O	X	K	I	X	V
Q	C	F	Y	O	O	Q	Q	W	G	Q	K	Q	F	K	M	Y
K	H	G	S	I	S	X	Z	O	R	U	U	J	Z	A	L	B
Z	T	Z	E	A	O	X	Z	T	A	W	K	J	K	K	B	X
C	Y	Q	V	J	D	K	L	W	S	P	N	E	H	A	S	C
R	Z	V	Q	I	X	R	F	T	A	U	N	S	Q	P	M	A
L	Á	P	A	R	O	W	F	L	V	B	C	W	R	O	L	E

ACUTIOIA, AGRIÃO-DO-SECO, CACAUAL, CAMBARÁ-GUAÇU, CAVIÚNA, GRAÚNA, IGUANA-RAJADA, JAQUEIRA, JARARACÃO, KAKAPO, LÁPARO, MASTRUZ, VIGONHO

Z	I	R	J	N	G	A	I	H	O	N	Y	X	F	U	X	T
E	D	K	A	Q	P	I	X	K	Z	A	A	T	L	V	Z	S
I	Q	D	A	P	R	Z	N	V	S	B	R	D	A	C	U	B
H	B	F	J	V	J	O	I	X	Z	P	A	G	U	O	L	O
O	A	A	Y	V	J	X	R	F	X	H	R	Q	T	N	X	G
U	C	R	O	S	C	W	V	U	C	B	A	F	I	G	E	U
U	H	G	I	B	K	S	K	A	A	K	A	A	M	O	H	A
I	V	T	I	Y	Á	O	L	F	F	U	Z	K	D	N	I	C
T	T	E	R	E	Q	C	X	M	T	F	U	L	A	H	W	A
D	X	M	F	N	K	B	T	C	Z	C	L	Q	A	A	Z	R
K	H	I	N	H	A	P	I	M	J	H	W	L	M	K	C	I
O	Y	P	X	T	Z	V	B	Q	E	H	Y	F	A	J	H	V
M	Z	K	A	C	I	S	C	F	S	S	G	V	Z	B	M	A
J	K	Q	Y	P	E	L	G	W	T	M	K	K	Ô	N	I	T
K	F	F	O	P	A	X	H	B	H	H	T	X	N	N	N	C
O	P	G	U	V	M	G	Q	E	W	H	U	O	I	U	H	K
U	O	U	P	B	Z	L	A	L	T	S	H	T	A	R	O	R
A	I	O	K	P	I	M	D	I	D	L	D	N	R	I	C	S
D	U	J	Y	L	F	X	T	L	O	H	B	K	P	C	Ã	A
S	I	D	G	L	C	H	L	I	C	G	G	I	X	A	O	Q
Ã	V	C	H	O	D	I	P	L	A	I	A	P	Z	N	L	X
O	K	H	U	L	R	Q	O	Y	K	Z	M	L	X	A	R	P
J	K	O	B	C	B	A	M	V	V	B	I	X	E	M	B	I
O	O	Q	E	G	H	V	Z	B	O	P	E	V	A	G	Y	F
Ã	Y	Z	B	G	L	E	B	A	U	I	E	B	L	I	O	P
O	A	Z	T	X	E	W	G	Z	V	G	F	M	W	G	B	O

ARARA-AZUL, BAOBÁ, BOPEVA, CONGONHA, FLAUTIM-DA-AMAZÔNIA, GORAZ, INHAPIM, MINHOCÃO, PAPAGAIO-GALEGO, PIOLHO, SÃO-JOÃO, UACARI, URICANA

120

D	B	D	T	F	D	R	Y	R	G	O	N	L	O	K	Z	G
Q	O	C	I	A	U	X	O	Z	H	G	V	K	Q	P	Z	U
Z	C	D	N	L	C	G	C	N	U	M	E	Z	H	A	Z	G
M	K	Z	Ô	B	Z	H	E	K	K	E	M	C	H	T	C	K
B	L	O	T	U	J	O	I	Q	F	R	B	N	T	O	I	M
U	V	Z	O	M	N	D	J	H	X	O	I	K	B	Ó	C	T
B	P	U	E	I	M	X	Q	R	A	L	N	S	R	J	F	Z
A	R	I	R	C	E	B	F	M	O	E	M	O	I	P	A	L
U	W	I	R	V	N	M	U	R	T	Q	R	C	U	L	Y	U
L	G	C	B	S	C	Z	H	M	G	O	V	X	B	V	K	L
E	B	I	R	A	T	O	B	Á	T	R	Q	Z	Z	A	N	G

ATOBÁ, BRIBA, DODÔ, ENHO, GIRINO,
MERO, PATO, ROLINHA, TACHI, TORORÓ

121

Y	H	R	J	S	U	B	G	Á	X	B	D	Y	Q	C	K	F
U	J	I	Q	O	A	L	C	K	O	G	C	T	C	N	P	G
D	R	M	S	W	T	U	L	G	X	U	Z	A	C	H	Z	C
C	G	A	T	O	J	X	F	M	A	A	I	T	U	Y	O	A
V	Q	G	U	A	B	J	A	U	G	I	P	U	L	D	M	M
V	D	V	K	N	L	I	O	T	Y	L	V	O	R	G	K	A
U	L	P	A	Y	V	H	O	S	Q	I	S	O	S	K	N	R
Y	T	D	L	O	L	H	O	D	E	C	Ã	O	T	D	C	Ã
B	U	S	T	N	E	I	X	W	J	U	V	A	I	A	Q	O
C	X	O	X	L	E	O	Q	P	E	H	S	C	B	U	U	A
W	C	Q	D	K	K	B	T	Z	A	R	A	P	A	Ç	U	Q

ARAPAÇU, CAMARÃO, COTOVIA, GAIVOTA,
GATO, GUAILI, JUCÁ, OLHO-DE-CÃO, TATU, UVAIA

122

G	V	P	W	H	Z	Z	O	R	G	I	A	N	H	V	S	S
L	J	M	O	G	J	U	F	F	S	I	A	F	N	U	B	F
R	J	A	B	A	J	G	U	U	M	K	Q	M	M	W	C	B
A	W	T	G	Q	F	M	Z	A	R	K	S	T	E	I	D	E
H	U	M	U	U	A	X	Z	H	O	I	Z	U	M	B	O	M
H	O	Z	A	C	A	C	A	D	O	E	G	I	A	S	N	X
P	E	G	U	P	T	T	U	O	A	Y	C	C	S	C	Q	U
R	A	M	V	P	Q	P	I	B	P	Z	B	I	C	X	W	P
J	A	U	Q	N	L	E	L	R	W	K	L	B	D	G	L	X
C	D	S	M	E	C	Á	S	S	I	A	B	K	T	I	O	H
V	H	Z	F	A	Y	T	I	P	X	C	O	Z	E	R	W	H
N	M	Ê	J	P	R	F	F	B	R	L	A	E	V	T	E	V
R	P	S	P	Q	H	F	Y	I	V	X	G	L	F	K	U	É
I	M	R	K	Q	B	Y	I	L	A	H	N	E	C	T	R	C
U	A	A	K	G	A	S	O	M	R	H	Q	V	J	A	X	Q
F	A	S	L	W	T	D	Z	U	V	V	W	A	U	Y	K	D
Q	P	T	N	Y	W	F	A	X	J	J	W	S	R	V	G	W
T	E	A	C	A	D	Y	P	H	R	B	S	F	A	M	A	S
X	G	P	K	F	I	Y	E	P	Í	A	A	R	R	A	V	P
Y	A	M	T	B	L	Y	F	A	P	U	P	R	Á	I	G	E
C	O	G	H	R	Z	P	N	A	P	E	S	F	O	A	X	Q
K	J	E	R	E	B	A	T	F	R	O	G	Y	S	T	H	K
V	L	Y	J	U	N	B	W	Q	Q	U	G	Z	J	E	A	E
Q	J	T	H	A	T	R	A	I	R	Ã	O	Q	N	P	P	G
T	D	R	H	Y	M	F	U	Q	D	Q	X	W	N	S	D	N
L	T	N	T	X	N	H	Z	V	V	L	X	Q	Z	L	X	M

ALISSO, ANANAÍ, CAMU-CAMU, CÁSSIA, IPÊ-FELPUDO, JAGUATIRICA, JEREBA, JURARÁ, MAIATE, PAU-MARFIM, TAPASSUARÉ, TRAIRÃO, ZAMIA

C	J	S	K	Z	T	K	B	J	H	I	B	V	E	J	D	R
P	T	S	K	P	R	V	S	F	U	F	H	U	X	E	U	I
W	H	O	E	X	S	R	R	F	M	R	V	U	F	Y	L	Y
P	J	T	O	S	A	J	C	K	G	W	W	I	U	Y	G	A
G	U	Y	A	I	F	M	E	X	Q	B	B	L	E	N	I	R
A	I	T	V	P	A	B	G	T	L	B	W	K	X	T	U	Q
A	S	R	O	O	I	H	P	Q	B	A	N	X	U	P	B	I
R	J	L	C	J	R	T	H	B	B	G	I	C	G	K	U	P
T	B	L	U	K	C	P	I	S	Y	F	J	Y	D	T	X	T
C	J	D	P	I	Y	F	M	O	Q	E	Z	G	N	O	N	I
N	D	P	Y	K	V	Z	Y	Q	B	G	A	V	S	C	Z	U
M	D	R	Z	V	J	C	C	V	T	U	C	U	M	Ã	I	X
N	F	B	K	M	X	E	M	Y	F	L	I	E	S	Y	J	N
P	T	Q	Q	H	N	B	T	Y	L	G	U	I	X	D	B	U
S	M	A	Y	S	W	O	N	B	C	A	H	N	C	W	Z	Ê
Z	N	A	M	G	N	L	S	A	B	J	F	H	H	O	T	E
Z	A	D	N	D	H	A	M	G	R	X	J	A	E	E	Y	U
V	L	I	N	G	Á	B	R	A	V	O	R	M	R	S	N	S
D	E	T	F	V	A	P	J	Y	R	D	N	E	N	H	P	Z
H	C	O	Z	J	N	B	M	W	Y	O	T	A	E	Y	V	F
H	R	L	I	F	I	B	A	N	V	A	M	W	J	T	T	J
N	I	C	A	I	M	I	T	O	C	R	Y	O	H	C	P	O
U	M	Ã	O	D	E	G	A	T	O	D	I	A	N	E	L	A
D	U	Y	W	C	S	J	M	Y	X	V	J	X	D	L	M	K
L	B	X	N	M	F	U	A	Q	U	Z	J	O	X	M	T	Z
J	I	X	Z	B	X	G	M	Z	E	R	E	T	H	E	U	G

ALECRIM, CAIMITO, CATERETÊ, CEBOLA, CHERNE, CUTIA, DIANELA, INGÁ-BRAVO, INHAME, MANGABA, MÃO DE GATO, TAPITI, TUCUMÃ

124

X	L	A	E	A	L	O	R	N	E	N	B	H	C	Z	B	W
Y	X	C	I	H	X	N	E	L	X	S	Y	A	V	K	Q	D
J	Q	N	L	E	Q	J	Q	R	Q	V	Z	G	L	P	R	L
T	O	E	M	I	S	N	X	Y	C	M	X	X	P	X	C	R
G	W	Ã	I	J	Z	O	J	H	D	E	M	M	V	Y	P	N
U	A	U	O	O	G	V	L	F	N	M	U	K	K	W	A	T
W	S	V	V	D	Y	V	B	A	M	J	O	X	S	K	L	Q
B	F	Y	L	P	E	Q	I	K	D	A	B	P	Y	E	M	U
B	R	S	W	W	S	P	W	L	U	P	V	Y	E	Y	E	Q
H	C	Y	V	C	U	L	A	N	Q	U	B	H	S	I	I	F
P	W	D	A	G	K	X	Q	U	H	V	T	M	U	E	R	U
L	U	D	C	O	T	I	R	A	P	E	I	A	C	E	A	M
G	P	O	U	R	X	N	C	B	H	R	S	J	W	R	B	L
O	M	M	P	K	É	R	F	X	K	D	E	B	N	W	U	I
I	L	O	Q	R	V	C	A	S	R	E	M	I	M	A	T	M
R	I	Q	A	T	X	I	F	H	C	B	Z	U	F	M	I	P
E	K	C	X	S	U	C	U	R	I	R	A	N	A	P	Á	A
P	A	Z	X	T	R	Q	A	I	O	L	T	O	X	I	D	C
J	F	X	N	V	U	X	U	Q	K	K	W	B	R	X	O	A
B	W	N	M	B	T	S	V	E	Q	O	Y	I	K	Q	C	M
L	Z	X	K	O	U	A	G	L	H	Y	R	T	B	T	E	P
E	J	J	H	P	P	P	L	M	Z	A	L	N	X	Z	R	O
T	I	E	C	C	R	O	K	W	W	Q	H	F	J	N	R	Y
X	S	G	S	N	E	T	P	Z	C	U	W	P	D	J	A	G
J	Z	U	U	K	T	E	Z	Q	E	R	S	P	Z	E	D	M
Z	K	U	S	A	A	H	L	L	V	Í	B	O	R	A	O	X

ARIRI, JACARÉ, JAPU-VERDE, JOÃO-DE-PAU, LIMPA-CAMPO, PALMEIRA-BUTIÁ-DO-CERRADO, SAPOTE, SUCURIRANA, TIRA-PEIA, TUQUE, URUTU-PRETA, VÍBORA, WAMPI

S	S	Q	A	R	R	A	B	I	O	C	A	Z	X	L	Y	C
E	X	O	C	R	D	W	P	A	K	V	E	F	U	F	C	T
R	O	G	W	C	W	J	I	R	K	U	G	R	K	V	Y	W
R	O	D	H	C	W	T	V	G	E	R	V	O	K	X	C	K
A	R	O	V	D	S	V	X	J	S	U	I	D	E	B	Q	L
A	T	Y	W	S	N	D	S	A	R	S	B	O	C	W	C	J
Z	H	E	D	Z	Q	M	T	R	K	C	U	X	O	R	R	H
U	F	S	C	L	Q	I	B	E	R	K	X	X	R	L	U	Z
L	N	A	Z	O	M	I	Y	Y	D	Q	M	K	Ó	V	S	Q
S	E	R	M	O	V	D	C	H	M	Y	L	U	C	B	W	C
C	K	Z	V	E	W	T	V	A	I	V	A	U	O	Z	I	C
E	Y	O	D	U	I	Z	W	L	M	H	I	E	R	J	E	T
E	T	O	W	P	P	X	O	R	N	P	S	T	Ó	N	D	J
P	Q	B	A	O	B	M	E	B	U	E	A	Y	E	B	V	U
Z	K	B	C	L	O	F	X	I	B	O	N	N	E	L	T	P
E	D	O	J	V	R	T	B	A	R	Q	Z	N	U	G	A	U
G	I	G	M	O	S	E	P	V	E	A	W	É	F	L	R	E
I	B	T	R	G	T	D	S	R	F	J	N	A	L	V	A	L
O	Q	B	F	P	P	I	B	M	J	A	T	F	Y	K	R	S
Q	U	C	I	C	R	K	B	A	T	M	U	L	J	O	A	A
L	W	U	H	R	A	B	G	A	K	F	Y	P	U	F	Ú	Z
B	X	V	B	I	C	R	T	P	L	R	B	F	O	Ó	B	U
N	L	P	C	A	W	Z	I	R	F	Y	X	S	D	R	A	J
M	R	J	J	N	G	E	P	S	P	G	R	M	M	M	U	X
P	Ê	S	S	E	G	O	T	T	S	V	F	C	I	I	X	S
D	J	T	M	O	R	C	J	S	L	A	E	F	K	O	C	U

AMEIXEIRA, ARARAÚBA, ARRABIO, CAMPANULA, CARISSA, CORÓ-CORÓ, FÓRMIO, PÊSSEGO, POLVO, SERRA-AZUL, TATANÉ, TOVOMITA, VITELA

126

E	W	G	B	Y	T	O	V	S	T	R	L	A	O	T	S	U
P	H	Z	E	W	N	G	Q	F	U	T	G	G	A	J	O	T
F	D	X	T	K	H	X	L	T	C	Q	G	L	S	Y	O	A
T	F	L	R	N	F	Y	T	I	D	N	X	X	R	V	I	S
A	U	N	X	W	D	B	X	L	O	J	R	E	T	V	K	A
I	H	I	H	W	N	J	T	I	K	W	E	S	L	I	W	P
W	H	Q	S	P	I	G	Q	W	A	M	V	Á	E	R	A	E
I	G	X	D	Q	F	U	Z	S	J	N	S	J	C	A	V	S
P	C	P	J	P	L	O	A	I	R	O	J	F	B	Ç	J	A
X	U	A	T	I	Q	A	G	Q	B	I	W	X	L	Ã	U	P
U	T	T	H	Q	T	A	U	B	B	K	N	M	B	O	B	E
H	L	G	H	L	V	T	L	A	V	R	T	A	I	J	Q	J
R	C	H	O	R	A	C	H	U	V	A	P	R	E	T	O	M
U	P	S	K	Y	V	L	A	U	U	N	W	K	X	K	N	A
F	Y	N	G	A	L	I	N	H	E	I	R	A	S	W	S	T
S	F	K	Z	N	H	T	Q	F	W	E	T	C	V	V	Z	A
S	G	O	Z	R	Y	R	T	M	I	T	Z	A	J	V	O	P
J	M	C	A	E	B	K	P	N	Y	H	X	T	I	P	W	A
T	L	L	G	I	L	D	C	T	I	L	Q	U	M	X	Z	U
P	N	S	M	U	S	O	C	Y	B	U	I	A	O	P	O	F
D	Y	A	H	Z	R	H	Z	W	O	O	Q	B	G	L	N	M
J	H	H	D	P	Q	H	V	G	E	N	I	A	N	T	N	U
X	U	F	E	Q	D	B	W	F	M	G	A	P	O	A	J	R
O	Z	D	R	N	K	Q	B	N	M	A	R	M	E	L	O	I
J	K	A	D	Y	L	I	G	Q	X	L	C	Q	C	V	I	C
F	J	Y	M	U	B	D	M	Z	J	S	F	Z	T	I	A	I

AGULHA, BOIPEVA, CATUABA, CHORA-CHUVA-PRETO, GALINHEIRA, MARMELO, MATA-PAU, MOGNO, MURICI, SÁLVIA, SAPE-SAPE, SOLTA-ASA, VIRAÇÃO

W	S	X	J	Á	R	A	E	L	W	R	R	Y	V	X	Z	A
U	U	V	R	G	A	S	I	S	Q	E	N	W	O	K	I	R
Q	K	A	I	Z	U	K	A	H	D	X	K	A	U	V	V	A
N	U	L	C	Z	I	E	W	I	A	J	H	N	P	U	Z	T
G	M	M	D	U	M	E	S	Z	S	J	W	A	Q	C	M	I
C	Y	J	J	E	K	H	J	F	Z	A	K	B	R	X	E	C
A	V	J	U	C	X	O	G	D	U	S	J	U	G	E	T	U
R	D	V	A	S	S	A	C	U	Z	E	I	R	O	E	I	M
A	S	R	F	H	F	A	C	H	E	R	F	M	R	G	R	D
S	W	E	X	H	I	R	E	I	G	E	G	G	E	H	I	O
U	R	M	U	T	C	A	W	I	N	F	U	I	X	J	B	B
J	B	U	M	I	F	B	T	M	S	U	C	U	R	I	A	R
A	I	P	T	V	X	A	L	K	R	M	K	Z	L	C	H	E
E	N	V	X	Y	N	S	A	W	Q	A	I	R	P	R	P	J
L	J	G	F	D	S	U	K	R	U	G	M	P	Z	A	C	O
K	L	S	Z	A	V	C	D	A	A	T	H	G	Z	Z	V	Y
I	S	E	X	N	M	Q	N	Z	E	R	S	V	T	K	D	O
U	M	V	E	X	K	N	N	O	E	I	A	O	E	K	R	M
X	O	V	Z	R	K	I	S	U	P	N	R	C	P	Y	K	D
M	T	W	T	H	C	I	U	W	I	G	R	A	A	C	A	L
O	C	J	H	Ã	L	E	J	Z	X	Á	C	X	T	N	P	S
R	S	T	N	O	D	C	P	X	O	M	C	W	K	M	G	V
O	C	A	Ã	T	P	E	D	S	X	I	D	H	M	D	U	A
R	S	O	L	Q	M	N	Z	B	V	R	P	O	F	K	W	N
Ó	J	V	X	W	C	X	K	L	N	I	Q	B	I	Z	K	E
D	A	D	B	S	V	F	A	S	H	M	K	I	I	X	A	E

ARABASU, ARARACANGA, ARATICUM-DO-BREJO, ASSACUZEIRO, CARA-SUJA, GUARÁ, INGÁ-MIRIM, JOÃO-LISO, KAIZUKA, MORORÓ, SANÃ-CINZA, SUCURI, TIRIBA

G	O	B	O	U	X	E	V	U	H	B	N	Z	O	U	C	D
S	C	R	J	N	N	F	O	Z	S	C	I	C	L	A	M	E
P	W	E	Y	K	B	I	J	B	R	N	L	M	V	A	C	L
U	A	U	C	O	W	P	A	U	D	Í	A	L	H	O	B	B
D	Q	B	C	I	N	H	I	S	R	Q	W	N	P	X	A	I
F	U	R	Q	N	B	U	R	K	G	A	I	Y	U	X	D	T
V	A	A	Z	T	E	E	T	B	E	U	T	X	W	A	F	J
Z	T	N	M	E	Z	S	L	Q	G	B	J	E	B	P	G	I
N	I	C	Y	M	W	X	H	N	K	T	T	N	B	W	N	O
P	P	O	L	C	J	V	A	L	J	H	Y	Q	B	B	P	S
T	U	C	N	B	S	T	Z	N	W	Y	Z	G	L	Y	Y	S
E	R	T	H	T	I	R	M	C	G	V	S	Y	O	Z	W	O
J	U	J	N	P	M	T	T	I	E	S	P	V	Q	C	C	D
U	A	D	S	F	S	G	T	W	U	B	A	M	E	H	A	E
A	Ç	M	S	Y	E	Y	F	F	U	R	R	G	U	E	M	B
Ç	U	C	V	E	T	S	M	Q	C	K	L	H	K	W	B	U
U	R	E	W	G	E	D	O	O	J	C	V	Q	E	E	U	R
R	U	R	P	Z	I	J	R	B	P	N	Y	X	O	V	C	R
O	M	Z	O	C	W	U	J	O	N	O	O	E	S	B	Á	O
S	A	N	Q	J	O	V	I	Z	B	U	R	B	Z	F	J	D
R	H	H	S	L	Z	Y	B	R	G	K	V	O	E	Y	M	O
C	I	K	I	T	H	T	O	U	K	G	T	R	N	Z	F	Q
W	H	H	Í	R	A	X	I	H	X	C	R	I	R	G	V	J
P	M	B	W	G	H	N	A	V	R	F	U	K	N	H	O	N
S	W	R	L	C	X	U	X	J	E	J	W	N	D	H	R	J
Y	W	U	C	H	Q	O	P	A	Q	K	H	V	B	U	G	I

BREU-BRANCO, CAMBUCÁ, CICLAME, HÍRAX, JIBOIA, LOURO-CRAVO, NOZES, OSSO-DE-BURRO, PAU-DÍALHO, PITANGUINHA, PORONGO, QUATIPURU-AÇU, TEJU-AÇU

X	B	J	G	O	C	M	Y	C	T	F	C	N	M	S	C	K
O	C	G	L	U	A	E	M	J	L	K	H	I	K	A	H	F
J	Q	M	V	Q	A	G	X	Z	A	Y	N	Z	X	D	Z	D
B	M	E	B	V	T	T	N	N	F	E	Q	X	A	S	T	F
J	V	B	M	Q	L	Q	A	I	P	U	I	K	Z	N	G	E
U	J	Z	G	E	R	R	I	M	D	N	R	Y	V	T	X	I
Ç	M	R	A	E	A	A	P	T	B	G	B	R	T	D	I	L
A	N	B	A	P	N	X	H	H	B	Ú	F	J	B	P	U	J
R	Q	Y	I	E	X	I	E	T	M	S	L	K	K	D	G	T
A	G	N	Z	Q	U	R	P	X	A	N	G	Ó	C	X	A	K
S	E	L	G	W	K	O	L	A	X	B	M	I	O	I	N	M
J	F	R	J	N	Y	N	D	K	P	D	P	D	R	L	S	Y
C	H	K	U	S	O	Z	K	G	B	O	B	Q	E	A	O	W
R	T	H	C	I	R	J	V	B	B	J	R	M	U	J	F	X
O	T	R	P	M	F	A	A	R	P	M	I	H	T	A	U	A
D	U	M	H	K	D	Q	B	T	P	S	L	G	É	C	M	M
V	I	L	I	J	N	H	L	Y	Q	Z	H	L	R	U	Z	A
H	O	P	O	D	B	C	W	F	K	E	A	F	I	A	X	L
Q	J	M	G	H	L	E	S	A	T	G	N	R	A	Ç	A	H
D	A	Q	M	E	I	K	B	N	X	O	T	S	N	U	A	A
B	L	N	B	W	V	G	H	Q	P	I	I	H	O	X	O	D
Z	V	Y	N	L	I	H	P	N	L	P	N	Z	E	V	R	E
H	K	N	J	A	V	Y	U	R	R	E	A	H	O	C	O	T
T	I	S	N	F	Q	O	G	J	M	B	P	G	U	W	O	E
F	R	M	R	N	J	K	U	R	R	A	Y	V	M	P	E	I
T	A	N	H	E	I	R	O	I	K	I	K	K	A	Y	R	Ú

BRILHANTINA, COREUTÉRIA, GANSO, GENIPAPO, GIRAFA, GOIPEBA, GUATAMBÚ, JACUAÇU, JENIPARANA, JUÇARA, MALHA-DE-TEIÚ, TANHEIRO, XANGÓ

130

P	I	A	C	O	B	R	A	Q	Y	S	D	Z	H	P	P	C
T	G	W	W	H	J	O	Y	A	L	Q	M	I	D	I	X	D
F	D	K	J	B	X	S	H	V	K	K	V	C	W	A	O	O
J	E	W	H	U	D	A	V	D	Y	W	Q	Í	D	U	I	Q
D	Y	O	M	T	L	D	A	O	A	A	T	U	B	R	Y	O
H	N	M	P	A	S	A	T	O	I	Z	H	J	L	O	D	A
T	H	Y	V	J	D	V	H	X	K	W	T	L	J	G	R	I
F	V	R	X	U	B	E	H	C	K	O	D	J	Y	B	K	A
J	A	H	J	G	N	N	H	H	G	Y	T	Q	T	W	C	R
N	C	Z	E	A	Y	E	P	O	V	R	S	Z	B	I	Z	A
V	I	G	Y	N	Y	Z	I	Q	B	G	J	Y	C	B	A	F
B	W	Y	Z	R	Z	U	D	U	B	Á	C	A	Z	M	K	T
F	U	Q	Y	O	V	E	U	I	G	S	N	K	W	P	I	Y
G	S	E	X	G	X	L	P	N	S	N	A	R	K	X	A	K
D	Q	Q	M	M	Z	A	I	H	Z	W	Z	H	A	C	Q	I
B	E	X	U	U	Y	A	K	A	L	I	I	K	U	O	J	D
I	F	B	V	Z	C	I	Z	D	B	Z	U	C	Y	N	X	W
L	Q	T	Z	R	S	Y	Y	E	Q	X	S	R	W	G	I	E
G	N	Z	E	J	H	N	O	A	U	T	J	A	B	É	U	B
I	Y	Q	Z	L	L	Ã	W	L	N	L	T	U	V	I	T	K
Q	Y	F	E	Y	D	A	Z	A	Y	S	S	B	N	A	B	S
Y	S	T	U	A	X	D	X	G	A	F	M	P	K	G	Z	A
W	M	W	R	W	N	C	I	O	L	N	Q	A	I	U	J	L
P	M	U	C	H	U	V	A	A	G	U	A	N	H	U	M	A
A	O	T	H	B	R	L	H	S	J	O	E	C	U	X	U	K
D	O	L	V	R	X	F	L	U	Y	D	B	W	Ã	C	P	R

AJUGA, ANACÃ, CAINGÁ, CHOQUINHA-DE-ALAGOAS, CONGÉIA, DOURADÃO, GUANHUMA, NARVAL, PIA-COBRA, ROSA-DA-VENEZUELA, SALAK, UCHUVA, VÍBORA

131

C	G	L	B	S	F	Q	A	U	A	J	Q	X	C	B	D	X
A	F	K	V	V	P	N	B	O	Y	K	Y	X	F	R	C	H
R	L	R	V	I	A	T	S	H	J	N	C	E	T	M	A	U
R	C	H	D	Q	P	N	D	F	R	T	M	C	O	C	M	R
I	L	F	K	Q	A	Y	A	E	W	X	H	M	T	R	U	U
Ç	S	Q	E	G	R	X	I	B	U	K	R	C	S	D	R	B
A	O	B	Z	Q	A	S	F	W	Q	A	A	I	L	K	Ç	U
I	P	T	U	Z	T	Y	N	O	L	X	C	T	O	N	A	Ú
A	J	F	M	E	O	D	R	A	C	A	U	Ã	P	O	I	S
Y	U	T	V	W	S	O	R	F	S	A	J	U	R	E	M	A
Z	N	J	A	B	U	T	R	E	A	J	S	P	T	D	V	K

ABUTRE, ACAUÃ, CAMURÇA, CARRIÇA, FOCA,
GANSO, JUREMA, PAPA-RATOS, TEIÚ, URUBU

132

W	M	L	O	Y	M	O	L	G	R	Y	E	A	H	D	X	T
O	J	A	R	A	Q	U	I	T	I	N	P	U	L	G	A	V
H	W	X	R	J	E	X	B	C	X	U	Z	N	Z	E	B	U
F	F	R	V	U	O	D	A	I	O	Y	U	D	I	E	M	I
S	J	H	F	Ã	P	G	Z	R	Q	O	Q	G	S	L	O	I
Z	F	Z	C	I	T	Á	A	O	Y	B	Y	N	K	J	G	D
P	Z	L	K	Q	F	G	A	F	Y	G	N	N	I	E	N	Ó
C	A	J	Q	Y	A	V	Z	L	P	Á	S	S	A	R	O	M
F	E	Z	D	U	W	O	R	B	R	D	L	M	O	I	T	I
Q	L	G	X	Y	F	C	I	V	J	V	I	I	W	M	I	W
O	B	N	Q	S	W	Q	I	S	S	Z	G	N	T	A	M	X

FALCÃO, GAROUPA, JARAQUI, MARUPÁ, MOGNO,
NILGÓ, OITI, PÁSSARO, PULGA, ZEBU

133

F	V	G	B	C	G	M	J	C	T	A	T	A	R	É	M	I
A	U	Y	L	Z	I	W	F	I	J	R	K	L	U	M	A	Z
M	L	E	Z	A	W	F	X	Z	F	N	D	N	C	D	Z	H
Q	A	R	C	B	Z	G	E	H	X	T	G	V	A	C	N	D
Z	S	J	T	C	G	W	K	W	E	T	C	T	U	B	C	U
J	Z	E	R	G	M	G	P	T	C	L	N	N	E	R	U	H
W	Y	K	B	P	Y	P	Y	D	M	I	R	T	I	L	O	C
U	Q	J	I	I	U	N	E	D	P	M	H	B	M	H	D	Y
D	V	U	X	V	T	A	U	I	A	P	Z	R	P	H	A	Y
Q	E	Q	E	D	B	O	F	I	N	A	R	B	N	V	U	Z
F	Q	W	Z	I	R	I	P	V	A	L	W	I	I	F	R	K
A	O	H	F	J	X	Á	Y	C	K	A	A	O	Y	A	G	I
T	N	Q	B	S	R	A	J	E	E	U	P	A	N	V	W	S
C	X	I	E	G	O	N	D	R	P	M	U	C	H	I	T	A
I	V	N	B	B	M	P	V	A	A	T	Z	D	E	H	V	U
Y	J	N	Z	X	A	B	W	O	D	V	T	H	M	Z	M	B
L	N	L	D	T	P	C	S	H	L	E	H	A	E	R	S	B
M	F	H	H	T	H	L	A	G	T	E	D	W	R	Z	C	L
D	J	R	M	A	A	O	M	P	I	Y	E	J	O	V	Y	V
X	O	J	T	F	N	X	N	S	E	L	R	J	C	T	Y	N
C	O	D	O	R	N	I	N	H	A	R	N	Z	A	A	S	O
V	Z	H	F	R	L	Y	M	E	P	N	E	S	L	Z	U	L
S	L	P	C	V	D	T	Z	B	O	Y	D	M	E	Z	N	Z
O	A	L	M	M	L	G	I	E	G	M	W	V	A	J	G	V
A	Y	Y	O	V	Z	B	O	S	S	F	F	M	O	D	M	H
Y	N	T	T	T	D	V	V	U	G	M	K	V	I	B	S	U

APEREMA, CODORNINHA, GRÁPIA, HEBESU, HEMEROCALE, IMPALA, MIRTILO, MUCHITA, OLHO-FALSO, PINTADA, QUEIXADA, SEBITO, TATARÉ

K	D	G	U	A	B	I	R	A	B	A	D	G	V	E	G	Y
D	D	H	Q	F	N	F	A	G	X	W	B	F	A	I	U	U
N	Z	C	B	N	O	T	V	L	G	J	G	H	L	C	Y	A
V	C	P	N	R	C	M	Ú	C	V	U	N	M	E	H	O	E
Y	U	V	G	K	C	G	S	R	P	K	A	X	S	O	A	P
P	H	F	Z	N	K	O	E	O	I	W	K	B	D	C	X	D
C	E	Z	A	V	T	M	C	U	L	O	F	C	W	A	L	J
S	B	X	Y	V	Z	C	K	D	M	Y	H	C	H	P	T	J
J	I	L	Y	R	E	Z	A	W	X	O	N	H	I	R	D	O
D	T	Q	R	H	E	I	E	C	R	Z	V	D	H	E	M	Y
R	X	U	V	V	X	M	R	I	Á	V	B	R	Y	T	Z	B
G	K	T	U	X	Y	Q	E	O	P	Ç	V	L	A	A	W	N
V	G	M	V	D	E	R	V	U	W	E	I	K	G	E	J	D
R	T	U	Y	M	E	T	Ó	E	I	V	C	A	I	C	E	D
D	L	X	G	H	O	V	L	B	B	O	F	Q	O	I	K	X
K	O	Q	L	G	C	F	V	P	B	A	R	D	A	N	A	U
N	E	O	C	O	T	F	U	X	X	D	C	G	Z	Z	F	A
I	C	V	G	T	O	S	L	N	W	E	A	P	H	A	A	P
M	G	J	H	Y	C	O	O	U	U	I	M	I	G	S	B	D
V	G	H	C	S	C	Z	Y	V	W	R	B	C	R	Y	C	V
D	I	N	O	S	S	A	U	R	O	A	U	I	R	D	O	U
I	M	B	U	I	A	C	L	A	R	A	Í	S	U	B	S	O
Z	R	C	S	Q	H	P	D	T	H	Y	K	E	Y	P	L	J
W	M	L	J	J	Q	U	J	X	I	J	J	Y	L	F	E	Y
T	Z	L	O	A	Q	J	M	K	B	U	N	A	T	A	M	C
N	F	L	A	A	J	A	N	G	A	D	A	B	R	A	V	A

ACÁCIA, ANTÚRIO, BARDANA, CAMBUÍ, CHOCA-PRETA-E-CINZA, COLHEREIRO, DINOSSAURO, EVÓLVULO, FAVEIRO, GUABIRABA, IMBUIA-CLARA, JANGADA-BRAVA, VOADEIRA

M	L	N	G	S	T	T	S	I	S	I	U	T	Q	U	M	T
W	M	N	C	O	K	C	U	R	M	N	X	Y	N	F	A	H
I	C	U	Ê	M	X	Z	T	B	J	D	R	J	I	H	B	N
C	R	I	C	S	X	Z	Z	T	I	U	X	Y	L	K	L	O
J	G	P	O	S	P	M	M	F	Q	W	M	E	T	M	S	H
A	B	Ê	D	I	C	E	R	P	C	T	V	Q	L	G	P	R
G	A	T	K	A	N	F	R	I	R	A	D	S	R	C	U	T
C	F	A	C	Z	W	B	G	A	R	R	C	V	K	C	E	G
V	N	B	H	T	R	O	R	R	Q	U	U	L	I	Z	S	G
G	C	A	M	P	U	C	E	D	C	M	S	L	P	H	C	F
N	T	C	B	G	H	S	A	H	D	A	H	Y	Ê	E	I	G
E	A	O	X	P	L	Q	O	M	D	Í	R	R	P	E	C	I
N	R	Z	T	H	W	P	X	E	B	P	M	I	R	I	W	T
T	Q	E	X	X	I	N	D	M	O	O	C	U	E	H	N	U
C	M	L	O	W	A	S	A	T	G	Z	A	R	T	T	C	D
U	V	G	H	S	A	Z	A	A	W	P	N	T	O	V	Z	Y
D	B	U	L	Z	A	G	P	H	I	U	J	K	Ã	H	E	Z
O	I	C	V	I	E	Y	E	T	A	S	L	C	V	C	S	Y
S	Y	J	Q	D	D	I	A	C	X	V	C	R	E	J	O	Á
T	F	E	A	E	A	W	P	A	W	D	Y	A	Z	L	D	Y
L	X	V	B	W	N	N	R	R	T	X	U	Z	J	L	I	E
R	R	I	T	A	R	U	M	A	R	A	N	A	R	E	F	R
E	K	M	U	H	Y	R	L	Ú	C	O	R	O	C	O	X	Ó
P	D	P	F	Z	T	D	V	B	I	X	B	Q	B	F	G	Q
E	Y	V	G	Q	T	E	N	A	Q	N	Y	P	G	C	R	T
A	Y	D	Y	W	Y	J	F	L	F	B	V	Q	O	O	M	H

CAMPU, CAMBOATÃ, CARAÚBA, COROCOXÓ, CREJOÁ, ERVA-DE-GATO, IPÊ-TABACO, IPÊ-PRETO, NÊSPERA, PAU-REI, SERRA-VELHA, TARUMAÍ, TARUMARANA

F	T	G	I	P	K	T	E	E	K	L	N	Z	Q	M	N	I
Q	X	S	Z	R	U	O	K	R	C	Z	F	R	D	D	Y	J
S	Z	F	P	C	I	L	G	O	A	Z	A	S	X	E	N	G
I	E	X	Y	D	L	M	O	I	O	X	A	C	Z	H	O	E
N	D	A	E	I	V	O	A	H	C	Q	A	E	S	C	P	I
B	F	R	Q	D	E	T	C	Z	O	E	N	Q	C	I	G	N
N	R	S	J	E	A	J	H	V	Z	S	F	Q	B	B	G	S
A	H	T	H	M	C	Q	V	M	T	N	T	K	J	T	B	O
N	S	V	A	M	H	G	F	R	Z	W	K	R	L	P	H	J
A	E	R	M	K	R	X	Y	G	U	G	D	F	A	L	D	O
R	A	L	S	W	Y	N	A	S	N	Y	P	X	A	O	S	C
J	M	Q	T	L	W	Y	C	K	H	Z	Q	M	R	S	I	R
P	Z	N	E	Z	F	Z	I	K	P	D	E	I	I	R	W	N
H	Y	L	R	D	E	K	A	C	N	D	E	L	E	O	D	A
W	M	P	M	D	Y	W	P	G	U	H	A	Y	S	U	I	D
T	X	Q	E	F	N	T	C	A	C	X	F	V	N	R	B	F
O	Y	I	U	F	M	H	P	E	K	J	B	X	Á	T	A	I
B	F	K	L	B	Z	W	D	T	C	E	L	C	C	C	C	Q
X	R	Q	U	I	N	A	D	O	C	E	U	K	C	B	U	Y
E	K	K	H	M	H	W	C	A	L	A	L	U	M	Ã	R	F
E	Y	D	L	L	W	T	B	Y	R	X	O	Z	A	V	I	R
G	W	B	I	A	Z	Z	V	A	X	Y	F	A	Z	E	M	K
G	C	V	C	O	C	O	D	E	P	U	R	G	A	L	I	B
V	R	M	I	D	N	Y	G	E	U	T	K	X	I	U	Ú	Q
E	B	A	G	J	C	N	K	T	D	B	S	S	W	D	D	F
U	R	C	L	T	J	I	G	Z	L	D	O	I	X	O	O	I

ALISSO, ARAUCÁRIA, ARREDIO, BACURI-MIÚDO, CALALUMÃ, COCO-DE-PURGA, ERVILHA-DE-CHEIRO, HAMSTER, JARAMATAIA, OSTRA, PAU-DE-MALHO, QUINA-DOCE, VELUDO

137

G	F	I	V	D	Q	Z	S	Z	L	R	B	F	V	Y	M	W
L	P	C	R	Y	D	G	G	Z	X	F	U	M	F	I	I	A
I	U	O	M	S	K	A	S	J	P	H	O	C	W	F	J	R
C	P	M	D	W	X	I	K	K	H	M	D	D	A	U	A	A
Í	I	A	I	I	D	V	O	X	B	X	F	D	V	I	B	T
N	C	O	S	B	R	O	Y	T	C	G	W	L	Ú	A	U	U
I	A	H	G	I	E	T	C	W	G	Z	S	I	Q	R	T	Á
A	C	Q	T	R	U	Ã	T	T	S	M	X	G	E	Z	I	Q
H	A	H	Q	Z	B	O	P	E	U	U	L	Z	K	K	V	R
D	U	E	G	W	H	P	L	J	C	C	O	C	S	A	N	T
B	E	N	T	E	G	C	H	T	J	A	X	E	H	S	P	Q
L	I	L	Q	U	V	R	Z	P	A	H	A	R	T	A	P	R
T	R	G	P	N	B	Q	W	C	Z	D	S	Y	O	B	N	P
W	O	Q	B	D	Y	W	M	R	U	U	W	Q	Z	R	J	W
O	Z	F	V	A	P	K	I	L	Y	R	G	K	D	A	D	P
Q	T	F	R	Z	R	B	E	B	G	Y	O	S	C	N	Z	T
R	Y	P	V	H	N	B	M	M	E	E	T	P	H	C	O	E
O	F	R	J	W	A	E	R	S	N	B	Y	T	N	A	D	V
Y	I	T	H	C	J	Q	H	V	E	B	S	I	Q	W	R	W
A	H	H	V	J	S	G	T	I	Ú	Z	N	O	E	W	G	P
N	X	Q	T	T	F	B	A	I	N	Q	L	T	K	Q	N	D
M	W	L	A	R	M	V	G	Ã	A	G	U	I	N	C	H	O
S	Y	Z	X	I	Y	S	N	U	O	M	W	O	J	N	F	V
R	I	C	K	S	P	A	E	U	L	M	J	D	A	B	D	O
U	T	K	I	E	Ç	A	F	J	A	J	M	G	Q	N	F	G
X	Q	F	V	A	F	B	X	H	L	T	Y	H	B	P	M	C

AÇANÃ, ARATU, ASA-BRANCA, CABELUDA, CACAUEIRO, CAIUÁ,
CUXIÚ, GAIVOTÃO, GENEÚNA, GLICÍNIA, GUINCHO, JABUTI, TIO-TIO

A	S	K	X	E	F	T	X	I	X	A	U	N	G	K	S	C
K	K	V	O	C	Y	L	C	F	N	V	B	L	H	O	A	A
C	F	Y	W	Z	X	Q	V	E	X	D	O	M	J	W	C	Q
M	G	A	Y	N	G	R	C	O	R	U	I	N	F	A	R	P
X	P	U	G	G	K	U	P	O	M	U	T	C	T	R	H	J
J	F	R	E	Q	Ç	Z	W	I	P	O	I	I	O	I	R	L
U	S	K	X	A	P	Z	M	G	K	G	A	M	R	U	T	X
C	Q	O	A	O	S	B	X	L	H	M	B	W	P	R	P	Z
N	E	N	N	S	P	B	A	T	M	V	O	Y	J	T	N	M
E	W	F	P	F	K	E	B	W	U	A	I	G	X	I	S	F
J	T	T	A	J	A	F	F	Z	S	F	A	R	U	G	R	S
B	T	E	L	K	N	O	F	C	K	O	U	A	V	A	A	O
W	G	C	M	E	B	F	L	V	J	D	K	R	Q	O	Q	B
I	F	X	E	P	B	C	W	C	Q	E	F	T	Ã	E	V	J
Q	E	Y	I	E	W	Q	H	H	S	J	Z	G	T	O	E	M
W	I	E	R	L	D	X	W	R	G	X	A	L	X	P	R	N
C	G	M	A	O	W	K	H	O	I	R	B	E	R	I	B	Á
Z	T	M	L	X	L	I	O	G	T	A	I	C	N	W	E	X
S	W	E	A	J	V	I	M	S	G	P	M	L	H	A	N	D
W	I	J	C	Q	V	M	E	Y	G	Q	U	O	V	S	A	F
J	C	U	A	C	G	B	N	I	D	Z	I	B	M	O	S	M
L	W	H	I	D	V	H	Z	R	R	O	I	E	T	X	U	N
O	G	C	G	C	P	Q	I	C	Z	O	V	I	Q	R	E	P
P	A	L	M	E	I	R	A	F	U	S	O	R	K	B	O	N
I	W	S	B	O	E	B	M	N	I	I	K	A	Z	H	T	X
Y	T	C	L	A	H	Z	S	X	Y	F	E	T	S	M	E	X

AÇUCENA, BERIBÁ, BOITIABOIA, ESTRAGÃO,
FURÃO, KOWARI, LOBEIRA, MAITACA, PALMEIRA-FUSO,
PALMEIRA-LACA, ROLIEIRO, URTIGA, VERBENA

139

Q	C	I	C	Q	L	V	J	V	T	U	R	U	T	U	R	U
R	D	T	A	S	R	V	Z	Z	K	J	J	L	F	R	G	W
V	Q	N	Y	M	I	N	I	B	A	M	B	U	A	O	J	A
M	S	Z	S	P	M	Y	U	E	I	F	Q	J	P	P	T	P
T	A	L	P	Q	U	U	T	N	H	C	L	D	Z	B	E	S
P	Y	T	E	T	V	E	L	C	N	D	O	P	L	W	X	F
R	C	C	A	S	M	R	H	Q	T	U	T	D	B	A	V	S
F	Z	S	J	M	V	H	D	V	C	P	O	J	O	P	O	P
E	F	J	L	T	A	W	J	N	D	S	K	F	S	C	J	X
Z	T	U	N	B	Y	T	Q	K	O	E	D	A	C	H	E	T
G	Q	C	H	V	O	W	Á	X	R	P	O	M	A	Z	C	X
P	O	G	L	K	A	N	B	I	M	N	M	K	R	S	N	Y
U	H	L	J	A	R	X	W	X	I	Z	A	L	H	V	W	B
E	U	I	R	B	V	L	T	U	D	S	M	Y	A	U	U	Y
V	G	D	L	V	N	I	Q	J	E	T	F	J	W	I	S	F
U	G	W	R	B	Z	Y	J	N	I	L	M	A	W	A	N	G
G	U	I	P	O	M	É	I	A	R	A	S	C	I	Y	U	N
B	J	R	A	R	R	H	F	A	A	S	E	U	H	M	W	Q
H	X	Y	W	R	C	D	L	B	C	U	H	R	R	N	X	D
E	Q	G	R	A	R	U	I	X	I	L	A	U	D	S	M	G
U	P	L	R	G	E	M	J	S	N	S	R	X	K	G	D	H
B	A	O	C	E	Y	Q	M	H	Z	Y	A	I	R	Z	E	T
G	X	I	X	M	B	W	G	S	E	V	R	W	E	E	O	E
I	A	D	W	G	O	V	R	Y	N	N	U	V	I	K	P	Y
X	R	L	N	A	K	T	N	T	T	L	V	C	T	I	F	Q
M	C	A	X	F	K	A	P	L	A	O	A	U	S	F	H	J

ARARUVA, BICO-DOCE, BORRAGEM, CLAVIJA, DORMIDEIRA-CINZENTA, IPOMÉIA, IXORA-CHINESA, JACURUXI, MATA-MATÁ, MINI-BAMBU, OSCAR, QUINOA, TURU-TURU

P	A	P	L	A	H	Z	A	M	Z	B	D	J	W	O	K	M
T	W	X	J	F	G	O	G	Z	M	Q	N	M	T	J	O	J
C	H	R	P	F	G	R	W	C	P	X	R	E	J	F	E	Z
O	X	W	Q	N	G	V	W	M	X	R	R	E	A	R	P	D
R	F	A	O	T	L	P	V	Z	Y	P	W	N	O	V	N	G
R	F	G	Y	S	P	W	E	P	O	I	G	N	W	F	R	K
E	U	R	F	S	P	B	H	Ã	Z	S	O	K	V	K	F	O
D	A	N	L	E	A	V	I	Q	G	N	A	T	K	Y	G	Y
E	G	Y	A	X	T	V	B	F	B	V	B	N	C	G	D	D
I	R	V	M	M	A	A	Z	E	M	F	Q	M	O	J	Z	F
R	X	J	I	G	D	Z	M	R	I	H	C	A	U	C	U	I
A	D	Y	N	L	E	X	B	N	V	Q	S	L	J	T	D	G
D	X	V	G	V	V	U	D	Z	C	Y	K	B	F	U	Q	U
O	Z	W	O	C	A	P	Z	J	I	P	A	G	Y	L	H	E
M	X	E	O	V	C	F	A	H	K	A	K	X	W	F	O	I
A	J	X	M	I	A	E	Y	K	N	R	R	K	M	X	L	R
T	K	Z	Y	M	I	L	X	P	T	R	E	D	S	I	I	A
O	U	R	B	F	Y	O	S	J	N	E	S	A	Í	V	V	L
O	F	M	S	Y	H	H	D	C	A	I	O	C	U	S	E	I
N	G	I	M	K	K	D	Z	G	L	R	B	R	O	X	I	R
D	P	W	U	O	B	J	A	G	U	A	R	O	D	T	R	A
U	P	P	C	E	N	Q	U	E	T	Z	A	L	X	A	A	A
L	A	K	U	Q	L	E	B	A	E	I	J	O	U	I	R	G
A	I	C	O	G	K	A	W	J	Z	T	I	N	K	U	V	H
D	Z	B	K	P	M	D	Y	I	Z	P	E	B	S	V	H	G
A	S	H	E	S	B	R	G	P	H	O	U	P	S	A	F	F

ARDÍSIA, CORREDEIRA-DO-MATO-ONDULADA, DUGONGO, FIGUEIRA-LIRA, FLAMINGO, GAVIÃO-PRETO, JAGUAR, OLIVEIRA, PARREIRA, PATA-DE-VACA, QUETZAL, SOBRAJI, TAIUVA

G	O	I	A	B	A	D	O	C	A	M	P	O	G	V	K	Q
Z	H	C	V	M	C	Q	H	E	D	Z	Q	O	K	T	U	J
L	D	O	Z	A	X	Y	E	X	R	J	A	L	M	D	K	R
Z	Q	R	T	V	R	E	L	L	B	P	U	P	B	E	D	G
T	F	C	M	Z	U	B	X	R	G	R	F	I	E	A	P	F
G	Z	D	A	M	I	Y	D	Q	X	Q	A	Y	P	P	T	T
O	A	A	T	L	J	N	A	T	X	Q	O	P	S	E	H	O
Q	W	V	R	I	G	T	U	S	F	D	W	T	B	Q	C	K
U	K	H	I	I	D	R	A	T	Y	P	Y	C	M	H	J	J
I	Y	T	W	Ã	I	D	B	I	Q	L	L	K	X	U	M	P
R	H	N	O	D	O	J	Y	Z	T	U	C	O	T	U	C	O
I	F	A	J	Z	P	A	N	W	E	I	U	M	S	Y	R	G
R	H	R	G	G	K	D	Z	H	N	G	I	U	N	P	U	S
I	G	C	N	O	L	L	A	U	L	U	P	J	E	C	P	A
P	E	E	H	M	Y	P	E	P	L	Z	W	Q	A	X	G	U
I	A	J	M	I	U	H	O	G	H	A	W	I	C	D	R	B
T	F	A	M	D	W	Y	D	A	L	O	A	U	J	I	S	R
Á	K	Q	U	É	M	K	K	J	S	B	Z	R	A	J	J	I
M	S	Q	Y	S	T	M	U	W	Q	T	V	Q	S	G	O	E
X	Y	Z	Q	I	C	M	M	U	C	N	R	T	Z	Ã	D	T
D	M	G	B	A	B	A	O	E	H	M	C	A	I	B	U	I
E	W	D	Q	A	C	K	N	P	U	C	L	R	P	X	M	A
C	A	U	R	É	B	J	M	E	C	M	G	C	X	É	T	T
X	R	I	A	F	Z	A	A	J	L	A	L	S	V	K	I	I
G	O	C	P	T	F	Q	Ç	A	J	A	I	Q	Z	C	W	A
D	H	P	F	O	C	B	E	U	T	G	P	G	D	M	C	P

AGRIÃO, ASTRAPÉIA, AUBRIETIA, BABAÇU, BAIACU, CANELA, CAURÉ, GAVIÃO-AZUL, GOIABA-DO-CAMPO, GOMIDÉSIA, NARCEJA, QUIRIRIPITÁ, TUCO-TUCO

142

V	Y	S	B	A	E	L	G	X	C	U	Z	P	O	X	I	H
Y	T	N	T	V	P	O	M	B	E	I	R	O	S	C	J	E
B	I	I	J	Y	I	R	J	D	J	E	K	Z	G	A	U	M
W	W	K	M	U	W	S	J	I	H	Y	S	N	E	R	V	Z
V	U	P	G	B	G	V	C	Á	G	A	D	O	Y	A	J	L
V	K	N	Q	N	O	S	U	M	D	R	Q	V	Q	C	K	G
H	I	N	O	P	A	R	A	U	A	C	U	J	Q	O	I	F
K	N	B	U	B	B	Q	É	Y	H	Z	S	S	B	L	W	N
B	O	S	G	I	T	E	Y	R	O	T	Á	R	I	A	I	C
L	Y	P	F	U	Y	M	W	R	N	O	P	Z	W	V	Y	K
V	P	R	V	S	B	X	N	N	O	L	H	E	T	E	T	M

CÁGADO, CARACOL, KINGUIO, KIWI, LOBO, OLHETE,
OTÁRIA, PARAUACU, POMBEIRO, TIMBORÉ

143

E	G	P	T	V	T	I	O	P	Z	X	K	X	O	C	P	O
P	B	S	T	R	P	R	E	G	U	I	Ç	A	Q	S	N	N
A	Z	W	G	H	C	N	T	Q	O	X	T	D	R	E	V	E
U	Q	J	B	M	V	T	U	X	M	C	T	J	A	P	U	P
D	Y	E	A	A	O	E	O	M	F	L	A	M	I	N	G	O
E	Q	N	C	W	D	R	K	M	B	Y	A	W	K	R	A	R
C	N	I	Q	P	Ê	E	G	C	A	A	V	T	I	Y	Z	Q
A	A	P	E	P	Z	Z	J	D	T	E	T	L	E	W	F	A
N	J	A	I	K	C	Q	L	O	N	T	R	A	V	I	A	A
G	A	P	W	H	F	P	D	H	X	B	C	K	H	X	C	O
A	T	O	O	Q	Z	Y	U	L	C	U	D	N	R	V	Z	M

BADEJO, FLAMINGO, IPÊ-ROXO, JAPU, JENIPAPO, LONTRA,
NAJA, NUMBAT, PAU-DE-CANGA, PREGUIÇA

C	G	S	J	K	R	A	Y	G	P	R	W	G	U	F	K	B
U	M	G	I	Y	R	C	X	I	L	E	A	T	O	G	W	A
I	J	R	Z	N	F	H	G	M	B	U	U	D	H	V	I	E
N	L	O	L	L	G	X	E	A	S	R	I	M	V	H	X	S
U	P	H	C	X	G	Ô	H	H	U	I	N	X	Z	A	Q	N
Q	A	A	H	G	Z	M	N	C	P	W	O	C	C	Z	V	V
B	P	Y	M	G	C	U	A	I	F	S	T	R	N	G	K	N
B	A	H	P	O	U	J	C	B	O	H	K	S	E	T	W	Y
O	C	K	P	V	V	L	A	I	Y	E	S	P	O	N	J	A
Z	A	F	Q	L	W	N	Q	R	E	H	C	B	Z	C	L	L
N	P	E	P	V	T	Z	S	I	T	J	D	O	Y	X	H	V
L	I	Q	U	I	D	Â	M	B	A	R	O	P	Y	X	G	E
R	M	M	L	M	C	W	M	Á	T	J	N	P	Q	O	P	R
T	D	X	D	K	O	U	M	E	D	J	V	L	V	D	L	V
E	O	C	J	L	U	I	V	D	T	H	X	P	L	I	F	I
L	B	U	U	C	V	P	U	Q	M	B	Z	T	Y	K	B	L
R	A	F	N	D	Y	Ê	I	Y	Y	B	E	I	Z	Q	B	H
F	N	F	V	C	N	B	L	N	D	A	T	N	A	O	G	A
N	A	Z	Y	V	U	R	R	K	S	J	B	G	I	Z	N	S
C	N	U	P	X	B	A	R	Z	M	P	F	E	F	D	D	R
F	A	L	O	I	H	N	F	X	D	U	Y	C	L	C	I	Y
N	L	I	V	I	F	C	V	K	G	L	P	U	B	H	Z	Z
S	H	F	S	F	Y	O	S	J	L	G	E	I	Y	R	A	V
O	U	D	K	X	Z	W	V	M	J	A	W	A	M	Q	K	K
H	V	W	J	F	P	N	L	S	M	V	I	U	Y	O	M	P
V	D	Z	H	S	Q	T	N	V	I	T	E	V	I	T	E	O

ABELHA, BIRIBÁ, COYOL, ERVILHA, ESPONJA, IPÊ-BRANCO, JACURUTU, LIQUIDÂMBAR, PAPA-CAPIM-DO-BANANAL, PULGA, SINGÔNIO, TINGE-CUIA, VITE-VITE

C	N	L	F	W	W	R	C	A	R	A	N	G	U	E	J	O
J	H	E	J	B	Q	T	A	B	F	U	F	P	J	U	Z	Q
N	A	R	P	P	H	A	T	B	S	I	V	A	S	Z	T	R
O	G	C	J	W	N	W	O	H	P	R	I	I	L	L	V	B
U	I	E	U	S	W	C	D	Q	R	Z	F	T	V	Y	L	N
Z	N	H	B	P	F	L	M	I	Q	A	Q	C	C	I	H	R
A	J	H	E	K	E	O	F	Z	Q	R	S	B	A	F	Ó	R
K	C	J	C	D	I	M	V	S	M	A	R	A	C	A	N	Ã
E	G	Q	A	L	Y	M	B	T	F	D	G	N	T	G	R	K
Q	M	D	O	M	R	K	X	A	U	W	D	D	O	D	J	B
Q	D	S	D	Y	E	B	E	P	D	F	P	O	D	Q	M	X
W	F	C	V	V	Y	L	L	H	R	X	A	L	E	X	B	V
W	F	L	A	U	T	I	M	N	Y	V	N	E	D	D	C	H
S	R	S	T	R	B	T	S	D	R	Q	G	T	A	M	L	Q
X	G	U	K	Q	J	F	K	Y	C	V	Z	A	L	W	I	H
H	C	V	Q	K	X	C	U	W	R	K	C	E	I	A	I	R
K	W	G	H	A	P	I	Y	N	A	U	A	V	S	S	R	V
Y	G	G	Q	H	X	X	R	C	N	E	M	R	H	J	Y	I
N	X	S	M	E	V	S	I	C	H	E	A	Q	Y	A	X	R
Y	A	N	H	N	F	N	O	A	O	I	R	J	L	C	S	D
C	O	X	D	A	R	P	O	G	G	N	I	N	W	U	H	D
P	V	Q	F	A	C	A	C	A	U	W	N	O	M	M	I	O
V	J	H	F	I	T	A	P	I	Á	M	H	C	A	I	I	F
Q	T	V	H	G	S	U	J	T	I	C	A	F	I	R	P	V
U	Z	Z	H	F	X	H	M	A	Y	Q	P	H	W	I	S	C
E	T	V	G	F	H	R	D	A	I	F	I	M	I	M	U	W

ARNICA, BANDOLETA, CACAU, CACTO-DEDAL, CAGAITA, CAMARINHA, CARANGUEJO, FLAUTIM, JACUMIRIM, JACUPEMBA, MARACANÃ, TAPIÁ, VI-VIÓ

L	O	K	I	M	Q	K	E	B	P	H	X	C	W	E	O	H
C	V	D	O	B	Z	W	M	W	T	H	Q	S	A	Z	B	O
X	O	B	I	K	X	H	O	X	X	R	Z	Y	C	D	K	E
S	Y	Z	R	E	F	O	G	R	A	V	E	T	E	I	R	O
C	P	E	I	T	I	C	A	J	G	K	N	N	P	T	K	I
C	D	Q	X	D	A	E	L	N	T	V	N	R	O	E	A	Z
P	A	R	A	U	A	C	U	R	D	Q	W	R	D	J	A	T
V	O	E	L	R	A	T	T	O	E	R	Q	R	D	M	T	I
R	C	M	B	O	X	O	M	G	G	J	E	Z	A	A	E	M
I	T	M	B	D	K	T	X	C	K	V	S	H	S	P	B	B
É	K	T	R	X	V	G	C	E	Ê	R	C	W	C	I	N	A
S	V	U	G	Q	L	N	F	P	M	I	O	O	M	M	P	Ú
I	D	H	X	T	O	T	I	U	M	H	B	N	Y	W	X	V
A	T	G	I	K	B	P	V	U	P	W	B	D	O	H	Q	A
H	O	S	N	F	Y	T	R	K	A	F	I	Y	O	O	X	G
O	F	K	B	A	K	G	W	T	U	A	X	N	I	B	I	T
R	Q	Q	C	M	V	S	K	I	R	E	L	F	I	R	U	W
K	Z	J	F	R	E	D	Q	M	L	L	X	J	O	D	G	I
W	Y	Q	W	I	L	J	O	B	C	J	U	D	X	I	J	K
N	I	F	K	F	U	B	D	U	U	K	A	K	U	L	U	O
F	I	C	Ó	I	D	E	W	I	O	L	K	M	R	E	C	A
Y	Q	Y	C	M	O	V	E	A	A	O	L	M	C	N	B	L
V	J	Q	X	N	R	F	E	T	N	Q	I	T	Z	G	E	A
H	A	D	C	A	O	D	S	M	I	Y	X	Q	E	I	G	J
S	Z	F	G	T	X	E	N	P	D	I	L	F	M	J	K	L
G	W	Q	V	C	O	C	O	D	R	I	L	O	M	L	Z	T

COCODRILO, ESTALADOR, FICÓIDE, GRAVETEIRO, GRUMICHAMA, IMBUIA, IPÊ-VERDE, KOALA, PARAUACU, PEITICA, TIMBAÚVA, VELUDO-ROXO, VRIÉSIA

147

L	W	C	D	Z	G	B	Q	C	T	P	I	B	Y	Z	J	B
D	R	A	E	V	A	M	R	I	A	Y	M	Y	S	P	P	F
F	X	X	J	X	H	N	R	A	Q	V	M	Q	P	G	J	Y
F	H	I	F	X	M	A	G	L	W	S	U	S	Z	E	R	S
U	U	N	L	N	U	L	A	N	E	R	D	Y	S	H	C	Q
C	Y	G	N	A	M	B	V	O	Q	E	P	J	H	V	Z	P
Z	G	U	T	X	T	N	G	H	T	P	J	J	F	H	U	J
G	V	E	J	Q	V	B	A	W	F	A	K	X	X	Y	W	C
R	S	L	J	H	M	O	R	W	R	S	R	F	F	A	C	E
A	I	Ê	M	A	N	G	A	B	E	I	R	A	J	S	H	P
V	D	W	U	S	I	S	M	Y	X	Q	A	L	L	Y	K	A
A	Z	A	K	J	L	U	A	X	K	L	Y	J	R	R	M	E
T	M	H	F	G	J	E	T	L	Z	K	C	L	E	V	L	C
Á	D	A	A	A	R	O	Á	M	A	H	R	B	B	H	O	A
J	L	C	C	B	I	F	O	R	V	Q	B	Á	K	L	F	M
T	Z	M	N	O	Q	J	D	U	O	P	E	L	S	I	X	B
V	T	A	K	B	U	M	Q	R	G	I	M	S	Z	G	Y	U
I	K	N	O	O	R	B	I	G	O	V	J	A	Z	H	Q	Í
A	C	W	M	R	E	E	P	A	O	V	M	M	B	F	G	R
N	R	B	C	E	P	A	Q	Q	A	R	E	O	K	J	L	O
T	A	L	N	I	Q	L	N	M	P	J	S	L	N	Q	K	X
V	E	B	L	R	K	L	E	Z	O	M	Y	H	H	R	B	O
D	J	U	Y	A	Y	L	G	Y	F	R	C	F	O	A	M	O
N	T	T	U	P	I	E	Z	A	Q	G	P	Q	F	S	M	T
C	I	P	R	E	S	T	E	D	O	U	R	A	D	O	T	R
U	A	T	N	L	D	U	B	C	A	X	M	L	V	R	Y	A

ABOBOREIRA, ARAMATÁ, BÁLSAMO, CAMBUÍ-ROXO, CAXINGUELÊ, CIPRESTE-DOURADO, EILEMA, GRAVATÁ, HOSTA, MANGABEIRA, OVELHA, TAUARI, TULIPEIRO

148

F U M O B R A V O C L M N M J O G

M M W C J D J Q E T B U P A D Q T

K A E W Y L V L F D A R W L L C H

J Y R U Z U M W P I E I L M D H B

X S Z I R E Q T N D C C H E N H C

Q K H M A H X Í Z N M I V Q L T G

B U N X D B B W T N I D B U E M T

J N Y T Y O O E C O D O W E X A J

J T X P C E P N Z M P C Q R W P A

I W Y A M R O I I O M A A A S E C

K J J T N V C B E T L M R F L S H

S A O X P A S K F D A P U E C T G

N Q X J L M M O O H O O Y N K R Z

W C P D Z A S L Z L B G A Y C E O

P E M H C T K U E J Y O Q U O L L

P C H E N E G R S M T C I I U Í W

K A N O T E A P M L Y C L Ç J T B

J Q U Q L M D F M Y X U A T T Z Y

B A V F A S A Q W I G V H R D I Q

S Y R Ê A P K S I X E T Y B F A I

T K P T Z V K Z A P A W Q R N Y J

Q I J A S C A Y I B F L I E K V X

K D Y T S G I O D A T C I L K E L

I B O A I E B H P M P H O K V C D

C M Z R B N L A K L R R P M V O Q

F Q A É K K K V F Z I G R S O Z E

BOIPEVAÇU, ERVA-MATE, ESTRELÍTZIA, FUMO-BRAVO, HIENA, IPÊ-AMARELO, JACOBÍNIA, MALMEQUER, MARIA-BONITA, MURICI-DO-CAMPO, PAU-FAVA, QUOLL, TATARÉ

H	X	K	R	T	R	G	F	E	P	W	I	S	V	I	D	J
D	C	J	R	L	W	O	F	D	R	Y	N	S	T	S	Z	Y
Y	G	Y	V	W	C	O	G	B	S	R	H	X	A	V	E	R
O	H	M	A	S	E	Y	L	A	G	U	F	X	D	G	C	Y
B	K	Q	I	X	O	J	F	D	B	O	I	C	I	P	Ó	O
P	M	B	L	J	S	E	X	U	S	I	V	F	J	A	Q	P
L	I	X	I	V	O	A	G	Y	M	H	J	B	M	W	T	C
H	H	I	Y	D	O	F	C	L	I	G	L	D	E	G	Y	S
M	C	P	U	F	Q	G	R	E	E	E	V	J	T	P	X	N
A	Y	C	K	B	G	T	H	I	P	E	C	U	Á	J	N	T
C	I	R	Z	D	B	P	X	U	R	O	M	B	U	D	O	I
B	B	G	A	S	L	X	B	V	I	R	M	O	C	H	O	M
O	H	P	I	B	D	S	K	I	F	L	K	P	D	D	N	A
M	L	K	W	F	U	B	Q	C	M	C	E	H	X	M	O	R
N	A	B	I	W	V	D	C	M	I	E	T	D	F	W	I	L
T	U	A	B	W	I	O	O	I	X	Y	G	G	U	L	V	I
R	E	R	R	W	I	L	Z	Q	P	M	C	Z	Z	R	I	É
T	A	A	B	J	I	A	D	K	R	Ó	L	X	S	C	N	R
X	K	T	F	Y	B	G	C	X	P	V	B	H	A	G	H	I
F	B	A	O	F	C	F	P	Q	B	F	P	I	B	N	A	A
V	E	Y	M	D	J	C	I	G	W	X	M	I	C	G	K	J
S	V	K	P	S	Á	G	E	M	U	B	G	R	T	U	O	L
O	P	B	F	K	U	G	L	I	C	X	M	Q	X	O	D	Q
A	N	K	K	J	K	R	U	P	V	X	T	R	I	V	C	A
J	Q	K	Q	Q	P	V	T	A	C	G	E	T	V	P	D	O
Z	B	W	I	G	Y	E	Z	E	R	Z	E	O	G	N	H	W

BARATA, BICUDO, BOICIPÓ, CIPÓ-BICUDA,
HIBISCO, IPECUÁ, MARLIÉRIA, MOCHO, NOIVINHA, PITOCO,
RABUDO, RATO-D'ÁGUA, ROMBUDO

N	M	K	C	C	F	I	I	C	S	A	G	U	I	U	N	A
X	N	N	A	V	S	M	F	C	P	T	K	I	W	O	X	D
N	T	V	R	N	A	Z	O	Z	O	E	J	I	L	F	E	V
I	L	C	A	H	Z	Y	Y	S	R	Q	Q	A	W	E	A	Z
P	B	J	X	S	V	Z	K	T	C	U	H	E	D	Q	C	P
T	X	X	U	P	S	K	A	U	Z	E	L	O	L	F	C	A
N	A	O	É	A	F	I	F	F	U	T	B	U	R	B	J	L
J	H	I	D	E	I	I	G	O	A	E	C	U	I	C	M	M
C	R	X	E	G	V	B	E	H	D	Q	B	R	Q	X	K	I
Z	K	H	B	W	E	M	N	O	O	U	F	Y	E	D	K	T
L	N	J	I	H	M	I	Ã	Z	H	E	C	A	S	O	U	E
C	P	D	C	W	U	R	R	E	K	A	E	V	N	A	L	I
T	H	B	O	Q	G	H	F	M	A	K	W	X	C	Q	V	R
H	K	K	A	F	I	T	Z	R	E	O	M	R	W	N	U	O
U	C	V	M	B	H	V	D	B	N	G	X	O	U	C	G	H
I	O	T	A	S	U	Z	E	C	T	I	Q	T	C	Q	A	C
T	E	V	R	J	I	B	O	I	N	H	A	R	I	Y	V	W
G	N	T	E	Q	P	B	W	Y	L	W	H	L	F	L	I	O
R	C	Y	L	V	O	C	Y	T	G	C	T	F	A	X	Ã	V
M	V	P	O	F	U	W	M	O	G	E	J	I	W	Y	O	I
K	R	V	I	A	Z	U	L	Ã	O	D	O	S	U	L	G	C
T	Q	T	Y	M	Z	M	G	F	X	S	U	V	A	T	A	I
Q	S	M	Q	Q	E	Z	I	F	T	J	E	M	Z	T	T	T
Z	A	B	E	L	Ê	N	T	O	R	O	M	T	O	R	O	M
F	V	A	O	O	X	Z	T	V	N	W	A	O	N	W	J	W
Q	I	A	U	Y	N	H	D	A	Z	U	Q	J	Y	H	A	D

AZULÃO-DO-SUL, CARAXUÉ-DE-BICO-AMARELO, GAVIÃO-GATO, GRÃO DE BODE, JIBOINHA, NIALA, PALMITEIRO, PIMENTA, SAGUI--UNA, TEQUE-TEQUE, TOROM-TOROM, TOVAQUINHA, ZABELÊ

P	P	N	Z	S	M	K	I	C	V	U	S	J	J	Y	T	F
Y	A	B	W	L	U	X	O	M	V	J	E	Y	O	B	Z	D
F	G	P	D	L	U	I	R	K	K	D	S	S	U	F	F	B
Z	N	E	O	M	W	N	Q	C	I	S	I	K	U	W	K	H
X	N	C	V	U	Y	Q	U	V	O	F	G	S	O	O	B	Q
S	I	E	K	L	L	D	Í	I	D	O	V	N	P	U	V	X
G	A	Y	S	R	X	A	D	G	S	T	X	C	B	B	S	J
H	J	X	J	V	K	G	E	C	R	T	H	Z	W	I	H	R
Z	V	C	A	P	I	V	A	R	A	P	B	B	E	N	Z	N
J	V	H	D	G	S	F	G	T	U	S	M	S	M	B	R	A
I	Y	E	E	E	U	A	R	H	F	G	J	K	O	E	R	P
C	U	E	S	I	G	S	A	B	B	Q	N	Y	R	E	U	A
P	C	F	L	N	C	V	P	R	R	U	N	L	S	M	L	G
A	X	W	I	M	L	H	E	K	C	A	M	T	A	Z	A	M
R	T	R	L	O	J	C	T	V	E	R	R	F	M	C	N	U
M	O	O	Q	H	X	C	E	X	D	E	L	W	C	X	G	Y
M	O	G	X	A	J	Y	K	W	R	S	Q	T	I	C	S	E
Z	A	Y	A	J	B	E	S	A	I	M	K	X	P	S	A	E
G	U	V	H	G	J	A	U	Y	N	E	X	K	Ó	J	T	P
E	O	A	T	S	A	D	C	I	H	I	B	W	U	E	F	S
V	P	X	E	W	Ó	V	G	A	O	R	S	F	V	F	A	D
Q	I	H	N	W	D	K	X	H	T	A	Z	U	A	J	J	S
F	L	M	W	U	O	V	E	O	Y	E	I	I	O	E	C	C
F	W	Z	O	X	S	V	W	Z	M	I	N	N	R	F	T	N
H	Z	V	S	F	U	C	L	S	X	I	U	H	U	Y	C	N
D	B	X	L	P	L	S	I	N	E	H	G	A	K	K	S	U

ABACATE, CAPIVARA, CEDRINHO, CIPÓ-UVA, FUINHA, JAÓ-DO-SUL, LANGSAT, MORINGA, MORSA, ORQUÍDEA-GRAPETE, PAPOULA, QUARESMEIRA, ZEBRA

152

B	P	J	R	B	S	R	Z	R	S	J	E	K	R	V	I	M
L	I	Z	H	S	X	I	P	Ê	V	E	R	D	E	W	L	Q
T	H	J	X	H	Z	W	S	G	W	R	G	U	S	I	Y	X
F	G	A	U	W	B	G	V	T	B	Y	Q	E	K	W	U	A
V	D	H	E	P	G	W	G	U	P	E	C	U	G	K	D	W
N	G	U	A	M	I	R	I	M	D	U	N	C	D	V	Z	I
G	S	N	G	V	A	R	W	F	V	D	M	O	T	S	H	C
E	T	X	R	U	O	E	Á	P	J	A	Z	C	N	K	N	A
K	A	N	Z	Q	M	C	U	F	U	J	L	B	E	B	H	T
P	D	G	K	I	D	E	Y	L	M	Q	A	N	Z	U	B	E
M	I	P	T	H	U	R	U	T	U	F	A	L	S	A	N	N
Q	N	U	X	X	N	W	H	E	W	N	X	U	E	I	U	G
X	X	I	N	H	A	L	A	N	N	P	C	P	D	P	Q	A
Y	S	N	L	L	B	Q	T	J	A	I	O	A	U	R	A	B
T	C	T	V	Z	H	S	I	W	F	Í	L	E	I	E	A	R
Y	L	X	W	M	M	I	V	W	R	E	S	U	L	N	L	T
C	N	A	N	L	P	U	U	I	R	C	H	W	E	A	O	T
R	J	O	D	M	D	X	L	A	Y	A	G	U	M	K	U	K
U	X	Y	W	O	Q	S	M	U	F	Y	N	H	B	L	V	P
I	I	Z	M	Z	C	A	M	Y	N	P	K	C	I	G	E	B
B	T	K	N	N	A	U	E	E	F	G	H	H	R	V	I	A
B	M	K	O	R	X	B	X	H	I	O	U	A	I	D	R	C
U	G	L	Í	R	V	K	X	E	R	P	H	P	N	Y	A	A
J	K	A	K	B	K	Y	H	J	A	G	I	Q	H	O	P	B
F	S	B	C	O	Y	I	R	I	S	U	J	S	A	R	H	A
L	Z	Z	W	J	L	B	E	P	G	Y	E	T	T	P	Q	S

BACABA, BIJUPIRÁ, CATENGA, EMBIRINHA, FICUS, GUAMIRIM, INHALA, IPÊ-VERDE, LIRÍOPE, LOUVEIRA, MULUNGU, SAÍRA-AMARELA, URUTU-FALSA

153

W	X	T	J	J	U	C	I	T	H	M	K	Z	X	R	V	Z
Y	U	D	M	F	Y	K	R	P	C	L	S	F	T	R	L	R
I	E	H	V	U	E	S	S	K	M	Y	N	E	I	G	Q	D
I	H	L	D	Q	B	E	B	J	X	X	N	M	O	F	C	A
A	B	W	N	B	Y	B	G	D	J	W	R	Y	E	A	V	L
Z	N	J	W	N	E	I	P	I	N	H	A	M	B	U	I	F
I	P	E	J	B	X	N	P	E	J	O	V	P	P	V	Ú	A
T	B	M	I	V	V	H	K	X	V	R	L	J	S	O	V	I
B	U	W	T	N	G	O	I	A	B	A	P	E	R	A	A	A
B	Ç	R	T	J	E	V	H	R	O	L	I	E	I	R	O	T
V	V	O	B	U	N	I	Q	U	I	M	D	L	I	F	S	E

ALFAIATE, GOIABA-PERA, INHAMBU, NEINEI, NIQUIM, ROLIEIRO, SEBINHO, SOVI, VIÚVA, XARU

154

A	Z	U	L	Ã	O	D	O	N	O	R	D	E	S	T	E	C
C	L	X	J	G	X	D	W	V	G	O	A	F	E	G	Q	Z
W	W	H	L	L	D	U	L	T	S	U	N	Q	B	O	G	C
Y	J	W	V	E	U	R	U	T	A	U	A	P	R	E	N	A
D	U	I	R	A	P	U	Ã	I	I	T	A	I	G	M	Ã	T
U	T	K	G	R	O	U	M	F	H	W	E	H	M	N	Q	U
V	U	I	O	S	Á	O	J	N	P	Z	Z	A	A	X	E	Á
P	I	O	E	G	C	V	U	N	A	B	Y	Ç	N	W	E	C
C	U	H	N	O	P	V	U	U	A	K	A	I	C	F	W	N
L	I	I	F	F	U	L	J	O	I	D	I	U	C	A	U	W
B	Ú	T	A	F	B	O	C	X	P	T	J	N	M	E	A	Q

AÇANÃ, AZULÃO-DO-NORDESTE, CATUÁ, DIUCA, GROU, INGÁ, IRAPUÃ, JUAZEIRO, TUIUIÚ, URUTAU

155

V	Y	X	U	M	R	Z	A	J	E	L	C	A	H	U	N	S
C	X	V	B	G	N	N	I	X	O	Y	W	T	D	E	Z	B
K	W	N	I	C	Ú	P	N	O	X	T	V	O	R	N	B	S
L	K	K	E	I	E	H	Q	U	S	U	J	M	K	M	S	G
W	Q	N	P	F	L	D	I	C	V	A	Y	A	C	F	L	X
H	D	O	M	C	X	A	R	O	K	L	L	T	D	T	P	O
W	E	M	N	H	Z	B	A	O	O	Y	Z	E	U	N	P	G
A	H	U	I	Y	M	V	F	I	A	T	R	D	M	G	F	B
C	J	G	R	J	W	Y	J	K	V	R	O	G	Z	A	F	N
I	D	F	Y	X	Q	A	R	O	S	T	A	A	U	L	T	O
J	H	A	P	X	C	F	F	O	U	L	B	N	A	Á	D	G
X	C	A	R	Z	H	U	F	K	Y	C	Z	Z	A	P	R	J
E	R	A	W	K	B	H	M	G	H	N	X	Z	S	A	S	I
G	A	L	R	C	F	Y	E	C	H	C	O	P	R	G	G	N
E	L	M	A	A	J	S	E	M	R	Y	P	J	C	O	T	Y
U	J	E	G	Z	M	K	T	K	E	U	C	H	M	V	J	E
Z	Z	C	A	Z	V	B	A	N	V	O	T	Z	C	M	E	F
Z	M	E	A	V	E	C	O	G	R	U	F	A	H	D	Z	E
M	Z	G	K	R	D	S	R	L	L	Q	H	D	P	M	G	B
R	J	U	R	Q	A	F	R	F	A	N	D	E	Y	G	V	A
Y	U	E	E	B	F	P	R	L	I	Q	Z	G	O	H	E	S
G	B	I	M	B	A	V	A	N	T	A	M	K	X	I	D	G
P	E	R	E	I	R	A	O	P	A	R	A	U	A	C	U	I
P	A	A	F	U	G	D	E	X	Á	N	Q	J	X	M	O	K
H	M	B	H	K	Q	W	D	I	O	N	O	X	I	I	J	U
M	U	I	R	A	J	U	B	A	Q	G	F	W	M	M	B	U

ALMECEGUEIRA, ARAPAPÁ, CARAMBOLA, CEDROARANA, DONINHA, GALÁPAGO, MUIRAJUBA, PARAUACU, PEREIRA, PIÚNA, SALEMA, TOMATE, XAXIM

I	S	Q	P	R	S	P	M	C	W	A	O	H	O	B	J	W
D	B	E	B	G	A	O	P	C	J	P	C	P	L	L	B	J
G	E	C	J	E	B	T	K	L	M	B	V	A	O	M	Z	X
A	L	C	X	X	D	B	O	A	V	B	I	U	O	A	X	H
D	L	X	Z	B	E	O	C	B	R	T	E	R	T	E	S	R
S	T	V	X	K	M	O	G	P	Á	M	Q	O	T	Z	T	O
U	X	U	H	F	D	G	J	E	O	D	A	S	D	G	D	J
C	N	W	Y	A	D	M	T	F	J	I	O	A	A	S	K	Y
Q	S	B	R	N	M	W	P	J	G	P	C	C	O	H	I	N
V	R	Ê	E	X	C	R	X	L	S	L	G	Y	A	L	Z	N
U	P	M	E	O	U	P	L	Z	F	A	E	I	E	B	A	R
J	C	A	G	U	A	R	A	B	U	N	S	H	D	N	O	P
T	S	X	O	O	E	H	L	B	V	T	S	I	B	C	J	U
Y	Q	A	H	E	R	J	M	Q	D	A	A	X	H	R	C	L
H	K	L	Z	G	I	F	B	E	V	J	G	S	Z	B	E	A
S	Q	A	O	T	J	V	N	P	M	A	U	Q	V	A	Q	Z
C	C	L	L	A	U	I	Y	Z	D	D	I	J	S	L	B	K
Y	U	A	Y	C	Í	L	D	X	J	E	D	S	T	E	Z	S
K	Í	G	H	U	A	Z	Z	S	Q	P	E	V	H	I	U	Y
R	C	Á	B	V	Y	T	Z	C	J	K	S	E	H	A	Z	V
A	A	M	W	V	I	R	I	J	T	G	A	L	R	A	Q	C
E	A	Z	Z	I	B	A	I	T	O	P	T	E	V	Z	Q	X
C	P	Z	S	W	F	K	D	R	A	S	E	W	F	U	T	Y
K	E	C	G	X	T	X	R	Z	I	U	R	U	Q	L	C	C
C	O	A	T	I	A	R	A	B	T	S	É	F	H	G	C	T
B	A	L	E	I	A	J	U	B	A	R	T	E	B	A	B	S

ATOBÁ-DO-CABO, BALEIA-AZUL, BALEIA-JUBARTE, CAMBUÍ, CATITA, COATIARA, CUÍCA, GUARABU, MAXALALAGÁ, PAU-ROSA, PÊRA-DO-CAMPO, PLANTA-JADE, SAGUI-DE-SATERÉ

U	R	U	T	U	Z	I	N	H	O	G	Z	I	H	O	U	F
N	H	R	D	J	X	S	S	Y	I	X	S	M	P	L	G	U
S	K	I	Z	S	D	R	F	C	T	T	T	A	L	U	K	C
U	L	N	V	C	N	O	P	O	I	Y	V	N	P	K	M	A
W	I	T	S	X	Y	J	R	K	Z	K	N	D	E	O	Ç	T
J	S	V	W	Y	J	D	Y	W	E	U	F	I	T	R	T	A
Q	P	D	I	O	W	E	Q	M	I	W	N	O	O	B	J	P
H	I	B	Q	U	A	P	V	L	R	X	I	C	A	R	S	O
E	H	I	E	Q	I	B	N	I	O	Y	W	Ã	U	Q	Q	R
H	K	B	M	Z	C	U	J	E	G	L	N	O	P	W	T	O
O	B	M	U	G	H	A	X	A	S	Q	Y	J	Z	F	N	R
A	N	G	E	L	I	M	U	T	J	P	Y	O	G	S	Y	O
P	F	C	L	H	F	V	N	T	D	V	R	Q	N	J	V	C
V	P	B	R	D	R	T	W	C	Q	I	N	Z	W	R	S	A
R	Y	L	W	J	E	J	G	N	E	G	K	O	M	H	T	M
B	M	E	E	K	D	L	C	Z	O	L	C	M	E	T	O	I
M	Z	Z	U	T	E	B	I	Y	E	B	U	I	R	P	H	Ú
I	T	J	S	W	O	C	Y	O	L	A	M	E	G	W	X	D
H	T	L	I	Z	U	E	J	E	E	A	Q	O	U	A	J	A
I	T	D	W	B	R	A	T	P	B	Q	P	W	L	Y	N	P
X	O	Z	M	R	O	S	R	S	B	G	L	I	H	W	Ú	A
U	M	A	L	V	A	V	I	S	C	O	K	P	Ã	M	T	M
Q	C	K	X	R	O	A	D	R	D	Y	I	L	O	R	R	V
P	Q	X	M	O	M	K	Y	H	Y	P	Y	O	Q	P	I	N
H	A	P	N	X	M	C	R	G	Q	E	O	T	B	T	A	K
Z	L	G	J	Y	K	F	Q	Q	U	A	D	Q	D	I	J	L

ANGELIM, BOIOBI, CAMBUCIZEIRO, CHIFRE-DE-OURO, CIGANA, CORÇA, MALVAVISCO, MANDIOCÃO, MERGULHÃO, NÚTRIA, OITIZEIRO, TAPOROROCA-MIÚDA, URUTUZINHO

158

Y	Q	I	G	X	N	W	V	E	D	É	L	I	A	X	T	I
R	X	T	C	N	Q	D	O	Y	S	Y	B	J	X	H	M	C
A	F	T	D	W	Q	D	R	L	D	P	O	J	T	M	J	É
H	G	I	H	Y	C	R	I	N	D	I	Ú	V	A	M	Q	U
Z	C	U	K	Q	G	Y	H	Q	V	I	F	X	M	R	P	A
P	U	J	F	K	K	D	V	H	X	F	O	A	R	M	E	Z
Y	E	I	A	G	I	S	O	P	F	C	X	I	F	K	H	U
S	S	W	Q	V	R	O	T	F	I	I	A	Z	O	A	A	L
R	S	S	R	N	G	B	I	G	E	N	V	G	X	F	G	W
S	G	W	S	C	F	M	E	M	T	R	X	K	T	S	H	B
A	M	K	Y	U	T	X	A	I	S	L	Z	I	Q	V	N	T
A	Z	E	S	O	U	J	N	L	J	V	E	G	Y	O	F	I
T	K	P	C	I	E	X	D	Q	X	A	T	Q	R	U	U	I
A	C	F	C	C	C	L	U	S	I	A	F	T	Z	Y	M	R
W	P	W	T	F	F	X	L	M	Q	G	X	L	C	C	Y	I
S	U	T	K	M	J	E	A	W	Z	K	F	V	O	Y	C	H
V	E	V	P	G	N	E	L	S	I	Z	F	D	O	R	Q	W
F	I	V	E	J	Ê	S	I	O	E	O	S	H	F	V	R	Z
Z	E	Z	R	V	D	S	C	R	W	O	E	T	Q	H	R	P
R	N	B	E	X	C	O	A	G	C	F	R	D	L	U	T	E
C	G	V	O	B	Y	C	N	O	P	Q	K	G	M	D	M	C
F	U	U	W	S	N	V	Ç	T	I	H	R	I	A	H	U	O
J	Q	B	L	I	D	E	O	P	K	F	J	N	N	S	W	K
S	E	E	V	G	R	A	M	A	A	Z	U	L	G	O	O	I
C	W	A	P	J	B	R	W	N	D	W	D	L	A	F	I	X
B	D	D	P	A	I	N	E	I	R	A	R	O	S	A	Y	P

ALICANÇO, AMEIXA, BEIJA-FLOR, CÉU-AZUL, CLUSIA, CRINDIÚVA, GRAMA-AZUL, JUVEVÊ, MANGA, PAINEIRA-ROSA, SORGO, VEDÉLIA, VINCA

159

D N H B Y U Z H S L S D R R Y P D
D U O B V F X Z O T F F S G R A S
P H K G Q L O F N P Z E E X V R J
I P A T A W A M T A M A N D U A Í
F J D R I K N Q C K G N T U Z R F
D D A Z F A A Q J A A U V S V U X
E Q S G S R M I N Z Q K U B T E P
K S A Z L D S U D T B U S H N S E
X S N L I K I A T B W E E W C P R
O H U Q K P Q H P T Z Q T R Y E O
Y M Y P N J L G D Z O L E J A L B
Z V U H S O P J F J R C B P T H A
R W N S R N K Q Z W G H I L O O D
Q V K Q S N W B C A F É B R A V O
I M Z P U U C V J L H U E Z K O C
M S D X X F R B A L B W R P U E A
Q F M Q R X K A V I R D I R C R M
X T Y Q S Z Í P N H G J S T I U P
L Z T P K O X I Q A A I U R I E O
M A R A C U J Á A Z U L U P O F L
N G U O P T H Y V H Z S O S M K E
V O S P E N G T I W H Q N E R O Q
E K O O C F B A G A G E I R O M H
P R X S F C S C E V K J R V V B N
G F S J I M T G S E K E K A L L Z
V H C M K A T V G F E P G L C C I

BAGAGEIRO, CAFÉ-BRAVO, CAQUERA, FURRIEL, IBERIS, MARACUJÁ-AZUL, MUSSURANA, PARARU-ESPELHO, PATAWA, PEROBA-DO-CAMPO, SERVAL, SOCOÍ, TAMANDUAÍ

W	V	C	O	O	V	C	D	S	Q	T	H	Y	E	U	T	C
G	S	O	N	R	S	Q	A	B	T	K	L	Z	N	G	R	Z
K	Z	Z	U	J	D	F	M	M	O	R	É	I	A	K	S	G
J	P	E	M	H	N	Z	B	A	B	F	M	U	A	A	C	C
R	I	A	B	N	G	Q	Q	C	O	E	S	Q	W	X	C	B
I	F	I	A	B	C	A	J	U	E	I	R	O	I	Z	L	O
U	B	J	T	R	O	C	A	C	W	W	F	Ô	E	X	J	I
N	J	J	J	A	D	R	W	O	F	K	E	G	N	N	B	P
I	Y	M	C	J	I	F	H	K	B	N	M	W	T	I	G	E
O	V	M	G	E	X	F	Y	V	X	T	D	C	J	L	A	M
R	O	A	Z	C	O	R	V	I	N	E	I	R	O	K	N	I
J	I	U	L	M	I	K	J	E	I	J	X	E	L	P	A	P
E	R	U	U	Y	E	K	W	L	B	A	K	Z	P	H	N	A
C	B	V	T	R	E	T	W	L	U	T	H	G	K	K	J	S
M	G	A	N	Y	M	I	T	C	R	D	E	N	D	L	P	S
W	J	G	I	C	X	R	B	A	E	U	P	A	G	I	S	A
G	I	C	C	D	Z	F	D	R	Q	W	J	M	R	S	R	R
F	P	Y	S	M	T	Z	X	E	K	S	M	Q	S	N	V	I
C	Q	C	Q	X	H	Y	L	B	R	V	Y	G	X	R	M	Ú
H	Y	T	G	B	I	A	E	A	P	E	M	X	L	W	D	V
I	K	Y	A	G	I	O	A	D	A	S	K	Z	B	H	M	A
C	E	J	H	R	D	N	A	U	T	W	X	G	Q	Y	L	N
H	O	D	A	O	S	O	K	R	I	G	Z	A	O	F	M	S
A	E	M	C	X	J	V	E	A	Q	S	J	Y	R	F	O	H
L	J	H	L	B	R	U	F	B	J	M	J	Q	O	É	Z	H
S	B	I	K	Q	L	U	W	A	W	W	F	V	U	R	U	I

BOIPEMI, CAJUEIRO, CAMBERÔNIA, CAREBA-DURA, CHICHA, CRUZEIRA, MACUCO, MARIA-LEQUE, MORÉIA, NUMBAT, PASSARIÚVA, ROAZ-CORVINEIRO, XARÉU

Y	F	R	T	P	N	Y	X	F	K	I	L	D	Q	R	J	G
F	J	Z	T	K	A	L	M	C	N	X	L	A	U	I	C	Q
O	L	C	V	N	R	V	J	E	D	C	A	R	N	F	A	T
E	I	N	A	Z	C	K	I	Q	D	R	U	E	C	L	P	N
L	Q	N	E	V	I	D	Á	L	I	A	C	C	P	V	O	U
P	A	R	S	O	S	Z	C	E	J	I	E	A	M	Q	T	H
B	W	W	Q	G	O	U	T	A	O	A	M	D	N	A	E	A
A	C	Z	S	B	G	A	A	X	V	N	U	E	I	Z	I	O
Q	K	T	B	A	P	T	S	L	C	H	U	L	W	U	R	K
C	J	C	T	A	C	Y	G	S	P	D	B	O	W	L	A	N
I	X	O	R	P	H	X	K	K	V	H	H	C	F	Ã	J	Y
Z	B	R	Z	I	F	G	S	P	V	D	Y	U	X	O	P	N
O	A	F	G	H	V	F	F	H	U	E	Q	B	J	W	I	O
C	K	H	P	B	G	P	N	B	N	Z	B	A	H	Q	M	R
B	M	Q	D	G	X	J	I	U	S	E	L	X	L	G	E	I
H	N	U	A	M	M	Z	G	Q	T	V	R	X	A	A	N	K
V	V	N	V	Q	G	H	P	R	Z	S	C	Q	P	U	T	S
X	V	D	R	D	F	G	O	I	O	M	O	Q	P	R	A	E
Y	P	F	B	K	G	N	N	K	R	A	A	M	V	A	D	O
J	I	B	U	O	O	V	J	K	I	O	Z	H	H	G	O	B
Q	G	Z	I	D	C	O	J	N	T	H	K	E	B	U	M	N
P	M	R	I	X	N	F	Ô	C	Z	A	A	R	J	C	A	X
B	D	V	G	D	Q	G	E	P	V	C	Z	L	T	Y	T	L
N	O	M	V	I	E	F	G	M	K	C	K	S	W	B	O	Z
S	Z	O	Q	B	R	D	Z	C	A	L	A	N	C	H	O	Ê
E	G	C	H	U	E	C	Ê	R	Q	W	E	J	I	N	T	E

ARECA-DE-LOCUBA, AZULÃO, BANANA, BEGÔNIA, CALANCHOÊ, CAPOTEIRA, CARRAPATEIRA, GAURA, NARCISO, PIMENTA-DO-MATO, SOVI-DO-NORTE, VIDÁLIA, ZIDEDÊ

E	W	F	D	D	M	F	E	P	G	X	W	Z	W	O	F	P
G	E	A	B	T	T	C	K	V	G	T	J	K	V	L	M	Z
N	E	X	U	B	K	A	O	Y	T	S	K	H	I	Y	N	F
J	G	T	I	R	A	P	S	C	X	K	G	O	U	A	U	O
M	Q	B	M	C	V	I	P	B	Y	I	V	A	V	I	C	M
M	L	L	D	C	T	I	E	L	Y	S	Z	K	I	O	T	X
Q	P	K	J	X	Q	Q	P	Z	E	V	Y	A	N	I	D	O
V	R	Q	O	F	P	Q	Q	Q	K	L	S	A	H	I	L	O
T	I	D	D	D	I	L	X	V	Q	F	M	W	A	U	A	G
J	A	A	M	P	L	D	I	O	W	X	W	D	B	J	K	O
R	A	W	O	Q	U	Q	Y	H	L	M	Y	O	S	Q	G	E
J	A	U	A	C	A	N	G	A	X	P	Q	J	E	W	O	X
G	I	Z	O	F	H	Z	E	F	Z	B	G	K	T	I	L	Á
E	Y	Y	E	U	N	A	T	F	E	J	M	N	E	G	I	D
F	S	M	B	W	N	Q	N	N	O	A	H	W	C	P	N	Y
P	J	X	M	S	L	X	O	S	B	U	H	J	A	Z	H	M
V	M	T	E	P	Q	M	R	O	H	I	A	T	P	D	O	K
D	G	M	Q	H	P	Z	R	H	F	O	J	P	A	D	Y	C
D	L	Q	K	N	E	A	R	Z	E	H	L	I	S	G	O	B
O	O	M	W	P	C	O	A	U	S	P	T	I	W	Ã	H	G
Z	N	F	T	G	K	D	D	S	Y	Q	T	Z	T	L	X	D
R	Í	V	M	N	M	D	N	Y	J	A	P	U	Í	R	A	P
K	C	G	L	W	P	X	Z	L	P	L	L	F	D	D	T	F
P	E	Ô	N	I	A	E	T	A	Y	G	H	H	Q	R	B	K
U	R	Y	O	V	T	S	R	E	F	X	A	X	Z	D	T	H
V	A	C	S	T	U	A	N	B	Z	D	T	F	K	C	H	U

ARAPATI, CAROBA, GLUTÃO, GOLINHO, HUITO,
JAPUÍRA, JAUACANGA, LONÍCERA, MANOCO, PEÔNIA, SETE-CAPAS,
TAPIÁ, VIUVINHA

163

B	A	F	U	F	X	A	N	A	D	U	F	C	W	J	N	Q
O	B	V	G	D	C	H	O	W	Z	L	L	W	J	O	X	J
R	I	N	U	O	M	S	B	K	Z	V	B	O	R	H	H	C
B	U	L	F	G	J	I	Y	D	G	V	J	C	J	L	T	K
O	P	J	K	P	A	U	D	O	C	E	D	O	A	O	R	Q
L	I	M	F	Q	D	D	X	Z	C	Z	U	O	T	E	M	V
E	L	L	S	V	Q	D	M	H	A	Q	A	W	O	W	C	E
T	O	H	Q	R	X	A	Q	C	N	T	L	P	B	M	V	I
A	S	K	F	S	X	X	J	M	J	L	Z	C	Á	J	J	L
F	O	P	Y	C	Z	J	Q	O	E	Q	E	O	C	F	E	P
Z	I	R	Z	G	Z	U	T	T	R	N	R	R	L	U	K	U
F	Y	F	M	W	P	A	Z	K	A	G	A	U	A	Q	E	P
H	E	C	E	W	Y	D	G	Q	N	Q	S	J	R	C	B	T
G	U	K	H	U	F	W	Z	Z	A	E	T	I	O	L	X	C
F	X	V	A	Q	B	R	S	T	I	O	A	N	O	Z	P	V
F	I	W	E	Y	X	A	P	B	R	T	R	H	W	Q	A	Z
R	P	Y	Z	L	N	Z	X	D	O	P	U	A	Q	T	C	B
O	V	U	F	Ú	Y	I	N	T	K	Q	Í	S	K	K	S	T
L	U	X	I	J	B	E	R	X	Z	P	R	A	I	A	J	S
Q	W	V	H	C	D	B	D	P	C	I	A	P	W	I	E	H
Z	A	L	T	O	P	N	Y	V	S	H	E	O	O	K	M	O
C	H	W	R	W	L	V	W	Z	S	C	F	R	W	X	D	A
V	J	E	Q	M	G	E	S	E	Z	T	G	M	W	A	X	J
D	L	G	Z	J	V	Z	X	I	S	Z	Y	R	E	N	Y	O
C	B	R	O	M	É	L	I	A	P	I	K	V	Z	P	U	A
B	I	C	H	O	P	R	E	G	U	I	Ç	A	B	U	H	K

ABIU-PILOSO, BICHO-PREGUIÇA, BORBOLETA, BROMÉLIA, CANJERANA, CAVIÚNA, CLERODENDRO, CORUJINHA-SAPO, JATOBÁ-CLARO, PAU-DOCE, TARUÍRA, VEADO, XANADU

164

V	K	E	C	O	L	O	K	Y	T	Q	G	L	U	S	H	L
W	I	M	P	W	D	B	X	D	Z	R	F	H	W	A	A	H
H	M	I	S	A	J	S	N	A	U	A	N	S	A	R	D	A
K	M	M	E	L	B	G	V	I	I	V	T	O	O	D	M	D
A	F	V	R	M	I	N	S	X	R	V	M	M	I	Ã	X	V
K	I	J	V	Z	C	T	I	V	U	U	Ê	A	V	O	A	W
A	Y	S	A	M	V	R	I	N	H	R	Q	K	R	P	B	R
P	Q	B	L	Z	U	Z	N	F	T	D	Z	G	R	I	F	O
O	A	I	Q	C	U	C	D	X	F	T	Z	Z	B	O	C	V
K	M	N	A	N	K	H	R	D	E	U	V	F	V	F	I	Á
F	R	P	G	J	Q	I	I	W	N	D	F	D	P	V	T	K

GRIFO, INDRI, KAKAPO, MARICÁ, PACURI,
RÊMORA, SARDA, SARDÃO, SERVAL, VEADO

165

X	Z	H	M	A	S	I	N	A	G	T	S	B	B	T	P	C
O	Q	I	L	R	C	M	U	R	U	T	A	Í	Ú	E	M	O
N	U	F	K	S	I	F	D	K	A	B	W	Y	G	T	U	R
T	Z	Z	C	W	Ó	N	W	S	R	P	B	P	D	R	I	V
Z	X	V	M	I	G	U	A	N	A	F	C	E	S	A	R	O
O	U	N	V	X	O	Y	R	X	X	S	S	J	Y	I	A	D
L	T	I	O	C	U	W	J	Y	A	L	W	V	O	E	J	L
E	V	A	Q	Z	U	V	Y	C	I	Y	C	A	L	L	U	D
I	N	L	R	E	K	D	N	Q	M	K	W	R	E	Y	B	F
R	F	A	O	O	R	P	X	W	V	Y	J	A	S	P	A	C
Q	A	T	O	S	D	U	N	Y	P	Z	W	D	F	M	W	S

BÚTIO, CORVO, GUARAXAIM, IGUANA, MUIRAJUBA,
NIALA, TETRA, TUIM, URUTAÍ, VI-VIÓ

166

Y	F	I	B	E	U	L	B	J	X	U	Y	E	K	R	C	C
O	E	B	U	W	V	N	S	K	M	O	T	B	S	R	H	X
A	F	E	S	X	R	E	C	P	W	X	I	T	W	K	I	G
A	N	D	Á	A	Ç	U	A	R	A	R	I	B	A	F	N	K
Y	F	V	U	E	O	U	T	H	Y	O	T	T	O	I	C	O
A	N	T	D	V	J	E	Y	G	T	D	K	H	R	V	H	Y
M	B	X	U	Ê	A	Ç	U	J	P	M	N	Y	C	K	E	S
V	B	K	V	L	B	J	R	A	I	N	H	A	R	N	R	I
J	M	I	V	O	D	W	A	K	L	Z	T	B	W	Z	I	O
L	B	S	Y	P	T	R	E	P	B	Q	A	B	I	B	N	H
J	I	W	P	G	L	U	K	Q	O	B	T	E	F	S	C	F
N	M	Y	H	E	E	P	N	G	Q	N	Y	R	P	S	H	T
E	W	T	F	Y	I	C	M	L	P	P	E	J	F	P	E	F
S	E	E	Y	D	T	J	I	E	P	K	G	S	O	H	E	T
Q	C	W	M	E	E	U	C	V	R	Z	L	R	A	Z	G	T
O	E	G	I	W	I	N	G	N	L	D	Z	K	W	A	I	X
J	R	U	C	C	R	Q	J	Z	R	G	F	R	N	F	G	B
X	E	K	L	A	O	U	N	I	L	N	P	A	O	O	A	H
O	J	F	L	X	B	I	F	G	G	P	R	B	X	G	N	S
J	A	X	T	E	R	L	P	R	O	A	P	K	L	O	T	Y
F	C	L	P	T	A	H	T	Y	Ç	H	B	T	X	A	E	P
S	H	I	I	A	N	O	U	A	B	L	T	Z	J	P	K	A
Z	S	Z	Y	P	C	V	R	M	O	P	L	D	T	A	Z	G
T	C	X	C	Y	O	A	U	A	V	B	F	U	M	G	Q	P
F	N	D	P	A	U	B	R	A	N	C	O	Z	P	O	Y	X
H	M	D	R	Q	X	G	O	R	G	I	V	D	G	U	E	X

ANDÁ-AÇU, ARAÇARANA, ARARIBA, CAXETA, CEREJA, CHINCHERINCHEE-GIGANTE, FOGO-APAGOU, JUNQUILHO, LEITEIRO--BRANCO, PAU-BRANCO, RAINHA, UVA JAPONESA, XUÊ-AÇU

E	G	T	T	E	X	T	Y	M	Q	O	R	N	G	O	D	D
X	T	R	E	Y	H	Y	T	F	C	P	O	M	E	L	O	P
P	C	R	R	T	H	A	K	A	G	O	T	V	D	I	H	N
F	U	R	I	W	O	O	T	O	B	E	G	S	P	A	R	L
K	R	N	X	N	B	A	M	C	B	P	I	A	K	Z	J	R
D	R	Z	I	D	T	M	W	I	G	U	C	E	M	C	B	M
F	B	R	C	W	W	A	X	B	L	O	D	U	G	D	A	Q
D	P	E	L	M	J	R	R	K	P	N	M	A	S	J	R	B
D	R	I	W	A	E	Z	G	É	J	K	P	A	T	T	U	M
T	V	T	Z	P	Q	G	T	R	I	T	Ô	N	I	A	O	O
F	N	W	Z	Q	L	S	N	S	Q	S	B	H	O	O	Q	R
E	Z	J	I	Q	N	K	D	A	G	S	Á	Ã	Q	M	F	I
D	Z	V	X	B	C	L	D	Y	Y	U	S	R	E	N	Y	C
E	P	P	U	F	P	I	K	A	R	I	T	É	T	N	W	H
G	Z	L	N	O	K	O	O	L	S	M	Q	O	T	I	Y	E
O	S	N	A	B	Q	U	P	M	C	U	Ã	G	F	D	C	K
S	F	P	E	Q	R	T	D	I	J	C	M	M	K	G	J	O
O	P	N	T	D	B	Z	W	L	U	Q	Q	F	B	J	V	G
G	A	W	L	X	A	I	N	T	V	H	C	C	Z	O	I	Z
I	N	I	O	M	M	N	M	N	T	R	W	M	R	Q	C	N
G	L	T	S	H	J	N	D	S	B	A	D	U	F	Y	Z	Z
A	D	R	D	K	G	V	T	I	B	I	E	J	O	P	M	W
N	D	R	D	K	T	U	D	B	R	O	Y	Z	P	I	H	N
T	T	I	Ú	V	E	R	D	E	C	Á	C	W	M	U	L	A
E	N	F	E	R	R	U	J	A	D	O	J	D	N	Y	W	N
L	S	B	I	A	R	H	F	L	Q	Z	D	V	R	J	U	Y

ANDIRÁ, ENFERRUJADO, FEDEGOSO GIGANTE, KARITÉ, MORICHE, OCAPI, POMELO, SISÃO, TATAC, TIÚ-VERDE, TRINTA-RÉIS-ÁRTICO, TRITÔNIA, TUCÃO

168

M	A	R	A	C	U	J	Á	P	E	D	R	A	H	P	V	T
T	H	D	J	M	J	T	Y	F	X	D	J	C	I	D	H	O
A	I	E	H	H	R	N	G	G	S	N	D	Z	Y	C	W	I
N	X	Z	S	A	F	A	Y	N	G	V	K	N	V	F	J	T
D	C	P	I	B	Z	U	R	B	A	Z	O	U	F	N	F	I
O	P	P	M	U	H	L	V	U	C	K	W	K	N	G	A	D
R	O	J	Q	M	G	E	U	L	Z	U	Q	Q	Y	R	S	O
I	X	K	U	A	V	Y	Z	B	D	X	A	H	I	W	U	C
N	R	M	Q	B	T	M	O	Ó	W	I	H	E	P	E	P	E
H	O	J	C	F	X	J	Y	F	L	L	B	R	Q	V	K	E
A	D	Y	Y	Z	V	B	E	I	V	A	W	U	K	A	V	T
S	V	L	M	X	L	P	G	L	I	P	G	U	F	Z	N	U
E	E	N	X	W	I	U	V	O	F	X	E	N	D	R	E	O
R	G	O	L	A	F	U	G	R	X	U	X	U	O	V	U	E
R	C	Y	B	R	O	V	Á	L	I	A	M	J	A	N	E	R
A	G	I	R	B	F	X	G	S	T	Z	B	Z	U	Z	N	I
D	A	N	D	O	R	I	N	H	A	D	O	S	U	L	T	T
O	Q	H	P	S	H	K	X	L	R	C	S	R	I	U	U	A
R	P	A	L	M	I	T	O	J	U	Ç	A	R	A	K	F	Ú
A	K	Y	B	H	D	B	J	T	O	Z	F	C	V	O	A	B
F	L	O	R	L	E	O	P	A	R	D	O	T	E	S	D	A
U	A	V	L	G	G	V	A	Z	V	D	S	D	L	N	O	D
P	Z	D	L	E	Y	P	A	G	J	R	M	K	L	N	E	F
A	O	R	X	O	Z	B	Y	A	Y	D	G	J	Y	P	Z	G
O	C	R	D	B	V	D	B	P	Y	H	B	U	K	W	G	L
Z	A	R	R	O	M	E	U	T	W	Q	A	J	B	T	H	B

ANDORINHA-DO-SUL, ANDORINHA-SERRADORA, BROVÁLIA, BULBÓFILO, ENTUFADO, FLOR-LEOPARDO, GOIABEIRA, ITAÚBA, MARACUJÁ-PEDRA, OITI DOCE, PALMITO-JUÇARA, TIZIU, ZARRO

169

L	L	Y	S	C	C	Z	G	R	S	T	A	J	L	H	J	H
A	D	L	P	T	O	O	X	C	R	S	U	Y	L	S	F	I
Y	K	L	B	A	K	J	Y	A	J	K	C	X	Y	G	M	N
X	W	J	Y	B	M	R	X	S	C	J	D	N	Q	G	O	M
X	I	C	J	K	Z	V	K	C	H	B	Q	G	A	D	N	I
C	K	X	E	V	F	H	C	A	F	M	M	V	O	O	E	H
U	T	I	P	U	A	N	A	D	C	F	S	A	J	Z	C	P
V	G	X	J	J	O	B	U	U	A	J	A	B	I	M	S	T
E	R	R	W	I	K	K	U	R	M	F	Q	G	E	A	S	V
R	P	A	K	F	I	X	N	A	B	F	Q	E	T	X	T	H
M	P	H	C	U	S	V	K	V	A	R	W	X	W	U	K	E
F	G	X	E	L	L	V	J	T	C	D	H	Q	C	H	V	Y
W	B	Q	A	M	V	L	Y	V	I	O	T	A	R	L	A	Q
I	M	S	L	A	Q	B	N	Z	C	I	E	V	U	M	L	I
V	D	S	U	R	R	I	Q	H	A	K	O	X	E	J	C	M
M	C	S	N	T	R	A	P	O	E	R	A	B	A	U	X	A
Y	U	F	M	D	Y	L	P	V	U	Q	F	R	X	I	O	A
L	B	U	F	O	U	Z	N	O	R	G	G	L	J	E	R	R
B	F	E	U	L	X	C	A	V	N	X	S	J	C	D	R	A
C	M	I	G	S	R	R	T	U	A	G	G	O	I	M	O	H
P	G	S	O	J	Í	H	J	A	C	U	A	R	U	L	C	K
O	N	G	X	A	R	P	J	S	V	X	C	Z	J	X	O	S
K	N	J	S	Q	S	Z	I	D	B	C	P	L	K	J	N	R
I	N	E	M	D	J	K	Q	P	R	A	U	P	X	N	D	M
B	R	A	U	N	I	N	H	A	U	S	A	L	M	Ã	O	C
R	K	P	Y	Z	D	I	G	W	U	Í	X	Y	F	A	R	U

ARAPONGA, BRAUNINHA, CAMBACICA, CASCA-DURA, CONDOR, FULMAR, JACUARU, MAIATE, PI-PUÍ, SAÍRA-OURO, SALMÃO, TIPUANA, TRAPOERABA

170

C	U	G	J	F	C	P	J	F	K	A	B	O	S	U	S	W
L	A	G	K	N	N	B	T	Í	E	H	Z	X	T	X	P	J
E	I	L	I	G	T	F	U	Y	V	N	Y	G	Q	D	I	A
M	M	I	P	B	U	P	J	Z	S	J	E	P	P	O	P	P
Á	V	Y	Q	I	U	A	D	W	R	F	U	C	C	M	I	A
T	B	R	G	C	N	S	R	I	A	X	D	X	O	Y	R	C
I	W	D	A	Y	B	I	D	A	Q	F	X	F	M	V	A	A
S	N	C	M	E	X	Y	A	Z	N	F	V	Y	C	A	D	N
K	H	H	M	H	U	G	T	Z	R	T	G	K	R	S	E	I
C	H	I	B	I	K	Q	U	N	E	W	Ã	D	X	S	B	M
I	I	C	H	E	G	J	G	K	Q	P	N	E	B	O	I	T
S	K	S	W	J	B	M	K	O	E	E	L	T	Y	U	C	G
C	B	B	G	D	M	M	J	E	X	X	H	D	R	R	O	P
K	N	F	Z	F	O	Z	F	T	E	I	G	D	V	A	V	T
M	D	H	R	C	B	E	G	Ô	N	I	A	R	E	X	E	Z
Y	R	E	G	B	Q	Y	X	J	M	S	B	O	S	L	R	M
N	R	X	A	D	B	S	Q	B	A	H	D	T	D	W	M	X
F	K	R	D	V	G	U	W	S	I	F	S	D	I	M	E	C
A	L	B	V	T	T	O	I	G	N	Z	J	G	C	K	L	Z
I	D	Y	I	B	O	S	F	M	U	A	O	O	I	W	H	E
O	L	H	B	Q	P	U	S	T	C	P	Y	I	M	U	O	D
S	A	M	A	R	E	L	I	N	H	A	H	V	W	U	W	O
E	E	R	S	M	S	X	C	T	G	C	B	O	Y	V	J	Á
M	F	Z	J	F	C	I	S	C	S	L	D	W	S	N	M	R
D	A	X	Q	E	L	Q	S	Y	Y	K	B	L	A	B	C	I
B	R	K	F	J	N	A	B	Q	G	O	N	U	M	A	V	A

ALPINIA, AMARELINHA, BEGÔNIA-REX, CLEMÁTIS, CUPUÍ, FENECO, GOIVO, GUARANTÃ, JAPACANIM, KABOSU, PIPIRA-DE-BICO-VERMELHO, VASSOURA, ZEDOÁRIA

I	K	H	M	I	C	L	L	S	T	L	Q	T	L	S	N	J
U	F	R	H	M	I	P	D	I	L	X	W	F	J	E	H	H
K	U	A	E	H	A	B	F	C	A	I	V	M	O	P	U	O
Y	H	G	R	K	V	S	N	P	M	M	U	V	D	P	T	O
K	L	D	J	B	R	S	T	E	C	X	R	G	P	I	D	F
V	L	D	T	A	U	K	L	W	E	T	D	D	R	E	F	R
F	O	E	H	A	Q	F	N	B	M	H	P	B	F	O	X	J
T	E	I	Ú	C	O	M	U	M	Q	V	A	O	J	H	Z	B
A	T	S	I	S	A	I	E	W	K	C	I	U	E	W	Q	M
U	D	X	U	T	J	K	G	K	I	E	V	R	F	J	Z	J
M	S	S	X	G	G	E	Y	O	H	R	W	O	Q	C	O	A
B	W	S	L	B	I	W	O	R	V	V	F	Q	L	D	C	Q
V	O	G	O	C	A	L	A	N	G	O	G	R	A	N	D	E
F	O	M	T	P	S	W	C	S	N	W	U	B	X	L	M	A
Y	L	J	V	F	Y	G	E	D	O	V	V	R	X	X	T	Ç
Z	Y	J	Y	D	X	R	H	H	P	T	N	E	F	T	V	O
Z	J	C	O	Z	B	P	C	R	R	Y	C	G	I	G	C	I
G	Y	N	I	I	Q	A	E	L	A	Q	A	R	C	M	A	T
B	S	V	G	S	F	R	G	H	Í	B	Q	C	C	X	D	A
I	U	N	J	E	Q	I	M	L	N	R	U	B	U	W	Z	C
I	E	T	D	Y	I	U	E	S	V	S	I	D	T	N	I	A
G	H	Á	Z	A	Y	V	E	O	L	X	S	O	I	A	C	V
P	B	O	B	Q	V	V	N	I	C	R	H	L	E	N	B	A
U	I	P	I	C	A	P	A	R	R	A	T	G	I	G	H	L
G	E	N	G	X	E	Q	S	C	I	O	D	P	R	W	D	O
U	M	B	I	G	O	D	E	V	I	Ú	V	A	A	B	X	B

AÇOITA-CAVALO, CABRITO, CALANGO-GRANDE, CISQUEIRO, CUTIEIRA, GENGIBRE, LÍRIO, PICAPARRA, POEJO, RABUDINHO, TEIÚ-COMUM, UBÁ-DE-FACHO, UMBIGO DE VIÚVA

V	U	X	U	N	Z	O	U	B	D	X	B	X	D	F	T	I
L	U	Q	P	D	K	O	Z	E	R	Y	C	X	A	Y	G	I
M	A	E	S	G	H	T	B	I	P	E	E	B	F	R	O	D
F	A	N	O	W	Z	W	O	Z	Z	C	R	D	S	R	U	U
H	J	A	G	U	A	P	E	V	A	M	E	C	Q	I	D	U
I	Q	W	N	F	U	N	Q	W	I	E	J	S	T	Y	X	U
E	V	F	M	S	R	U	F	J	N	A	A	T	F	F	G	T
F	K	T	A	A	P	G	N	U	T	P	D	U	R	A	L	X
C	A	G	C	M	Z	M	G	S	A	C	O	C	C	R	V	W
F	N	Y	A	O	X	W	E	T	B	N	M	U	M	I	M	U
B	R	L	C	M	A	I	R	R	W	D	A	X	Z	N	O	B
V	K	T	A	U	G	I	T	L	W	E	T	I	A	H	Y	A
M	O	T	T	O	V	J	J	T	B	Y	O	P	V	A	X	L
A	Q	C	U	U	B	N	Q	K	G	G	Y	F	V	S	F	E
O	Z	D	A	N	B	G	L	F	Q	R	H	Y	G	E	L	I
X	A	N	A	M	B	É	U	N	A	E	N	K	I	C	K	A
O	R	V	D	J	N	U	M	J	L	R	J	A	K	A	Q	A
W	U	F	K	V	K	H	R	G	T	R	Q	P	A	R	U	Z
G	U	P	C	O	R	T	A	R	A	M	O	S	N	O	I	U
U	D	C	F	N	D	G	F	A	Q	K	K	D	G	M	N	L
Y	O	X	A	C	Y	N	M	U	C	E	A	E	I	D	A	O
Y	D	O	E	C	N	Ú	U	N	P	V	K	F	C	C	T	T
X	B	C	W	V	A	L	N	X	X	G	P	P	O	D	O	I
P	B	B	L	H	X	U	V	Q	U	W	A	H	B	J	T	L
J	E	S	N	Q	I	A	É	P	S	F	B	W	N	V	U	T
N	W	I	F	L	U	R	J	C	N	Q	F	Q	G	X	A	S

ANAMBÉ-UNA, ANGICO, BALEIA-AZUL, CACATUA, CACAUÉ, CEREJA-DO-MATO, CORTA-RAMOS, FARINHA SECA, GIESTA, GUAPEVA, INHAÚMA, QUINA, TUCUXI

M A R J T S Y K O A H K W K Y K X
R E C F H R H R D U H J G G V B R
W X Z G E V H Q W V X J Z J S O O
L R A P A R W E B N K Q S A B I Á
O I Q Y L P A S S U A R É T Y U C
U D X Y F Á O C Q Q H S H I Q B M
R A H U S T T L Y J C I Y J A I Q
O X V Z I D W A P S R V L K G Y R
P X H B W Q L U N T K H G D D O F
A D E Q U I D N A O N Q O V H I R
R W D W D K A D P Z G O J C G H K
D X A C O B R A D O L O D O A D I
O N M T A H V D U D L M M L J V X
I F T S Q O L M B T O O E L Y Y I
O D I Z D Z U V Q X D Z M N X Z Y
N H H E O L M I H T A U A R N U J
J Z T B F V A G Z G U E N C C C S
X A D A B N W M N F Q T D R T C A
B E L A M A N H Ã R J U U S E E R
A X T T O U M K M É D S I S R V A
T A S I I F F D L S W D R F P A C
W S O M F Z Z O C I N V A F V D U
H C H V G J K I S A M X N I S A R
P E H U J L F N B I M A A K L N U
H F Y B J K O U Y T T L H Y C R Ç
D M V A F V T P T D C O U B F L U

BELA-MANHÃ, BOIUBI, CEVADA, COBRA-DO-LODO, EQUIDNA, FRÉSIA, GAZELA, LOURO-PARDO, MANDUIRANA, PASSUARÉ, PLÁTANO, SABIÁ, SARACURUÇU

174

Q	Y	D	U	W	F	Y	O	C	K	Z	E	H	F	H	D	M
T	S	J	M	T	B	X	J	P	A	C	U	R	I	G	N	U
U	C	A	C	H	O	R	R	O	D	O	M	A	T	O	T	U
O	Y	Y	G	R	Z	S	D	L	J	L	A	E	K	A	A	O
Z	Z	S	U	U	Y	I	P	M	I	E	U	E	F	P	R	W
U	U	A	V	O	C	I	I	F	Y	G	Y	K	O	B	T	N
I	P	L	G	A	D	G	V	C	K	I	F	N	P	G	A	A
Q	C	R	D	O	F	C	O	Y	Q	A	M	D	W	Y	R	E
I	F	N	K	H	H	K	V	S	K	L	M	W	T	D	U	U
N	M	R	A	L	J	N	T	D	A	M	A	S	C	O	G	C
S	S	B	M	Y	Z	B	G	Q	O	K	B	B	U	V	A	O
L	V	J	O	I	W	C	U	O	K	N	A	A	X	O	A	B
F	J	S	R	E	T	F	J	J	E	D	I	U	L	E	V	R
A	K	V	A	Y	Q	V	R	B	B	U	A	N	M	W	Ó	A
T	D	Q	B	S	D	Q	R	Q	A	N	N	I	T	N	A	C
S	O	S	R	J	K	X	A	P	J	T	O	L	H	N	L	I
N	I	W	A	M	S	L	J	Q	O	G	P	H	I	P	F	P
M	G	M	N	S	V	Y	K	V	B	C	R	A	G	S	N	Ó
M	X	G	C	L	M	P	M	A	R	I	A	N	E	I	R	A
J	X	L	A	Z	O	F	I	D	G	H	V	F	G	P	G	Y
T	O	K	Q	X	D	P	P	N	T	V	N	Q	A	C	H	C
X	E	M	C	F	N	Y	Y	F	H	N	Y	B	C	H	N	Y
G	Q	P	A	P	O	U	L	M	P	E	G	Z	E	I	R	R
X	K	P	O	V	G	A	K	T	Z	J	I	N	N	H	L	T
V	A	R	R	E	F	O	R	N	O	R	A	R	O	P	T	D
S	G	G	V	G	N	K	S	B	Z	B	H	F	O	L	P	U

AMORA-BRANCA, BAIANO, BAUNILHA, CACHORRO-DO-MATO, COBRA-CIPÓ, COLEGIAL, DAMASCO, MARIANEIRA, PACURI, PAU-ROXO, PINHEIRO, TARTARUGA-AVÓ, VARRE-FORNO

175

U	B	W	E	M	D	Z	O	X	P	C	O	L	R	L	E	H
X	T	A	P	I	R	I	E	X	A	E	F	A	E	M	S	G
C	L	M	J	C	N	X	N	I	P	Y	T	F	B	Ã	S	A
A	O	X	G	O	A	D	G	M	H	E	T	D	U	P	O	H
N	Z	L	P	U	H	R	I	A	M	A	S	B	K	K	T	O
Á	C	Q	G	J	X	Q	T	N	F	K	P	U	F	Y	H	J
R	S	D	T	Z	R	Á	W	G	L	S	N	V	S	C	F	P
I	U	M	B	U	W	C	I	O	K	O	S	U	N	X	E	J
O	D	X	I	M	B	A	Ú	B	A	E	G	I	D	U	G	M
Q	J	Q	X	H	Y	R	J	B	L	N	U	S	L	A	A	D
B	D	H	S	K	W	O	Q	C	X	G	T	E	O	R	Q	F

ÁCARO, CANÁRIO, GUAXE, GUINCHO, IMBAÚBA,
LEÃO, MICO, TAPIR, UMBU, XIMANGO

176

A	C	R	X	E	Y	R	R	M	I	L	I	G	L	T	I	O
P	E	Q	U	I	Á	K	R	D	V	U	V	X	Z	A	M	U
T	A	T	A	R	É	V	U	T	D	E	Z	A	G	T	W	B
J	H	A	V	I	E	O	B	E	Z	T	U	S	U	U	K	A
N	X	I	I	P	N	X	O	Y	H	A	J	Á	T	Í	L	R
Á	V	F	Z	R	X	H	A	O	L	B	R	I	K	A	T	A
G	L	Q	Z	T	M	L	A	Z	B	A	W	F	O	Y	U	N
U	A	O	L	V	A	R	H	Í	P	K	N	K	O	T	T	A
I	A	N	K	O	E	S	W	A	B	E	T	G	Q	N	F	K
A	T	Z	C	J	S	Y	M	N	F	A	M	Q	J	V	Ç	R
G	S	G	U	T	W	J	Y	P	W	D	K	W	E	G	U	A

ÁGUIA, COALA, INHAÍBA, KOALA, MAPARÁ, ONÇA,
PEQUIÁ, TATARÉ, TATUÍ, UBARANA

C	A	Z	F	L	I	S	I	A	N	T	O	D	K	J	M	D
C	E	E	Y	M	L	C	X	F	W	T	P	J	U	C	U	H
Y	L	O	I	H	Z	H	V	O	E	R	Z	L	R	M	V	W
S	N	Y	Z	D	B	L	H	X	E	D	L	Z	N	Z	L	P
I	U	K	U	J	J	I	P	A	P	A	G	A	I	A	I	R
J	G	L	Q	C	M	R	C	P	F	G	R	D	J	B	W	V
N	H	H	O	V	K	F	S	O	F	P	N	Q	T	W	U	X
P	C	Y	Q	X	G	C	W	V	D	O	L	U	W	A	L	X
S	E	J	J	N	Z	A	N	T	E	U	Q	I	D	O	G	E
Y	U	I	R	V	B	C	F	Q	U	W	R	D	Q	L	Y	N
Q	P	B	S	X	L	Z	N	E	A	T	T	O	U	V	F	I
J	I	O	P	T	R	R	F	S	Z	Y	A	Z	M	D	K	R
V	Y	I	T	C	F	R	T	C	E	U	F	Ó	R	B	I	A
H	J	A	R	G	C	K	P	N	R	F	H	J	J	A	M	E
A	J	H	I	F	Q	Y	O	D	Q	I	W	J	R	D	A	Z
A	E	M	N	E	E	G	H	U	E	S	Y	R	E	X	Ç	J
N	D	U	T	D	J	X	Z	A	V	U	L	P	Z	O	A	H
Y	K	Ç	A	I	J	E	O	L	A	G	A	R	T	A	R	V
C	I	U	R	E	S	E	D	Á	Z	P	Z	I	S	T	I	X
G	Z	R	É	F	I	C	A	I	S	C	A	I	S	R	C	N
J	H	A	I	D	V	R	F	G	L	O	R	O	Y	T	O	B
N	S	N	S	P	B	K	X	N	Y	C	T	H	E	P	N	U
G	U	A	R	A	I	U	V	A	D	G	L	M	E	I	A	R
P	B	Z	E	X	G	P	W	K	S	D	T	O	L	Y	A	I
L	Y	C	A	L	V	E	E	U	P	V	W	P	S	G	M	T
I	U	G	L	J	U	O	T	U	V	M	C	W	W	K	L	I

BICO-DURO, BURITI, CAIS-CAIS, EUFÓRBIA, GUARAIUVA, JIBOIA, LAGARTA, LISIANTO, MAÇARICO, MUÇURANA, PAPAGAIA, RESEDÁ, TRINTA-RÉIS-REAL

178

J	N	R	F	P	H	S	X	B	R	R	P	R	O	S	T	O
Q	F	T	C	C	F	H	Q	D	Z	A	D	U	H	B	X	E
O	J	Q	D	X	U	R	U	T	U	T	A	P	E	T	E	M
E	W	H	B	T	W	O	R	S	Z	D	U	G	R	P	G	V
P	W	G	Y	F	B	D	R	C	A	N	Á	R	I	O	U	U
U	B	F	X	V	Z	R	B	G	E	R	Q	A	G	F	A	W
D	Q	B	I	N	A	M	D	N	A	X	Y	B	T	I	T	T
A	L	A	S	N	B	N	Q	P	F	I	L	I	P	E	A	A
Q	T	T	I	O	Z	T	O	A	I	F	K	C	U	T	M	P
Q	Z	K	W	D	N	D	C	O	A	G	Q	U	F	S	B	A
A	G	T	E	A	Í	V	P	M	I	Q	P	R	T	R	U	U
Z	B	F	C	A	B	L	I	O	Z	T	P	T	R	M	R	A
N	V	I	Ç	N	W	X	X	I	F	P	N	A	A	K	V	L
I	T	A	N	R	R	B	U	E	R	B	V	Z	D	C	V	A
X	N	N	Q	G	T	Y	S	D	U	W	H	B	J	R	H	Z
U	M	G	T	G	D	C	T	I	T	E	O	M	S	Q	I	Ã
I	U	H	Á	X	N	K	I	B	M	E	A	D	G	C	A	O
U	I	C	Y	D	S	Y	D	X	M	Y	J	E	X	H	X	H
Y	E	L	A	L	E	A	E	I	D	J	L	U	L	T	C	O
T	P	R	A	Z	V	M	N	O	K	T	T	I	B	U	Y	J
M	U	A	E	E	B	W	E	W	Z	N	V	Z	C	Ú	O	F
R	J	L	P	X	K	P	D	T	L	E	M	A	R	U	P	Á
D	K	H	V	V	H	Q	H	N	R	U	Q	Q	B	W	V	S
J	D	V	D	W	B	Y	V	G	P	O	K	P	V	V	E	U
E	O	R	Y	S	T	Q	C	Y	X	H	A	L	K	J	V	Y
B	Z	U	H	Y	M	E	A	T	A	R	O	X	I	N	H	O

AÇAÍ-DO-PARÁ, CANÁRIO, FILIPE, GREVILHA, GUATAMBU, INGÁ-DE-METRO, MARUPÁ, PAU-ALAZÃO, RABICURTA, ROXINHO, TACHÃ, TEJUBÚ, URUTU-TAPETE

T	O	E	T	N	J	H	E	Y	T	W	F	Y	N	A	N	P
T	N	Z	M	W	W	M	T	E	Z	A	O	P	E	R	F	M
M	N	C	F	Y	X	B	X	R	M	B	Q	H	N	W	G	J
B	N	A	R	M	J	Y	B	G	T	W	R	V	I	O	X	X
N	Q	R	O	B	X	M	D	I	A	C	R	O	B	A	T	A
A	Y	O	S	U	B	G	Y	I	V	I	T	I	N	G	A	V
I	M	B	I	R	U	S	E	A	R	C	Y	B	K	J	S	I
P	C	I	E	G	V	M	U	M	B	Z	K	J	X	Y	T	N
M	I	N	S	T	W	W	G	R	S	E	H	K	I	G	R	H
K	S	H	P	U	T	A	N	K	U	H	Y	H	Q	O	G	Á
C	T	A	I	Q	C	R	S	Z	Q	C	V	X	Ã	C	N	T
X	K	X	R	J	P	G	S	C	Q	L	U	R	H	O	X	I
V	H	B	R	C	A	A	Z	M	B	C	A	Á	S	U	W	C
T	H	Z	A	P	K	N	F	L	U	M	I	N	A	J	Q	O
U	H	M	D	G	H	A	Q	M	A	Z	E	V	N	O	K	I
P	H	D	E	R	M	Z	O	C	J	E	S	P	V	G	E	B
I	J	V	I	T	R	E	J	Z	M	E	U	C	S	K	J	T
Q	G	C	R	Z	C	P	D	D	Y	G	A	Q	C	V	D	T
M	Q	D	A	I	R	R	F	R	A	P	Ç	C	R	J	H	U
J	R	O	M	B	Y	M	U	K	Z	L	U	I	L	K	I	D
L	I	S	T	O	Z	P	I	Q	S	E	B	Y	Q	O	T	X
M	O	C	U	U	C	J	U	P	Z	X	O	E	U	A	C	A
C	A	M	A	L	E	Ã	O	G	Z	V	I	L	R	G	M	L
X	U	X	X	Y	O	H	P	S	Y	T	A	X	N	G	C	W
U	Q	U	F	Y	W	S	X	K	M	L	F	P	Z	N	I	L
L	K	J	E	Q	J	I	M	C	N	E	X	Z	A	Y	E	A

ACROBATA, ARGANAZ, CAMALEÃO, CAMARÃO, CAROBINHA, DALBERGIA, ESPIRRADEIRA, IMBIRU, IVITINGA, LUMINA, SUAÇUBOIA, SURUCUÁ, VINHÁTICO

180

A	I	X	R	E	S	A	C	A	M	B	U	D	W	J	R	C
S	I	X	S	G	J	O	M	B	J	Z	K	F	X	G	E	U
C	M	H	O	W	B	A	C	U	P	A	R	I	X	K	G	Í
G	A	J	N	Q	W	G	T	B	E	P	C	X	R	A	R	C
U	M	N	E	M	Q	V	E	W	Q	W	U	A	Z	L	C	A
K	Ã	F	K	J	X	W	C	V	F	S	S	B	R	H	D	D
P	O	N	G	C	G	R	X	A	H	F	I	A	A	R	Q	Á
D	Z	I	J	H	I	I	E	U	Y	Z	P	C	X	D	H	G
T	I	W	O	Z	X	E	F	R	I	H	U	A	O	O	R	U
L	N	E	J	G	F	Y	E	Y	C	A	T	X	H	R	V	A
X	H	N	B	B	E	E	M	H	E	G	Á	I	T	C	C	X
U	O	E	S	D	V	K	F	A	F	Ã	A	R	U	A	N	Ã
A	G	L	Y	V	R	H	I	L	R	H	N	C	C	G	P	C
A	Q	Z	R	L	Q	D	V	A	E	G	J	W	L	K	O	R
J	X	A	P	K	J	V	P	M	H	L	D	X	Z	B	P	T
Q	P	A	P	A	G	A	I	O	E	C	J	N	P	R	A	F
T	N	D	W	Y	P	D	C	G	U	W	Q	W	I	E	U	E
V	J	I	F	C	L	P	U	Y	N	P	J	J	X	J	C	Z
W	A	F	L	J	M	F	D	W	K	J	A	M	X	A	I	K
U	Q	W	W	W	B	P	U	I	H	Y	C	A	H	Ú	N	A
C	V	B	E	Y	R	M	E	A	N	D	A	T	X	V	Z	L
S	A	T	N	K	H	W	F	I	G	R	R	A	U	A	A	X
R	D	B	Z	T	V	W	G	H	T	O	A	B	C	U	M	K
H	L	B	E	P	Y	J	S	Q	F	S	N	O	N	M	X	M
B	D	K	M	U	V	L	K	U	D	E	D	I	A	W	S	K
B	V	Y	J	M	F	W	V	D	D	T	Á	B	C	I	W	H

ABACAXI, ARUANÃ, BACUPARI, BREJAÚVA, CUÍCA-D’ÁGUA,
JACARANDÁ, MAMÃOZINHO, MATA-BOI, PAPAGAIO,
PAPA-RÃ, PAU-CINZA, SACAMBU, SIPUTÁ

181

K	N	Q	C	P	C	Q	G	O	R	Z	U	I	A	B	V	O
L	X	Q	H	N	H	L	P	Q	T	Z	E	T	U	F	I	U
B	X	B	U	R	I	P	Y	D	Q	F	E	D	M	J	S	F
L	S	R	V	H	Q	M	O	R	A	N	G	O	B	G	P	U
N	P	Q	A	O	E	F	H	H	E	T	B	C	R	J	R	E
P	U	V	D	U	Q	U	W	G	V	P	T	F	V	V	S	W
A	M	P	E	E	U	F	L	T	N	F	B	V	G	T	Q	V
U	M	K	O	D	T	J	K	T	R	I	T	Ã	O	K	O	L
A	I	Z	U	B	Y	I	X	Z	V	O	W	G	G	L	Q	Y
M	T	A	R	A	E	X	C	G	Q	H	M	I	U	J	F	Y
E	N	Z	O	C	R	G	D	O	Y	E	L	E	B	G	S	C
N	H	C	I	R	I	G	U	E	L	A	G	A	L	J	N	D
D	A	C	Z	Y	H	W	H	S	N	X	R	V	I	U	C	I
O	Q	L	R	J	A	R	A	R	A	C	A	P	R	E	T	A
I	D	N	D	W	R	T	O	V	G	T	M	B	B	A	H	C
M	O	H	M	R	P	E	D	U	F	N	A	O	P	C	V	A
Y	V	C	C	N	A	O	Z	E	K	C	S	S	F	O	L	N
D	T	L	J	Z	L	G	V	S	R	J	Ã	Q	P	R	A	U
S	I	S	Y	V	H	G	O	T	K	X	O	H	A	U	C	C
B	L	T	S	T	Z	B	U	O	E	P	C	N	U	J	V	O
Z	C	T	Z	N	R	Y	L	D	E	E	A	I	T	A	I	R
M	C	N	O	P	L	O	L	D	M	C	R	G	E	P	X	O
F	T	K	J	J	U	U	E	S	J	C	L	Z	R	R	Y	C
O	N	Ç	A	P	A	R	D	A	Z	P	O	L	R	E	G	A
K	M	Y	Q	O	Y	N	B	H	F	P	S	A	A	T	A	W
X	K	H	T	Y	B	C	T	K	T	E	B	Y	Z	A	D	F

ALDRAGO, ANU-COROCA, CHUVA-DE-OURO, CIRIGUELA, CORUJA--PRETA, GENETA, GRAMA-SÃO-CARLOS, JARARACA-PRETA, MORANGO, ONÇA-PARDA, PAU-AMENDOIM, PAU-TERRA, TRITÃO

M	W	Z	J	N	Y	M	D	T	K	F	F	B	I	Y	U	L
M	S	K	A	P	S	O	S	M	O	E	B	S	K	P	D	J
G	I	R	S	L	G	V	N	R	T	S	W	H	H	M	L	G
O	U	P	K	G	H	C	N	X	A	U	H	P	W	K	H	J
C	R	O	A	Y	B	O	A	B	Y	R	B	A	F	M	L	A
B	O	A	T	I	O	G	P	M	H	F	J	Á	Y	D	V	R
J	F	N	P	O	I	X	X	O	P	W	Q	F	A	F	M	A
O	E	M	H	D	G	P	Q	E	R	Â	Z	I	C	Ç	R	R
Ã	H	P	F	Y	U	C	U	E	L	R	N	O	M	M	U	A
O	C	A	S	C	A	D	A	N	T	A	O	U	Q	Z	P	C
Z	H	S	U	X	Ç	P	M	Q	I	S	Y	V	L	Y	V	U
I	R	M	I	Z	U	A	Z	G	F	T	N	G	X	A	J	Ç
N	M	I	I	L	N	M	G	I	P	S	Z	U	C	F	E	U
H	I	H	S	A	R	E	D	Q	Y	R	L	A	Q	N	O	C
O	H	F	C	F	S	P	L	M	C	H	F	R	G	M	X	X
Z	Y	I	N	G	B	U	I	H	A	U	O	A	Q	V	U	I
G	R	D	E	A	J	Y	R	F	O	V	Y	N	O	K	K	D
O	S	G	B	A	J	I	A	P	L	B	E	Á	T	I	Z	S
J	D	X	Z	K	G	L	P	S	U	Y	E	X	U	N	D	Y
G	A	L	I	N	H	A	U	V	H	A	C	U	T	I	T	E
E	Z	J	R	A	D	U	Ã	H	R	Y	W	T	L	C	D	W
F	I	C	D	I	X	Q	D	Q	M	J	N	V	P	X	O	S
G	O	B	F	T	R	W	K	V	U	H	W	S	B	Q	K	V
P	L	A	N	T	A	V	A	S	O	O	E	I	Y	Q	G	J
E	S	F	G	N	R	T	A	Y	E	C	Z	T	V	D	M	Z
B	Q	W	N	P	W	O	B	N	P	J	S	E	X	Z	I	Y

ALHO-PORRO, BOIGUAÇU, CAMPÂNULA, CASCA-D'ANTA, CUTITE, GALINHA, GUARANÁ, IRAPUÃ, JARARACUÇU, JOÃOZINHO, ORICANA, PLANTA-VASO, UBÁ-AÇU

183

X	B	P	J	I	T	B	A	I	S	O	X	M	S	V	A	G
A	R	Y	S	H	T	L	V	H	T	P	H	E	Y	N	Q	A
Z	J	T	Z	F	R	W	E	N	B	Z	M	R	I	B	X	R
V	A	F	V	N	Q	V	S	E	P	E	D	Z	R	V	J	A
E	R	V	I	I	B	T	T	T	A	Q	Z	N	N	H	T	P
E	A	Q	B	L	X	Y	E	H	P	F	C	E	C	K	S	E
N	R	C	D	W	Z	V	A	Q	A	B	S	L	R	Z	C	I
E	A	C	B	Z	B	Z	M	Q	P	O	P	C	Y	R	R	R
G	C	N	Y	Ú	U	I	A	L	I	V	G	X	G	Y	O	A
E	A	K	V	D	F	K	R	O	R	Q	V	O	W	J	S	N
W	Q	A	R	S	M	A	E	L	I	A	V	S	B	S	S	B
E	G	R	P	S	A	D	L	B	X	T	B	Q	M	M	A	E
M	M	U	X	G	R	U	A	O	E	U	J	P	A	Q	N	B
S	W	O	A	C	O	I	D	V	Q	C	K	Q	J	M	D	N
R	G	Q	F	P	E	L	M	J	Q	A	R	E	M	V	R	P
K	H	I	K	A	I	C	M	T	S	N	B	C	N	G	A	R
M	H	E	C	H	R	R	Y	H	R	U	J	Y	V	Z	B	J
X	S	K	A	W	A	N	A	F	M	Ç	M	I	L	T	A	I
T	G	K	B	V	M	X	X	L	W	U	I	W	C	E	R	H
Y	H	R	U	A	O	N	L	J	O	F	I	V	Q	J	R	O
T	F	Y	R	K	L	Q	Q	Y	L	C	C	Y	Z	Ú	E	E
T	L	C	É	P	E	Z	O	C	F	Y	T	V	L	A	I	C
W	M	Y	B	Z	H	I	F	K	T	H	T	S	C	Ç	R	G
W	K	Y	Y	O	I	R	Z	Z	K	H	S	H	I	U	O	L
X	E	Z	Q	V	Q	J	V	M	R	Q	A	C	K	H	V	X
K	F	F	C	L	T	V	E	K	M	Z	K	F	J	F	T	G

AROEIRA-MOLE, BARREIRO, BEZERRO, BÚFALO, CABURÉ, CROSSANDRA, GARAPEIRA, GUAPIRA, JARARACA, PAPA-PIRI, TEJÚ-AÇU, TUCANUÇU, VESTE-AMARELA

B	O	A	D	E	C	R	O	P	A	N	W	L	H	F	L	Q
J	I	D	Z	X	B	G	A	M	X	G	X	M	O	V	W	S
I	L	P	B	Q	W	A	G	X	O	I	T	P	V	K	L	D
U	L	P	P	R	V	X	C	F	W	D	C	S	L	N	N	Y
O	D	X	N	N	V	V	F	A	L	T	T	W	Q	D	B	U
C	H	K	Y	E	M	P	O	R	L	A	I	B	B	A	O	Z
A	M	A	R	Í	L	I	S	A	W	K	A	A	K	G	X	P
J	H	H	K	K	E	X	Q	Ç	L	Q	M	N	E	S	E	D
T	W	W	L	S	N	T	P	Á	Y	Y	F	C	H	W	P	F
X	O	M	E	A	N	K	C	D	J	F	O	T	K	P	V	G
M	Q	M	R	G	U	A	R	A	G	G	U	X	S	N	M	R
E	C	W	T	U	N	P	U	M	N	L	R	N	Z	U	K	D
T	L	D	B	I	R	Y	V	A	Q	E	L	I	G	X	F	U
L	I	N	J	A	D	E	L	T	S	A	E	U	A	X	S	W
F	C	U	J	N	A	A	J	A	O	P	L	L	T	X	A	L
S	U	L	X	Ã	C	N	E	N	C	R	L	O	O	J	P	O
V	R	V	I	O	T	A	G	A	L	I	T	O	P	B	O	R
Y	A	V	B	Z	I	T	N	V	R	N	R	J	A	V	P	Q
A	N	H	Z	E	N	K	L	M	I	L	Q	Q	L	D	E	J
K	A	Q	F	H	D	A	Q	E	U	Z	U	U	H	Z	M	M
P	O	N	T	P	B	X	T	I	M	B	O	P	E	B	A	L
I	I	X	F	V	I	G	Q	I	H	V	L	E	I	B	S	K
N	K	I	R	V	Y	T	R	A	P	O	Y	Q	R	N	V	X
V	C	Y	D	H	N	R	A	C	U	S	K	N	O	C	O	F
Q	I	X	U	B	P	G	M	I	P	I	L	L	E	W	S	A
B	U	Z	F	L	Q	L	V	J	A	A	V	Q	W	F	I	M

AMARÍLIS, ARAÇÁ-DA-MATA, BOA-DE-CROPAN, CALANGO-CEGO, GALITO, GATO-PALHEIRO, LICURANA, LUPINO, NINFEIA, PITAIA, SAGUI-ANÃO, SAPOPEMA, TIMBOPEBA

H	Z	R	Y	T	I	K	L	M	Q	C	D	K	K	B	K	N
V	Q	W	T	U	W	T	T	Q	R	R	W	P	K	K	A	X
W	Q	C	W	C	X	V	L	R	N	C	J	T	F	N	P	O
M	S	O	Q	A	K	K	N	G	B	Q	R	E	R	C	F	O
E	R	H	M	N	L	C	C	M	Y	X	W	Z	X	A	I	M
L	A	C	B	E	N	Z	R	U	K	Z	P	M	B	G	K	E
E	B	D	Q	L	M	T	U	C	A	N	E	I	R	O	Á	C
T	E	K	U	A	A	B	A	K	E	Z	M	F	U	C	U	A
N	X	N	I	D	X	R	W	B	D	N	Q	O	A	N	A	T
F	N	Q	X	E	Q	M	G	Z	H	A	N	N	Z	C	H	I
D	Y	I	H	P	I	B	N	D	H	G	A	C	O	W	Y	G
Z	V	X	M	O	K	T	Q	M	C	M	G	O	N	D	R	U
I	H	C	Z	R	B	F	I	V	P	Q	D	R	C	M	T	Á
X	Q	N	S	C	W	U	G	D	O	T	D	R	A	M	E	A
Z	K	Z	T	O	G	S	D	V	E	P	V	E	M	X	Y	C
D	B	N	Q	N	U	Y	U	G	L	P	L	D	U	E	J	O
E	S	P	I	A	C	A	M	I	N	H	O	E	N	R	S	B
V	X	P	S	U	U	V	C	R	E	H	P	I	D	P	A	R
V	E	P	B	M	Q	Q	P	H	A	A	N	R	O	R	P	A
C	I	F	A	U	E	F	S	L	O	Y	Q	I	N	P	U	D
V	Y	E	V	R	M	I	P	Z	L	O	T	N	G	E	C	E
G	U	A	R	A	R	E	M	A	Z	I	J	H	O	P	A	G
P	Q	K	N	N	H	W	Q	K	K	L	F	A	A	É	I	U
M	I	G	J	W	H	H	R	L	V	Z	Z	I	Q	U	N	I
P	B	W	H	A	J	W	I	B	A	I	F	X	J	A	H	Z
J	D	U	J	U	R	I	T	I	P	U	P	U	V	U	A	O

CAMUNDONGO, CANELA-DE-PORCO, CATIGUÁ, COBRA-DE-GUIZO, CORREDEIRINHA, ESPIA-CAMINHO, GUARAREMA, JURITI-PUPU, MANACÁ, PEPÉUA, PINGUIM, SAPUCAINHA, TUCANEIRO

186

U	M	A	F	H	G	Y	J	Q	A	K	V	L	M	K	K	P
L	I	W	I	M	B	E	Y	Y	B	E	T	T	A	G	D	L
Z	A	I	M	X	D	X	U	D	T	Y	N	H	P	U	Q	Y
V	M	A	C	A	Í	B	A	I	A	V	N	Q	F	D	U	G
L	M	Y	K	D	E	B	V	N	X	A	X	D	I	L	X	R
Q	T	A	Q	I	Z	F	I	I	C	Q	C	P	E	G	A	W
D	K	I	T	N	A	V	G	S	B	O	A	C	G	R	P	L
T	X	Í	V	G	R	U	K	J	A	H	V	X	I	Y	N	I
H	M	N	B	O	G	Q	F	W	L	L	A	X	N	K	V	G
L	X	C	C	I	L	O	S	B	Y	W	L	E	H	V	G	R
X	G	D	J	F	S	C	A	P	I	V	A	R	A	K	R	E

BETTA, CAPIVARA, CAVALA, CORVINA, DINGO,
ÍBIS, LIGRE, MACAÍBA, PEGA, XIRA

187

Q	Y	N	B	T	E	A	R	C	I	P	D	J	I	M	I	F
S	S	O	T	R	S	M	I	L	O	D	O	N	T	Z	R	H
M	R	I	Z	O	O	O	A	P	O	Z	H	T	I	C	L	E
B	T	M	L	O	S	V	X	D	I	Á	V	P	D	A	E	O
U	X	E	N	L	A	H	X	U	E	O	P	I	E	Ç	P	K
T	F	F	V	J	I	S	O	R	G	L	Z	R	L	Ã	C	U
U	E	R	M	J	C	N	P	J	A	F	A	E	E	O	T	R
T	A	X	V	X	F	A	D	P	F	I	E	C	I	U	U	U
R	S	C	B	K	A	R	G	N	U	I	A	O	R	R	U	V
A	G	T	V	A	J	J	O	G	R	P	F	U	Ã	I	E	S
M	C	T	Y	J	T	J	Á	P	L	G	H	O	O	Y	F	C

ÁGUIA-REAL, CAÇÃO, FELOSA, JAVALI, LEIRÃO,
PREÁ, RAIA, SMILODON, URUTU, XAJÁ

C	T	X	X	F	O	P	S	O	M	U	M	P	I	U	A	B
G	A	V	J	N	S	L	P	M	Y	P	R	Z	T	L	A	C
Q	M	Q	X	W	R	T	A	N	G	K	U	K	A	Y	R	Q
H	Q	T	U	T	G	I	N	Z	I	W	Z	P	J	L	O	Q
S	V	O	M	I	J	M	Q	E	L	C	M	G	K	C	E	U
I	E	P	Q	V	D	B	N	J	H	A	S	H	S	G	I	B
N	V	E	E	I	K	O	Q	Z	T	Z	S	C	W	K	R	E
G	X	T	R	M	Z	R	M	Q	O	H	Y	T	C	M	A	M
A	Z	Z	S	S	R	É	A	A	W	A	S	Q	I	M	P	P
N	C	H	O	C	A	P	R	E	T	A	A	R	D	A	R	P
G	E	J	Z	R	W	L	Y	T	D	O	D	G	P	D	E	I
A	K	C	Z	I	G	L	T	Y	Y	B	T	O	T	D	T	G
C	Y	C	T	W	I	H	L	O	T	D	A	H	Q	W	A	I
F	Q	A	Y	S	D	Z	R	G	C	O	B	X	F	E	B	E
E	Q	Z	N	H	L	I	A	M	J	Q	K	V	Z	O	J	N
C	S	O	T	P	E	B	S	Z	D	U	E	H	J	F	J	V
Z	D	P	N	N	A	Y	M	E	W	R	J	O	W	B	J	I
J	T	M	E	R	M	W	L	Z	Z	Z	B	U	K	I	O	R
Z	U	F	R	Z	C	F	V	I	E	B	F	W	B	V	G	A
V	L	T	N	V	T	O	D	K	W	O	T	N	T	A	J	P
A	H	G	X	S	H	R	C	X	Y	A	O	F	A	D	C	R
M	X	S	C	D	I	D	I	P	N	Q	I	X	M	B	G	E
T	A	P	I	Á	G	U	A	Ç	U	M	Z	L	B	F	B	T
E	B	B	G	M	P	K	Z	C	L	H	J	I	B	O	I	A
P	A	U	D	E	P	A	P	A	G	A	I	O	A	S	F	Q
B	B	Z	O	D	X	D	N	P	L	X	W	G	X	S	A	F

ALFENEIRO, AROEIRA-PRETA, BOJOBI, CAQUI DO MATO, CHOCA-PRETA, ENVIRA-PRETA, JIBOIA, JUJUBA, PAU-DE-PAPAGAIO, SINGANGA, TAMPALA, TAPIÁ-GUAÇU, TIMBORÉ

U	C	E	D	T	K	P	K	A	O	Q	O	F	A	S	Y	H
C	S	C	G	Z	U	S	L	R	D	I	B	D	W	M	A	Q
J	A	S	W	R	F	K	L	O	N	Q	W	Q	K	W	P	D
J	B	R	E	P	H	U	O	G	C	I	X	P	A	N	D	I
B	B	Z	R	K	A	R	Z	Z	V	I	R	R	T	A	M	B
G	T	I	O	A	D	D	N	O	A	D	D	A	B	X	I	R
U	G	P	C	H	P	T	V	V	J	N	X	X	T	W	E	L
N	P	K	U	O	R	I	J	K	A	E	D	Q	B	I	U	W
G	M	S	I	G	D	T	C	I	Q	K	E	F	V	D	U	M
I	O	F	V	F	K	E	L	H	Y	U	O	H	H	R	C	Ã
Q	R	S	Y	Z	M	A	L	P	E	Z	L	P	K	S	A	E
J	B	C	O	T	C	A	I	A	M	I	F	M	O	P	R	D
X	I	T	E	P	E	D	R	O	C	E	R	O	U	L	O	E
Z	I	Y	Q	U	X	C	F	U	O	R	U	O	E	X	B	T
B	U	B	K	E	Z	Q	N	H	G	D	E	U	Z	O	A	A
O	D	P	I	Q	E	R	L	D	W	T	Q	Q	C	M	D	O
T	U	E	R	R	K	I	S	V	O	X	T	Z	A	Y	O	C
S	C	V	H	Y	R	E	Y	W	S	I	A	Q	M	W	C	A
T	V	P	Y	R	Y	O	W	G	C	I	L	N	U	O	A	C
S	R	F	O	P	H	Y	G	U	L	P	H	A	R	U	M	R
N	L	Z	X	Z	F	Z	G	Á	P	D	A	B	Ç	S	P	I
B	C	A	U	B	O	A	R	L	O	B	M	P	Á	L	O	S
G	I	J	W	P	C	B	Q	D	J	I	A	E	Q	W	X	T
N	L	U	J	X	O	Z	V	N	Z	K	R	J	C	A	S	A
B	A	B	O	S	A	B	R	A	N	C	A	B	P	V	K	D
N	I	I	X	E	M	U	L	I	Z	K	S	P	Y	W	M	A

BABOSA-BRANCA, BICO-DE-LACRE, CALIANDRA, CAMURÇA, CAROBA--DO-CAMPO, CARRAPICHEIRO, MÃE-DE-TAOCA-CRISTADA, PEDRO--CEROULO, SOBRÁLIA, TALHA-MAR, XIBIRRO, ZIMBRO, ZORRILHO

190

Y	V	M	R	U	O	F	C	Z	N	F	K	Y	W	F	T	S
J	F	V	T	W	N	O	Z	N	M	Y	R	N	B	A	P	E
O	U	C	L	W	Q	T	I	P	Ê	M	U	L	A	T	O	H
F	A	S	P	A	K	Í	D	M	Q	W	D	B	B	K	S	N
U	P	S	V	P	Z	N	X	F	F	X	G	C	M	N	G	Q
E	U	I	M	B	N	I	H	J	G	B	X	K	M	Y	S	I
X	L	X	K	U	W	A	W	L	G	W	Q	N	C	K	J	T
T	U	B	J	A	C	W	S	F	D	T	R	G	A	Y	K	U
U	P	P	S	E	R	I	U	U	G	M	W	D	R	X	A	E
M	T	I	C	T	K	A	A	N	I	C	O	C	O	N	A	M
M	Y	Z	M	K	D	C	R	R	O	L	I	N	H	A	B	A
G	E	J	O	A	H	C	I	A	Z	G	X	L	W	L	R	G
R	X	M	R	W	Y	M	I	Z	T	N	D	S	L	F	Q	N
K	Z	G	E	E	É	V	J	Z	A	U	C	Z	J	V	D	Ó
U	J	V	I	R	C	C	T	W	H	H	C	V	Z	H	W	L
E	W	F	A	B	T	O	B	H	Z	O	D	U	O	G	U	I
O	D	C	X	J	Y	P	C	N	T	W	U	Q	P	N	P	A
B	A	U	R	I	D	I	D	D	Y	Y	Y	Z	A	I	Q	K
J	U	U	K	A	U	Ú	R	N	R	O	V	O	M	R	H	Q
O	E	V	B	Y	Q	V	N	W	Q	R	P	U	W	H	N	N
D	P	D	J	I	W	A	U	Y	Q	D	X	P	Z	F	C	O
O	Y	G	E	F	J	A	U	Q	Y	C	A	M	B	A	R	Á
J	L	B	B	X	D	B	E	W	S	H	H	L	B	C	Z	Q
N	L	A	G	A	R	T	I	N	H	O	I	V	D	V	C	T
C	U	P	U	A	Ç	U	J	C	M	U	K	X	O	T	K	Z
F	U	N	E	R	T	E	R	A	A	W	K	W	W	X	O	A

ARARA-TUCUPI, CAMBARÁ, COCONA, COPIÚVA, CUPUAÇU, FOTÍNIA, IPÊ MULATO, JACARÉ-MIRIM, LAGARTINHO, MAGNÓLIA, MOREIA, NERTERA, ROLINHA

S	X	W	P	E	C	G	P	T	B	Y	K	X	H	D	C	N
T	J	B	K	Y	Q	V	L	P	I	O	X	X	U	S	A	N
A	E	E	V	R	I	W	M	M	E	C	O	O	S	M	R	J
T	C	F	Z	H	M	X	S	B	U	Y	G	O	X	T	R	N
J	Q	C	K	K	S	I	W	Z	S	A	S	E	G	R	A	L
E	R	V	A	D	O	C	E	X	L	A	Q	G	G	S	P	P
F	J	F	T	D	O	M	A	A	G	C	S	P	G	Y	E	C
V	Q	S	B	D	A	A	G	R	D	C	Y	K	M	H	T	H
D	Q	T	V	Y	I	I	C	P	A	B	N	Z	T	N	A	C
D	K	L	P	S	M	N	I	F	F	M	O	O	I	N	E	C
Z	M	P	S	Q	N	V	N	M	I	O	U	U	U	Y	W	Á
C	D	A	W	R	T	Z	E	H	A	R	L	J	R	R	Q	G
L	R	R	S	F	W	Q	R	Y	X	I	D	G	O	I	J	A
B	K	T	U	X	N	V	Á	K	Y	S	A	N	N	X	Ç	D
S	N	D	T	I	F	P	R	N	W	H	H	Q	H	G	C	O
N	F	V	O	I	Q	S	I	I	U	R	T	I	G	Ã	O	Z
Z	M	G	T	R	F	B	A	N	D	T	J	V	U	K	B	V
T	Y	N	P	K	I	Q	J	F	F	D	E	U	E	P	R	K
I	E	A	B	M	O	B	R	É	U	D	C	I	H	L	A	Q
O	V	F	I	K	J	I	K	I	B	A	P	J	C	L	N	K
Z	O	Á	G	F	E	L	S	A	C	R	V	P	F	D	O	Z
B	G	L	G	D	D	L	Y	A	Z	W	T	Q	B	Y	V	Y
B	K	I	M	Q	O	S	B	Z	W	Q	Q	E	I	P	A	I
X	K	O	I	W	J	K	Y	U	B	I	Z	M	N	X	Q	U
E	D	N	I	O	S	U	D	L	B	T	V	N	H	F	D	F
H	E	U	P	A	H	W	D	O	I	C	M	R	U	J	Q	C

BACACU, BRASSIA, CÁGADO, CARAMUJO, CARRAPETA, CINERÁRIA, COBRA-NOVA, ERVA-DOCE, GNAFÁLIO, MIGALA, NINFÉIA-AZUL, OURIÇO, URTIGÃO

192

A	N	A	M	B	É	P	R	E	T	O	M	D	J	R	P	Y
K	W	P	J	I	P	A	N	T	E	R	A	T	C	X	S	O
I	J	D	S	C	U	E	J	C	O	A	V	A	Z	L	H	G
K	B	C	E	E	I	L	M	L	A	D	T	U	K	V	U	H
Q	K	I	D	M	Z	G	X	T	R	Y	O	A	B	M	H	G
B	R	B	K	R	X	H	S	E	M	V	V	T	E	C	Y	C
T	A	U	J	B	T	H	R	C	G	Z	B	Ó	I	O	B	O
A	R	A	P	A	Ç	U	M	A	R	R	O	M	J	O	A	U
D	Y	Q	S	G	N	M	G	Y	Z	L	J	I	A	C	R	T
I	Q	B	Y	J	Q	O	D	P	R	I	X	Ú	F	G	R	V
T	B	R	W	O	S	Í	F	T	J	B	J	D	L	F	I	I
D	E	D	Y	C	R	V	Z	M	C	F	X	O	O	Q	G	L
O	R	M	N	E	Y	M	M	O	O	F	V	C	R	Q	U	B
A	W	D	M	G	I	V	J	R	R	F	T	M	D	U	D	D
E	W	A	M	F	A	E	X	R	O	J	Z	J	E	E	O	V
E	J	A	G	K	E	A	N	F	A	U	G	I	V	T	T	C
G	K	X	B	Z	R	S	Y	Z	D	J	L	I	E	I	E	U
O	Y	Y	F	I	J	V	J	Z	E	K	Y	T	S	J	Y	T
R	F	B	E	X	G	M	A	K	F	H	R	A	T	Á	U	F
S	Z	L	P	A	I	N	E	I	R	A	K	W	E	P	Q	T
B	O	W	A	L	A	Z	S	M	A	Z	O	U	V	A	W	R
B	W	C	Q	R	F	D	M	E	D	U	Z	H	E	G	V	O
A	G	N	A	H	S	E	I	Q	E	D	G	O	R	A	W	B
P	C	C	E	H	M	V	I	I	O	K	Z	G	D	Z	S	P
B	A	L	C	U	C	J	F	R	B	F	B	I	E	J	B	K
P	V	V	R	A	F	E	M	B	L	U	D	I	S	I	A	C

ANAMBÉ-PRETO, ARAPAÇU-MARROM, BARRIGUDO, BEIJA-FLOR--DE-VESTE-VERDE, BOLEIRA, COROA-DE-FRADE, JAMERÍ, LUDISIA, PACARANA, PAINEIRA, PANTERA, QUETIJÁPA, TAUATÓ-MIÚDO

M	G	Q	H	R	K	L	C	M	H	J	T	X	T	A	F	Q
V	Y	T	V	K	T	D	X	A	Z	E	Y	B	L	F	X	R
M	Q	N	T	O	J	I	Q	R	M	H	I	U	S	T	D	C
U	K	N	I	T	H	Q	V	I	H	F	Ç	X	B	M	D	U
P	F	B	W	W	T	D	Z	A	W	A	M	T	W	D	J	T
H	R	G	U	V	E	N	Z	P	C	P	N	Z	O	Z	S	A
J	N	N	U	O	C	Z	I	R	M	B	A	L	C	T	B	N
E	L	D	E	S	O	K	Y	E	R	P	A	R	X	D	L	G
R	S	H	K	C	B	L	T	T	O	Z	F	Q	I	O	U	E
W	B	H	T	Z	R	N	Z	A	L	L	I	G	F	S	A	L
J	Q	Q	C	O	A	H	Q	C	Z	P	B	U	C	B	L	I
U	R	U	D	O	C	A	M	P	O	U	A	E	F	N	O	M
B	P	H	V	E	H	R	N	A	J	W	W	C	T	L	X	A
K	C	A	J	L	A	O	K	U	I	L	X	U	O	Y	P	M
T	G	M	K	D	T	A	R	L	A	E	P	Í	P	V	D	A
D	X	N	X	T	A	N	R	D	Q	Q	D	O	Q	O	Á	R
E	Q	Y	H	W	F	W	D	Y	C	A	V	Q	B	X	I	G
K	P	F	C	S	J	X	Q	C	L	E	H	B	F	H	Y	O
V	V	K	F	W	P	J	J	G	C	E	B	O	L	Ã	O	S
W	C	Z	E	B	V	Q	A	C	M	T	L	Y	O	U	H	O
T	N	Z	J	U	Q	R	C	Q	X	N	L	K	J	A	W	Z
P	Y	C	A	B	E	L	U	D	I	N	H	A	U	M	S	C
E	X	T	R	N	T	X	N	V	A	Y	E	C	R	Z	W	K
Y	E	Y	M	W	N	Y	D	A	U	H	E	S	U	N	W	F
V	W	M	O	N	G	B	Á	U	L	J	V	Q	V	H	W	E
A	R	A	Ç	A	N	D	I	V	A	U	W	W	A	Z	C	L

ANGELIM-AMARGOSO, ARAÇANDIVA, AVOANTE, CABELUDINHA, CAÇULA, CEBOLÃO, COBRA-CHATA, GLADÍOLO, JACUNDÁ, JURUVA, MARIA-PRETA, PACOVÁ, URU-DO-CAMPO

194

W	L	R	S	L	N	N	A	G	Y	A	U	S	L	D	E	M
C	T	U	R	U	P	Z	Q	F	B	Q	Z	Q	Q	U	C	P
N	X	V	U	N	F	L	M	Ú	G	M	R	N	X	B	E	W
A	K	U	S	D	K	B	I	S	N	H	U	W	V	J	P	G
N	R	Q	X	N	S	T	X	Y	S	U	M	S	F	D	P	G
P	V	Y	U	T	U	E	U	O	N	I	M	A	R	I	C	Á
N	Q	R	D	C	M	V	T	O	L	I	G	S	L	E	A	F
S	R	M	R	O	E	V	M	C	A	E	L	S	R	K	J	J
H	T	J	K	T	Q	N	Z	M	N	R	A	Z	Y	U	Z	Z
A	W	W	N	L	K	F	I	V	N	T	T	G	T	C	A	X
L	O	L	N	R	G	S	L	H	H	P	B	W	N	B	V	I
Q	B	O	T	Ã	O	D	E	O	U	R	O	E	Ú	O	R	E
W	R	P	Z	K	S	Q	C	V	D	L	Ú	A	M	U	V	B
F	Q	G	R	W	B	H	E	U	G	Z	N	C	C	X	V	S
R	U	Q	O	Q	W	Y	H	O	A	R	L	I	U	Z	R	N
P	L	N	Y	J	C	U	J	T	A	J	L	S	X	L	W	X
G	U	X	G	J	P	I	M	C	O	X	M	J	L	D	A	A
J	Q	N	H	K	O	W	I	G	E	E	L	Y	O	X	A	Y
D	M	O	A	A	M	R	O	Q	A	R	W	L	O	B	C	W
O	N	G	Q	M	D	F	C	H	M	T	A	P	N	O	U	Q
I	K	K	U	I	A	H	X	V	O	V	H	Y	R	A	Q	M
Z	V	E	O	L	D	K	Q	J	A	T	O	O	L	L	Z	Z
T	A	P	E	R	E	B	Á	C	G	N	O	S	T	F	H	I
H	D	N	G	U	A	V	I	R	O	V	E	I	R	A	F	W
O	A	T	V	H	Z	J	V	J	Z	M	K	V	O	C	B	V
C	K	S	D	U	H	G	D	G	J	J	U	Q	A	E	I	W

ALFACE, BOTÃO-DE-OURO, CANELA-FOGO, CARNAÚBA, CAVALO, CUTIÚBA, GUAVIROVEIRA, LICURI, MARICÁ, OLEAGNO, PUNAMA, RÚCULA, TAPEREBÁ

S	K	U	V	K	N	G	L	Y	N	H	E	P	C	T	J	Q
K	D	F	K	Q	L	Z	W	Y	J	M	K	A	V	V	Q	C
L	I	S	C	S	F	C	O	N	Q	C	I	C	G	S	S	Z
L	J	K	L	E	I	T	E	I	R	O	P	R	E	T	O	A
F	N	R	M	Y	X	Z	J	C	P	A	M	Y	Q	P	C	O
J	X	V	W	Y	I	Q	R	B	C	A	T	X	Y	X	W	Q
M	K	O	Z	Q	J	Y	X	G	I	B	C	X	C	M	O	U
P	M	B	Z	G	J	R	D	D	W	S	V	E	L	A	T	E
N	R	W	F	N	K	Y	E	Q	W	R	P	L	W	W	Y	B
R	R	V	R	A	Z	N	D	H	X	P	K	G	H	A	A	R
K	G	S	Y	F	D	Y	A	R	R	Z	R	D	W	D	M	A
O	M	L	R	M	T	L	L	B	A	H	R	N	O	K	N	Q
Q	O	Q	E	F	A	O	E	W	B	P	Z	H	F	I	M	U
W	J	Q	E	C	K	V	I	P	O	E	W	L	Q	R	X	E
S	B	M	A	Q	C	I	R	X	A	H	K	J	O	N	G	B
E	C	R	T	O	A	C	A	R	M	C	M	H	D	S	W	R
K	A	G	V	C	B	S	J	L	A	Q	P	G	S	F	U	A
C	R	G	O	T	Q	Q	V	K	R	J	C	P	R	W	G	B
K	V	V	I	T	E	V	I	T	E	D	O	T	E	P	U	I
S	O	G	V	I	D	I	S	Z	L	A	P	V	F	Q	A	Y
A	E	R	O	F	A	L	C	Ã	O	M	M	H	H	N	P	R
J	I	A	K	X	W	K	Z	T	L	I	A	A	P	Q	E	W
P	R	E	C	U	U	K	T	G	R	S	J	R	M	Z	R	K
F	O	M	V	Y	L	E	T	C	F	T	T	J	O	O	Ê	Y
N	I	J	O	E	Y	M	V	U	Y	O	G	Z	F	L	N	F
V	I	B	O	R	Ã	O	Z	S	Y	L	K	N	J	M	O	A

CARACALA, CARVOEIRO, DEDALEIRA, FALCÃO, GUAPERÊ, LEITEIRO-PRETO, MAMONA, MAROLO, MISTOL, QUEBRA-QUEBRA, RABO-AMARELO, VIBORÃO, VITE-VITE-DO-TEPUI

196

X	N	G	O	E	K	N	H	I	W	M	P	H	I	E	O	M
D	C	K	S	D	S	K	O	S	N	S	A	E	X	B	M	Z
M	L	O	B	S	X	J	W	C	H	A	L	P	L	O	I	B
N	G	J	D	A	A	V	A	B	L	R	J	Y	C	N	N	D
O	P	K	V	B	C	T	B	Q	K	A	Y	Q	T	X	C	L
D	S	M	G	R	W	A	Z	K	B	P	Y	B	A	B	W	I
V	R	X	A	E	F	K	B	H	F	Ó	R	K	R	H	Y	C
Y	Z	S	R	A	V	T	Y	A	L	U	K	Í	A	I	O	A
D	I	W	F	S	B	Y	D	U	A	O	Q	M	M	S	Y	N
R	K	P	S	A	K	E	P	L	I	Ç	B	P	B	U	A	Ç
X	T	G	Q	D	Z	Q	X	A	G	Y	U	W	O	U	L	O
D	N	T	O	A	L	V	G	Q	U	E	M	Z	L	F	I	A
Z	A	L	S	M	C	C	E	L	S	V	S	Y	A	Y	Y	T
C	K	L	A	A	C	E	I	O	Z	V	I	G	U	A	N	A
F	C	X	U	T	A	U	X	C	N	I	I	D	K	B	P	A
Y	S	U	Y	A	C	M	Z	I	A	M	B	U	R	A	N	A
E	N	C	R	Z	T	E	H	R	Y	A	X	O	I	O	P	G
N	Z	C	N	Z	T	T	E	A	C	Z	W	K	D	A	C	H
S	P	O	V	K	N	M	R	D	A	S	B	P	W	Z	N	N
G	V	F	J	F	I	C	A	B	M	F	U	B	Z	L	E	K
U	V	R	Z	U	F	G	I	T	C	B	D	L	N	B	A	Q
E	F	C	Q	Z	P	M	E	S	I	I	X	D	L	P	X	J
G	G	U	A	B	I	R	A	G	U	A	Ç	U	P	I	T	T
C	I	P	W	H	N	R	I	M	H	N	M	O	I	D	M	D
N	M	O	D	M	E	T	E	J	D	C	L	B	G	G	P	F
U	Z	B	B	T	J	R	K	R	X	C	A	Y	U	C	U	G

ABRE-ASA-DA-MATA, AIE-AIE, AMBURANA, BACABA-AÇU, GUABIRA-GUAÇU, IGUANA, LICANÇO, MATIAMBU, PAU-VIDRO, PRÍMULA, QUIMERA, SARAPÓ, TARAMBOLA

197

I	O	O	B	N	K	Y	G	P	R	Q	D	X	D	T	M	Z
Q	N	B	C	T	N	S	B	X	W	E	A	J	R	C	T	A
S	C	H	R	H	N	O	F	C	E	R	R	J	M	K	G	H
A	I	P	A	F	O	U	V	L	Í	Y	E	D	G	A	C	O
O	N	H	X	L	H	R	D	H	H	Y	N	P	U	Q	A	Z
E	H	A	N	C	A	H	P	A	A	K	Q	Q	A	C	X	W
J	A	H	W	C	L	O	A	M	J	J	U	U	R	N	G	X
S	S	R	G	M	D	J	G	A	O	Z	E	Q	I	J	D	N
O	A	S	C	Z	J	I	S	D	T	A	P	I	T	I	Z	A
O	M	X	X	O	H	H	F	D	G	M	N	D	Á	U	O	K
W	Z	H	U	R	L	R	X	H	T	S	F	E	N	E	C	O

ARENQUE, FENECO, GUARITÁ, HÍRAX, INHALA, LHAMA, ONCINHA, PANDA, QUAGA, TAPITI

198

A	W	U	X	E	A	B	Z	F	B	F	V	T	D	T	E	W
T	M	A	A	U	Y	E	P	E	V	Z	Y	G	M	O	O	Q
Z	P	L	A	N	O	W	V	P	X	J	C	G	C	X	E	E
B	A	M	A	T	I	A	M	B	U	I	O	A	B	W	L	K
L	M	W	X	M	R	E	V	T	U	Z	N	F	N	C	M	K
H	D	R	E	I	Y	Z	M	K	U	A	D	A	R	T	D	P
L	J	S	E	T	P	B	L	Z	U	J	O	N	D	T	V	I
F	R	I	S	A	D	A	Z	G	X	F	R	H	Z	B	P	I
M	V	L	O	P	T	C	E	Y	I	S	C	O	L	A	R	Y
G	W	C	Q	I	R	G	U	Y	N	X	U	T	C	U	W	O
B	E	X	H	Á	G	J	U	N	D	I	Á	O	X	O	J	D

CONDOR, FRISADA, GAFANHOTO, GUANACO, JUNDIÁ, MATIAMBU, OCAPI, TAPIÁ, VIEIRA, XURI

199

C	N	N	O	V	O	D	Q	O	P	B	Y	V	V	W	I	M
Á	S	P	N	I	N	G	Y	F	D	Q	N	Z	P	Q	Y	Z
G	Q	O	I	L	C	I	B	A	I	L	A	R	I	N	A	C
A	R	H	V	A	A	M	W	K	G	A	I	B	F	W	X	H
D	C	A	J	N	N	P	O	P	T	C	V	B	W	D	I	Z
O	V	C	L	Y	E	N	C	P	G	Z	B	L	S	M	W	G
D	O	N	D	H	L	D	R	H	T	R	T	E	E	B	X	I
E	F	O	T	K	A	L	L	O	K	S	L	P	E	Q	U	S
C	C	B	A	R	S	A	N	H	A	Ç	O	P	A	R	D	O
A	M	O	K	U	E	E	Z	P	G	L	F	D	L	Q	C	D
B	O	M	X	D	B	H	Q	U	Í	K	X	E	O	G	K	M
E	I	D	X	J	O	W	D	T	L	I	R	W	N	L	H	J
Ç	A	S	O	J	E	R	N	B	U	G	K	B	C	D	X	B
A	C	B	T	E	Z	A	M	G	U	E	U	P	D	Q	N	Z
D	V	G	X	J	B	R	A	B	H	Q	W	Y	T	J	C	O
E	H	O	N	K	I	R	E	V	S	E	D	K	E	X	R	B
S	J	B	S	M	O	D	T	X	P	Z	J	O	C	I	A	V
A	O	I	N	G	Á	C	H	I	N	E	L	O	E	I	V	K
P	D	G	H	H	C	T	S	K	V	E	Z	R	N	H	E	V
O	N	E	C	H	Y	Z	J	P	X	L	U	Í	T	X	N	Q
C	U	R	U	B	U	Z	I	N	H	O	P	L	O	T	Z	A
O	J	C	F	Y	X	B	B	J	L	L	I	O	R	S	Z	Y
M	J	X	D	X	K	Y	O	Q	A	Y	Q	R	A	M	A	F
U	G	Y	R	B	B	S	I	C	S	F	B	U	N	F	Y	K
M	K	Z	F	D	F	E	A	X	A	S	P	I	J	O	W	W
M	K	V	S	R	I	M	T	J	V	G	M	S	A	N	T	B

ALPÍNIA, ANTÍLOPE, BAILARINA, CÁGADO-DE-CABEÇA-DE-SAPO-COMUM, CANELA-SEBO, CHÁ-DE-BUGRE, GRALHA-AZUL, INGÁ-CHINELO, JIBOIA, LOUREIRO, SANHAÇO-PARDO, TORANJA, URUBUZINHO

O	H	H	E	I	S	V	A	M	L	G	X	U	B	X	Z	S
G	X	C	A	T	N	H	B	W	P	T	K	H	S	Z	N	C
G	W	W	Y	C	C	F	G	B	J	S	A	I	M	A	L	X
L	A	Q	H	B	O	M	N	O	M	E	X	X	K	E	E	K
M	I	S	X	U	Q	H	N	Q	F	Á	E	P	Q	V	P	F
V	V	T	I	N	G	U	I	P	R	E	T	O	U	A	C	Y
B	X	U	V	Q	R	B	M	A	X	W	Q	P	T	E	U	T
C	D	B	M	D	T	K	P	K	W	G	D	B	N	D	K	X
K	U	P	K	I	F	S	S	J	J	H	G	O	R	V	F	D
Y	B	R	F	R	E	I	J	Ó	P	A	U	V	I	D	R	O
H	Y	Y	I	U	B	B	J	J	C	E	M	E	R	I	W	Q
C	A	V	B	C	Z	P	K	N	A	R	F	K	M	J	J	K
M	K	U	Q	C	A	M	A	R	Ã	O	R	O	S	A	V	P
L	W	B	Q	K	F	C	L	A	P	H	O	C	C	C	K	I
Z	Z	X	U	L	I	S	A	Y	V	Y	V	J	Q	A	S	O
J	B	U	A	I	T	G	D	R	Z	U	G	A	H	R	T	L
N	Q	S	M	U	J	D	J	X	T	X	S	N	T	É	U	H
E	P	X	H	Z	E	I	G	N	H	E	A	Z	N	G	C	I
M	C	Y	O	S	E	D	U	M	V	I	S	T	O	S	O	N
U	I	W	Y	O	E	A	A	B	Z	T	S	A	Y	I	K	H
N	T	Q	L	O	D	U	I	K	W	K	P	G	H	Q	X	O
G	K	I	D	Y	J	X	U	K	N	I	J	U	R	I	T	I
U	P	M	U	L	T	G	V	V	A	Z	F	D	C	M	N	X
B	P	F	Y	O	M	C	I	H	C	Y	W	Q	U	S	S	P
A	L	C	E	L	E	M	R	J	V	G	J	N	A	M	P	L
H	I	O	P	L	T	O	A	D	O	B	R	W	Z	V	R	T

BOM-NOME, CAMARÃO-ROSA, CURICACA, ESPARÁXIS, FREIJÓ, GUAIUVIRA, JACARÉ, JURITI, MUNGUBA, PAU-VIDRO, PIOLHINHO, SEDUM-VISTOSO, TINGUI-PRETO

H	E	P	L	Q	T	M	X	Y	D	S	É	P	W	T	G	I
W	W	M	E	I	H	N	M	D	T	L	O	J	H	M	O	I
I	U	D	O	R	X	N	P	D	O	L	M	Y	U	A	N	Y
P	F	K	M	N	O	Z	Q	T	B	K	F	G	O	R	T	I
X	R	L	L	W	H	B	A	R	X	F	H	W	N	I	B	Z
E	Z	E	O	H	E	C	A	B	A	C	H	I	B	A	T	Ã
R	Q	D	R	O	Z	M	R	R	C	Y	D	A	E	F	U	E
J	Q	Y	M	F	Y	Y	B	C	O	Q	K	R	H	A	E	E
G	C	L	S	L	A	Y	P	A	C	S	L	C	V	C	I	R
C	L	O	R	G	W	D	H	U	Ú	Y	A	O	N	E	H	I
T	A	A	C	W	K	M	D	S	L	B	A	D	M	I	V	E
D	G	N	X	D	A	A	Z	D	P	I	A	E	F	R	S	N
Z	Q	C	E	V	V	Z	D	V	T	G	F	P	W	A	L	J
G	S	B	B	L	L	E	S	N	F	N	O	E	R	N	Z	L
B	I	R	T	J	A	C	A	N	I	N	Ã	N	F	E	O	O
N	C	E	J	Q	A	D	R	T	A	B	E	E	Z	T	T	R
A	Q	G	K	Y	T	I	O	B	I	D	U	I	M	R	W	A
K	A	H	G	A	C	G	Í	C	U	F	E	R	T	I	Y	I
M	E	X	L	R	N	A	N	N	A	R	O	A	I	C	L	U
V	A	H	L	V	T	H	P	F	F	M	A	Z	C	O	V	X
I	A	X	G	E	Q	F	X	J	U	O	P	I	O	L	W	N
V	T	S	B	C	A	J	A	Z	E	I	R	O	T	I	D	W
G	J	M	G	F	R	S	X	P	L	M	A	D	I	N	H	T
S	E	G	U	T	W	S	C	W	F	O	Y	L	C	O	M	B
T	F	A	L	C	Ã	O	C	A	B	U	R	É	O	C	B	R
N	D	E	L	Z	X	C	A	T	D	X	K	H	W	I	D	N

ARCO-DE-PENEIRA, CAJAZEIRO, CANELA-DO-CAMPO, CATOLÉ, CHIBATÃ, EMBAÚBA-PRETA, FALCÃO-CABURÉ, JACANINÃ, MARIA--FACEIRA, PEROBA ROSA, TEMBETAÍBA, TICO-TICO, TRICOLINO

U	S	C	T	Y	I	E	T	S	A	Q	K	D	Z	X	S	F
P	H	D	T	T	N	W	I	C	S	P	K	V	P	M	E	I
Y	O	U	T	S	L	Y	Z	Z	E	D	K	B	P	X	J	C
A	R	R	Y	T	N	H	S	P	N	Q	Z	F	Y	G	X	T
L	V	C	J	B	F	S	Q	M	A	D	Q	C	E	V	G	E
G	M	D	Q	I	X	H	Q	Q	I	S	Z	V	F	V	V	P
O	E	H	P	Y	T	G	R	S	N	A	N	J	A	J	N	P
D	G	U	B	N	C	Z	P	R	P	B	L	Y	R	N	A	L
Ã	A	J	W	K	Q	M	G	N	O	P	T	V	A	B	B	M
O	Y	Y	W	W	S	Y	B	O	Y	A	O	B	T	O	E	R
M	C	R	J	F	S	Q	T	N	R	Q	L	S	I	O	G	J
F	K	A	M	Y	W	A	L	F	A	F	A	Y	C	G	X	W
P	G	R	W	Y	G	G	E	V	I	V	M	X	U	S	Q	L
H	E	R	A	S	U	E	C	A	U	F	I	E	M	E	W	U
D	W	B	V	S	C	T	G	D	A	O	N	Q	A	Q	J	Q
D	G	U	Y	Q	V	K	N	R	L	I	H	M	Ç	U	R	P
X	J	D	M	N	K	A	I	C	M	T	O	Y	U	I	J	I
Z	Z	Y	W	K	N	E	J	T	A	Q	C	Q	B	N	T	P
A	I	F	L	A	V	C	R	I	V	M	A	F	Y	Á	A	I
K	N	Z	S	A	L	D	I	U	C	L	B	Y	H	C	G	R
I	I	O	F	F	R	Y	C	N	L	T	J	O	E	E	B	A
C	E	N	T	Á	U	R	E	A	A	R	V	Z	A	A	A	A
C	G	B	V	A	F	B	D	F	X	M	Q	K	N	T	C	Z
G	W	B	D	A	C	H	U	C	H	U	O	U	D	T	Á	U
I	E	L	J	H	D	C	O	A	E	H	N	M	J	Q	I	L
C	M	D	R	U	W	D	B	E	M	T	A	F	O	W	U	D

ALFAFA, ALGODÃO, ARATICUM-AÇU, CAMBOATÁ, CENTÁUREA, CHUCHU, CINAMOMO, EQUINÁCEA, FAVEIRA, HERA-SUECA, MINHOCA, PIPIRA-AZUL, SANANDUVA

203

L	L	F	X	J	M	Z	L	E	N	Q	D	L	S	E	B	K
K	A	B	M	X	T	P	B	R	B	E	C	L	X	H	U	U
C	G	G	I	K	P	C	O	P	A	Í	B	A	V	X	N	S
K	A	Y	G	H	U	G	M	P	C	N	O	J	T	Y	J	Q
A	R	M	Q	I	M	B	I	R	E	M	A	M	O	V	C	L
A	T	P	É	E	Y	Y	T	H	K	X	W	T	N	I	A	C
F	I	I	K	L	M	Z	O	P	P	A	U	V	I	O	L	A
M	X	A	S	Q	I	M	D	P	I	O	X	E	Z	D	Ê	O
K	A	D	H	V	E	A	O	F	V	L	A	X	A	T	N	H
B	V	H	N	G	W	E	J	W	C	A	M	E	L	O	D	B
M	E	Y	Y	A	H	L	G	U	W	Y	M	H	M	X	U	B
Q	R	E	I	V	C	U	I	Ú	C	U	I	Ú	S	E	L	H
J	D	Q	E	G	I	M	G	D	K	K	G	K	L	T	A	I
E	E	R	I	D	R	S	M	J	J	M	Y	H	G	D	Z	C
J	D	C	T	Z	K	T	C	T	A	L	O	E	N	G	U	W
W	A	C	S	U	P	F	F	A	E	N	B	L	U	L	Q	J
M	A	O	I	V	K	C	H	N	C	N	D	J	Z	O	K	G
V	M	B	U	G	X	I	T	X	L	H	K	A	O	T	T	T
T	A	R	T	W	P	L	E	N	C	C	A	H	I	S	C	R
L	Z	A	M	Q	Z	D	G	R	T	N	U	N	F	A	F	T
O	Ô	C	G	B	Q	D	L	J	V	M	T	F	C	V	A	K
Q	N	A	F	J	T	L	Y	M	H	E	A	I	É	Q	F	K
F	I	P	R	V	N	V	F	K	P	S	I	L	K	I	T	S
S	A	I	X	X	U	Z	J	M	D	H	L	R	M	S	A	C
U	X	M	C	D	Q	Q	Q	H	S	N	X	C	A	M	B	X
Q	O	S	E	V	F	R	B	D	V	Y	P	K	W	B	M	Z

CALÊNDULA, CAMÉLIA, CAMELO, COBRA-CAPIM, COPAÍBA, CUFÉIA, CUIÚ-CUIÚ, ERVEIRA, IMBIREMA, JANDAIA, LAGARTIXA-VERDE-DA-AMAZÔNIA, PAU-VIOLA, VISCACHA

H	D	Z	F	I	A	H	N	C	Q	E	H	I	Q	A	M	L
O	W	U	O	Q	L	N	L	C	O	B	A	I	A	X	K	Y
B	B	M	C	A	E	F	N	J	S	I	O	O	K	L	G	Z
R	S	R	N	R	O	Y	J	O	W	B	V	D	U	G	R	D
M	R	M	Q	G	V	Y	M	N	F	P	J	M	L	G	N	U
M	Q	P	T	G	H	S	P	A	J	U	R	Á	Q	L	O	S
X	V	K	L	K	O	Y	T	C	T	G	S	E	O	V	I	U
Q	B	H	P	C	D	L	J	E	P	X	Q	N	O	C	T	R
R	U	C	A	N	E	L	A	G	U	A	I	C	Á	I	I	B
Q	S	H	K	S	P	X	V	U	A	K	B	Y	Q	G	B	R
M	Q	G	Q	Y	R	H	A	H	G	I	L	R	S	U	Ó	T
H	W	I	U	G	N	S	E	P	T	V	D	V	U	A	A	I
J	H	F	L	F	A	K	J	L	S	U	S	B	H	N	L	W
N	G	J	F	A	X	K	H	W	I	S	J	F	P	A	H	H
B	A	F	A	A	U	Y	U	V	W	C	H	P	T	O	X	O
W	P	F	L	B	W	M	G	E	C	K	Ô	I	H	T	C	G
X	R	T	A	Y	O	G	S	X	T	V	C	N	P	E	N	T
W	A	B	R	L	M	R	K	X	I	U	I	H	I	O	V	J
F	P	W	A	Q	O	F	A	F	V	T	K	A	M	A	U	W
X	H	D	N	F	J	J	D	N	E	U	C	D	U	A	B	C
H	F	K	J	U	K	O	Z	R	D	L	Y	O	J	E	Q	P
P	M	D	E	D	H	E	P	F	U	I	Z	B	C	H	O	P
V	Y	X	I	Y	M	M	Z	S	O	R	P	R	I	R	X	X
M	S	H	R	S	A	L	H	O	D	O	C	E	C	O	N	D
S	S	O	A	T	L	Q	X	F	V	C	N	J	S	M	E	C
D	Z	O	I	M	Y	J	U	G	J	O	B	O	G	D	E	V

ABRUNHO, ALHO-DOCE, CANELA-GUAICÁ, COBAIA, COSMOS, HELICÔNIA, IGUANA, JABORANDI, LARANJEIRA, NOITIBÓ, PAJURÁ, PINHA-DO-BREJO, PRETINHO

205

E	J	Q	Q	B	M	O	C	G	X	V	L	B	X	N	B	V
L	N	J	K	Z	P	Z	A	E	K	A	O	I	S	L	X	J
R	G	Q	F	J	P	E	R	Y	B	F	U	L	D	X	Z	B
P	O	R	O	F	F	C	W	Ú	P	J	R	I	J	C	P	G
X	R	V	M	Q	F	A	E	A	Q	X	O	M	Y	C	Q	Z
Q	B	M	N	Y	Z	R	Y	F	G	D	P	B	V	P	W	B
W	O	F	S	F	A	T	I	I	D	Z	R	I	R	E	K	V
C	F	P	S	C	T	H	H	F	A	U	E	E	A	E	J	Q
O	M	B	A	J	N	W	R	Z	U	P	T	F	I	L	Y	Q
B	F	J	T	L	X	D	F	P	A	K	O	P	Y	H	A	V
R	D	S	N	G	U	A	T	A	M	B	U	T	E	O	Z	T
A	N	I	X	F	S	Y	E	U	E	F	S	G	F	T	K	J
P	U	S	X	W	O	Y	V	M	P	A	R	S	L	E	H	W
A	N	Y	V	F	Q	Z	T	V	T	A	X	E	F	S	F	P
R	L	L	Z	E	K	G	X	A	W	U	I	L	J	O	H	K
E	P	X	O	X	N	V	P	I	L	N	P	A	K	U	Z	O
L	A	I	E	E	Q	E	O	P	C	F	L	G	K	R	Y	Z
H	W	D	S	N	D	X	Q	G	O	A	V	I	F	Ã	S	J
E	O	R	U	A	V	G	Z	W	R	G	A	N	N	O	P	C
I	Z	Z	R	O	S	E	O	P	R	A	J	E	A	P	N	A
R	A	B	A	R	I	L	H	P	E	P	M	L	E	E	U	M
A	O	U	M	E	W	K	Q	V	D	A	F	A	L	Q	D	B
C	H	O	Y	A	N	T	I	A	E	N	R	B	E	U	U	U
T	I	D	J	L	V	B	E	Y	I	T	G	C	K	E	T	C
M	D	C	F	H	F	V	L	H	R	O	V	S	G	N	O	I
Z	R	X	L	B	A	F	F	L	A	L	E	M	O	O	K	A

AGAPANTO, BILIMBI, CAMBUCI, COBRA-DE-PATAS, COBRA-PARELHEIRA, CORREDEIRA, GUATAMBU, JACAREÚBA, LOURO--PRETO, SELAGINELA, TESOURÃO-PEQUENO, TUPAIA, YANTIA

206

T	D	V	X	G	C	E	O	P	V	O	N	P	P	T	F	Q
A	G	A	W	S	V	B	A	N	Q	C	O	E	P	F	S	J
T	Q	N	K	P	X	R	N	E	X	M	K	R	Q	N	K	N
U	U	D	K	B	Z	M	J	U	G	P	D	N	B	Z	B	T
P	O	A	J	R	V	P	H	A	Y	I	R	I	H	Q	A	L
E	J	T	K	M	V	O	V	O	J	X	C	L	J	E	Y	H
B	B	E	C	J	P	Q	T	C	B	H	Y	O	N	N	Y	E
A	Z	R	J	X	K	E	P	X	I	Q	Z	N	L	H	T	Z
J	K	E	C	O	N	F	E	T	E	A	Y	G	O	Y	Q	Q
V	U	S	U	B	N	K	D	M	R	J	G	O	J	V	J	B
V	F	U	Q	L	S	E	O	I	C	O	Z	D	E	M	B	U
U	F	A	S	O	R	X	E	Q	J	Y	T	E	D	Z	T	U
V	S	S	H	Y	X	I	N	G	X	V	G	C	M	P	U	A
C	S	I	A	A	T	C	O	L	O	B	P	O	A	L	T	S
C	E	E	M	U	R	P	D	U	J	N	H	S	R	F	D	F
Z	L	D	C	A	T	L	Y	S	B	O	V	T	I	Z	I	Z
J	M	K	Q	J	N	V	V	U	C	I	O	A	C	G	F	X
V	I	A	B	R	O	G	R	M	Q	G	E	S	Á	U	S	L
M	U	K	U	X	N	A	U	V	X	P	X	B	N	A	S	Q
T	F	H	N	X	D	S	F	E	P	P	R	R	C	B	L	V
S	P	W	D	A	K	G	X	N	I	S	C	A	A	U	F	H
T	E	I	Ú	B	R	A	N	C	O	R	P	N	L	R	C	G
C	E	D	Z	E	J	L	O	U	C	K	A	C	A	I	Y	D
S	A	B	I	Á	U	N	A	N	G	G	L	A	N	T	F	K
S	A	R	A	C	U	R	A	O	Y	S	Z	S	G	I	H	G
L	D	Y	G	H	J	B	A	B	I	A	N	A	O	U	W	L

BABIANA, CALANGO, CONFETE, CUTIEIRA, GUABURITI, MANGUEIRA, MARICÁ, PERNILONGO-DE-COSTAS-BRANCAS, SABIÁ--UNA, SARACURA, TATU-PEBA, TEIÚ-BRANCO, VANDA-TERES

T	A	I	U	V	A	N	U	X	M	A	N	G	O	N	A	X
Z	B	I	B	C	A	N	A	K	D	W	Y	K	W	U	B	H
I	A	C	W	K	Y	P	E	Y	T	M	U	W	J	P	N	Q
K	L	G	F	M	Z	X	J	J	M	W	F	U	F	C	J	P
P	A	X	N	H	Q	W	G	V	V	H	U	O	B	U	G	E
C	N	P	O	B	K	Q	W	V	T	D	S	B	D	R	H	K
T	Ç	V	L	D	N	P	O	B	F	T	P	C	M	I	J	O
I	A	Q	U	M	R	V	Z	Z	C	F	K	H	I	C	X	M
R	R	X	Y	L	L	I	G	U	M	J	B	L	O	A	J	O
Y	A	V	L	U	C	A	O	X	K	B	I	E	O	V	B	N
I	B	T	E	T	A	D	E	V	A	C	A	K	N	E	B	I
Y	O	W	S	N	F	A	Y	N	L	F	C	C	C	R	F	S
L	D	S	N	T	W	G	M	V	I	U	N	B	M	D	W	M
Z	E	E	U	I	A	X	Q	E	W	S	W	T	F	E	Z	A
F	M	K	O	W	H	U	K	U	Q	E	E	Z	H	V	A	R
W	Á	Y	G	E	O	D	B	B	F	L	H	T	M	B	P	O
S	S	R	A	K	Y	M	V	W	U	K	I	C	L	U	L	L
E	C	R	Q	J	A	H	N	A	D	R	G	M	G	W	K	I
T	A	O	H	T	S	R	R	Z	C	T	K	U	B	M	W	N
E	R	Y	A	G	S	W	Z	X	E	G	I	H	T	S	I	H
L	A	M	R	C	I	A	P	T	Z	C	U	C	W	I	Q	O
É	B	S	S	V	I	Z	L	M	C	C	I	G	A	R	R	A
G	U	A	N	A	N	D	I	S	A	N	T	O	L	I	N	A
U	Z	Q	I	I	B	F	V	D	H	B	P	N	C	M	Z	L
A	Ó	L	E	O	P	A	R	D	O	A	P	E	S	C	T	E
S	C	A	L	A	N	G	O	L	I	S	O	L	Q	O	Q	B

BALANÇA-RABO-DE-MÁSCARA, CALANGO-LISO, CIGARRA, CURICA--VERDE, GUANANDI, MANGONA, MAROLINHO, MATAMBU, ÓLEO--PARDO, SANTOLINA, SETE-LÉGUAS, TAIUVA, TETA-DE-VACA

208

R	N	Q	I	F	M	T	Z	T	I	T	P	G	N	K	F	E
Q	L	V	P	B	A	Y	N	R	A	Q	W	Q	I	U	V	O
A	E	H	Ê	G	F	B	U	O	A	R	A	B	T	F	I	A
L	N	G	V	H	S	C	X	W	I	U	A	R	I	A	I	Q
E	H	K	E	I	I	B	P	M	L	N	L	M	M	O	Z	D
K	V	W	R	L	C	I	G	A	R	R	A	P	B	F	M	Z
W	S	Ó	D	L	E	I	T	E	I	R	A	I	Ó	O	X	H
I	L	E	E	B	S	U	X	I	G	S	J	X	H	C	L	D
R	H	C	I	D	L	J	F	U	R	R	I	E	L	O	A	A
J	A	B	U	T	I	C	A	B	E	I	R	A	S	D	K	O
O	T	U	E	I	E	G	F	G	T	Q	S	F	G	A	I	F

CIGARRA, FURRIEL, IPÊ-VERDE, JABUTICABEIRA,
JIBOIA, LEITEIRA, LICURI, LÓRIS, TARAMBOLA, TIMBÓ

209

L	W	V	L	J	F	D	R	U	N	T	N	A	G	Q	H	M
B	C	O	Z	O	R	R	I	L	H	O	I	C	L	P	Y	I
F	R	W	R	T	G	Y	Z	E	G	M	F	L	P	E	L	K
L	V	O	A	T	L	U	P	K	P	G	F	C	K	K	X	U
A	I	H	T	L	C	I	T	A	T	A	J	U	V	A	E	S
U	Y	T	H	N	L	T	A	A	U	N	X	R	L	K	I	Q
T	W	G	W	I	M	A	H	H	R	S	J	I	E	B	I	F
I	Z	F	F	H	I	L	B	M	F	K	P	Ó	S	K	P	Z
M	R	K	P	W	U	S	J	Y	V	H	D	I	M	W	Q	V
K	W	S	Y	G	R	D	H	H	T	G	B	G	A	H	V	A
W	F	G	A	E	B	S	I	N	H	A	P	I	M	Z	M	P

AGULHA, BIS-BIS, CURIÓ, FILIPE, FLAUTIM,
INHAPIM, LESMA, TATAJUVA, WALLABY, ZORRILHO

O	T	W	O	K	S	W	C	K	H	R	D	C	L	I	C	W
B	G	C	X	I	G	U	M	R	F	P	I	H	J	C	L	O
L	R	B	S	X	P	R	M	Z	Y	Á	Z	L	Y	A	R	N
L	L	O	W	D	B	H	W	I	H	S	Z	Q	A	T	X	M
E	A	O	V	N	S	F	V	U	P	S	O	V	X	I	Y	W
H	S	H	Q	L	I	V	A	B	D	A	U	E	T	G	A	A
V	F	E	O	J	P	R	E	R	N	R	G	G	W	U	M	X
X	O	V	K	H	Y	V	Z	R	I	O	V	W	A	Á	M	B
D	J	X	C	M	Q	V	N	P	X	N	Z	A	D	P	K	D
B	A	R	J	T	T	C	A	P	U	C	H	I	N	H	A	D
A	G	O	V	A	D	U	S	U	W	N	Q	E	Y	A	R	E
G	L	B	S	P	G	T	P	L	U	S	P	D	I	C	A	H
B	Y	O	M	N	M	N	L	C	D	X	Y	J	W	R	P	W
Z	L	Q	N	L	P	Q	I	N	H	E	W	P	N	Z	A	P
H	E	R	Q	W	A	V	K	S	B	V	U	B	F	Y	Ç	I
T	L	V	W	X	U	M	Z	N	K	A	I	A	W	R	U	T
Y	H	O	Y	X	R	N	W	J	R	G	R	R	C	J	E	A
J	R	W	Y	I	I	U	O	D	C	O	G	R	C	M	L	N
F	E	M	L	B	P	N	E	Y	X	S	L	I	L	Z	E	G
P	U	O	C	K	A	P	E	O	R	Y	L	G	L	Q	G	A
E	P	Z	S	J	É	N	R	F	L	Z	Y	U	Y	W	A	V
F	M	I	F	R	V	O	D	L	B	P	Z	D	R	W	N	E
V	L	H	A	Q	V	D	M	M	O	K	D	A	Y	B	T	R
F	P	C	K	E	K	B	U	B	J	W	T	G	O	F	E	D
B	A	X	R	K	C	Z	T	X	K	C	E	D	H	Z	W	E
J	H	T	U	C	A	N	A	B	O	I	A	T	G	H	K	D

ARAPAÇU-ELEGANTE, BARRIGUDA, CAPUCHINHA, CATIGUÁ, FARINHEIRA, GUAPIRUVA, JACARÉ-PEDRA, PÁSSARO, PAU-RIPA, PITANGA-VERDE, TREVO ROXO, TUCANABOIA, VICUNHA

M	E	J	C	T	G	A	R	E	A	U	D	C	K	A	I	D
Z	Q	W	P	Z	G	N	I	J	V	R	I	T	G	X	E	T
D	C	A	P	U	Z	D	E	F	R	E	I	R	A	O	J	D
R	X	I	O	Y	M	E	B	T	R	S	B	R	L	I	T	I
A	Q	D	L	S	S	C	Z	H	F	P	Q	D	A	L	B	U
Q	Q	D	V	O	B	Q	I	L	E	E	F	V	N	M	Y	W
L	N	H	L	T	M	G	M	F	M	T	F	Y	L	L	B	P
F	T	B	U	P	A	L	H	E	T	E	I	R	A	C	P	A
V	J	J	G	X	L	S	H	U	L	I	G	L	W	Y	S	C
O	S	S	X	M	D	V	G	B	X	R	U	U	N	H	O	L
I	O	S	B	U	Y	C	F	I	Y	O	B	O	A	R	B	R
D	H	D	I	B	T	A	W	L	M	L	R	Q	H	U	R	Z
J	M	K	B	Y	L	Y	V	N	I	W	V	R	S	P	A	N
L	O	J	T	A	R	M	T	F	E	E	X	R	G	S	S	E
T	E	N	P	O	N	R	B	Z	B	S	G	S	O	U	I	V
M	I	A	H	D	O	B	U	D	V	A	H	R	I	C	L	Q
Q	L	F	N	N	R	A	O	E	L	U	Á	X	X	A	D	G
W	N	S	S	X	H	D	J	W	D	Ç	G	F	L	J	L	S
D	O	Y	S	H	U	R	K	T	A	K	R	N	F	T	O	V
Y	K	Q	X	T	N	L	N	R	N	W	E	A	C	A	B	Z
A	Q	B	A	S	A	F	A	A	R	Z	V	Y	H	M	O	P
E	P	R	F	N	O	E	L	H	U	O	Í	K	P	B	G	E
Q	A	I	R	V	R	E	W	V	Z	G	L	M	C	O	U	T
P	A	U	D	E	P	I	L	Ã	O	W	E	K	R	R	A	R
G	D	M	F	G	W	Y	S	E	V	W	A	P	P	I	R	I
S	U	I	R	I	R	I	C	I	N	Z	A	Q	A	L	Á	M

ARAÇÁ-ROSA, ARIRAMBA, CAPUZ-DE-FREIRA, ESPETEIRO, GREVÍLEA, LOBO-GUARÁ, PALHETEIRA, PARATUDO, PAU-DE-PILÃO, PETRIM, SOBRASIL, SUIRIRI-CINZA, TAMBORIL

P	Y	N	E	W	O	Q	J	N	K	T	B	N	U	C	X	G
S	É	J	O	E	J	T	E	M	W	Y	P	H	L	N	T	A
X	H	D	L	S	A	K	K	J	N	U	Y	V	T	O	C	N
N	S	B	E	M	Q	X	M	I	K	U	X	B	H	J	C	C
J	Z	K	X	G	G	T	G	N	H	Z	T	U	C	A	N	O
T	F	C	A	R	A	C	O	L	W	C	A	P	I	T	Ã	O
P	P	Q	T	D	J	L	O	W	A	M	L	Y	A	V	B	U
N	A	H	X	W	P	N	I	N	Y	S	B	T	B	I	Ã	G
E	W	Y	A	T	D	B	R	N	D	Q	Q	O	L	N	F	R
M	C	M	N	K	L	B	R	I	H	E	C	Z	I	D	B	I
D	X	Y	Y	B	F	N	V	B	E	A	S	N	E	A	B	T
E	I	D	A	I	Q	F	Z	B	H	M	A	S	K	I	T	A
A	X	B	T	C	C	O	F	N	G	C	X	J	A	Á	F	D
P	F	X	Y	G	F	L	U	S	A	F	V	J	I	G	U	O
I	Z	H	C	J	V	O	X	Y	X	C	A	L	N	U	F	R
T	Z	C	W	G	R	K	W	Y	E	Z	Q	S	O	A	L	D
O	S	I	V	H	M	C	C	Q	H	B	B	M	I	Ç	G	A
M	D	A	H	P	M	I	T	P	S	W	R	Q	Z	U	R	R
B	Q	H	I	P	S	F	K	W	O	S	Q	V	M	I	V	A
E	R	G	G	I	L	E	I	M	V	P	D	U	V	A	T	R
I	D	L	F	R	Y	P	G	T	W	A	Y	U	C	J	Z	A
R	S	A	Q	U	P	P	J	Y	P	L	J	G	A	R	S	A
A	W	Y	O	P	Z	Z	K	H	Z	A	Y	A	N	N	I	Z
Z	K	B	S	I	P	S	M	L	U	B	S	W	X	B	M	U
K	F	G	G	R	V	X	Y	G	X	I	X	H	I	Y	Q	L
M	C	G	V	U	I	F	W	B	A	C	W	M	M	X	I	R

ARARA-AZUL, CANXIM, CAPITÃO, CARACOL, CONDESSA, GRITADOR, GUAJUVIRA, INDAIÁ-GUAÇU, PÉ-DE-GALINHA, PIRU-PIRU, PITOMBEIRA, TUCANO, YACANINÃ

T	M	Q	L	L	H	A	J	N	W	C	P	X	O	J	Q	A
U	P	Y	A	X	G	G	M	M	L	V	L	I	X	E	H	A
W	M	J	G	G	P	J	M	U	F	O	U	I	F	V	W	K
N	K	M	A	X	P	A	Y	P	T	M	T	R	A	Í	R	A
L	G	H	R	C	P	C	S	F	W	A	M	U	J	U	H	E
Q	E	W	T	L	A	A	Z	X	N	P	M	Z	U	H	Z	H
W	G	P	O	D	V	R	O	C	C	L	R	B	S	Q	D	J
C	I	E	L	R	T	É	É	H	N	Z	P	W	A	E	K	D
K	C	X	I	M	Z	C	Z	C	E	I	G	H	C	E	Z	Á
Q	O	G	S	V	I	U	F	S	O	R	O	S	E	I	R	A
I	W	A	O	O	R	R	A	Q	X	R	L	T	C	A	F	Q
J	N	E	D	O	Z	U	L	Z	D	A	O	Y	P	O	Q	H
U	O	Q	G	T	S	Á	V	H	C	O	N	A	F	D	J	V
D	C	D	D	S	S	O	N	D	D	T	M	P	A	I	E	Á
T	U	Y	V	O	X	L	P	A	Q	T	U	I	Q	D	J	B
M	H	Z	A	T	M	I	R	D	I	K	R	T	G	A	L	T
Q	A	L	F	H	Y	U	P	F	W	K	N	Y	C	H	L	J
D	U	L	I	V	O	N	E	M	D	F	G	A	G	R	S	M
F	N	Z	H	D	F	C	H	K	H	R	R	E	V	Z	B	E
U	C	J	O	A	G	N	B	I	Y	T	I	E	Z	Z	I	O
L	K	N	R	T	D	I	P	L	A	D	Ê	N	I	A	C	N
Z	I	C	A	R	X	E	S	M	X	J	G	Z	K	R	U	Z
S	J	P	P	X	T	A	S	X	I	P	E	S	C	A	D	A
B	X	P	Z	M	U	W	C	A	X	E	B	M	M	T	A	I
E	J	M	Y	E	P	K	F	X	P	N	X	W	V	N	C	X
F	B	M	M	L	U	T	T	N	I	O	Q	H	U	K	J	G

BICUDA, DIPLADÊNIA, JACARÉ-COROA, JACARÉ-CURUÁ, LAGARTO-
-LISO, MALHA-DE-SAPO, MAPARÁ, MUTAMBA, PESCADA, ROSEIRA,
SINO-DOURADO, TRACAJÁ, TRAÍRA

Z	C	V	F	S	H	N	Y	Y	F	X	M	E	M	I	V	F
P	A	O	U	K	K	Q	H	X	N	Z	Q	H	O	Y	U	E
R	Y	C	R	S	W	C	K	I	Z	Y	A	T	E	J	M	H
V	A	E	A	V	E	K	Y	E	J	P	E	Y	R	X	I	L
F	I	H	T	Z	O	M	U	D	O	V	E	N	V	F	S	A
J	F	C	E	I	Y	P	T	A	E	U	W	B	A	L	D	G
N	V	T	R	Z	E	Q	W	W	U	C	P	F	M	R	Y	A
G	Y	P	R	E	O	S	R	O	Z	R	O	A	P	Q	Z	R
X	N	L	A	Y	J	U	N	D	I	Á	U	P	M	A	P	T
V	I	R	Y	H	R	S	E	J	F	U	V	F	O	T	L	O
D	J	N	L	T	S	X	N	W	X	G	C	S	A	M	Y	D
J	U	F	H	O	T	K	K	A	R	M	M	W	K	Z	W	A
H	J	R	P	A	B	A	G	A	D	E	P	O	M	B	O	M
G	R	L	C	J	M	X	V	Y	R	T	J	T	Q	E	F	A
R	P	D	L	N	O	B	K	J	Z	M	L	J	W	K	A	T
C	A	J	Á	P	E	Q	U	E	N	O	Z	M	F	G	L	A
V	B	K	X	A	D	B	M	P	P	C	U	R	W	A	S	Q
G	V	H	N	F	B	E	J	D	I	X	Y	O	F	V	A	D
O	J	E	C	X	P	C	G	V	V	X	X	R	Z	A	C	J
B	R	A	P	O	S	I	N	H	A	I	U	O	A	L	O	D
Q	G	H	Y	A	M	T	O	Q	Y	W	J	N	Y	F	T	N
B	R	I	B	A	D	A	C	A	S	A	N	G	A	A	I	B
M	T	S	Y	L	F	A	A	Y	F	N	A	M	V	I	A	K
W	Z	B	I	J	A	P	U	G	U	A	Ç	U	J	A	R	E
M	G	P	E	S	O	B	I	E	V	I	M	P	V	T	A	I
A	L	E	L	U	I	A	C	A	S	C	U	D	A	E	H	N

ALELUIA-CASCUDA, ALFAIATE, BAGA-DE-POMBO, BRIBA-DA-CASA, CAJÁ-PEQUENO, DECOPOM, FALSA-COTIARA, FURA-TERRA, INHAMBU--PIXUNA, JAPUGUAÇU, JUNDIÁ, LAGARTO-DA-MATA, RAPOSINHA

N	Y	Y	U	S	S	J	G	R	W	Z	S	Y	Q	G	J	P
W	R	H	X	D	P	C	Q	F	Z	N	G	E	F	J	A	X
M	U	T	A	M	B	A	P	R	E	T	A	X	H	I	K	M
E	U	O	T	G	V	M	X	M	J	N	P	H	D	D	C	Z
R	G	X	F	A	L	S	A	O	R	C	A	N	N	D	F	U
P	W	W	U	R	C	I	C	G	V	M	F	U	Q	I	N	G
H	T	J	Q	I	U	H	W	W	I	K	A	W	E	S	T	H
A	M	A	N	N	L	T	T	V	G	C	T	R	Z	A	X	H
A	N	S	G	C	A	C	A	S	E	N	F	U	Ô	V	X	J
R	Y	L	V	I	C	F	W	D	C	N	C	N	R	L	V	C
V	R	V	U	I	C	O	Y	G	O	Q	Q	W	J	I	O	B
F	Q	B	X	Z	U	S	D	C	D	C	O	Y	L	N	C	X
Q	M	J	C	Y	B	Y	S	O	O	S	O	J	T	Y	K	V
I	G	I	E	A	Q	F	L	P	S	O	A	N	U	J	N	N
O	V	V	R	I	Z	I	K	U	C	C	A	S	D	S	J	W
C	X	N	E	P	T	E	I	U	A	Ç	U	W	D	E	M	W
H	Z	M	J	K	O	H	I	V	M	S	X	C	L	P	A	C
O	Z	H	E	T	Z	Y	E	I	P	J	Z	J	W	W	R	W
C	F	J	I	R	D	D	N	H	O	O	T	C	O	F	R	F
A	S	Q	R	P	A	S	P	O	S	Q	X	C	H	D	E	Z
M	G	O	A	T	O	E	R	B	O	Z	N	B	W	Q	Q	K
U	C	G	A	M	E	U	F	E	Q	U	Z	Y	Q	W	U	L
R	K	P	G	N	B	X	Y	T	V	E	W	D	E	N	I	P
I	O	L	R	F	R	M	G	M	K	C	G	V	M	U	N	P
N	Ã	O	P	O	D	E	P	A	R	A	R	N	X	X	H	T
A	E	T	O	X	J	B	E	H	J	E	G	V	D	Y	A	R

CEREJEIRA, CHOCA-MURINA, CONFREI, FALSA-ORCA, FRUTA DO CONDE, GECO-DOS-CAMPOS, IMBUIA, MARÔLO, MARREQUINHA, MUTAMBA-PRETA, NÃO-PODE-PARAR, PATA-DE-VACA, TEIUAÇU

S	X	J	Z	Y	M	A	H	U	G	U	T	T	N	S	X	Y
S	R	A	W	C	U	P	R	L	B	F	R	G	E	A	K	P
N	G	C	P	D	A	R	P	O	S	G	Q	J	B	K	K	T
T	H	A	F	Y	L	B	A	J	A	R	A	C	A	T	I	Á
G	R	R	F	T	C	I	O	P	A	U	Q	U	I	N	A	L
D	Z	E	F	O	G	Q	Y	C	G	O	T	X	D	N	B	O
V	K	R	K	J	S	H	K	S	L	E	H	B	A	V	V	W
Z	M	A	H	U	M	D	H	U	T	I	W	N	E	L	D	M
Z	V	N	P	S	X	I	X	G	F	I	N	F	R	F	D	W
R	V	A	A	Z	W	L	X	Y	R	Y	O	H	M	P	C	R
I	E	R	U	O	Y	Q	X	R	P	A	N	V	O	I	E	O
Y	H	H	D	L	W	L	A	V	A	N	D	A	F	N	E	F
X	X	M	A	Y	A	B	P	N	E	T	A	C	C	T	M	A
U	T	P	L	D	I	L	M	E	U	G	O	U	U	O	H	W
N	C	K	H	V	H	Z	A	W	W	J	R	T	E	D	U	U
S	Z	Y	O	M	W	U	I	Z	Q	O	D	I	O	O	O	T
C	H	I	C	O	P	I	R	E	S	I	O	M	P	M	C	C
J	W	H	T	X	R	P	V	X	L	U	R	B	P	A	M	I
O	Q	S	U	Ç	U	A	R	A	N	A	M	O	P	T	A	H
B	M	M	A	S	U	H	P	Z	W	J	I	I	F	O	C	O
W	V	L	D	W	R	V	E	S	K	N	N	A	I	J	A	T
Y	N	K	U	L	Y	G	P	N	L	Y	H	J	K	S	C	B
X	B	C	U	C	Y	F	I	Y	G	X	O	M	B	E	O	G
Y	D	L	B	R	T	N	N	C	C	E	C	X	H	E	W	W
M	Y	K	H	B	C	W	O	Q	B	K	A	S	G	R	B	H
S	Q	I	X	U	K	J	I	E	K	H	H	X	Z	I	O	F

ACUTIMBOIA, CABOCLINHO, CHICO-PIRES, DORMINHOCA, JACARERANA, JARACATIÁ, LAVANDA, MACACO, PAU-D'ALHO, PAU--QUINA, PEPINO, PINTO-DO-MATO, SUÇUARANA

Á	L	F	H	B	I	I	N	G	Á	P	E	Q	U	E	N	O
R	L	R	X	A	N	O	H	O	P	Z	O	C	H	K	D	R
V	O	N	K	B	T	T	N	G	J	N	D	J	Z	Q	O	A
O	U	K	P	C	P	F	Z	C	J	P	Z	C	R	B	G	N
R	R	S	R	X	Z	C	Z	Y	H	E	A	C	N	M	M	G
E	A	A	V	D	H	L	G	B	S	A	A	T	Y	R	A	E
D	M	L	H	C	X	C	U	K	L	P	L	T	I	S	L	L
A	Y	D	Z	U	B	S	F	I	D	N	O	C	O	N	S	O
L	A	L	M	O	P	O	F	R	P	E	F	R	H	I	H	B
Ã	G	E	F	P	T	O	X	F	G	X	A	V	T	A	E	O
N	W	E	W	B	E	X	X	E	L	I	N	V	H	Y	L	A
S	E	T	E	C	A	S	C	A	S	J	T	O	B	S	O	F
H	R	K	I	I	C	O	J	S	H	T	E	X	G	F	Q	V
Q	F	F	I	J	M	T	Á	M	Y	P	R	T	R	H	V	L
Y	Y	A	O	A	H	C	K	S	A	N	A	M	N	U	R	L
U	S	M	T	U	Z	I	O	S	M	N	O	P	H	O	C	I
T	E	R	N	F	L	G	Q	A	J	C	B	N	R	Y	A	U
P	Á	I	V	A	U	H	D	R	U	P	D	R	L	J	Z	Q
C	T	E	S	B	Q	E	Q	C	U	A	E	P	O	C	W	O
V	J	X	Z	G	L	D	A	V	A	F	Z	T	Y	F	E	B
W	G	K	V	F	L	M	L	N	A	Z	N	Q	J	O	C	V
N	S	M	L	N	U	J	O	C	X	R	I	Y	V	S	Y	M
T	M	G	F	A	U	Y	N	W	H	A	R	J	P	C	F	P
Z	N	T	P	I	T	I	G	U	A	R	I	V	O	S	T	B
O	L	D	L	I	R	O	A	K	F	W	V	U	D	Z	D	Z
V	W	X	K	T	H	S	N	Q	D	K	T	F	D	O	X	M

ÁRVORE-DA-LÃ, CÁRTAMO, CÁSSIA-ROSA, CHAL-CHAL, INGÁ PEQUENO, LOFANTERA, LONGAN, ORANGELO, PATINHO, PAU--MACUCO, PITIGUARI, SETE-CASCAS, TRINCA-FERRO

D V M W J D Z G F H E V O T P A K
L R A T N B Q X Z Z I C R C J B O
V E B G R L S F W E G O X Q Y G H
H G Q U A O U X B P J T F H S L M
N Z C A R D E A L J B P H K Q O J
I W Y B T J D T L H J E C J C X R
A K V L C C B X Z I A D G D L Í Y
C F A M Y L P A O T K C H X A N U
M O T E T L U K G W C K L P N I D
C G B P R U J K L Ó U Z D O D A C
I M W R L T W X R A Q I X N I U A
M A H H A U J O U G D N J F M A M
B I H J D P C L R H J K B N F R B
Í T T F S I R J J K L T P W R O O
D A K C T A J E W J H B U R J E I
I C U I T T R U T M M S V W N I M
O A O O U R T R O A L A G T V R C
C R Q X X O K W O H D R F G T Ã Y
H O F E K D M Ã B V C A C J R O M
D X C P D O Ç Y C V V N N Y V W U
Q A X O Q N E V L G X D K A W A N
A M O R A G A R R A D I N H O F I
F O E S K N L P E N I C I L I N A
J C N T T Q O O Y M D G F M B Q O
S A X X C F Q U D A G C S N T L B
C B D C N G J G Q L B I L V K B R

AMOR-AGARRADINHO, AROEIRÃO, CAMBOIM, CANSANÇÃO, CARDEAL, CIMBÍDIO, COBRA-PRETA, GLOXÍNIA, LANDIM, MAITACA--ROXA, OITI-CORÓ, PENICILINA, SARANDI

219

M	O	X	V	U	E	S	D	D	U	E	F	K	N	U	H	Y
L	X	H	Q	K	D	G	U	A	P	E	V	A	L	H	N	Q
K	M	A	M	Ã	O	Z	I	N	H	O	Z	M	A	B	R	K
C	B	E	W	N	J	A	A	A	D	G	U	O	C	W	X	G
Z	O	J	T	R	V	Ç	O	M	H	M	R	T	R	I	B	R
T	D	T	U	U	A	Q	X	B	H	D	G	E	A	P	A	S
Q	N	G	P	R	Z	M	Z	É	I	R	N	Q	I	H	Y	N
C	H	A	T	S	R	Q	G	V	P	C	H	A	A	X	V	D
F	S	R	A	B	I	C	U	R	T	A	N	R	R	G	P	L
P	J	L	R	T	U	A	M	Z	I	H	U	T	C	S	G	Q
Q	S	A	R	A	P	Ó	W	I	S	E	R	P	E	N	T	E

ANAMBÉ, GUAPEVA, LACRAIA, MAMÃOZINHO, PAU-VIDRO,
RABICURTA, SAPUVA, SARAPÓ, SERPENTE, TRAÇA

220

H	W	F	R	E	D	C	E	G	Y	K	U	F	X	F	N	B
V	Y	U	H	I	M	O	A	Y	H	R	N	T	Z	M	V	I
I	G	I	P	V	Á	D	U	G	O	N	G	O	N	E	K	O
C	W	E	Y	B	A	V	W	O	H	B	A	O	C	A	F	I
W	C	K	O	C	A	C	N	T	P	E	P	Q	C	K	H	K
C	T	T	S	J	W	C	T	R	L	O	O	N	M	P	P	W
A	A	E	S	L	F	P	A	E	E	Y	C	N	W	P	K	A
J	P	R	E	G	G	I	U	L	V	J	U	V	E	C	N	U
C	F	N	P	C	W	Q	Y	A	H	R	J	X	Y	L	H	U
T	G	B	C	A	Z	U	Y	I	V	A	N	H	U	M	A	A
I	N	G	A	Z	E	I	R	O	U	A	U	D	E	P	A	L

ANHUMA, BACALHAU, CARPA, DUGONGO, INGAZEIRO, JATOBÁ,
LEOPON, PESCADA, PIQUI, QUELEA

221

T	R	M	Y	S	Y	J	S	K	H	C	R	V	D	X	B	O
M	J	U	Y	A	J	G	V	V	P	Z	O	Q	S	H	R	E
D	A	G	M	S	F	R	S	K	D	C	S	R	N	L	O	O
V	J	V	C	Y	Z	G	V	F	W	Q	A	I	G	A	M	C
P	A	T	A	D	E	L	E	B	R	E	D	F	A	O	É	Z
I	O	V	K	L	V	F	A	F	Z	E	E	F	K	L	L	W
I	U	S	V	P	I	E	R	T	V	J	S	U	U	Z	I	Z
X	G	C	J	U	O	Q	W	C	P	D	A	N	P	F	A	V
M	B	U	U	F	P	B	G	W	C	P	R	C	T	Z	I	M
W	S	F	U	T	A	D	D	T	L	O	O	D	U	Z	M	E
L	I	E	E	M	A	U	K	Q	F	K	M	A	J	U	P	R
K	K	C	O	D	W	M	V	V	H	D	F	B	B	N	E	C
C	Q	U	Z	Z	I	B	N	H	Q	K	U	M	I	V	R	U
H	M	V	R	C	G	A	T	A	M	B	U	A	Ç	U	I	R
L	Y	A	I	J	C	A	P	O	R	O	R	O	C	A	A	I
N	B	T	U	S	L	I	F	K	Z	D	D	J	R	L	L	N
D	M	Ã	N	Z	A	A	O	L	Y	B	X	C	G	O	D	H
C	B	F	C	O	F	B	C	O	O	C	C	E	U	E	F	O
N	D	O	Q	Y	M	L	I	E	S	D	Z	L	A	K	O	Y
R	Q	Y	X	A	V	H	A	Á	R	Q	C	T	X	I	C	I
Q	Q	P	J	E	S	H	I	M	C	O	N	W	U	G	C	C
Z	L	N	J	A	O	X	U	U	B	I	L	I	P	E	D	D
E	A	J	A	Ç	A	N	Ã	N	F	O	C	A	I	H	H	L
C	L	Z	Y	L	N	F	T	R	J	D	A	A	T	P	P	P
Q	T	H	U	N	O	G	V	J	H	B	I	I	A	R	H	W
K	Y	F	E	G	K	P	J	K	Z	S	A	K	Ã	L	K	D

ACEROLA, ATAMBU-AÇU, BROMÉLIA-IMPERIAL, CANJAMBO, CAPOROROCA, CUVATÃ, FLAMBOAIÃ, GUAXUPITA, JAÇANÃ, MERCURINHO, PATA-DE-LEBRE, ROSA-DE-SAROM, SABIÁ-CICA

T	R	A	U	Í	R	A	J	I	M	A	B	W	Q	A	L	J
P	F	B	H	Q	M	Y	M	C	T	G	A	M	X	L	D	T
I	C	F	O	J	I	F	P	C	Q	B	K	L	O	P	X	L
R	X	T	R	H	F	J	Q	C	Q	X	A	W	F	Y	E	B
O	Z	Y	R	T	F	T	P	L	J	S	K	I	P	D	R	F
C	B	A	P	U	C	W	W	R	T	S	A	P	O	T	I	X
D	P	Z	F	D	U	O	A	G	U	O	K	E	A	O	M	Z
T	Q	P	R	H	U	K	E	Y	H	O	N	A	G	I	F	W
J	I	X	K	T	V	D	E	N	T	E	D	E	L	E	Ã	O
A	A	A	V	O	C	Y	H	E	T	B	C	U	X	K	F	Y
E	S	N	W	T	F	M	R	N	Y	R	I	I	Q	S	Q	M
A	P	P	J	N	L	P	H	U	O	U	O	M	C	S	A	Z
J	L	S	J	E	O	C	Z	M	R	M	C	J	U	P	H	W
B	W	E	W	C	Y	R	R	C	O	G	K	N	O	I	I	O
P	U	L	I	Q	J	O	D	D	T	I	J	L	I	F	L	K
L	I	G	I	R	L	J	G	N	M	U	M	G	L	C	Y	F
P	N	C	A	F	G	T	Q	Q	L	C	A	Q	C	O	D	R
A	Y	S	Ã	I	O	C	U	R	R	I	R	L	H	H	V	W
D	P	R	I	O	Y	Y	C	L	S	Y	F	R	I	Q	N	Q
A	Q	J	A	S	P	L	Ê	N	I	O	K	H	C	O	P	G
X	T	V	N	W	H	R	Ê	E	B	P	I	T	O	M	B	A
C	P	E	P	F	H	T	E	W	A	J	E	T	P	Q	T	R
M	G	U	M	I	R	O	A	T	C	T	D	I	I	E	F	K
F	B	O	L	O	W	V	L	Z	O	Y	R	H	R	M	R	V
N	P	B	H	R	I	U	X	N	U	T	P	W	E	A	F	I
L	N	N	M	G	P	A	L	K	F	I	W	W	S	A	J	X

ANGICO-PRETO, ASPLÊNIO, ATEMOIA, CHICO-PIRES, COENTRO, DENTE-DE-LEÃO, FLOR-MORCEGO, HORTÊNSIA, PICÃO-PRETO, PITOMBA, SAPOTI, TRAUÍRA, TULIPEIRA

223

C A I Ç A C A G V V K O Y I B M X
C A R N E I R O Y S U A K R U J V
Z C R N V L B E L C Y T M C M R O
B Z I O Z M R T R J B L U L E X K
L Z S A N O Z C I X T R R L H S T
Q S S C E I R Y N O U T I L I U P
S E B J G L L T D A U Y R P M R V
S V T U F N B P P H L R V E E U W
X C F Z T H Y Y Q U C E J I R C A
T J E B X F O O A N G N L M O U P
F Z A G U C Z L N U B F L U P C U
Z X V K H N A K A O D M K C I U I
O J F S I U P M C R H P Q Ó Y A M
Q E Q Z B J U F O P R H O L K E D
F P B E C O V S N E L Q S E E I E
I Y P V B U M G D F N G W U R C C
I G B F C R Z P A X P S D S L J O
U C W K X U E E Z Y L H I E V B S
Y E H Z S B O F Z N Z S K A K V T
J Y A F H L W I O P S D Q D Q U A
T M A R M E L I N H O R H B J M S
S A G U I D E R O N D Ô N I A S A
X B L G E C C X X L Z C Z P T B Z
X N E K I P Ê A M A R E L O Y Y U
G A T U R A M O V E R D E J U N I
G T N Q Z C K K T Z V K Z O L I S

ALELUIA, ANACONDA, APUIM-DE-COSTAS-AZUIS, CAIÇACA, CAMOENSIA, CARNEIRO, CÓLEUS, GATURAMO-VERDE, IPÊ-AMARELO, MARMELINHO, SAGUI-DE-RONDÔNIA, SURUCUCU, URUCUM

A	S	A	L	G	U	E	I	R	O	V	E	C	T	J	H	B
E	M	E	U	W	Y	R	Y	F	Q	F	A	I	B	R	A	J
V	R	Q	I	P	O	M	F	T	T	I	Z	P	R	T	P	R
S	R	U	I	A	I	J	O	M	H	X	V	A	C	D	K	G
K	N	F	H	N	P	N	Z	C	B	L	J	U	G	L	L	S
T	X	M	R	G	L	Y	I	T	S	D	A	D	I	M	T	T
I	L	D	S	J	Z	L	D	R	L	L	J	E	W	G	S	K
O	V	O	P	O	K	F	K	R	E	T	S	P	G	L	U	B
F	K	B	Y	D	H	S	Z	R	K	V	C	O	E	F	M	S
A	X	G	S	N	A	P	T	B	B	B	H	M	N	Q	K	J
V	P	H	R	M	U	S	B	B	C	R	D	B	I	Y	N	J
E	J	O	G	R	E	C	F	L	H	Q	A	O	P	B	H	W
I	R	D	R	U	U	K	B	Y	D	U	Z	A	A	X	I	X
R	X	X	T	S	X	X	O	P	F	N	H	F	P	I	B	O
A	M	U	Y	S	I	I	I	W	B	W	A	V	I	N	Q	I
D	R	E	P	W	U	L	C	E	S	X	U	H	N	H	I	C
U	B	R	A	L	Q	H	I	X	I	P	K	Y	H	A	M	A
R	Z	H	G	Q	W	A	N	J	W	V	R	T	O	Í	E	L
A	K	S	A	V	W	H	I	P	I	N	D	A	Í	B	A	A
Q	R	U	K	T	M	X	M	X	Z	W	W	X	Q	A	R	N
T	T	J	D	P	S	H	C	E	G	I	X	A	K	L	A	G
K	K	H	E	T	Z	P	P	C	U	E	M	C	C	P	T	O
P	P	G	L	L	P	I	X	P	A	U	D	E	B	O	I	A
J	O	Q	S	N	E	O	E	W	I	F	B	J	Z	T	C	Z
I	T	X	W	P	K	P	M	Y	C	J	U	I	G	X	U	U
S	W	E	M	T	Q	D	R	D	Á	X	R	Y	T	L	M	L

ARATICUM, BOICINIM, CALANGO-AZUL, FAVEIRA-DURA, GENIPAPINHO, GUAICÁ, INHAÍBA, LICHIA, PAU-DE-BOIA, PAU-DE--POMBO, PINDAÍBA, SALGUEIRO, URUTU-ESTRELA

C	A	T	U	R	R	I	T	A	S	J	C	O	D	U	K	L
E	G	H	O	W	J	P	P	I	O	Z	C	P	C	K	I	O
H	D	W	B	C	R	P	S	Ê	C	A	N	G	A	M	B	Á
N	S	F	H	F	X	Z	X	O	D	P	I	E	O	I	G	P
Q	V	A	P	X	J	E	A	M	O	E	V	Z	M	P	F	A
Q	D	R	V	I	T	S	I	L	G	E	J	N	Q	M	B	R
X	N	W	D	A	N	A	N	L	C	K	F	A	Z	P	Q	A
R	D	X	S	C	C	P	M	N	X	M	E	M	R	V	J	R
F	V	A	V	N	H	U	H	Q	E	J	C	P	N	D	F	L
J	Y	O	W	F	L	V	D	J	W	U	D	X	B	R	I	O
P	Y	Q	X	R	T	I	S	E	V	P	B	R	W	H	O	M
J	P	T	K	N	B	N	U	V	C	H	I	M	C	B	Y	O
S	W	U	O	D	O	H	C	R	Z	O	F	W	S	Y	O	N
A	K	Q	Z	B	T	A	U	O	C	A	R	I	C	U	R	I
B	W	E	F	X	O	E	P	W	I	Q	A	O	L	V	I	O
O	H	X	G	S	D	L	I	Y	M	I	L	C	A	S	P	H
E	N	U	I	W	O	L	R	A	Q	E	Q	E	J	A	Q	X
I	L	V	G	E	A	X	A	J	M	R	N	B	X	X	X	M
R	E	H	W	E	R	Y	W	L	M	Z	L	O	L	M	F	H
O	M	X	D	G	A	R	Ç	A	A	Z	U	L	P	O	P	G
M	J	R	J	N	G	G	V	P	L	F	E	I	S	A	Y	O
U	A	K	T	S	U	X	Y	O	L	E	A	N	D	R	O	O
C	E	P	R	J	A	A	I	N	I	I	M	H	U	Q	V	C
H	A	J	N	Z	I	D	O	O	K	D	H	A	R	Z	U	G
Y	P	J	Y	A	A	A	H	T	M	T	J	R	M	A	L	M
Y	I	S	G	Y	W	P	Y	D	I	V	E	F	K	A	P	B

ARICURI, BOTO-DO-ARAGUAIA, CANGAMBÁ, CARDEAL, CATURRITA,
CEBOLINHA, GARÇA-AZUL, IPÊ-DE-JARDIM, OLEANDRO,
SABOEIRO, SAPUVINHA, SAVACU-DE-COROA, SUCUPIRA

A	E	J	N	U	W	I	R	P	C	Q	B	U	S	B	X	C
W	C	P	N	S	E	Z	W	Z	P	S	G	V	U	A	N	L
B	A	M	B	U	M	O	S	S	Ô	I	M	D	C	N	Z	N
I	F	C	J	Q	C	Z	B	A	A	Q	K	A	Z	N	G	G
Q	A	N	E	P	F	Y	U	S	F	Z	C	X	H	Q	P	R
B	R	J	R	K	Y	W	N	M	B	U	Q	O	L	C	N	O
K	J	I	T	U	L	I	P	A	C	Z	N	Z	I	A	S	D
F	C	D	O	D	A	Q	U	A	B	P	Q	A	G	L	K	G
X	B	Q	L	W	V	Q	J	E	X	P	T	M	H	A	I	U
P	B	Q	A	I	M	H	T	M	P	N	L	I	X	N	G	A
X	I	I	B	P	F	N	X	B	Z	K	K	O	S	G	U	R
S	F	V	L	L	J	Y	J	L	E	Y	V	C	W	O	T	I
W	V	T	L	Q	W	H	V	M	P	F	V	U	V	D	T	T
K	Q	M	Y	Z	F	H	B	T	E	H	R	L	L	O	Y	Á
T	X	A	S	B	A	Z	U	E	H	A	J	C	P	A	G	H
Z	W	R	O	J	A	L	L	U	Q	C	W	A	Q	B	C	U
P	V	A	B	L	M	O	T	K	Y	N	P	S	H	A	K	R
E	R	C	C	U	M	U	O	A	C	A	A	E	W	E	L	N
R	R	A	M	O	L	T	K	W	S	G	W	R	S	T	H	O
I	X	B	Ã	M	V	E	O	X	H	R	T	V	A	É	H	X
N	D	O	W	T	V	R	C	U	I	F	X	W	K	N	O	G
H	J	I	Z	H	H	E	I	W	S	F	A	C	G	H	H	H
A	O	A	A	S	A	D	E	T	E	L	H	A	M	C	S	A
S	A	P	U	V	U	S	S	U	X	A	H	F	N	V	J	Z
P	A	T	O	C	O	R	R	E	D	O	R	G	Z	R	D	X
R	G	U	G	Y	Y	R	V	K	F	W	M	Q	E	U	M	Y

ARANHA, ASA-DE-TELHA, BAMBU-MOSSÔ, CALANGO DO ABAETÉ, GUARITÁ, JACUCACA, JOÃO-MOLE, MARACABOIA, PATO-CORREDOR, PERINHA, SAPUVUSSU, TULIPA, ZAMIOCULCAS

227

D	E	S	L	H	I	I	W	E	Y	H	P	U	U	I	L	I
L	C	D	Z	G	K	M	V	N	U	B	Ç	V	D	F	F	U
T	T	I	E	W	K	G	K	D	X	A	U	H	F	G	N	Q
I	K	O	H	J	Y	P	O	A	Ú	R	W	V	S	N	N	Q
S	N	J	N	I	I	V	J	I	U	T	J	K	A	W	Y	T
T	W	E	C	Y	I	E	T	P	E	K	O	Z	X	Q	S	W
B	Y	Q	B	R	O	S	A	R	U	G	O	S	A	Y	A	U
F	I	N	A	M	B	U	C	H	I	N	T	Ã	K	W	B	H
Q	F	A	N	C	G	S	H	D	A	G	W	Z	O	V	I	R
Q	E	G	Q	A	B	L	T	A	B	X	R	V	C	Z	Á	R
E	S	Y	W	G	Z	W	C	I	W	F	L	H	B	H	G	W
H	T	S	B	S	U	W	E	P	Q	W	X	Q	B	C	O	B
B	U	L	A	M	P	A	W	K	L	A	R	L	F	U	N	K
E	C	Q	B	B	H	H	H	G	P	H	T	G	K	X	G	Q
J	A	A	O	V	X	U	C	Y	O	M	W	V	N	I	Á	H
V	A	E	S	U	G	T	Z	H	H	B	D	I	R	Ú	F	Z
T	Z	C	A	E	M	B	I	R	U	Ç	U	J	M	D	S	I
X	U	F	U	R	Á	G	L	S	K	T	N	S	M	E	F	Q
P	L	E	I	T	K	R	H	R	A	L	T	O	S	H	C	R
Q	F	W	L	N	I	Y	I	P	Ê	F	E	L	P	U	D	O
V	A	X	Y	N	M	N	N	A	M	D	D	D	A	M	I	L
K	D	J	Z	R	Y	X	G	H	K	D	Y	W	X	B	I	Y
U	V	A	C	A	M	C	R	A	U	I	M	Q	X	O	Z	M
D	B	Y	F	P	R	U	E	V	Q	D	E	U	G	L	Y	T
L	S	B	B	J	D	G	U	A	X	I	M	B	É	D	F	J
D	L	W	Z	N	R	O	M	T	A	J	R	V	T	T	M	B

BABOSA, CASEÁRIA, CUXIÚ-DE-HUMBOLDT, EMBIRUÇU, FESTUCA-AZUL, GUAPURUVU, GUAXIMBÉ, INAMBU-CHINTÃ, IPÊ-FELPUDO, JACUTINGA, ROSA-RUGOSA, SABIÁ-GONGÁ, TIÚ-AÇU

E	I	J	Q	A	B	B	S	T	O	S	A	P	Z	F	A	J
E	N	M	G	N	L	K	T	S	U	R	U	B	I	U	G	M
C	U	O	W	F	Z	B	T	U	F	Z	Y	A	G	C	C	I
H	C	K	R	S	Z	Y	A	L	Y	R	R	Á	V	W	F	P
F	I	F	V	M	C	A	T	T	K	R	D	D	C	Q	W	F
T	A	G	E	T	E	S	F	U	R	O	C	Á	G	A	D	O
O	C	Y	R	Q	T	C	N	P	G	O	Y	C	S	W	W	N
P	Q	Q	G	M	N	Y	W	N	D	J	Z	L	E	G	P	B
W	O	Y	M	F	M	Y	A	A	B	G	Z	R	N	J	U	S
A	A	Y	A	Y	P	L	Y	F	M	K	J	V	E	K	I	F
F	P	Y	F	P	A	P	H	R	X	D	Y	W	T	A	C	L
R	G	V	V	C	N	S	N	U	N	U	S	Y	A	Q	L	O
U	G	U	E	W	T	O	H	T	U	B	H	R	X	T	T	R
X	Z	Q	I	M	J	T	U	O	O	F	P	H	H	T	A	D
U	Z	Y	H	T	Q	H	U	D	Z	Z	Y	B	S	H	S	E
B	B	S	U	B	L	G	B	E	V	R	T	W	L	N	V	A
A	F	G	X	G	O	X	T	J	U	I	X	O	I	T	L	N
I	U	A	D	Q	M	R	P	A	X	R	F	L	P	N	O	I
A	A	R	S	I	I	F	E	C	Z	A	P	W	Q	V	G	S
N	N	E	C	N	W	P	P	U	R	J	R	C	S	U	X	Z
O	R	A	A	C	C	N	E	I	L	T	J	L	J	A	T	E
Z	C	T	G	E	H	P	V	N	A	C	Y	C	H	J	Z	E
N	U	I	M	L	E	K	A	I	V	G	H	Y	N	M	E	N
H	Y	H	S	E	U	W	Y	Q	L	Y	K	C	V	Z	U	N
T	R	E	P	A	D	O	R	Z	I	N	H	O	G	K	F	A
C	A	R	R	A	P	A	T	O	T	A	M	A	N	D	U	Á

ALBATROZ-REAL, CÁGADO, CALANGO-D'ÁGUA, CARRAPATO, FLOR--DE-ANIS, FRUTO-DE-JACU, FRUXU-BAIANO, PEPEVA, SURUBI, TAGETES, TAMANDUÁ, TREPADORZINHO, VIRA-FOLHA

229

M	U	S	S	A	E	N	D	A	R	O	S	A	C	Z	M	N
A	B	A	W	P	C	P	C	R	S	O	Q	B	K	F	V	H
R	J	N	Z	S	V	K	Z	D	B	E	H	W	F	E	Q	G
I	E	O	R	S	A	R	O	O	S	B	W	Q	S	O	O	T
A	I	G	M	D	G	J	U	P	J	O	H	T	N	R	V	I
S	Y	U	Q	Y	U	I	H	F	S	S	L	P	I	W	H	E
E	L	Y	B	S	A	S	T	E	M	J	B	E	D	U	O	T
M	O	W	U	W	Í	A	G	N	U	V	O	U	I	A	F	I
V	U	T	U	Y	G	I	U	C	P	M	O	Z	V	O	H	N
E	R	J	C	G	U	K	Y	Z	I	F	Z	G	W	A	U	G
R	O	G	Q	P	A	S	X	L	D	E	B	G	Q	H	Z	A
G	P	I	K	T	Ç	I	A	H	A	M	B	E	A	I	N	S
O	R	R	Z	V	U	X	N	R	O	Z	Y	N	Y	E	R	T
N	E	J	V	J	U	W	W	R	D	K	I	U	Q	R	V	I
H	T	V	C	Q	Z	A	L	Y	S	I	L	Y	I	I	X	R
A	O	H	Z	S	L	H	C	G	K	Q	N	B	E	S	F	I
M	A	C	K	G	E	P	I	N	H	Ã	O	H	D	A	S	R
N	M	F	L	Z	O	T	W	O	C	C	O	U	E	D	T	I
L	H	K	X	F	A	L	E	T	M	B	X	E	S	I	F	C
T	A	P	I	R	I	R	I	C	C	X	Y	S	S	N	R	A
B	O	I	A	C	I	C	A	F	A	U	L	G	G	H	R	A
A	F	E	X	B	B	Y	X	Y	N	P	Q	T	I	A	Z	C
H	X	I	Y	R	A	L	T	W	K	K	O	B	K	K	C	X
T	E	A	D	Z	L	W	L	G	R	M	L	T	N	K	P	T
L	C	D	E	O	T	C	S	N	Q	F	D	K	E	E	Q	R
D	H	C	U	F	M	R	B	A	L	K	I	D	B	S	K	Z

AGUAÍ-GUAÇU, BOIACICA, LIMOEIRO, LOURO-PRETO, MARIA--SEM-VERGONHA, MUSSAENDA-ROSA, PINHÃO, RISADINHA, SARDINHEIRA, SETE-CAPOTES, TAPIRIRI, TIETINGA, TIRIRICA

230

O	G	N	A	M	A	L	O	Y	E	O	Ã	M	C	P	C	Y
H	P	T	H	C	V	N	G	S	W	N	A	I	C	R	B	E
I	G	T	R	S	L	O	V	G	I	B	A	T	Ã	O	P	C
I	M	E	A	X	A	A	H	U	I	R	A	Ç	U	T	A	R
J	P	P	T	V	W	I	S	G	T	F	B	C	Z	O	U	B
W	P	P	D	R	R	Q	C	A	R	G	A	N	A	Z	S	Y
U	B	M	A	U	C	Q	M	A	A	I	N	S	M	O	A	H
Z	R	S	C	P	S	R	R	O	N	G	H	V	W	Á	N	R
Z	K	I	K	X	K	N	Y	M	C	G	C	L	J	R	T	G
W	N	G	E	U	I	G	C	N	K	H	A	X	H	I	O	R
D	G	N	Z	V	J	A	Y	X	P	Z	O	G	X	O	N	X

ARGANAZ, GIBATÃO, MOCHO, NICURI, PAU-SANTO, PERCA, PROTOZOÁRIO, SAICANGA, SUINÃ, UIRAÇU

231

M	C	V	W	T	Á	R	S	I	O	L	X	C	E	J	P	S
V	F	I	T	I	M	B	A	Ú	V	A	G	B	F	C	L	R
U	L	X	H	I	I	G	Z	E	Q	L	K	H	N	F	C	F
O	I	H	T	O	K	L	U	C	H	D	T	Z	P	M	M	J
F	O	A	T	R	F	G	O	R	D	I	N	H	O	H	W	U
N	R	D	Q	H	N	K	C	G	I	X	B	I	X	F	B	Ç
I	V	F	P	A	P	E	G	K	M	C	S	T	F	Y	P	A
N	G	R	S	R	F	J	Y	I	E	M	P	B	X	W	A	R
D	V	U	R	H	T	R	B	H	B	L	B	J	E	L	V	A
M	A	X	F	Q	Q	Y	R	X	Q	Ã	X	S	X	P	Ã	O
P	A	U	D	E	L	E	I	T	E	J	O	H	A	D	O	I

FRUXU, GIBÃO, GORDINHO, IRATIM, JUÇARA, PAU-DE-LEITE, PAU-SANGUE, PAVÃO, TÁRSIO, TIMBAÚVA

W	S	C	X	J	A	C	A	R	É	C	O	M	U	M	T	O
Z	A	A	A	D	J	A	S	M	I	M	A	Z	U	L	Ã	Y
J	T	V	R	S	X	Q	N	N	B	N	M	M	W	C	J	G
Q	R	B	T	S	T	Z	C	G	Z	R	A	V	A	C	W	G
E	Q	N	P	J	X	W	D	O	W	L	L	F	V	R	C	W
Q	M	H	X	K	A	S	U	G	B	K	A	G	C	B	Ã	L
M	G	Q	U	T	I	T	Y	Y	N	R	K	L	V	E	P	O
A	F	K	Z	W	E	B	J	Z	B	D	A	J	X	Y	Y	Q
H	X	E	N	T	G	V	E	O	K	J	K	D	G	J	P	C
P	H	F	V	C	A	Q	C	H	U	H	M	R	Á	C	V	V
X	P	U	W	Q	L	U	P	S	H	M	A	M	Q	G	O	K
R	G	V	Y	U	F	B	A	O	B	M	L	V	C	Y	U	O
Y	M	O	X	Z	A	K	G	R	G	A	O	W	A	E	G	A
Q	W	E	E	N	C	Y	W	X	I	I	B	G	L	N	B	Y
Z	N	U	O	I	E	X	N	Z	J	C	É	B	A	Y	V	Y
G	F	U	E	W	D	N	H	Z	G	S	L	M	B	A	A	S
M	D	U	B	W	Á	T	B	B	X	U	I	A	U	I	V	D
O	T	U	D	Z	G	L	U	N	D	X	A	I	R	P	E	G
U	E	Q	C	R	U	N	L	A	A	F	A	P	A	O	Y	R
R	Q	M	W	V	A	F	C	D	L	C	Z	K	E	M	F	D
H	S	H	M	T	Z	H	U	O	C	K	U	M	B	B	J	E
R	J	S	Z	S	E	D	N	A	B	X	L	H	I	E	A	P
J	A	R	A	R	A	C	A	B	I	C	U	D	A	I	Q	Q
C	E	H	E	C	P	T	B	K	P	B	O	W	R	R	H	F
X	Q	V	T	E	A	W	Q	X	M	K	Y	Q	V	O	X	K
T	A	V	W	H	G	X	K	X	F	P	K	J	F	T	P	G

ALFACE-D'ÁGUA, CALABURA, CAMARÃO, COBRA-D'ÁGUA, COBRA-FACÃO, GUAPEBA, JACARÉ-COMUM, JARARACA-BICUDA, JASMIM AZUL, LOBÉLIA-AZUL, POMBEIRO, TAUARI-CLARO, XIMANGO

B	M	Y	G	R	M	D	G	I	M	D	F	O	U	S	V	E
A	C	V	J	I	C	U	U	R	R	X	R	S	W	T	F	T
L	M	A	V	C	O	A	G	J	Q	R	R	I	S	I	J	N
E	E	R	Q	L	I	G	E	E	X	H	R	L	O	B	U	J
I	K	E	A	D	O	S	Q	D	L	G	U	X	T	P	Y	T
A	K	C	C	C	T	K	S	I	L	Q	O	Q	J	J	P	Q
T	U	A	K	F	E	J	Z	E	T	V	V	J	V	P	E	D
R	T	D	D	O	H	D	M	V	Q	F	L	K	H	P	O	D
O	J	O	K	Y	G	L	Y	I	W	G	S	J	Z	W	J	U
P	O	U	W	P	F	K	R	K	B	W	H	G	W	R	B	B
I	I	R	M	Y	C	Á	S	S	I	A	D	E	S	I	Ã	O
C	T	A	O	M	T	F	K	W	Z	B	P	M	T	L	P	X
A	I	D	N	W	H	W	I	J	C	L	N	H	C	R	G	O
L	C	A	L	C	G	A	F	A	N	H	O	T	O	Q	R	U
J	O	O	B	N	O	A	Q	L	Z	X	D	P	K	I	T	E
Z	R	C	G	R	F	J	T	S	D	O	E	G	E	O	A	S
U	Ó	B	W	V	L	A	O	C	M	E	Z	O	N	W	T	T
D	A	P	T	Z	Q	C	Y	L	Y	J	D	D	Q	S	U	A
G	Z	X	P	S	L	I	K	P	Z	O	J	K	H	F	M	L
P	I	J	A	D	P	N	M	A	G	F	K	M	C	V	U	I
S	K	J	K	W	O	T	F	L	N	R	W	H	O	I	L	N
P	M	U	P	G	B	O	A	V	B	S	M	K	J	S	I	H
S	A	G	U	I	L	E	Ã	O	Z	I	N	H	O	S	T	O
T	H	M	T	I	L	Q	D	V	D	T	J	A	N	I	A	R
M	L	O	R	Y	A	T	D	T	J	J	Z	V	Q	Á	S	I
S	A	Í	D	E	M	Á	S	C	A	R	A	P	R	E	T	A

ALGODOEIRO, ARECA-DOURADA, BALEIA-TROPICAL, CÁSSIA-DE-
-SIÃO, COIOTE, ESTALINHO, GAFANHOTO, JACINTO, OITI CORÓ,
SAGUI-LEÃOZINHO, SAÍ-DE-MÁSCARA-PRETA, TATU-MULITA, VISSIÁ

Q	Y	R	Z	O	G	M	C	H	Ó	L	V	D	O	N	S	Z
R	I	V	J	N	U	T	T	T	E	P	X	C	E	V	R	Z
M	G	O	K	I	U	T	O	P	R	G	H	W	V	I	N	T
V	W	G	Y	C	Q	T	Y	Y	E	O	J	H	P	P	Y	A
S	T	R	A	P	O	E	R	A	B	A	R	O	X	A	G	C
G	Q	C	M	R	U	Z	G	F	Y	H	R	U	P	S	R	H
L	A	A	O	J	M	S	M	E	Y	O	A	U	I	E	A	I
Z	J	M	Z	X	H	R	P	Y	T	E	T	P	Y	C	L	D
O	L	R	V	Z	H	K	B	C	A	N	E	L	I	N	H	A
D	Q	R	I	E	Z	O	S	W	H	G	T	A	Z	H	A	V
E	T	Y	E	N	B	Z	G	L	G	B	D	N	G	F	D	Á
O	X	Q	G	T	Y	F	I	N	C	C	O	T	F	C	O	R
D	B	E	Z	E	N	W	P	P	O	P	E	A	E	O	C	Z
R	I	O	S	M	H	F	Z	I	Ê	O	S	A	J	A	A	E
C	U	O	E	B	M	L	R	P	T	C	G	R	Q	N	M	A
S	R	A	F	I	E	E	A	I	B	G	U	A	N	M	P	T
J	L	B	S	R	W	C	U	Y	A	U	T	M	V	N	O	B
O	C	G	F	E	T	Q	H	R	N	H	J	E	B	S	F	O
X	F	R	Y	I	I	B	I	L	P	B	W	R	I	U	X	Q
W	M	M	B	R	R	E	D	E	D	G	W	B	I	G	C	M
J	G	K	E	A	T	A	R	U	M	Ã	T	U	Í	R	A	A
K	E	P	B	I	L	I	J	I	C	I	D	R	E	I	R	A
L	H	X	A	E	H	T	K	T	Q	A	N	P	Z	I	H	U
G	P	G	L	G	F	P	J	C	T	X	G	O	P	X	B	B
D	A	J	R	E	A	W	H	C	Z	A	I	S	R	D	P	X
C	P	R	U	X	B	U	O	K	A	B	G	C	W	L	U	O

CAGAITEIRA, CANELINHA, CIDREIRA, EMBIREIRA, GRALHA-DO--CAMPO, IPÊ-CUMBUCA, MOROTOTÓ, PERIQUITO, PLANTA-ARAME, TACHI-DA-VÁRZEA, TARUMÃ-TUÍRA, TOROPI, TRAPOERABA-ROXA

A	H	F	D	M	E	P	B	K	R	B	J	K	A	B	A	E
U	R	J	J	E	C	F	P	V	F	K	C	R	B	B	L	L
S	T	R	F	A	E	S	X	Y	N	L	E	H	K	Q	G	Z
Q	G	W	U	W	I	Z	B	D	E	M	V	D	L	S	L	E
C	F	Q	A	D	F	S	M	Q	G	W	X	T	B	P	D	H
K	C	Q	C	Q	A	Z	N	Y	A	S	X	W	V	H	O	H
U	B	G	J	Y	A	D	N	X	K	L	I	R	I	P	E	Z
Z	Q	O	D	Q	M	L	A	A	W	T	Q	Z	R	T	H	A
A	O	D	O	O	W	Z	N	M	G	M	E	R	I	I	R	C
I	N	G	A	Z	E	I	R	O	A	H	P	E	R	U	C	Á
Z	Y	G	O	A	M	F	S	K	B	T	L	F	H	A	A	G
C	G	D	G	R	T	G	A	E	R	E	A	Q	N	D	V	A
R	G	M	F	O	T	H	J	Y	D	H	D	A	M	E	A	D
I	U	U	Z	E	E	T	C	U	U	I	V	V	Z	I	L	O
C	I	P	E	I	M	Q	A	N	M	O	I	D	J	N	O	D
R	C	N	Z	R	B	P	B	A	R	S	A	H	M	S	M	E
I	O	U	G	A	E	S	V	E	T	J	D	O	R	T	A	H
Ó	P	L	A	D	T	Z	P	H	R	P	Ã	U	K	O	R	O
I	S	T	F	O	A	L	M	G	J	I	I	V	P	I	I	G
R	I	J	J	C	R	U	R	L	R	U	M	P	S	M	N	E
K	V	G	E	A	I	X	F	U	I	C	J	L	V	B	H	I
P	I	T	O	M	B	A	D	E	L	E	I	T	E	I	O	H
J	U	T	G	P	E	D	V	M	T	K	H	E	K	R	I	L
S	Y	W	I	O	Z	B	E	O	E	A	Y	G	X	U	Y	U
X	X	K	Z	X	A	G	I	J	A	E	W	K	O	Ç	P	K
T	I	C	O	T	I	C	O	R	E	I	B	N	Q	U	A	F

AROEIRA-DO-CAMPO, ARRUDA DA MATA, CÁGADO-DE-HOGE, CAVALO-
-MARINHO, CRICRIÓ, DURIÃO, IMBIRUÇU, INGAZEIRO, PAU-DE-LEITE,
PEROVANA, PITOMBA-DE-LEITE, TEMBETARI, TICO-TICO-REI

236

A	N	G	I	C	O	R	O	S	A	F	Y	X	G	B	J	P
Z	M	O	A	A	B	R	E	A	S	A	D	O	A	C	R	E
H	B	Y	B	B	P	M	Ã	K	K	K	E	F	M	I	W	Q
Z	C	V	C	U	D	N	Y	W	W	Z	K	E	J	P	B	W
I	C	R	Q	M	A	D	C	J	Q	L	O	P	S	M	J	N
C	Q	U	J	A	E	I	R	F	L	F	H	H	V	O	G	G
V	S	T	C	R	H	Q	B	F	N	I	E	C	H	E	X	C
Y	C	Í	Q	I	C	V	M	C	Y	X	A	N	G	A	O	I
C	U	U	K	A	U	A	P	W	T	B	I	I	H	C	R	A
C	M	E	B	P	R	V	H	Y	Ú	D	A	M	E	E	I	W
Q	M	U	X	R	Z	V	V	A	U	E	G	V	L	B	I	P
V	F	X	N	E	O	R	C	I	S	N	T	K	U	N	U	Y
M	Q	P	Q	T	S	A	M	V	N	P	Q	J	U	B	V	P
C	S	K	L	A	M	K	L	N	Q	K	U	I	F	D	A	E
B	Y	B	U	D	N	A	I	S	P	C	Y	K	Q	E	C	R
A	W	T	C	O	M	B	A	T	E	N	T	E	J	B	U	O
X	V	S	N	N	S	I	S	V	G	K	J	I	U	O	R	B
R	A	E	H	O	C	S	P	Z	W	R	I	M	S	I	I	A
J	U	G	Q	R	X	I	E	B	N	M	N	Z	M	C	C	O
Y	W	O	D	D	Y	M	V	P	X	M	A	O	M	O	A	S
J	C	G	D	E	B	A	V	F	J	X	A	Z	C	R	C	S
A	L	H	O	S	O	C	I	A	L	N	K	R	H	Á	A	O
C	F	K	M	T	I	S	U	C	O	L	S	S	G	H	R	G
W	Y	E	K	E	W	F	G	Q	W	Y	L	W	N	O	E	B
F	L	O	R	D	E	L	Ó	T	U	S	V	Z	P	E	A	I
W	D	O	X	K	E	R	E	E	S	O	U	C	F	J	L	E

ABRE-ASA-DO-ACRE, ALHO-SOCIAL, ANGICO ROSA, BOICORÁ, COMBATENTE, CUÍCA-ANÃ, CUJUBI, CURICACA-REAL, FLOR DE LÓTUS, MACAÚBA, MARIA-PRETA-DO-NORDESTE, MIUDINHO, PEROBA-OSSO

237

O	E	I	C	J	B	P	I	G	B	O	J	N	A	P	F	S
E	S	E	W	O	K	E	H	B	T	R	G	P	T	G	W	N
K	J	W	R	A	X	A	L	D	P	S	T	Y	D	C	O	L
W	E	C	C	H	N	I	P	A	W	I	V	M	M	L	K	V
Z	I	P	X	I	U	F	T	Q	E	N	K	V	C	A	B	A
A	S	P	I	D	I	S	T	R	A	M	U	D	H	R	Y	D
V	M	T	O	O	V	F	C	K	S	F	Í	X	R	A	X	E
O	Q	C	Y	Y	J	I	O	F	U	A	G	L	S	Í	J	B
J	P	R	C	E	C	A	B	D	K	R	F	R	I	B	B	X
C	B	P	T	I	S	B	R	H	X	H	A	B	B	A	C	I
C	A	Z	A	P	P	P	A	T	U	F	V	M	Z	W	A	I
F	Z	M	C	A	Z	K	C	H	N	G	E	Y	F	H	P	I
V	D	K	O	I	M	L	O	R	A	Q	I	E	J	H	U	E
I	F	E	M	M	T	F	R	A	J	C	R	U	C	W	T	U
J	B	V	R	O	I	X	A	S	V	O	O	E	X	T	U	C
M	S	R	O	Y	R	L	L	S	V	P	D	H	A	A	N	Y
F	L	O	R	C	A	M	A	R	Ã	O	O	Q	Y	M	A	H
J	V	F	M	U	Y	L	Á	S	T	D	C	E	B	A	P	H
T	I	H	P	H	Z	A	G	D	Z	E	E	J	F	N	S	V
T	C	I	T	F	D	Q	U	V	I	L	Z	L	H	Q	L	A
O	O	R	V	O	C	H	E	Z	G	E	A	U	S	U	H	C
F	L	I	T	J	X	D	L	S	L	I	N	E	S	E	F	Q
I	A	A	L	M	T	H	Y	G	O	T	B	N	E	I	E	V
P	R	J	I	O	C	B	L	E	W	E	W	V	G	R	Q	G
M	O	Y	D	R	U	I	Q	K	Q	F	R	I	S	A	D	A
X	N	R	L	J	O	R	M	A	N	G	A	R	O	S	A	P

ASPIDISTRA, BELA-EMÍLIA, CAMOMILA, CAPUTUNA, CLARAÍBA, COBRA-CORAL, COPO-DE-LEITE, FAVEIRO-DOCE, FLOR-CAMARÃO, FRISADA, MANGA ROSA, RATO-DA-ÁRVORE, TAMANQUEIRA

238

M	H	S	T	Z	C	O	T	P	X	J	C	J	H	R	L	V
W	H	U	U	F	P	M	V	W	C	K	X	T	I	K	K	D
G	J	A	R	A	R	A	C	A	D	O	S	U	L	K	Z	Y
U	Q	Ç	A	Y	I	G	T	H	G	J	S	O	N	I	C	A
A	P	U	Q	M	F	P	V	T	G	J	H	L	D	X	E	Y
Q	G	B	G	I	K	U	M	T	H	T	G	R	P	T	N	Y
S	O	O	Y	R	M	V	I	D	J	I	E	M	Z	M	F	H
V	R	I	P	E	Z	N	B	B	V	P	W	B	R	E	K	O
S	K	A	K	F	P	P	C	J	R	Z	L	M	A	G	K	J
V	O	A	S	I	H	K	U	T	I	Ê	C	A	B	U	R	É
Z	P	V	F	D	X	Z	Z	C	H	H	D	W	O	M	X	I
C	W	J	K	V	B	W	U	Y	W	A	H	H	D	S	I	C
A	R	R	E	D	I	O	D	O	R	I	O	L	E	B	K	Á
G	P	L	H	S	O	T	Q	M	F	Y	X	R	T	F	Y	G
L	P	Q	I	D	G	Q	D	A	R	U	J	Z	U	F	H	A
O	M	L	E	W	O	L	U	A	Y	Y	V	G	C	M	G	D
I	Q	E	R	V	A	C	I	D	R	E	I	R	A	G	A	O
D	N	X	J	V	U	F	F	V	W	C	F	W	N	Ç	V	D
X	F	Q	K	C	X	A	G	O	E	I	J	O	O	Q	W	E
T	T	O	U	P	W	J	F	U	C	G	H	M	Z	D	I	P
D	I	R	N	W	S	J	T	U	R	Y	E	R	L	H	Y	O
M	U	R	U	C	U	T	U	T	U	D	J	H	Y	I	G	Ç
S	C	A	B	I	Ú	N	A	R	A	J	A	D	A	T	M	A
P	Q	B	I	U	Y	H	B	T	W	H	Z	M	X	N	X	S
F	T	M	S	D	X	P	I	C	W	K	F	Q	U	P	J	C
N	D	V	U	E	Q	F	O	M	X	P	A	T	R	O	N	A

ARREDIO-DO-RIO, CABIÚNA-RAJADA, CÁGADO-DE-POÇAS, ERVA-CIDREIRA, FITA-DE-MOÇA, JARARACA-DO-SUL, MURUCUTUTU, PATRONA, PERDIZ, RABO-DE-TUCANO, SUAÇUBOIA, SURUCUCU, TIÊ-CABURÉ

239

W	C	S	C	B	E	O	F	U	W	V	R	R	Y	C	Z	S
V	L	A	M	D	R	U	D	U	P	X	M	G	F	G	A	X
T	X	M	V	I	H	B	Q	B	B	C	T	H	H	N	C	Y
B	I	A	E	Z	M	S	K	J	A	Q	M	X	H	A	E	B
O	J	M	M	R	N	J	Q	E	T	W	U	G	K	E	H	R
K	I	B	I	V	K	M	D	E	C	R	C	I	G	T	E	N
V	P	A	Q	E	E	U	E	E	E	N	M	A	O	K	I	K
F	B	I	D	W	N	B	D	F	N	M	Q	A	X	P	K	F
S	E	A	Z	F	E	E	W	D	G	U	Y	U	M	Y	É	L
V	A	F	P	N	L	T	A	P	O	F	P	I	O	B	X	O
W	N	P	C	P	N	O	J	D	T	B	X	P	M	J	M	R
W	T	S	F	G	N	D	R	U	R	W	H	U	O	A	Y	D
L	V	B	D	A	T	Z	R	D	W	V	X	D	G	X	K	E
X	R	Y	F	N	W	V	M	M	E	A	H	K	J	K	M	P
J	Y	B	S	V	H	U	L	J	U	C	U	V	D	S	A	A
Q	D	A	S	T	I	D	B	G	U	T	E	M	F	D	R	G
C	K	S	M	W	Q	B	W	G	Z	C	X	T	K	P	A	O
Y	G	I	I	E	T	A	J	S	T	U	C	E	I	U	N	D
B	I	X	L	B	J	T	C	A	L	Á	D	I	O	M	T	E
N	F	S	O	V	G	U	I	J	Q	J	Q	I	D	X	A	M
T	Q	U	D	X	A	Q	S	L	L	R	A	P	A	L	C	J
Y	B	B	O	I	Q	U	I	R	A	C	G	I	R	E	I	P
E	H	Y	N	Q	H	E	P	B	V	P	O	M	V	I	N	E
P	I	M	E	N	T	I	N	H	A	K	Z	V	Q	G	Z	Q
N	O	G	U	E	I	R	A	P	E	C	Ã	E	E	I	A	T
M	Z	P	K	Q	J	O	P	I	A	U	P	R	E	T	O	M

BATUQUEIRO, BOIQUIRA, CALÁDIO, FLOR-DE-CETIM, FLOR-DE--PAGODE, GUAXUMBÉ, MARANTA-CINZA, NOGUEIRA-PECÃ, PIAU--PRETO, PIMENTINHA, SAMAMBAIA, SMILODON, VIMEIRO

S	M	W	V	J	S	Z	W	H	T	X	A	R	R	O	T	S
V	W	W	C	C	Q	I	I	M	H	D	X	A	O	G	I	O
K	Q	X	O	Z	V	X	D	C	R	O	C	T	Q	A	M	D
C	M	L	C	W	W	L	M	A	U	I	S	S	P	L	G	H
Q	Y	H	P	U	L	A	P	U	L	A	Z	P	D	G	D	E
N	X	O	G	G	I	A	T	T	P	R	M	V	C	V	T	X
I	F	X	J	A	I	K	R	A	T	Z	S	B	D	I	Q	M
E	J	O	Ã	O	D	A	P	A	L	H	A	H	O	W	Z	U
Z	H	J	B	C	A	M	U	C	A	M	U	N	F	I	I	E
K	A	I	L	V	I	O	V	O	D	D	A	S	X	V	A	V
C	J	K	P	L	I	E	E	Y	V	O	B	O	D	G	E	L
G	L	Q	C	A	B	E	Ç	A	B	R	A	N	C	A	M	C
J	G	X	C	P	N	H	E	R	G	R	T	Z	A	X	T	S
U	G	M	I	V	J	C	F	R	V	M	Y	E	C	R	O	N
V	V	U	S	N	C	S	E	O	H	H	R	H	O	L	V	B
F	Z	J	D	Q	J	O	N	E	X	J	H	O	E	J	R	O
S	W	A	M	G	H	T	B	I	L	A	Q	R	H	M	O	M
D	T	K	O	A	P	O	Q	R	Y	W	A	A	G	R	N	D
R	W	E	X	R	H	A	N	A	A	M	N	S	T	O	K	T
C	F	U	O	T	W	G	P	Q	A	J	X	F	E	B	Z	T
L	I	R	R	U	E	E	V	U	E	U	E	J	H	A	K	I
P	F	G	Y	G	M	Q	A	F	P	H	Y	R	M	L	R	K
K	G	X	F	S	N	P	N	S	P	Q	A	H	I	O	Q	V
A	J	P	J	O	Q	O	I	Q	M	X	Q	V	I	C	M	S
L	H	B	X	O	B	E	X	S	Y	D	T	K	E	T	O	Z
I	N	X	B	D	Y	Q	X	X	P	X	E	I	U	J	L	Á

AROEIRA, BOA-NOITE, CABEÇA-BRANCA, CAMU-CAMU, COBRA--JERICOÁ, CUAMBOIA, JIBOIA-PARDA, JOÃO-DA-PALHA, LIMPA--PASTO, ONZE HORAS, PAU-AMARELO, PULA-PULA, ROBALO

241

V	T	I	X	N	G	V	C	A	P	H	A	E	H	F	H	H
Z	G	U	A	X	U	M	B	É	L	H	B	M	G	S	T	N
Z	F	U	O	V	P	A	G	A	M	B	Á	C	U	Í	C	A
M	O	L	L	R	D	I	X	W	A	U	P	C	V	Q	D	C
D	N	A	E	U	A	T	X	D	X	J	I	G	V	Q	Q	B
U	L	M	J	A	B	A	O	K	W	B	A	R	B	O	Z	A
N	B	F	A	W	A	C	R	L	P	G	L	H	B	Q	D	I
V	L	F	C	A	R	A	N	G	U	E	J	O	V	T	Z	A
M	A	Q	M	U	A	D	A	N	O	Y	J	O	W	N	J	C
A	F	A	T	C	T	U	G	Z	J	A	C	A	M	I	M	U
P	X	G	Z	H	A	D	F	M	D	J	I	D	Z	F	S	N

BAIACU, BARATA, BARBO, CARANGUEJO, CUÍCA,
GAMBÁ, GUAXUMBÉ, JACAMIM, MAITACA, TURCO

242

X	X	U	S	Y	E	O	R	Z	B	M	D	S	X	F	C	Í
O	K	C	G	M	E	R	L	U	Z	A	F	V	A	S	O	O
U	U	S	N	P	L	I	E	H	H	O	O	G	O	C	L	K
F	R	R	W	I	P	R	G	Q	H	T	N	G	O	C	O	Z
K	F	E	I	B	X	M	V	O	V	A	C	S	G	G	J	V
S	T	V	D	E	D	G	S	Z	G	F	Y	X	F	U	W	Z
G	U	A	I	V	I	R	A	N	C	U	L	G	S	A	O	J
E	X	G	N	X	D	R	I	T	N	S	I	Z	I	R	M	O
P	I	Q	U	I	Á	S	O	Q	S	E	P	G	X	I	B	N
Q	I	Z	F	F	F	O	Y	R	K	L	I	R	Ó	B	A	S
J	A	G	W	Z	I	Q	R	Z	A	O	A	U	P	A	T	P

FUSELO, GUAIVIRA, GUARIBA, GUIGÓ, MERLUZA,
OURIEIRO, PIQUIÁ, SINGANGA, SOCOÍ, WOMBAT

243

O	Q	H	K	I	C	O	O	A	T	I	S	L	Y	E	E	S
F	F	G	W	I	O	L	H	O	D	E	C	Ã	O	Z	B	E
R	O	D	H	G	A	C	Ã	A	C	M	Y	P	T	K	W	F
M	O	U	A	D	Z	R	Ó	I	S	F	Z	V	U	H	L	L
O	S	B	T	L	U	T	H	P	O	C	C	M	M	K	I	S
F	N	V	C	O	R	E	D	F	S	A	O	N	N	N	F	A
R	Q	H	S	T	E	Y	N	G	Q	I	S	R	L	P	H	V
K	M	S	P	D	D	R	D	E	M	A	A	A	Q	M	U	G
M	A	S	A	B	I	Á	D	E	Ó	C	U	L	O	S	X	I
V	P	E	N	T	E	D	E	M	A	C	A	C	O	R	Q	G
I	M	L	W	A	O	K	I	Z	R	L	U	T	F	S	P	K
K	R	C	U	A	M	F	X	W	H	T	O	Y	M	W	H	F
I	J	F	P	A	U	J	A	N	G	A	D	A	W	G	U	M
H	J	O	S	T	A	A	Q	Q	Z	Y	Y	C	Y	A	B	A
W	F	I	M	M	N	V	E	D	I	A	B	A	A	V	W	N
L	X	V	I	O	B	P	G	B	L	M	G	R	P	I	J	R
V	C	Á	S	S	I	A	M	I	M	O	S	A	G	Ã	N	F
N	Y	X	U	M	X	X	R	Y	Y	A	W	Ú	A	O	O	L
L	D	O	L	Q	D	K	Z	U	O	H	H	N	P	T	L	W
S	A	N	P	T	C	R	T	B	M	C	K	A	M	E	W	O
U	D	S	S	D	L	Y	J	G	X	B	I	B	A	S	N	S
F	Y	I	L	C	Í	N	W	S	U	U	E	G	R	O	F	G
W	N	X	S	D	V	Y	P	K	Q	N	G	V	V	U	K	K
D	A	R	A	R	I	B	Á	R	O	S	A	Z	A	R	T	V
T	I	Ú	D	A	A	R	E	I	A	Y	Y	F	O	A	F	T
W	M	J	L	G	O	J	U	P	B	C	Y	V	C	S	H	T

ARARIBÁ-ROSA, ARUMBEVA, CARAÚNA, CÁSSIA MIMOSA, CLÍVIA, CÓPSIA, GAVIÃO-TESOURA, OLHO-DE-CÃO, PAU-JANGADA, PENTE--DE-MACACO, SABIÁ-DE-ÓCULOS, TIÚ-DA-AREIA, VASSOURÃO

F I W J S E N M I O R X D Z Z M L
P O P J R T O C H J H O X F Y S D
Z N L M E T W L R C G E P E D A Z
Z N Y H I Z I X J J L H M Y E Í O
G K R W A R T B N U M M I O Z R W
N V L Q A D A W N I G W C X L A L
W Q C D B B E H A T A Z U C C L A
C Q N M C Y Y B V C I V M U H A G
Q A R Q Q A L Z O T T I A I Z G A
Y V M F P N N F T R W S R T Y A R
F P A V U G C S M W D P U E J R T
O I T I C I C A X P C O R L H T O
O L U A P C J Z B P T L O Ã I A T
V E V G N O G H E M K D X O B S E
S B A Q P B X C K C B P O G R G J
U Y D M P R T A Z E E D L U A D U
F M O S E A R N P D D K H O Ú R J
T Z J J G N T U X R M O X T N P X
S M A F S C R W B O Z V J O A C Y
B F P E J O J M C A L W V R P F O
X H Ã B H G U M M M A Y M O A Z I
S X O G A R O U P A W W I R R D O
E F Y I G L I Z H R L P N Ó D G M
O V F V Y E Y Z H E I Y X U A D L
O K Q I O L B W N L Z O B B K V H
C U O Z G C P A H O O R Q N F Z G

ANDARILHO, ANGICO BRANCO, BRAÚNA-PARDA, CEDRO-AMARELO, CUITELÃO, CUMARU-ROXO, FOLHA DE BORDO, GAROUPA, LAGARTO--TEJU, OITICICA, SAÍRA-LAGARTA, TORORÓ, UVA-DO-JAPÃO

Q	J	S	K	D	T	L	S	W	U	J	I	P	L	H	A	Y
U	N	M	K	R	R	Z	T	W	X	B	W	Y	Y	F	L	C
A	R	O	E	I	R	A	B	R	A	N	C	A	C	P	E	Q
J	A	R	A	R	A	C	A	I	L	H	O	A	A	I	C	K
J	O	W	T	X	L	U	D	L	M	T	S	W	L	S	R	S
O	T	H	D	N	B	K	Z	C	G	K	V	P	A	L	I	C
U	C	E	S	L	O	R	C	Y	N	C	N	U	N	A	M	H
T	T	W	G	S	F	G	H	B	I	C	Z	W	G	V	D	O
A	J	C	X	L	C	J	A	F	R	A	U	B	O	D	E	Q
M	P	R	N	G	G	M	L	A	J	Z	P	V	C	M	C	U
A	E	M	A	E	Z	R	C	J	C	L	S	O	O	I	A	I
N	S	J	J	C	Z	C	H	L	Q	J	G	S	R	M	M	N
Q	U	G	P	S	V	N	A	B	K	A	W	T	A	O	P	H
U	M	F	V	P	X	X	L	L	M	N	J	Z	L	V	I	A
E	C	B	A	Q	U	I	L	É	G	I	A	L	C	W	N	M
I	U	H	J	F	Y	H	B	Y	C	P	C	P	Q	A	A	I
R	S	P	E	F	E	L	K	T	X	A	A	Z	M	P	S	Ú
O	D	F	D	S	I	H	B	H	B	R	R	C	W	H	Q	D
U	E	D	C	V	V	C	M	P	D	A	É	P	O	Y	U	A
X	Q	P	C	L	T	D	R	D	W	N	A	Y	U	Y	O	X
A	E	Q	U	I	M	E	A	F	O	D	Ç	M	X	F	N	U
B	N	P	F	Y	E	C	D	G	F	I	U	H	V	Q	Q	I
N	A	Y	P	Q	X	H	D	B	Z	B	N	F	L	N	H	E
H	B	G	Y	D	O	P	J	J	O	A	I	Y	Q	N	O	J
V	Z	P	R	N	E	Z	M	H	A	S	S	N	X	N	T	M
T	U	R	U	R	I	M	U	G	C	U	R	U	D	I	Ú	C

AEQUIMEA, ALECRIM-DE-CAMPINAS, AQUILÉGIA, AROEIRA-BRANCA, CALANGO-CORAL, CHAL-CHAL, CHOQUINHA-MIÚDA, CURUDIÚ, JACARÉ-AÇU, JANIPARANDIBA, JARARACA-ILHOA, TAMANQUEIRO, TURURIM

A	C	R	Z	X	L	E	C	O	S	L	R	T	G	E	E	V
Z	I	R	G	F	T	Q	U	Q	A	S	X	Z	N	H	Y	S
O	I	W	J	P	I	G	I	U	K	R	I	N	L	V	A	C
Q	J	K	H	A	B	L	X	W	Y	F	H	H	A	I	D	U
W	F	V	X	A	O	P	Y	F	E	X	N	B	O	O	R	M
O	B	D	H	Y	R	Y	D	A	G	J	Y	B	V	W	E	A
A	E	U	K	B	N	P	D	A	P	Z	M	X	O	C	Z	R
Z	B	B	P	F	A	W	V	S	A	A	D	E	R	J	T	U
U	A	X	E	L	W	Ú	V	C	R	C	U	T	E	I	R	R
K	C	B	M	O	E	W	P	A	L	A	O	V	L	B	K	O
B	A	A	D	D	I	I	R	S	C	K	P	P	H	A	B	S
P	M	C	N	E	S	A	Y	H	M	Z	E	F	A	M	Q	A
H	A	U	Z	V	M	U	E	I	P	T	B	R	D	Í	Z	U
E	R	R	G	L	S	C	S	Y	C	Z	A	O	E	B	B	Z
U	Ã	I	D	B	M	H	B	O	I	Ç	U	N	U	N	G	A
W	O	A	M	G	T	W	P	Z	J	Q	V	Q	R	G	B	J
L	Z	Z	Z	I	Z	A	P	U	A	L	X	I	S	X	U	T
Y	I	E	X	C	E	G	O	N	H	A	M	P	O	Y	W	G
C	N	D	F	Z	F	U	Ú	J	B	R	M	Q	N	V	W	I
U	H	O	D	U	E	A	F	I	B	F	I	J	V	H	G	B
Z	O	Z	X	J	R	F	O	M	X	U	V	F	M	Q	M	U
Q	G	P	M	A	C	A	C	O	D	A	N	O	I	T	E	G
B	O	B	U	K	W	Q	G	K	S	W	P	J	J	Z	V	L
E	N	G	U	W	P	T	M	K	K	Z	D	O	G	D	E	P
T	K	J	K	G	D	C	U	J	J	C	D	I	F	G	C	Y
P	N	H	J	A	R	A	H	H	E	R	A	R	O	X	A	K

ARARAMBOIA, BACURI-AZEDO, BOIÇUNUNGA, CAMARÃOZINHO, CEGONHA, COPAÍBA, CUMARU-ROSA, GUARAÚNA, HERA-ROXA, MACACO-DA-NOITE, ORELHA-DE-URSO, TIBORNA, URUNDEÚVA

U	J	K	N	P	W	K	A	I	Z	H	V	Q	Z	X	P	H
P	C	O	M	E	L	E	S	M	A	B	Z	A	B	D	C	E
N	I	Z	P	C	J	P	K	W	O	C	N	W	M	W	X	R
Q	X	U	A	C	Q	W	C	U	O	B	X	P	B	R	P	I
L	G	D	K	Y	L	F	P	V	N	L	B	Y	Y	J	B	B
N	P	J	J	C	C	H	G	P	N	P	T	T	U	E	T	I
F	T	C	D	M	R	L	V	E	M	B	D	O	B	B	I	R
V	Q	X	P	K	G	P	H	U	J	Z	I	R	E	W	R	U
D	P	Y	L	O	U	R	O	M	O	L	E	D	B	W	I	A
X	B	A	N	U	V	Y	T	X	R	E	O	E	D	F	B	P
N	L	D	F	D	K	B	T	W	Y	O	T	I	C	Z	A	B
Y	A	R	A	Ç	A	T	U	N	G	A	P	A	L	H	D	A
Y	B	Z	V	F	P	A	E	Z	P	E	G	P	G	Z	E	T
E	Y	U	C	O	C	D	B	C	I	H	F	E	D	I	O	E
F	N	R	H	L	C	Q	I	C	P	N	Z	P	O	L	R	P
E	I	J	O	H	R	D	X	L	F	R	R	I	I	M	E	Á
Y	X	C	K	A	N	S	O	A	Q	G	I	C	N	U	L	R
S	N	N	H	D	Z	F	K	F	N	B	E	H	V	C	H	A
X	O	L	L	E	E	W	B	C	C	O	T	O	V	I	A	S
R	C	H	E	S	I	M	P	Q	L	T	W	R	V	E	B	A
C	P	I	Z	E	E	R	H	H	P	O	L	O	G	V	R	R
K	E	R	I	R	U	A	A	R	H	C	Q	R	Y	L	A	E
T	I	H	E	R	R	P	E	Q	U	I	Á	É	V	R	N	N
P	M	O	H	A	J	L	H	E	R	N	Y	Q	K	T	C	Q
Q	Q	Y	K	U	F	F	O	V	M	Z	Q	C	H	D	A	U
K	T	B	O	H	W	U	M	M	V	A	F	R	V	J	K	E

ARAÇATUNGA, ARENQUE, BATE-PÁRA, BOTO-CINZA, COME-LESMA, COTOVIA, FICHEIRA, FOLHA-DE-SERRA, LOURO MOLE, PEQUIÁ, PICHORORÉ, TIRIBA-DE-ORELHA-BRANCA, TORDEIA

L	I	C	A	S	T	A	N	H	A	D	E	C	U	T	I	A
J	O	T	H	O	N	F	B	S	D	Z	I	S	I	S	H	L
A	P	K	D	W	K	E	V	E	A	D	E	I	R	A	E	D
M	T	A	C	O	B	R	A	V	E	R	D	E	J	P	K	C
A	Q	Y	P	O	X	K	M	F	E	Q	G	L	S	A	P	A
N	N	Z	X	A	B	U	Y	K	Y	A	U	D	J	T	A	I
T	T	L	M	H	R	U	Z	I	X	T	G	G	I	I	Q	S
A	J	M	D	G	G	A	O	F	X	X	B	F	E	N	R	S
F	O	B	C	O	D	R	T	D	C	E	J	P	U	H	E	A
B	Q	L	J	I	R	O	Q	O	H	H	O	X	J	O	G	C
R	E	C	U	A	H	O	B	N	S	T	T	K	S	J	H	A
W	O	D	Z	B	N	S	B	T	N	O	H	A	J	M	A	D
G	Q	E	G	A	T	E	B	E	L	B	L	K	D	C	S	E
R	A	N	U	P	A	N	C	G	H	C	G	J	O	Y	A	M
G	I	B	Q	R	S	S	E	T	S	G	D	A	D	E	N	A
W	C	W	P	E	Z	F	P	P	V	M	J	T	E	T	G	R
G	Y	S	D	T	D	Y	O	B	Z	F	D	A	B	N	U	A
J	A	L	M	A	A	T	Y	C	Z	P	D	Í	L	I	E	J
H	S	W	T	D	D	N	A	Y	M	S	S	P	T	N	D	Ó
A	D	H	D	H	D	B	F	T	G	N	X	E	G	M	E	Z
H	C	T	Z	D	M	I	E	U	A	X	J	B	P	I	B	S
G	M	H	S	M	M	Y	E	X	E	D	S	A	C	E	O	Q
J	Q	K	X	T	N	Q	M	U	X	L	K	I	V	U	I	D
E	F	J	G	N	P	V	Z	W	C	U	R	I	O	L	A	U
P	S	Q	W	U	P	N	N	T	L	J	M	Y	L	E	X	Y
V	P	L	I	Q	C	J	U	Q	U	I	R	I	F	C	N	T

CAISSACA-DE-MARAJÓ, CASTANHA-DE-CUTIA, CENTOPEIA, COBRA-
-VERDE, CURIOLA, GOIABA-PRETA, JAMANTA, JATAÍ-PEBA, JUQUIRI,
PAPA-RATOS, SANGUE-DE-BOI, SAPATINHO, VEADEIRA

249

I	Z	P	P	X	V	Y	N	P	P	U	E	J	O	V	D	P
P	A	K	Q	X	I	P	H	I	M	W	T	J	G	X	E	O
Ê	A	S	L	E	Z	K	I	K	I	L	Z	G	C	Z	D	M
A	Z	N	A	B	C	A	R	V	A	L	H	O	V	Q	O	G
M	O	X	R	P	T	W	F	Q	M	B	M	O	O	S	D	L
A	R	V	A	Q	O	K	J	C	V	I	M	V	W	J	E	V
R	I	E	Ç	O	S	X	Z	J	X	V	W	H	I	T	D	K
E	Y	Q	A	L	K	W	N	D	Z	U	W	H	T	S	A	Z
L	A	E	R	E	M	A	N	V	B	E	M	Y	J	F	M	F
O	T	S	I	W	O	T	M	R	Q	S	B	V	B	R	A	Q
S	X	P	P	E	Y	R	D	H	J	P	Q	C	J	K	D	P
X	X	I	O	P	D	O	R	M	E	D	O	R	M	E	U	U
N	M	N	C	T	J	D	U	E	U	Q	Q	U	Z	N	S	I
M	Y	H	A	T	D	R	U	S	D	M	K	G	Z	B	O	R
E	D	O	E	X	O	J	R	J	B	W	Z	V	M	I	B	Á
Q	D	D	Q	V	L	M	P	K	D	G	S	J	P	T	R	P
M	L	E	J	D	H	V	L	Q	W	A	A	Ó	H	Q	A	I
F	Q	M	F	F	O	M	A	M	J	C	R	V	W	M	S	A
U	B	A	Q	M	D	W	P	I	N	O	V	J	P	M	I	G
S	H	R	V	X	E	Q	Y	E	C	Y	F	Á	I	F	L	A
O	L	I	Y	L	C	G	Z	O	P	U	R	E	W	G	S	R
F	R	C	O	Z	A	D	T	F	F	A	F	T	N	B	W	A
R	Y	Á	N	G	B	A	Z	O	M	G	X	A	I	C	F	E
V	E	M	B	I	R	U	Ç	U	D	A	M	A	T	A	G	V
N	C	L	Y	D	A	K	N	U	K	H	B	K	H	J	E	T
P	A	R	D	E	L	A	C	I	N	Z	A	M	N	Z	S	R

ANUMARÁ, ARAÇARI-POCA, CARVALHO, DEDO-DE-DAMA, DORME-DORME, EMBIRUÇU-DA-MATA, ESPINHO-DE-MARICÁ, IPÊ-AMARELO, OLHO-DE-CABRA, PARDELA-CINZA, RATO-CORÓ, SOBRASIL, UIRÁPIAGARA

E	F	Y	H	B	N	Y	H	K	O	Q	E	O	L	H	Q	H
S	L	G	G	S	A	P	O	T	A	V	E	R	D	E	L	U
K	U	P	A	L	M	H	Q	F	G	A	H	D	Q	R	C	R
D	S	C	Z	S	W	X	E	A	C	P	C	H	O	A	U	F
K	W	C	U	X	F	N	S	L	K	E	D	G	N	S	M	V
D	Q	V	V	R	T	A	G	W	G	X	P	A	P	A	W	L
O	Z	Y	M	K	I	T	X	H	U	S	Z	S	T	W	R	T
E	D	A	L	L	C	Ú	N	Q	O	A	Z	L	M	P	M	I
K	Z	V	G	E	W	W	B	S	T	N	J	W	W	U	A	E
C	I	P	R	E	S	T	E	A	U	H	K	D	X	L	Z	N
B	Q	G	U	B	R	I	R	A	X	A	I	F	I	P	X	U
J	O	A	T	A	I	A	S	I	Z	Ç	W	N	R	R	L	O
A	P	Y	A	F	L	N	T	Z	U	O	I	U	I	Y	F	Z
M	W	E	X	R	A	N	X	O	Q	D	Z	Z	R	N	U	J
E	V	N	S	M	A	S	X	W	E	E	H	D	R	A	F	U
N	O	C	A	I	G	C	F	M	T	C	T	H	A	W	C	X
D	U	C	M	H	N	H	K	L	K	O	K	U	Z	X	A	G
O	U	O	K	P	K	O	R	U	J	L	N	L	C	I	R	U
I	S	T	P	W	Y	C	I	L	D	E	I	P	A	V	A	H
M	E	Z	T	P	D	A	H	R	W	I	Q	Z	U	I	P	G
D	D	N	A	S	M	D	X	P	L	R	U	B	Z	J	A	X
O	H	L	Z	G	L	O	U	X	E	A	X	M	G	S	N	F
M	Y	Z	P	Z	T	A	A	C	F	Z	N	D	A	Q	A	R
A	U	D	X	V	O	C	V	I	V	F	Q	D	D	A	Ú	F
T	L	T	H	K	J	R	O	F	K	H	I	X	Ê	J	B	X
O	B	F	N	M	Ã	E	D	E	S	A	Ú	V	A	S	A	S

AGERATO, AMENDOIM DO MATO, CARAPANAÚBA, CHOCA-DO-ACRE, CIPRESTE, IUCA-MANSA, MÃE-DE-SAÚVA, MEDINILA, RATAZANA, SANHAÇO-DE-COLEIRA, SAPOTA-VERDE, SINO-IRLANDÊS, SUCURIÚBA

251

G	A	L	A	J	A	J	J	E	W	F	Z	U	S	T	G	E
I	U	C	H	J	Y	P	P	Q	F	H	A	Q	T	Z	Q	X
B	R	D	K	L	J	Z	G	W	C	K	M	S	G	I	J	F
T	X	I	V	N	A	M	F	F	P	O	D	B	J	Y	N	T
B	Y	G	A	Z	C	N	I	C	G	N	C	F	F	S	F	L
M	J	S	M	B	A	Y	W	U	M	J	R	R	M	F	M	A
S	H	X	R	R	R	C	K	O	I	T	I	P	A	R	D	O
U	C	U	I	Q	A	K	T	T	X	E	Q	H	Y	U	P	L
C	A	Z	S	L	T	T	H	O	N	L	J	A	O	T	X	C
U	R	H	I	S	I	E	Q	D	N	A	O	P	N	A	A	N
P	N	D	F	X	Á	W	I	V	J	Q	O	F	Z	D	I	O
I	A	L	A	N	T	E	R	N	A	C	H	I	N	E	S	A
R	U	Z	P	P	A	U	F	O	R	M	I	G	A	C	L	T
A	B	H	A	B	M	U	A	K	A	P	S	H	A	U	K	I
A	E	Y	R	U	X	H	C	R	Ç	G	X	S	K	T	H	Q
Ç	I	E	Y	R	N	D	G	Q	Á	K	P	T	Z	I	G	M
U	R	T	M	A	W	S	A	I	A	R	O	X	A	A	T	E
V	A	X	T	E	V	O	G	U	Z	Y	T	I	H	G	H	I
W	R	S	S	I	H	C	F	J	E	S	Z	A	H	H	X	U
E	A	G	G	G	B	X	K	V	D	Y	B	I	K	L	Y	M
C	C	W	X	J	T	Y	S	E	O	Y	K	X	J	D	I	M
Y	G	Z	T	Y	W	I	T	A	T	U	B	O	L	A	Q	S
P	I	C	A	P	A	U	L	O	U	R	O	Y	E	Y	E	N
W	I	G	V	H	W	U	Z	Z	C	Q	C	X	J	L	V	A
J	D	V	O	Z	C	O	B	R	A	L	Í	Q	U	E	N	Z
B	V	E	E	Z	D	X	N	R	E	F	E	B	V	R	P	M

ARAÇÁ AZEDO, CARNAUBEIRA, CASTANHA, COBRA-LÍQUEN, FRUTA DE CUTIA, JACARATIÁ, LANTERNA-CHINESA, OITI-PARDO, PAU-FORMIGA, PICA-PAU-LOURO, SAIA-ROXA, SUCUPIRA-AÇU, TATU-BOLA

252

C	R	Y	Z	N	H	A	H	C	M	Y	S	F	E	W	A	Z
L	F	Y	F	L	Q	H	L	J	E	S	Q	S	I	S	Ã	O
C	H	A	C	A	L	A	D	O	U	U	I	I	U	K	A	U
L	A	T	U	G	C	L	K	R	Y	Z	D	D	W	S	F	G
N	W	B	O	A	G	N	I	A	O	N	E	H	R	U	É	L
C	E	K	R	S	G	G	R	P	A	M	H	F	F	R	J	U
D	E	A	O	A	Q	P	Q	N	T	L	V	E	A	U	O	T
I	C	X	W	W	X	M	A	A	R	L	C	C	A	C	S	Ã
F	E	U	E	M	A	U	D	Y	A	Y	A	P	V	U	Y	O
Q	B	Q	H	I	G	R	Z	R	T	J	A	H	F	C	C	H
T	F	S	N	L	Z	F	I	X	J	X	G	Q	U	U	B	R

CABRA, CARACAL, CHACAL, GLUTÃO, GUANANDI,
JACARÉ, KOWARI, MEDUSA, SISÃO, SURUCUCU

253

P	W	B	A	M	O	O	Q	F	Q	W	S	P	M	G	R	K
G	F	X	G	G	C	Z	R	D	P	R	K	E	N	V	S	M
U	T	L	R	E	A	L	I	T	O	X	O	A	N	G	S	R
R	R	S	A	S	S	A	F	R	Á	S	R	A	J	A	D	O
H	D	B	L	L	A	G	O	S	T	A	E	J	M	L	D	X
S	T	U	H	E	I	C	S	J	R	Í	I	O	I	I	J	I
X	B	Y	A	O	X	E	T	I	Y	R	G	H	O	N	L	A
O	I	L	V	Q	U	F	J	A	M	A	N	T	A	H	Z	V
M	R	R	O	R	V	J	A	I	S	A	P	U	C	A	I	A
Z	E	H	F	K	O	U	Z	F	W	L	S	Y	T	V	T	M
C	C	I	D	L	F	T	M	W	J	U	P	D	U	G	T	N

CERVO, GALINHA, GRALHA, IRARA, JAMANTA,
LAGOSTA, REALITO, SAÍRA, SAPUCAIA, SASSAFRÁS-RAJADO

X	Z	Z	F	I	M	T	X	Q	E	C	W	A	V	A	H	T
Q	Z	N	C	H	K	P	E	T	W	P	I	N	I	N	G	A
M	K	O	W	Z	S	P	O	X	D	Q	A	N	Y	P	L	E
S	K	N	I	T	U	E	W	Q	J	B	A	X	U	Q	E	R
Q	G	C	G	N	Y	K	V	S	Í	N	I	B	B	D	J	I
H	H	W	O	S	A	Í	R	A	N	E	G	A	Ç	A	D	T
K	J	J	X	I	T	S	T	C	N	E	V	Y	V	G	S	A
W	F	H	G	F	K	I	V	Z	A	O	Z	N	X	B	J	O
G	D	Z	S	A	C	V	E	W	E	B	X	E	U	W	G	R
Z	C	B	X	O	D	U	C	S	L	I	R	H	L	E	W	V
J	Y	C	M	C	I	M	Q	W	A	K	T	E	C	U	F	A
S	N	G	E	Q	D	C	D	A	W	P	I	R	Ú	I	D	A
E	M	G	X	V	I	R	W	R	G	E	O	Z	Q	V	X	V
M	G	E	C	F	N	H	T	A	X	M	Z	P	M	M	A	Q
P	K	E	K	C	P	F	P	Ç	N	S	D	B	E	F	N	I
R	C	U	U	S	A	B	I	Á	P	O	C	A	I	M	W	I
E	Z	G	L	N	V	X	M	R	A	P	H	Z	G	W	A	V
V	G	R	X	A	Z	G	D	O	D	R	S	F	A	Q	X	N
I	G	C	Y	Y	F	M	A	X	A	V	B	S	V	M	X	J
V	Q	W	C	E	B	E	M	O	Z	E	U	V	I	H	H	M
A	S	S	A	Y	T	N	L	N	P	É	I	Z	Ã	G	I	L
V	D	C	G	C	X	H	O	A	P	W	P	Z	O	S	W	F
F	T	Y	A	A	O	R	X	J	N	D	N	R	R	G	N	O
R	R	R	R	I	S	I	Y	Z	C	D	A	X	E	G	T	H
P	P	H	R	L	O	W	A	N	M	U	R	Z	A	G	C	O
T	M	W	A	V	N	F	O	Z	B	J	F	A	L	Z	O	O

AFELANDRA, ARAÇÁ-ROXO, CABREÚVA, CAGARRA, GAVIÃO-REAL, MOCITAÍBA, MORCEGO, PININGA, SABIÁ-POCA, SAÍRA-NEGAÇA, SAPOPEMA, SEMPRE-VIVA, ZÉ-PREGO

Á	Y	K	E	Y	B	G	Z	V	H	J	E	G	M	B	W	D
R	I	G	D	G	X	O	B	D	K	M	R	L	G	E	V	I
V	B	W	T	B	Y	G	B	I	C	H	O	I	T	A	S	A
O	F	A	L	S	O	B	A	R	B	A	T	I	M	Ã	O	B
R	C	Y	F	P	P	H	A	T	U	X	Y	I	H	L	E	O
E	O	K	S	U	A	Z	M	X	L	S	L	U	Q	D	L	D
D	B	U	J	E	C	P	F	S	A	C	F	I	C	S	L	A
A	R	N	D	S	L	H	P	H	C	M	K	P	G	N	S	T
P	A	X	A	X	Q	A	I	S	D	F	G	G	M	I	N	A
R	D	C	T	E	P	A	D	P	F	J	L	M	Q	H	V	S
E	E	C	O	D	O	R	N	A	A	X	D	E	U	O	C	M
G	L	K	Y	R	T	P	A	D	L	M	A	L	A	J	T	Â
U	I	C	G	F	N	E	Z	C	M	M	Z	U	H	C	R	N
I	X	X	Y	O	D	H	P	D	E	I	V	É	Z	O	C	I
Ç	O	F	Y	U	C	E	L	W	I	F	O	I	L	S	A	A
A	N	U	V	C	A	J	U	M	R	L	C	F	U	A	L	H
I	W	G	X	U	H	U	U	G	Ã	G	E	Y	D	N	A	J
A	A	A	H	E	E	S	C	N	O	V	L	X	B	Ã	N	R
O	D	P	D	V	I	R	F	L	U	G	D	E	J	Z	G	B
U	K	S	M	Z	L	V	D	O	A	O	X	I	F	E	O	V
A	Q	U	N	D	I	I	C	C	P	R	K	B	C	B	U	U
Z	E	N	N	P	F	K	S	Z	D	R	A	Q	B	R	R	J
G	Y	W	Z	M	A	W	N	J	G	J	X	Í	S	A	B	S
K	S	W	Y	A	J	P	H	G	J	Q	U	V	B	D	A	B
L	M	P	P	E	Q	U	I	A	R	A	N	A	M	A	N	L
O	J	O	G	R	I	F	A	G	R	S	O	U	M	E	O	P

ALMEIRÃO, ÁRVORE-DA-PREGUIÇA, BICHOITA, CALANGO-URBANO, HIPAMZÉ, CLARAÍBA, COBRA-DE-LIXO, CODORNA, COUVE-FLOR, DIABO--DA-TASMÂNIA, FALSO-BARBATIMÃO, PEQUIARANA, SANÃ-ZEBRADA

256

B	P	G	W	L	B	Q	W	M	V	N	U	E	X	V	N	G
O	I	H	R	Q	W	T	H	O	J	C	D	V	R	F	V	D
I	R	R	J	V	Z	F	G	B	H	A	B	X	I	Q	R	D
D	A	J	I	V	P	U	R	U	D	N	F	X	D	D	P	N
B	U	I	Y	B	O	X	R	U	R	K	W	T	P	S	P	T
E	W	O	X	N	Á	M	A	F	T	U	W	U	E	B	I	Y
G	I	L	C	I	F	S	A	C	O	W	G	I	Q	W	N	M
Ô	G	S	L	Z	C	A	P	T	B	X	P	U	D	L	H	X
N	A	G	Q	J	A	W	S	Z	Q	N	M	T	V	E	A	B
I	R	I	N	A	M	B	U	G	A	L	I	N	H	A	D	D
A	Y	O	V	M	B	J	G	É	R	B	E	R	A	P	O	L
N	W	B	R	S	É	B	F	V	S	N	W	K	G	S	B	D
E	A	H	E	X	U	P	R	Y	P	P	Q	U	Q	Y	R	B
G	B	N	I	D	A	Q	K	I	P	K	Y	H	L	O	E	W
R	S	O	I	Y	N	A	X	Z	A	Y	Y	Z	I	F	J	J
A	V	R	A	I	N	H	A	D	O	A	B	I	S	M	O	A
J	I	L	T	R	A	U	S	W	J	F	F	F	W	D	Á	S
O	R	E	M	E	Q	A	P	W	W	V	B	M	D	T	W	M
N	I	W	Z	A	T	X	E	J	S	E	L	F	E	G	C	I
U	E	C	H	E	V	É	R	I	A	S	T	P	C	L	W	M
Z	L	U	R	O	I	I	X	O	D	V	A	Y	S	S	I	M
F	T	M	Z	B	A	N	R	G	V	R	P	P	C	T	I	A
H	J	B	G	I	S	P	Z	W	R	N	Z	P	Y	Y	B	N
T	D	J	J	N	H	F	U	A	S	S	I	L	K	T	V	G
B	F	Y	B	G	A	Ú	C	H	A	D	Á	G	U	A	A	A
H	I	D	F	P	H	W	W	B	D	D	P	E	C	M	M	I

BEGÔNIA-NEGRA, BIRIBÁ, CAMBÉUA, CARRAPETÁ, ECHEVÉRIA, GAÚCHA-D'ÁGUA, GÉRBERA, GURUGUVA, INAMBU-GALINHA, JASMIM-MANGA, PINHA-DO-BREJO, RAINHA-DO-ABISMO, SAUDADE

F	O	Q	K	C	M	T	S	U	W	D	I	S	K	C	T	O
B	T	J	M	F	A	G	A	K	P	P	Q	T	R	N	T	Y
Z	E	V	O	H	R	R	O	L	X	U	Z	P	V	N	B	E
I	Y	H	M	M	I	M	B	D	S	U	O	D	A	B	R	U
A	E	A	Q	E	A	K	Z	U	C	R	G	S	D	L	G	N
V	I	V	V	G	P	T	E	U	J	H	U	J	E	A	E	X
U	O	U	E	Z	E	A	G	Q	F	A	E	R	D	H	O	M
F	O	W	X	E	Q	M	U	C	P	L	Z	F	A	A	M	Y
L	R	U	R	U	U	A	R	D	M	J	O	Z	L	J	I	F
M	K	C	W	H	E	R	R	J	E	D	G	X	E	E	Y	N
A	O	Q	Y	A	N	I	Z	I	G	L	U	Q	I	V	R	I
N	E	A	N	G	A	A	E	T	W	A	E	H	R	Q	X	A
J	C	T	B	Z	W	P	H	M	A	F	R	I	O	I	P	Z
E	J	X	N	Z	S	O	L	A	Y	Y	A	H	T	J	R	M
R	I	E	A	I	N	B	C	J	P	N	B	M	M	E	A	T
O	K	O	M	T	U	R	H	F	J	A	O	E	P	X	F	S
N	S	O	Y	A	Y	E	A	A	F	W	D	D	R	E	Q	J
A	O	Z	L	U	I	I	V	E	Z	A	E	I	F	R	T	N
S	A	N	Q	U	É	S	I	A	M	H	F	M	O	L	Y	W
H	V	D	U	T	J	E	D	E	W	J	O	W	U	E	Y	B
C	L	L	I	G	N	X	N	W	Z	E	G	G	A	N	B	R
Q	S	R	C	U	I	X	J	M	P	C	O	I	Ç	X	U	R
E	A	N	U	J	O	W	K	P	N	I	S	U	U	D	L	X
S	H	I	K	P	O	A	L	B	N	K	R	N	B	F	X	J
C	P	W	R	D	F	P	S	F	O	N	B	U	Ó	Q	B	T
P	I	M	B	B	C	L	M	G	Z	I	R	T	I	J	B	Z

CHEFLERA, DEDALEIRO, LOUVEIRA, MANJERONA, MARIA-PEQUENA, MARIA-POBRE, PAU-DE-LEITE, PAU-SANTO, SANQUÉSIA, SARITÉIA, TAYBERRY, UAÇUBÓI, ZOGUE-ZOGUE-RABO-DE-FOGO

P	X	Z	D	B	T	Q	Y	H	N	Z	V	O	K	J	M	Y
E	E	M	X	T	Y	N	G	K	X	D	S	A	R	B	I	V
U	C	I	E	B	S	M	B	Y	X	Z	P	O	B	Q	C	G
F	N	N	T	Q	L	E	L	P	G	C	A	P	I	X	I	M
B	S	F	T	O	C	M	Q	I	I	O	P	M	L	P	I	Q
D	M	O	W	Q	P	B	N	X	C	C	Z	W	B	R	X	S
W	K	Z	T	Q	U	I	C	P	A	U	D	E	A	N	G	U
N	C	K	B	O	S	R	N	B	N	Q	B	P	H	M	M	X
R	S	U	G	D	J	A	A	H	V	N	I	S	Y	P	A	M
U	T	R	T	D	O	B	G	R	Ã	O	D	E	G	A	L	O
G	W	R	M	F	U	R	E	V	P	O	C	U	D	L	V	J
Z	N	H	G	S	Y	A	X	Q	D	Q	F	L	L	T	W	X
X	A	R	A	B	V	N	U	Y	Z	Y	I	T	N	U	P	T
Y	R	X	G	S	E	C	D	P	K	S	S	G	O	C	Z	K
L	H	O	K	B	L	A	A	B	E	T	E	R	R	A	B	A
U	Q	V	Y	J	C	Q	A	H	N	L	I	A	V	N	S	C
J	G	Z	H	R	U	K	O	Q	L	E	N	V	B	E	G	F
E	H	J	P	W	U	T	D	A	T	G	A	A	W	I	P	H
W	M	A	T	B	A	I	E	E	Q	D	M	T	U	R	I	S
U	A	T	Z	M	F	R	B	V	E	V	B	A	Q	O	P	L
F	B	P	A	D	O	M	O	G	K	Y	U	Z	C	T	I	P
R	J	R	C	B	O	Q	G	T	Z	I	G	E	O	K	W	M
G	U	N	Í	R	R	U	S	O	X	E	U	I	A	R	V	U
F	R	U	T	A	D	E	P	O	M	B	A	R	L	Q	T	U
S	I	O	D	Y	P	V	Y	R	V	T	Ç	O	J	A	Y	S
P	Q	Q	I	X	M	I	Y	E	Y	X	U	N	D	G	W	R

BETERRABA, CAPIXIM, EMBIRA-BRANCA, FRUTA-DE-POMBA, FURA--MATO, GRÃO-DE-GALO, GRAVATAZEIRO, INAMBUGUAÇU, PAU-DE--ANGU, PEITO-PINHÃO, PIUÍ-BOREAL, TROMBETEIRO, TUCANEIRO

C	I	D	R	Q	I	L	X	R	M	S	V	C	S	W	G	B
C	A	N	Z	V	X	P	Y	A	R	K	D	E	C	C	M	O
B	G	J	M	J	P	S	B	P	M	W	X	I	Y	H	T	T
A	V	V	A	U	H	Q	Q	C	B	P	Y	I	S	I	B	O
T	G	A	Z	Z	O	W	A	I	B	Q	X	U	F	E	W	V
U	T	I	Ê	D	E	B	A	N	D	O	E	C	M	N	U	E
I	D	L	T	O	M	I	S	Z	H	N	J	B	Q	X	T	R
R	K	G	F	Q	S	P	R	P	S	U	B	B	D	Q	J	M
U	F	Y	L	M	L	N	G	O	R	V	A	M	E	Y	R	E
Ç	I	E	T	E	M	Z	M	M	C	Z	N	D	A	Y	O	L
U	G	Z	I	W	M	Q	I	C	X	K	V	V	I	Z	F	H
G	R	U	V	U	G	C	M	I	R	N	E	F	C	U	Y	O
M	R	D	W	H	P	I	O	X	Y	B	E	V	O	Q	D	Z
M	P	Z	F	M	Y	O	M	V	M	R	Q	P	W	T	O	C
G	R	A	N	D	I	Ú	V	A	N	I	E	D	C	G	E	J
O	H	H	K	M	Q	V	C	N	R	X	K	P	O	K	B	D
S	U	M	L	M	G	A	W	A	X	J	V	F	J	V	V	S
D	X	H	U	O	R	D	Q	M	Q	R	E	O	W	H	R	A
E	Z	H	Q	A	V	G	R	B	B	D	O	H	O	X	Y	C
R	U	M	J	H	M	G	Y	É	U	D	W	E	N	A	O	O
L	Í	R	I	O	I	M	P	A	L	A	M	I	E	E	U	D
R	V	P	Z	J	Q	P	P	Z	V	W	S	X	B	Y	P	E
W	A	R	A	P	A	Ç	U	U	N	I	F	O	R	M	E	B
A	O	Y	F	W	L	Z	N	L	V	Z	Y	I	Z	O	F	O
C	H	O	R	O	R	Ó	D	I	D	I	R	O	C	A	Z	D
G	O	R	R	O	D	E	V	A	S	C	O	E	A	W	E	E

ANAMBÉ-AZUL, ARAPAÇU-UNIFORME, BATUIRUÇU, BOTO-VERMELHO, CAJAZEIRO, CHORORÓ-DIDI, GORRO-DE-VASCO, GRANDIÚVA, JARACAMBEVA, LÍRIO-IMPALA, PAU-DE-FOGO, SACO-DE-BODE, TIÊ-DE-BANDO

A	F	S	O	Y	T	E	D	L	K	L	Z	C	M	O	M	K
V	D	W	H	Q	I	V	F	I	E	X	N	W	L	W	B	C
Z	V	V	H	A	D	Z	S	G	A	I	Y	N	A	F	R	L
L	J	S	U	A	B	D	O	O	D	L	K	Y	T	D	B	X
X	G	K	T	U	Q	U	E	P	I	U	M	W	E	E	E	V
N	H	B	F	L	S	S	Y	S	P	U	C	S	S	C	I	M
E	N	V	E	M	L	W	Q	L	T	N	W	I	O	H	J	F
R	U	U	N	P	U	Q	Y	Y	Q	Á	G	Y	U	J	A	B
U	C	C	O	T	N	W	H	F	W	W	T	T	R	D	F	I
B	K	P	L	U	D	I	L	L	H	O	H	I	A	M	L	C
D	H	A	X	I	A	D	G	Q	B	T	S	T	C	O	O	I
J	B	W	A	R	M	T	C	R	H	F	S	I	I	E	R	G
X	W	O	N	G	G	T	B	T	S	Q	R	F	N	A	D	A
Z	T	M	G	R	Z	S	N	R	A	I	O	S	Z	L	E	R
O	V	C	E	G	U	H	B	M	R	G	X	F	E	I	C	R
V	Z	C	L	S	G	R	Z	I	O	K	X	R	N	G	A	A
P	C	B	I	K	I	X	U	F	V	V	U	L	T	G	U	P
L	Q	B	M	B	S	S	E	T	N	X	E	P	A	C	D	A
P	J	Z	L	D	L	D	H	W	A	B	C	A	E	B	A	R
N	O	Z	I	B	A	H	B	P	K	U	A	P	O	D	D	D
D	L	S	S	D	J	O	A	R	M	N	G	A	U	H	O	A
T	Y	G	O	N	D	G	Z	K	N	G	A	R	A	C	U	Í
Z	C	R	U	Z	E	I	R	O	R	N	G	A	A	X	R	Z
M	U	T	U	M	D	O	N	O	R	T	E	T	H	N	A	K
V	C	H	F	V	F	J	C	Q	S	H	W	O	Q	R	D	U
V	X	Y	R	I	C	J	U	C	Y	Z	B	Y	E	P	A	E

ANGELIM-LISO, BEIJA-FLOR-DE-CAUDA-DOURADA, CIGARRA-PARDA, CRUZEIRO, ESTÁTICE, GARACUÍ, MUTUM--DO-NORTE, PAPA-RATO, RODA-DE-FOGO, SUIRIRI, TESOURA--CINZENTA, TUQUE-PIUM, URUTAU-GRANDE

J	K	A	X	M	P	Z	Q	R	T	W	U	J	N	W	J	N
W	P	M	Q	W	R	J	N	R	G	K	U	S	D	Q	C	K
A	O	O	Q	R	X	O	H	L	P	Ç	F	P	E	A	L	L
L	P	N	A	V	Y	Q	P	N	A	X	R	N	I	M	C	S
N	I	J	N	F	W	K	O	U	G	Y	U	L	Y	R	N	Z
B	O	O	Q	M	E	F	G	M	W	U	T	J	R	G	N	J
A	K	L	E	T	M	U	S	E	A	P	O	M	N	N	V	A
L	V	E	N	B	J	V	Y	J	U	C	D	F	Y	I	A	R
E	J	I	J	E	E	E	E	Y	Z	B	E	T	M	H	I	A
I	E	R	T	J	K	K	H	Q	X	O	T	D	N	S	X	R
A	Z	O	X	R	V	Y	A	Z	K	H	A	A	U	Z	S	A
F	M	A	N	É	V	E	L	H	O	L	T	O	D	T	K	C
R	Z	R	R	U	Q	U	O	O	Q	S	U	N	V	Q	E	U
A	L	B	O	I	A	U	N	H	A	D	A	N	T	A	M	Ç
N	F	S	T	E	B	T	F	C	C	F	I	H	R	F	C	U
C	H	U	O	C	A	S	A	K	I	J	V	H	U	D	A	C
A	H	W	E	I	K	B	D	L	E	X	Z	G	X	S	K	U
A	Y	K	L	J	M	H	G	U	R	U	C	U	R	A	N	A
U	Q	J	P	A	I	N	E	I	R	A	R	O	S	A	P	M
S	E	G	R	S	D	F	G	Q	B	O	K	P	U	C	F	H
T	E	I	O	Y	B	X	W	R	Q	A	S	T	Z	A	X	Z
R	R	P	R	X	I	A	N	Ê	M	O	N	A	T	K	A	H
A	R	V	U	U	Y	E	W	B	X	A	Z	S	R	N	N	H
L	H	I	M	Q	S	C	M	F	C	I	P	Ó	A	L	H	O
U	Q	B	M	U	R	T	A	D	O	C	A	M	P	O	R	O
K	A	G	U	X	U	V	U	Z	Y	R	M	W	A	U	S	U

ANÊMONA, ARIRAMBA-CASTANHA, BALEIA-FRANCA-AUSTRAL, BOIA-UNHA-D'ANTA, CIPÓ-ALHO, FRUTO-DE-TATU, JARARACUÇU, MANÉ-VELHO, MONJOLEIRO, MURTA-DO-CAMPO, PAINEIRA-ROSA, TEJUGUAÇU, URUCURANA

262

H	N	C	Q	M	C	O	L	N	A	H	G	L	Y	X	R	L
L	Q	U	N	O	D	G	O	L	E	X	W	X	F	H	A	B
F	K	X	M	B	J	Q	A	A	P	W	F	C	Q	R	H	C
U	U	I	B	W	S	H	G	A	L	B	G	D	I	K	A	J
P	J	J	Q	D	A	R	C	L	B	I	J	E	F	O	L	L
L	J	A	A	K	K	B	K	F	Q	A	D	I	T	V	U	N
K	C	C	W	A	N	E	N	A	T	A	B	E	E	Z	C	I
W	X	Z	D	P	A	I	A	Z	P	V	U	U	A	K	Z	S
B	J	A	B	E	N	J	O	E	I	R	O	Í	Í	U	X	X
Y	F	U	A	D	G	O	R	M	H	J	A	K	P	N	U	G
C	T	Y	A	B	B	T	F	A	G	S	I	A	U	Z	O	E
Y	R	E	C	B	U	U	D	Q	F	N	C	R	E	X	M	R
U	T	S	U	Q	F	R	I	C	M	E	P	L	V	P	X	I
Q	C	I	I	A	G	C	L	H	D	X	M	J	C	O	F	T
R	P	H	R	T	I	O	X	O	Z	U	C	Y	U	K	B	R
G	C	Z	P	U	J	K	I	R	M	K	R	N	W	S	N	I
A	V	T	B	G	Y	B	J	O	B	I	A	Y	N	T	X	N
R	C	G	L	C	Ó	F	C	R	W	A	T	Y	V	I	Q	A
I	X	I	O	R	O	O	Q	Ó	C	R	I	V	U	M	U	M
B	S	S	D	I	G	K	M	P	A	C	Ê	K	K	B	V	B
A	N	N	Z	N	A	J	K	R	P	B	B	J	U	O	X	V
L	E	P	A	L	U	M	G	E	R	R	I	L	U	Z	G	F
D	J	L	K	T	M	G	T	T	G	K	C	Z	N	I	O	P
I	A	S	R	D	P	J	Y	O	F	Z	U	K	A	N	Q	M
C	N	D	S	E	I	T	P	V	G	U	D	Z	P	H	I	V
L	G	N	X	F	I	C	B	F	P	W	O	F	H	O	O	L

ALFAZEMA, BABUÍNO, BEIJO-TURCO, BENJOEIRO, CALANGO--COMUM, CHORORÓ-PRETO, DENDRÓBIO-DE-CAPUZ, ERITRINA, GARIBALDI, SAÍ-AZUL, TIÊ-BICUDO, TIMBOZINHO, TREPADEIRA

263

Q	W	G	E	K	Z	Q	Y	X	L	J	A	Q	V	E	T	M
U	Z	H	Z	H	K	C	R	H	S	U	C	U	R	I	T	B
E	B	S	T	E	T	O	T	N	A	I	O	K	X	X	D	P
T	T	O	C	F	G	S	I	O	P	M	G	Q	I	D	I	Z
Z	I	N	D	U	Z	U	M	N	K	Z	S	A	E	W	M	S
A	I	G	A	N	I	R	B	C	T	X	Z	T	Z	F	P	A
L	Í	M	U	L	O	U	E	N	K	E	B	D	E	E	A	U
C	E	W	P	W	R	C	D	K	S	G	E	S	X	R	L	D
M	E	C	Q	I	F	U	I	N	H	A	Z	R	G	Q	A	A
K	N	P	R	R	T	Á	Z	B	C	V	P	P	O	X	D	D
G	C	B	N	V	W	K	N	K	A	W	O	B	J	A	H	E

FUINHA, GAZELA, HAMSTER, IMPALA, LÍMULO, LINCE, QUETZAL, SAUDADE, SUCURI, SURUCUÁ

264

W	G	J	P	Y	J	W	X	O	B	D	Z	K	U	E	X	O
K	U	S	P	P	H	A	J	C	M	V	G	D	H	F	P	R
P	A	I	A	O	Q	I	C	P	H	S	C	V	A	T	D	M
Z	R	I	N	Ú	R	G	O	U	A	S	G	L	D	I	Z	G
Z	A	J	U	C	V	C	B	S	A	W	N	G	V	P	A	C
Y	Ú	T	Q	D	U	A	O	X	I	Ç	J	X	Z	R	W	H
X	N	O	Y	T	Z	P	Z	U	C	Ç	U	S	X	O	V	V
U	A	R	O	L	A	H	G	U	Z	U	A	R	A	O	P	Z
J	A	C	A	R	A	N	D	Á	F	E	R	R	O	R	X	I
D	U	K	D	F	Q	F	T	E	T	R	Q	G	A	K	U	R
T	D	H	A	W	N	J	A	C	A	T	U	P	É	L	E	Ê

GUARAÚNA, IÇARA, JACARANDÁ-FERRO, JACATUPÉ, JACUAÇU, PORCO, RAPOSA, SARUÊ, SAÚVA, TUCO-TUCO

J B L U E V B O O V A K L H L C Z
V R W T K W R G C A O G G S X T V
L K U Z T I T T A I Z B U E C H O
L K U T E E I J A L Q E N N F E N
M Q Q U K W J B J Z Q G P O R L M
L T Q B I N I U W X Z D X S G É M
I O E B T O J I V H D Z U J P B A
C J G P B I J L N E B B I Z O O R
Y B N Ó H K M E T O R J E E N R I
R B C E Y U G X C K C D S U P O A
E O V C V W N A T F S Q E C L P F
S A B I Á D O B A N H A D O C J A
K P A E L U K Y K N H S W J U A C
S V X F D N I M T W F C J O R T E
T A R Q V B N K V T Z C P Ã C A I
D M L Q U B V A C J U E U O U Í R
I I A T W E W V U H K S H D L A A
R E O R A P G M N Q J T D E I M T
C H N S G M T Z Y W E R I B G A N
M T N Y Y A A O W B K E M A O R G
L F B C Y B R R Y L Z L A R C E P
N S H R C E L I T G U Í C R B L L
A W S P V D J B D I W C H O E O B
M D R P Z E P Z L A M I D I U J K
R K K E O K R P T V R A E G H L P
A N G E L I M D O M A T O J G A G

ANGELIM-DO-MATO, COQUEIRO, CURCULIGO, ESTRELÍCIA,
HELÉBORO, JATAÍ-AMARELO, JOÃO-DE-BARRO, MARGARIDA,
MARIA-FACEIRA, SABIÁ-DO-BANHADO, SALTA-MARTIM,
SOCÓ-BOI-BAIO, TEJU-VERDE

266

K	N	O	E	C	A	N	E	L	A	R	O	S	A	V	H	D
K	M	L	A	M	A	W	K	C	N	D	S	R	H	Y	W	N
O	J	X	Q	O	Q	D	C	P	B	H	X	U	Z	E	M	E
S	Q	X	Y	S	R	A	M	T	K	D	J	G	W	L	Y	G
W	K	M	Z	W	O	B	E	W	P	G	F	A	I	H	Q	T
A	T	G	Y	M	A	C	A	Ú	B	A	Z	R	Q	F	H	A
A	L	C	A	C	H	O	F	R	A	X	O	R	Q	D	A	P
X	L	F	K	Z	F	A	L	D	J	T	B	I	U	P	D	E
C	L	X	J	Q	F	Z	Z	R	I	D	M	N	E	V	Á	R
P	T	J	B	Y	J	M	S	E	J	X	E	C	M	I	J	U
K	D	N	H	L	J	K	P	Q	P	U	Y	H	T	O	A	Ç
W	S	A	P	O	P	E	M	B	A	H	Q	A	E	J	M	U
N	H	X	G	P	U	W	H	G	S	T	C	C	V	X	R	V
O	T	F	G	F	N	Y	O	N	K	A	F	H	E	A	M	E
X	D	Z	H	W	Q	T	M	A	J	U	W	O	S	D	L	L
H	R	U	R	C	K	B	F	A	H	A	N	R	T	R	X	H
U	V	T	M	I	O	E	N	A	Q	N	Q	O	I	U	F	O
K	A	D	D	A	V	Y	T	E	L	M	T	N	U	R	A	X
K	S	C	I	B	M	V	R	P	P	E	T	A	G	J	E	M
Z	Â	J	O	U	S	O	L	D	I	H	N	I	P	F	I	X
O	N	E	U	U	G	J	E	T	G	L	N	Ó	E	A	R	O
C	D	I	F	E	N	L	Y	I	F	F	P	N	P	G	F	F
Z	A	D	T	E	R	E	Y	Z	R	P	C	D	W	S	W	M
U	L	D	T	D	Y	R	F	E	G	O	C	Z	W	J	I	V
M	O	P	A	U	P	E	R	E	I	R	A	D	Q	H	J	S
K	Y	R	U	W	G	R	V	B	N	U	A	C	N	K	B	L

ALCACHOFRA, CANELA-ROSA, FALENÓPSIS, GARRINCHA-CHORONA, JACATIÁ, MACAÚBA, MAMOEIRO, PAU-PEREIRA, PEITORIL, QUEM-TE--VESTIU, SÂNDALO, SAPOPEMBA, TAPERUÇU-VELHO

267

P T K Q E V G U G Q E U A E K S K
I N E G E Y W T Y Z Z L B E N L K
T T L Y R P P A K P I X X W Z P L
A D V V U T Y K W R Y S I V I J D
N J N I I K P J E T F J E D N A Q
G W Z G U A L J K W X K C R B C K
A X Q K F K I D X J Y I U R A U Z
P W D M I T L U A Z W R R Z M D S
R S O H G W L E N H E I R O B E I
E C O R V I N A I Y M J I J U S M
T E S Q Y J T L H F E A Q R J P B
A Q U I T U C A L C J P U X A I I
L K X N E L L G S I V O E M P X U
N F L S S O S D M V C N I W O Q V
Z O I V J K H S S A P Ê R E N K A
A W B N P Q G X G W W S O E Ê G R
R S O U I Y W M J L B E E X S Q H
A M V C A W Q R N Q G C V N E J O
Ç N N V I E Q D L D T A O N E Y E
Á R F P B K I V N G N J F B T K J
R C A P A R O S A A F Á J R B U T
O N Z D U Z J Z U M E M N I D H J
X I E F Q Z V A F H A A W G W Y D
O Q L J X F Q U M P V N Z F A A A
C V V V V B O J R Z N G K T P N E
M X O S H X W N J Y X A K C I P O

ARAÇÁ-ROXO, BAMBU-JAPONÊS, CAJÁ-MANGA, CAPA-ROSA, CORVINA, CURRIQUEIRO, JACU-DE-SPIX, KIRI-JAPONÊS, LENHEIRO, MONJOLA, PITANGA-PRETA, SIMBIUVA, TIJERILA

X	O	C	K	Y	A	D	O	B	F	K	H	Q	R	W	E	D
X	R	R	Y	K	M	Q	U	J	J	F	Q	A	U	R	B	R
N	R	O	F	O	Y	C	A	R	A	X	U	É	O	G	T	L
S	P	A	V	O	O	Y	U	N	Z	S	T	R	L	A	U	X
G	W	X	Y	E	N	J	A	G	U	A	R	U	N	D	I	P
U	T	P	X	K	Q	M	W	Y	U	O	Z	Q	S	N	N	I
N	B	O	C	Z	E	J	N	E	D	S	O	O	L	Y	Y	C
A	R	A	R	A	J	U	B	A	G	R	F	S	M	K	C	A
X	K	P	D	G	O	J	X	H	R	R	Z	V	U	P	H	P
J	Z	X	A	K	F	B	Z	E	U	A	R	U	T	A	M	A
O	A	M	R	Z	S	C	F	S	R	Z	S	F	N	R	C	U
Ã	J	C	A	D	F	U	O	Z	G	I	A	K	Q	A	V	C
O	U	K	P	U	A	K	J	U	P	I	H	M	B	N	K	H
E	X	D	A	P	Q	I	S	A	A	X	L	C	J	A	Q	O
S	F	M	Ç	U	V	M	H	R	W	B	Z	R	U	B	P	R
C	J	K	U	K	E	X	P	A	L	W	G	O	Q	O	G	Ã
U	K	D	L	C	F	A	O	P	Q	K	J	C	U	I	Q	O
R	M	O	I	N	D	X	R	O	B	W	O	O	E	A	D	Z
O	Y	N	S	I	C	L	G	D	L	N	T	D	R	Q	B	M
D	S	F	T	B	A	R	B	A	Ç	A	S	I	I	R	Q	U
M	S	I	R	D	U	E	N	X	P	K	C	L	G	R	E	F
N	O	I	A	T	M	X	W	Y	W	D	K	O	U	P	P	D
Q	J	Y	D	D	Z	P	X	Z	I	X	C	K	A	G	T	D
D	C	J	O	Y	T	D	J	U	U	E	S	E	Ç	S	C	L
U	Z	I	Y	S	I	N	X	T	S	A	F	Y	U	C	C	J
V	U	F	F	W	K	G	U	N	T	U	S	I	T	U	C	R

ARAPAÇU-LISTRADO, ARARAJUBA, BARBAÇAS, CARAXUÉ, CROCODILO, JAGUARUNDI, JOÃO-ESCURO, JUQUERI-GUAÇU, OITI-DA-PRAIA, PARANABOIA, PAU-FERRO, PICA-PAU-CHORÃO, UARUTAMA

269

P	O	M	S	S	H	D	S	Y	T	D	K	G	I	Z	D	U
N	G	L	L	K	A	V	S	P	P	V	D	M	V	M	C	K
H	O	M	D	N	L	F	K	E	N	V	V	A	K	Z	W	H
M	L	E	U	P	N	C	Y	R	B	D	R	R	H	B	O	I
H	J	B	X	I	P	R	Y	Q	I	I	R	L	X	O	C	J
F	O	E	U	R	R	O	G	L	X	S	N	W	G	C	A	U
P	Ã	J	Z	G	S	A	U	E	P	D	T	H	Y	A	Ú	R
Y	O	F	B	R	Y	R	C	Q	C	V	M	Y	O	D	N	U
H	T	Q	S	F	P	D	H	A	G	P	K	A	W	E	A	V
E	E	D	X	E	A	Z	S	K	T	Q	A	W	C	L	D	A
X	N	Z	R	M	U	Y	H	E	B	I	I	Q	R	E	A	L
N	E	Z	S	Q	J	M	F	Q	U	E	A	I	P	Ã	S	H
D	N	I	J	T	A	A	F	D	Y	U	H	R	H	O	E	E
F	É	B	J	Z	C	R	I	X	X	N	D	N	A	N	R	I
Q	M	D	C	Q	A	I	P	I	D	Y	S	B	B	C	R	R
J	S	V	N	H	R	A	U	A	F	N	P	I	Q	I	A	A
U	K	P	P	M	É	D	M	Y	P	T	T	O	P	S	V	D
R	L	I	C	H	E	A	B	E	L	A	C	I	A	R	I	D
U	K	J	H	M	O	P	D	H	X	I	A	F	U	G	C	L
B	F	R	G	I	F	R	I	R	B	I	T	R	S	P	L	U
E	D	S	L	N	T	A	D	I	Q	H	M	D	A	S	U	Z
B	L	F	Y	H	C	I	R	Y	A	K	Z	W	N	N	D	A
A	D	B	Z	O	K	A	T	U	A	X	Y	H	T	F	H	A
Y	I	C	X	C	C	C	Q	B	A	W	L	D	O	Y	O	A
E	T	X	Y	A	U	L	T	S	J	K	M	C	E	E	W	L
J	R	L	P	K	W	Q	W	F	H	X	G	A	K	B	S	O

ACARI-BICO, BOCA-DE-LEÃO, CAÚNA-DA-SERRA, JOÃO-TENENÉM, JURUBEBA, MARIA-DA-PRAIA, MINHOCA, MUIRACATIARA, PAPA-ARANHA, PAU-SANTO, PAU-JACARÉ, SEBINHO, URUVALHEIRA

270

R	A	B	O	D	E	G	A	T	O	D	I	C	U	H	H	A
T	S	U	D	T	L	D	I	E	B	T	I	L	C	S	N	D
G	S	O	Q	G	J	U	P	C	N	I	X	D	X	A	M	D
J	Y	P	O	A	I	J	P	U	W	D	L	F	R	A	K	T
X	O	A	A	C	F	Á	N	R	O	S	I	A	H	E	I	G
P	W	Q	M	U	F	S	E	R	Y	K	J	A	C	T	Z	T
U	T	C	D	N	P	T	I	F	R	N	H	S	W	X	W	J
R	J	A	G	O	N	E	F	W	A	X	G	S	Z	C	X	O
Z	D	S	G	N	V	R	R	C	Z	Z	F	W	W	M	S	Z
E	E	F	J	A	Q	A	T	E	U	P	L	T	T	I	Z	B
F	V	E	F	E	Z	R	E	Y	I	R	P	J	J	O	G	W
S	Q	O	N	D	X	B	M	Z	D	R	L	V	A	S	L	W
O	T	P	P	A	Y	U	L	C	D	U	A	O	C	O	X	T
T	C	E	K	F	F	S	G	T	F	P	N	B	A	T	P	G
N	T	G	V	E	L	T	Z	L	Y	E	U	R	R	I	A	G
Y	I	T	Z	W	G	I	S	L	U	S	H	X	É	S	U	B
P	G	D	X	E	X	V	X	Q	N	F	V	W	P	H	D	I
Z	E	C	T	M	C	A	E	N	M	M	O	G	R	T	E	Q
N	G	K	F	Q	D	P	Z	A	M	F	I	L	E	O	M	R
X	F	E	R	R	O	V	E	L	H	O	P	M	T	Z	O	J
H	Y	G	S	I	Z	X	Z	P	C	P	Z	U	O	F	R	A
O	S	J	T	M	A	C	A	D	Â	M	I	A	E	G	C	Y
A	Q	O	S	L	Q	K	M	M	H	Z	Y	Z	W	Z	E	G
D	I	X	W	I	F	P	D	O	U	R	A	D	O	W	G	B
T	B	H	P	R	E	R	B	N	X	O	Y	C	H	R	O	U
P	A	C	A	R	I	D	O	M	A	T	O	C	P	Y	J	M

ÁSTER-ARBUSTIVA, CANJARANA, DOURADO, FAVEIRO, FERRO-VELHO, JACARÉ-PRETO, MACADÂMIA, MIOSOTIS, PACARI-DO-MATO, PAU-DE--MORCEGO, PAU-PEREIRA, RABO-DE-GATO, TIO-TIO-PEQUENO

271

J	W	G	D	L	F	R	I	L	O	A	I	B	U	O	H	D
C	N	C	O	C	O	D	A	B	A	H	I	A	G	Q	F	G
C	L	H	U	B	K	P	R	H	A	F	E	C	B	U	H	Q
M	F	O	U	R	S	J	L	T	K	E	L	G	Y	S	U	B
A	A	Q	D	I	Z	S	O	A	C	V	J	F	L	U	W	Q
F	F	Y	X	Y	R	O	N	G	N	R	K	A	M	R	I	D
C	W	Z	W	O	B	T	N	E	N	T	S	Q	U	U	V	W
J	Z	K	Z	N	T	O	Q	Z	J	A	A	B	L	T	R	G
J	U	R	E	M	A	B	R	A	N	C	A	J	U	Y	F	A
J	L	H	S	T	O	J	X	H	X	X	I	Y	A	Z	U	V
Y	T	R	A	Y	T	D	M	C	X	P	S	W	A	R	W	I
Q	J	M	P	W	H	S	V	C	X	O	N	H	C	T	R	Ã
N	B	B	O	U	F	L	Z	E	I	Z	J	A	G	M	I	O
O	O	W	T	O	Z	N	R	C	R	X	H	P	R	W	G	B
K	N	J	I	P	W	G	R	Z	S	L	G	T	A	H	Q	R
K	N	Y	A	F	L	O	Z	E	I	T	B	I	N	F	J	A
K	C	I	B	Y	E	L	U	V	Q	C	F	I	D	H	D	N
L	H	G	A	G	M	G	A	S	W	R	O	J	I	Z	C	C
Y	I	R	B	I	N	R	Z	H	F	D	K	I	Ú	F	A	O
R	C	F	V	A	A	K	W	I	C	O	W	R	V	E	J	S
N	Ó	D	S	M	M	G	Q	F	Z	Q	U	D	A	X	G	E
C	R	Ê	V	E	L	U	D	O	B	R	A	N	C	O	C	W
Y	I	Y	N	W	J	T	Z	W	S	C	B	J	J	G	X	Q
T	A	M	A	M	É	L	I	S	G	A	R	D	Ê	N	I	A
P	O	L	Í	C	I	A	D	O	M	A	T	O	N	T	S	R
F	N	E	B	U	W	P	K	X	M	U	M	I	T	X	C	K

AMAMÉLIS, CHICÓRIA, COCO-DA-BAHIA, GARDÊNIA, GAVIÃO-BRANCO, GRANDIÚVA, JUREMA BRANCA, MARAVILHA, PLANTA-JARRO, POLÍCIA--DO-MATO, SAPOTIABA, TIÊ-SANGUE, VELUDO BRANCO

N	W	I	K	P	I	N	D	A	B	U	N	A	F	S	C	G
A	I	C	U	X	X	W	P	A	U	S	A	N	T	O	Á	N
C	R	C	G	Z	P	E	C	B	X	G	T	N	G	V	G	Z
G	A	Q	J	U	H	J	W	Q	V	A	I	P	H	V	A	T
Q	H	M	W	X	D	I	Z	Z	A	L	B	X	V	L	D	G
E	Y	B	A	C	V	H	I	U	U	O	U	C	J	N	O	L
K	T	R	I	L	K	T	I	Q	C	D	P	C	F	N	D	F
I	G	L	F	S	E	E	H	F	U	A	K	W	C	D	O	I
M	I	F	P	I	B	Ã	I	A	U	S	E	O	G	I	R	L
O	N	C	K	B	M	X	O	X	B	E	Q	W	S	O	I	T
L	G	E	J	X	P	A	U	P	A	R	A	T	U	D	O	K
E	Á	K	J	U	P	Z	O	F	R	R	S	I	S	H	V	N
M	F	R	R	X	D	I	M	O	A	A	P	F	E	H	W	E
I	E	R	M	T	Z	B	T	O	N	W	X	T	F	Q	N	E
D	I	S	W	U	N	V	W	A	A	N	R	X	D	Y	L	O
G	J	T	W	D	W	F	D	I	N	O	J	C	E	J	M	O
A	Ã	M	O	A	G	X	U	I	N	G	O	B	O	A	O	Z
A	O	N	Q	X	I	Q	S	O	S	G	A	R	S	S	E	J
O	J	S	A	D	Á	O	D	B	N	H	I	L	M	X	R	V
I	A	Z	G	M	K	O	U	H	Z	E	Á	E	L	K	F	Q
K	M	Q	I	R	Ã	X	T	Y	S	B	C	F	G	O	T	K
A	R	S	W	O	Q	T	P	L	E	J	X	E	T	M	K	H
K	I	A	J	J	S	Q	A	D	J	O	W	Z	J	Y	Q	J
L	Y	Z	K	B	Z	S	U	T	C	E	L	D	R	C	J	I
T	V	Q	L	H	U	A	H	S	Y	O	Y	F	J	U	X	P
X	B	T	I	A	P	I	P	Z	G	I	H	E	I	B	J	W

CÁGADO-DO-RIO, CAMALEÃO, GALO-DA-SERRA, INGÁ-FEIJÃO, JOÃO--DO-NORTE, LISIMÁQUIA, PAU-DE-BÁLSAMO, PAU-PARA-TUDO, PAU--SANTO, PINDABUNA, PITANGA, SALSEIRO, UCUUBARANA

Q	M	W	Q	T	X	Q	H	F	W	H	D	Z	O	P	I	L
A	C	L	O	O	I	V	V	A	Z	R	L	E	T	O	J	W
M	F	X	H	U	L	Y	F	S	U	L	B	U	H	X	K	U
N	R	R	Q	R	W	O	M	S	L	U	X	K	Z	Q	M	T
M	S	M	U	I	T	B	B	A	L	K	S	R	E	J	W	D
V	E	A	Q	Ç	A	D	G	N	V	Z	U	K	Z	W	J	I
C	P	R	G	O	T	I	O	H	B	D	Y	W	K	O	M	N
L	E	I	M	P	K	N	L	A	Z	T	I	F	Z	S	M	G
S	J	P	E	R	O	B	A	D	E	C	A	M	P	O	S	Á
H	O	O	C	E	A	I	V	I	F	X	V	P	Y	L	F	M
J	L	S	U	T	F	E	T	N	N	P	M	N	W	W	D	I
F	W	A	S	O	S	G	K	H	V	I	N	W	S	S	K	Ú
K	G	C	N	V	G	T	M	O	D	V	V	K	E	B	Z	D
D	R	A	G	Ã	O	D	E	K	O	M	O	D	O	C	B	O
Z	Z	O	Q	T	T	Z	B	A	Q	A	F	V	P	H	M	E
Z	J	D	I	K	X	T	I	J	X	R	N	S	A	U	B	R
B	S	B	K	C	X	O	R	T	G	I	K	N	U	P	N	K
U	V	C	R	Y	B	K	E	V	G	M	K	L	D	A	X	D
F	K	T	D	U	V	O	C	I	M	A	A	I	E	D	Z	Z
O	T	Q	Ç	O	V	A	K	A	D	R	P	Z	A	E	Q	N
I	L	A	T	B	X	D	X	F	J	I	N	D	R	N	D	M
Q	U	C	A	R	O	B	A	B	R	A	N	C	A	T	F	T
S	J	V	K	A	S	P	P	U	K	R	Q	G	R	E	M	L
G	W	Q	E	I	A	S	N	E	E	U	O	J	A	T	V	W
P	J	K	P	I	N	H	A	D	O	B	R	E	J	O	U	O
I	C	W	W	Q	J	N	U	R	U	T	Ú	P	É	V	A	K

ASSANHADINHO, CAROBA-BRANCA, CHUPA-DENTE, DRAGÃO-DE-KOMODO, INGÁ-MIÚDO, MARI-MARI, MARIPOSA, OURIÇO-PRETO, PAU-DE-ARARA, PEROBA-DE-CAMPOS, PINHA-DO-BREJO, SUAÇUBOIA, URUTÚ-PÉVA

274

M	D	J	H	M	W	S	C	B	X	U	S	J	K	H	G	R
A	C	L	L	V	L	U	K	M	G	Y	X	A	R	É	U	Z
N	L	O	Q	O	P	E	B	R	P	A	U	R	I	P	A	I
G	A	L	K	A	G	O	L	I	N	H	O	P	U	R	J	R
U	T	R	D	E	F	Y	T	M	C	O	B	H	O	Z	U	A
S	U	Y	X	H	O	F	T	O	Y	T	L	G	B	T	V	Ú
T	M	K	H	A	S	H	O	B	Z	D	K	Z	W	E	I	N
O	O	S	A	L	S	E	I	R	O	D	I	A	U	S	R	A
Z	A	H	M	K	A	L	K	R	L	A	G	A	R	T	A	N
O	M	P	P	L	N	O	F	P	S	Y	E	B	Y	H	U	G
V	E	U	B	M	V	L	Y	W	N	Z	X	N	A	R	S	S

FOSSA, GOLINHO, GORAZ, GUAJUVIRA, IRAÚNA, LAGARTA, MANGUSTO, PAU-RIPA, SALSEIRO, XARÉU

275

T	C	K	E	V	Y	G	E	A	F	N	M	X	D	C	E	N
M	H	M	H	Z	H	O	I	L	T	U	P	J	Q	P	U	U
S	N	Q	O	N	R	Z	I	L	C	P	N	T	O	E	O	E
U	G	J	T	N	D	F	N	U	T	M	E	L	R	O	T	C
K	N	K	K	H	G	H	R	S	M	A	Í	W	Y	O	N	N
L	E	A	E	L	L	U	O	B	T	T	J	N	I	G	U	A
J	U	M	E	G	F	D	B	C	N	U	X	O	F	M	D	M
I	C	V	G	E	Q	E	A	A	O	A	C	C	D	Y	C	B
T	E	L	R	R	O	L	L	D	C	K	Y	U	T	C	C	U
I	B	K	B	B	I	U	O	Z	S	A	E	P	M	P	C	J
L	B	I	G	O	D	I	N	H	O	S	P	T	D	Ã	I	T

ANTÍLOPE, BIGODINHO, COIOTE, GERBO, MELRO, MONGUBA, NAMBU, ROBALO, TUCUMÃ, URUCUM

276

K	G	F	N	G	V	L	S	F	C	A	B	Z	W	Z	I	B
S	A	A	U	V	G	Q	V	E	R	D	I	N	H	O	D	Z
J	X	J	W	Z	W	C	S	P	W	U	L	D	D	J	I	V
R	H	X	J	G	H	D	G	A	R	R	Q	Q	P	V	Z	C
T	E	S	U	W	Y	Z	G	X	X	M	W	Q	F	B	Z	U
N	R	S	X	M	L	I	N	W	C	R	L	O	R	P	B	T
X	P	I	M	N	R	Z	I	Z	A	W	D	Q	X	F	W	R
J	G	F	S	R	Y	H	G	T	I	H	R	V	Q	G	W	G
F	R	U	T	O	D	E	P	O	M	B	O	M	R	F	T	S
D	X	N	M	Q	X	H	T	V	I	C	M	I	M	S	J	B
M	S	J	P	B	F	V	W	M	H	E	E	W	P	A	Z	O
S	U	U	W	B	Q	W	L	K	M	R	D	N	D	N	X	Z
I	A	T	S	K	O	C	D	E	B	A	Á	E	O	G	A	E
K	G	R	U	R	F	J	C	O	S	G	R	D	V	U	R	I
J	I	V	U	M	R	V	E	D	K	D	I	G	M	E	R	F
A	C	J	R	Y	D	X	A	F	Q	S	O	O	G	D	K	A
S	V	F	Q	H	W	E	Z	O	H	P	H	B	U	A	K	V
F	C	K	B	G	U	Q	F	H	B	N	S	J	Z	Á	A	E
U	X	A	C	V	N	S	O	A	I	W	H	Z	M	G	N	I
J	U	A	Z	E	I	R	O	Z	V	S	W	J	Â	U	D	R
H	Y	W	O	X	W	F	O	G	Q	A	G	I	N	A	Y	A
S	Z	P	E	A	T	C	W	D	E	M	Z	N	I	T	X	F
Z	C	H	D	Q	O	E	Y	C	R	F	Y	M	A	E	K	E
L	Z	E	G	S	A	Í	R	A	M	I	L	I	T	A	R	R
E	L	E	F	A	N	T	E	A	F	R	I	C	A	N	O	R
J	A	B	U	T	I	B	O	I	A	I	N	T	F	M	U	O

CENOURA, DROMEDÁRIO, ELEFANTE-AFRICANO, FAVEIRA-FERRO, FRUTO-DE-POMBO, GUZMÂNIA, JABUTIBOIA, JUAZEIRO, MUTUM-DE--FAVA, SAÍRA-MILITAR, SANGUE-DA-ÁGUA, SOCOZINHO, VERDINHO

A	N	G	E	L	I	M	D	O	C	E	G	T	G	Y	H	W
D	R	Z	B	N	Q	D	T	Z	L	W	K	Q	U	S	K	J
A	M	B	Z	I	K	E	J	U	D	G	Z	L	D	E	F	O
C	N	E	J	A	C	A	R	É	P	A	G	U	Á	N	E	Y
P	I	N	D	A	Ú	V	A	N	R	V	B	F	S	Q	V	M
A	A	V	B	A	A	B	Z	O	T	N	Y	S	Z	D	F	M
R	S	E	G	D	Q	C	U	I	O	T	K	S	A	C	D	V
H	N	H	C	A	A	Y	L	S	U	U	T	S	C	P	Q	W
C	N	X	Z	R	T	O	I	Q	F	H	O	C	S	O	Q	I
V	H	H	E	A	Z	I	N	C	L	R	A	O	P	P	O	Q
M	L	J	X	J	Q	M	H	O	E	K	D	B	A	E	F	I
O	X	Y	K	E	K	D	O	C	B	N	A	R	L	V	W	K
M	Q	S	X	N	Q	J	A	Y	C	N	L	A	O	I	D	D
B	T	J	J	O	E	I	Z	I	D	O	U	B	J	A	M	M
Z	H	F	L	J	N	A	L	U	J	G	F	A	P	D	A	D
R	Q	Q	Z	Ô	L	W	J	U	X	D	Q	G	K	A	R	A
J	M	X	G	X	R	U	F	H	W	F	V	U	E	U	I	L
V	E	E	F	X	Y	Z	O	R	H	B	B	A	Z	U	A	P
U	B	P	O	P	U	S	D	U	V	X	L	L	C	I	P	I
E	L	E	F	A	N	T	E	A	S	I	Á	T	I	C	O	S
N	D	W	W	U	I	R	A	P	U	R	U	B	B	A	B	T
P	I	R	A	M	B	O	I	A	P	G	O	A	S	M	R	E
L	K	A	R	B	E	M	T	K	W	O	C	H	A	B	E	Z
N	S	G	Y	K	V	C	W	O	J	V	I	V	F	U	Z	D
E	Q	Q	H	E	K	W	B	O	H	A	T	T	C	C	M	F
L	A	G	A	R	T	I	N	H	O	L	I	S	O	Á	T	K

ALPISTE, ANGELIM-DOCE, AZULINHO, BEGÔNIA-CEROSA, CAMBUCÁ, COBRA-BAGUAL, ELEFANTE-ASIÁTICO, JACARÉ-PAGUÁ, LAGARTINHO--LISO, MARIA-POBRE, PIRAMBOIA, PINDAÚVA, UIRAPURU

278

B	B	F	G	Q	O	O	J	W	H	F	P	G	L	H	U	J
H	O	C	G	A	L	I	N	H	A	D	Á	G	U	A	C	S
O	Q	T	V	A	L	B	V	K	P	F	T	E	B	H	A	R
C	O	X	Ã	J	M	O	W	J	F	R	H	R	A	H	P	W
L	C	J	M	O	I	J	P	L	S	Z	Z	V	S	J	I	T
U	Y	N	J	P	D	J	U	T	M	L	S	S	G	T	X	T
M	F	L	W	P	U	E	S	E	Z	O	X	A	R	K	I	N
B	Q	L	N	S	B	N	O	Z	R	Y	B	X	A	Q	N	H
J	T	X	Q	N	G	C	P	U	X	Y	P	T	L	W	G	O
B	Z	H	J	V	A	J	C	A	R	I	M	N	H	H	U	O
A	I	Q	E	V	V	I	J	V	K	O	U	M	A	O	I	D
C	N	U	S	Q	I	T	Q	U	B	Á	F	I	C	Z	W	M
U	A	F	X	Z	Ã	H	L	V	B	X	T	N	A	Z	G	G
P	J	V	V	Z	O	J	Q	I	R	Z	A	G	N	U	Q	U
A	A	A	W	D	U	W	T	N	T	R	K	P	C	J	L	A
R	Z	V	Z	R	R	I	W	W	B	M	G	X	Ã	C	M	X
I	E	T	I	G	U	W	F	O	A	U	J	V	J	V	K	U
M	I	S	F	Q	B	U	Ã	Z	C	R	L	W	W	U	D	P
I	R	Y	E	B	U	V	M	A	T	A	P	A	S	T	O	I
Ú	O	J	A	K	R	T	X	N	H	S	R	E	P	T	S	T
D	S	W	Y	A	T	C	F	T	A	R	T	A	R	U	G	A
O	U	C	C	N	V	X	S	O	C	T	R	O	W	R	D	U
V	I	D	B	Z	U	Q	R	I	H	H	O	I	D	F	Y	U
V	F	F	I	D	W	W	P	R	D	C	L	L	Z	T	Y	O
Z	V	Y	S	D	B	R	H	C	U	Y	W	G	D	G	L	S
S	A	N	Ã	D	O	C	A	P	I	M	T	L	I	O	E	A

BACUPARI-MIÚDO, BOTÃO-DE-OURO, CAPIXINGUI, CARVÃO-BRANCO, GALINHA-D'ÁGUA, GAVIÃO-URUBU, GRALHA-CANCÃ, GUAXUPITA, INAJAZEIRO, JEQUITIBÁ, MATA-PASTO, SANÃ-DO-CAPIM, TARTARUGA

P	E	I	X	E	F	R	I	T	O	W	L	U	K	P	A	L
V	C	O	B	R	A	P	A	P	A	G	A	I	O	V	L	S
C	A	N	E	L	A	D	U	R	A	V	K	X	S	X	F	E
H	T	S	R	I	C	J	V	C	S	U	Q	V	P	Z	P	H
H	R	X	O	H	L	M	A	E	I	Q	M	Z	J	J	G	T
E	E	Q	A	G	K	I	W	G	L	T	A	A	O	T	L	H
B	P	P	F	F	A	T	M	R	L	E	S	L	G	N	Z	E
E	A	F	E	G	B	N	H	I	E	G	C	Y	X	R	R	L
M	D	X	P	B	E	A	G	S	X	M	I	I	F	W	O	E
B	E	M	O	H	W	S	L	F	Q	F	D	R	H	D	I	F
I	I	Z	I	K	Y	K	F	T	O	R	Ê	N	I	A	C	A
R	R	X	Y	J	O	R	I	T	L	F	J	O	B	T	H	N
A	A	O	I	T	I	D	O	S	E	R	T	Ã	O	X	O	T
D	A	U	R	D	V	G	S	O	G	J	O	K	A	W	U	E
E	F	G	D	I	O	S	D	X	F	Y	O	S	H	P	P	M
S	R	M	R	U	Z	R	E	C	W	L	E	F	E	K	H	A
A	I	V	C	L	Z	Y	O	V	G	V	H	X	J	A	Q	R
P	C	I	Q	C	U	X	V	W	G	J	S	E	O	U	K	I
O	A	G	Q	P	B	R	O	Z	A	J	V	G	A	X	L	N
D	N	G	F	N	F	H	S	Y	U	Q	L	Y	K	U	A	H
L	A	M	G	J	J	Y	H	A	C	G	T	W	A	V	E	O
D	E	N	D	R	Ó	B	I	O	H	Y	Z	K	U	A	D	P
L	T	A	M	A	N	Q	U	E	I	R	O	Q	O	D	T	T
Q	R	D	V	L	D	S	Y	H	N	C	U	D	W	W	D	C
W	K	C	D	B	V	X	S	E	H	I	D	V	T	M	Y	P
W	H	E	C	O	M	L	F	U	O	Z	V	V	P	U	M	V

CANELA-DURA, COBRA-PAPAGAIO, DENDRÓBIO,
ELEFANTE-MARINHO, EMBIRA-DE-SAPO, FIOS-DE-OVOS,
GAUCHINHO, OITI-DO-SERTÃO, PAU-MAGRO, PEIXE-FRITO,
TAMANQUEIRO, TORÊNIA, TREPADEIRA-AFRICANA

280

R	O	S	A	D	E	G	U	E	L	D	R	E	S	S	E	H
Y	S	O	O	C	P	M	J	N	Z	V	I	K	I	T	N	B
J	W	F	Q	I	N	V	F	B	T	L	A	K	Z	W	P	X
L	M	U	A	R	O	A	S	W	C	P	E	P	R	A	O	E
S	C	L	M	L	O	R	J	H	Z	X	K	A	P	E	X	K
W	S	P	T	L	S	O	J	H	E	S	W	Y	X	S	E	J
L	X	K	H	U	E	O	S	M	N	O	B	X	Z	W	S	Z
F	Q	B	O	N	F	I	T	Y	U	U	M	H	F	W	P	N
N	R	T	M	O	K	M	N	I	V	S	X	Z	C	P	I	I
Y	N	A	D	I	A	I	R	M	M	E	K	Y	L	I	N	M
T	O	B	K	Z	R	Y	D	K	V	B	Z	M	W	N	A	F
E	S	O	F	C	K	G	K	Z	H	C	Ó	T	U	H	F	E
Q	E	C	Q	Y	X	Q	E	R	T	H	Y	S	J	A	R	P
U	V	U	R	Y	F	B	J	L	I	Y	L	H	G	P	E	A
K	L	V	P	U	I	G	W	D	H	P	B	N	C	E	P	T
G	B	A	N	X	X	Q	D	E	J	N	A	D	I	Q	C	A
Y	I	W	J	M	V	H	S	V	D	R	B	T	G	U	U	T
Q	B	G	K	Q	V	G	H	D	I	L	W	K	A	E	T	I
O	I	B	T	V	K	D	T	P	X	X	A	M	R	N	S	V
M	R	S	Y	H	K	H	A	N	C	E	E	Q	R	A	A	A
T	A	A	C	G	W	R	S	O	S	V	Y	H	A	H	I	N
W	P	R	N	R	I	E	L	B	Q	M	M	G	B	B	C	S
B	E	N	G	U	I	A	D	O	M	A	R	K	A	U	A	C
M	P	D	M	G	J	D	O	H	P	X	X	D	M	L	N	Y
P	Ê	M	I	Z	N	G	S	F	F	V	N	X	B	B	G	W
P	C	A	I	N	A	N	A	T	E	I	Ú	N	U	A	A	H

CAINANA-TEIÚ, CIGARRA-BAMBU, EMA, ENGUIA-DO-MAR, ESPINAFRE, FALSO-TIMBÓ, IBIRAPEPÊ, MUIRAPIRANGA, PATATIVA, PINHA PEQUENA, ROSA-DE-GUELDRES, SAICANGA, TABOCUVA

F	O	R	M	I	G	U	E	I	R	O	C	H	U	M	B	O
R	W	C	P	Z	K	P	E	A	C	W	Q	L	A	B	W	F
C	T	A	A	V	R	U	S	J	O	H	R	U	R	J	H	U
P	A	L	U	B	M	S	X	Z	R	Z	G	K	O	Z	Q	S
U	Y	R	D	C	U	B	N	A	A	T	J	N	T	Y	X	V
J	W	L	E	T	C	K	T	T	L	S	F	C	R	H	D	X
B	M	O	F	B	N	Y	L	E	D	R	Q	F	B	F	T	K
Y	Z	R	O	O	A	V	T	X	Á	Q	H	R	T	Q	Ã	A
P	J	Q	R	J	V	D	Z	Y	G	Z	X	H	L	N	C	J
Y	W	U	M	I	B	G	U	V	U	J	N	Q	A	I	C	J
Q	R	Í	I	F	R	J	S	R	A	W	Y	A	R	P	N	T
E	I	D	G	M	N	V	E	Z	A	T	H	T	N	L	A	L
S	E	E	A	Y	J	X	B	Q	I	N	É	B	T	S	R	X
E	Y	A	R	N	Q	Y	C	I	I	L	V	D	O	A	A	M
P	Z	G	Z	W	W	Y	Y	X	E	L	J	C	V	B	Ç	F
N	V	A	Z	O	L	P	I	A	Q	G	J	O	A	I	Á	J
Q	P	R	T	H	Y	T	I	Z	P	F	J	U	C	Á	D	H
I	Q	Ç	R	G	R	U	V	B	A	O	Z	V	U	F	O	D
G	I	A	Q	A	G	F	S	H	U	V	S	E	Ç	E	C	K
G	Q	M	G	N	Q	J	K	X	P	J	C	C	U	R	A	Q
T	R	A	E	O	L	B	Z	H	E	R	Z	H	X	R	M	I
R	L	W	W	G	X	M	K	Y	R	M	H	I	O	E	P	K
Y	P	H	F	J	E	D	D	U	E	N	K	N	D	I	O	C
U	V	T	T	O	P	L	Z	F	I	P	E	E	Ó	R	L	Q
C	A	Ç	A	D	O	R	A	C	R	H	R	S	X	O	O	F
H	K	E	X	M	Y	K	A	V	A	X	H	A	F	O	W	H

ARAÇÁ-DO-CAMPO, CAÇADORA, CAREBADURA, CORAL-D'ÁGUA, COUVE-CHINESA, ENGUIA-ELÉTRICA, FORMIGUEIRO-CHUMBO, LAGARTIXINHA-ANÃ, ORQUÍDEA-GARÇA, PAU-PEREIRA, PAU-DE-FORMIGA, SABIÁ-FERREIRO, TOVACUÇU-XODÓ

282

R	D	V	S	F	H	Z	C	W	P	X	X	T	S	Q	J	B
P	Q	I	C	F	R	D	H	R	A	M	O	S	T	D	A	A
N	F	G	A	A	Y	O	X	K	U	J	J	Q	I	R	E	V
C	N	L	L	D	M	F	D	I	S	I	E	U	D	U	H	P
A	A	H	A	V	L	S	R	G	A	G	Y	I	A	A	L	E
X	N	N	N	U	M	R	U	Z	N	P	K	D	A	Z	A	D
P	S	X	G	G	N	C	J	O	G	U	O	A	Z	G	G	I
O	Z	A	O	A	H	B	L	Q	U	Q	Ç	A	N	I	A	U
R	Z	N	T	U	L	B	P	H	E	A	A	Q	G	Q	R	Y
H	O	T	I	E	I	H	Q	S	C	B	M	M	M	K	T	J
X	S	O	J	X	A	C	E	I	T	B	S	Q	J	T	I	O
V	U	R	I	E	P	I	P	I	X	H	F	L	G	A	N	T
Q	X	R	B	K	D	A	F	L	R	Z	Z	Q	H	N	H	H
A	A	É	U	L	H	X	F	Y	C	O	R	U	C	G	O	Y
D	A	I	M	L	O	C	Y	T	Á	E	G	W	I	A	L	I
X	M	A	A	E	V	W	F	A	S	V	W	J	B	R	I	T
I	X	R	E	I	D	O	B	O	S	Q	U	E	A	A	S	H
Q	G	D	R	A	G	Ã	O	Z	I	N	H	O	J	Z	T	W
C	L	S	J	A	F	H	V	F	A	Q	G	D	U	I	R	U
B	E	Y	K	R	I	O	F	A	G	Z	F	K	R	N	A	H
X	S	L	B	D	Y	X	C	I	R	Q	Q	I	U	H	D	D
A	U	O	D	V	C	A	S	C	A	V	E	L	V	O	O	B
Z	T	X	E	S	J	J	T	G	N	I	Q	Z	O	F	I	K
I	C	B	J	P	U	G	B	R	D	R	P	M	C	Y	O	M
O	O	Q	Z	E	V	X	A	P	E	T	V	N	A	R	W	J
Y	F	Z	J	H	I	I	R	A	G	L	A	O	N	E	M	A

AGLAONEMA, BAJURUVOCA, CALANGO-TIJIBU, CANGALHEIRO, CASCAVEL, CÁSSIA-GRANDE, DRAGÃOZINHO, GRALHA-PICAÇA, LAGARTINHO-LISTRADO, PAU-SANGUE, REI-DO-BOSQUE, TANGARAZINHO, XANTORRÉIA

P	U	W	V	K	M	I	F	N	R	X	K	F	B	X	X	O
Y	T	W	K	F	M	Y	I	P	X	F	P	A	M	I	P	H
R	M	M	G	A	P	Q	A	N	C	O	B	W	V	E	J	D
S	G	A	W	W	L	U	X	O	P	Ú	D	C	U	G	I	L
O	E	M	N	X	L	Q	C	U	E	T	U	G	J	F	W	O
Z	C	G	F	D	S	Z	S	R	K	F	M	K	B	B	W	R
J	O	G	A	B	A	K	A	C	I	P	Ó	V	E	R	D	E
C	D	T	A	V	V	C	D	K	F	Y	M	C	Q	J	R	R
H	A	J	K	I	A	E	A	Y	I	B	L	D	L	W	J	S
O	S	D	E	J	L	M	C	R	X	T	R	J	R	Q	T	B
C	C	I	R	O	Q	Á	Y	C	U	B	L	W	V	Y	B	G
A	A	I	K	H	W	P	R	S	A	R	K	G	K	R	K	W
B	S	O	M	J	I	Y	E	D	W	I	S	G	T	B	G	R
A	A	C	U	N	K	W	O	E	I	B	U	S	K	L	E	Y
R	S	P	X	M	U	R	S	I	D	A	C	S	T	C	N	X
R	D	W	C	C	I	E	K	A	A	B	U	Q	D	D	G	O
A	G	R	J	E	T	A	O	L	A	R	R	I	I	D	I	O
D	L	A	L	N	J	B	V	M	S	I	I	K	H	E	B	G
A	J	O	M	J	B	H	V	A	P	L	A	W	G	S	R	B
X	I	Q	U	V	M	T	U	N	H	H	M	W	Y	C	E	U
V	G	Y	S	U	G	W	Q	E	O	A	A	G	O	O	C	Q
X	L	J	V	R	T	U	D	G	M	N	R	J	F	R	O	Q
B	S	J	M	Y	R	I	A	R	Z	T	E	F	Z	P	N	L
O	U	R	E	O	A	G	U	A	Z	E	L	Z	L	I	C	T
A	R	O	E	I	R	A	S	A	L	S	A	O	X	Ã	H	V
K	S	D	K	H	G	C	E	O	T	L	I	A	L	O	A	C

ALMA-NEGRA, AROEIRA-SALSA, BRIBA-BRILHANTE, CHOCA--BARRADA, CIPÓ-VERDE, ESCORPIÃO, GAILÁRDIA, GECO-DAS--CASAS, GENGIBRE-CONCHA, JACAREÚBA, MANDACARU, SUCURI-AMARELA, VIOLEIRO

P	R	M	W	X	C	A	B	R	I	U	T	I	N	G	A	Y
B	Q	M	S	F	R	P	F	H	N	K	R	C	H	C	Z	L
C	V	N	M	M	M	G	D	G	R	U	M	I	X	A	M	A
P	R	N	D	A	T	D	S	I	K	A	F	R	E	F	G	E
P	N	A	L	R	U	J	L	R	V	P	U	U	E	H	Y	X
T	O	L	L	G	W	O	W	L	R	Z	Q	D	Q	E	W	A
E	C	F	Q	O	H	X	W	L	Y	A	Q	M	I	W	B	G
J	I	C	Q	N	D	G	I	R	D	K	D	U	T	P	O	K
Q	Q	O	N	Ç	F	N	Y	E	H	L	P	N	G	A	C	J
H	S	L	Z	A	Q	V	P	W	X	B	D	X	Z	R	A	F
H	I	U	F	L	Q	M	D	P	M	W	T	Q	J	A	D	X
C	B	V	S	O	A	V	S	Y	D	S	I	O	M	P	E	U
C	I	M	Q	H	X	W	R	X	H	U	R	H	B	A	L	G
M	P	R	C	P	V	M	B	T	L	P	I	F	O	Ç	E	P
L	I	H	O	L	I	R	V	F	D	G	B	Q	G	U	Ã	J
B	R	Q	Z	U	N	Q	N	G	J	K	A	J	V	R	O	V
K	U	W	L	M	P	G	D	S	C	M	F	P	Q	A	W	P
G	N	G	E	A	N	R	D	F	I	X	O	R	O	B	W	Y
C	A	N	U	D	E	I	R	A	U	G	G	Q	H	U	R	N
W	J	R	I	E	H	Y	S	E	R	F	O	K	N	D	U	T
Z	P	J	U	N	R	O	E	J	G	T	S	G	J	O	S	C
D	U	R	B	É	N	H	I	C	H	O	C	A	L	I	S	A
H	H	R	U	V	T	R	E	D	H	V	J	X	A	N	É	Q
F	W	I	C	O	R	T	I	C	E	I	R	A	N	D	L	C
B	U	S	H	A	G	H	Q	T	K	A	J	I	N	Y	I	H
V	J	V	J	M	H	C	L	O	R	V	Q	J	V	R	A	J

ARAPAÇU-RABUDO, BOCA-DE-LEÃO, CABRIUTINGA, CANUDEIRA, CHAMPEDAQUE, CHOCA-LISA, CORTICEIRA, GRUMIXAMA, MARGONÇALO, PLUMA-DE-NÉVOA, RUSSÉLIA, SIBIPIRUNA, TIRIBA-FOGO

285

R	G	N	S	T	T	P	A	V	N	K	Á	A	O	A	K	Y
A	E	R	H	B	S	D	W	U	I	I	B	Ã	C	V	A	G
B	L	W	A	B	W	E	Y	R	A	E	R	N	V	J	P	J
U	E	A	U	N	B	R	R	D	T	U	I	M	P	C	H	T
D	F	T	M	G	O	F	N	I	F	P	W	L	A	E	R	C
I	A	B	J	Y	R	I	V	F	E	O	X	I	E	F	L	M
N	N	J	F	S	P	E	V	H	Z	M	U	Z	R	M	J	T
H	T	Q	H	Z	T	C	U	I	P	G	A	S	O	L	A	Z
O	E	E	S	I	L	N	W	V	N	R	A	Q	U	A	T	I
X	M	O	V	M	C	Y	C	E	E	H	H	D	F	B	A	K
C	V	B	O	W	X	E	O	L	V	B	A	N	B	Z	G	S

EILEMA, ELEFANTE, ENGUIA, FURÃO, INDAIÁ,
NOIVINHA, QUATI, RABUDINHO, SERIEMA, VITE-VITE

286

B	R	B	T	Q	E	A	A	R	J	A	T	A	Í	U	E	N
P	Q	D	R	V	O	P	G	O	R	I	L	A	Z	P	S	H
A	W	T	A	W	R	Z	E	W	C	I	T	D	D	Q	K	K
C	R	U	Z	A	J	F	E	F	B	C	Q	M	U	W	P	F
Q	L	P	Q	A	V	A	C	A	B	I	J	U	P	I	R	Á
A	D	A	H	X	V	S	G	Y	N	X	Q	L	I	N	Y	C
Q	B	M	A	N	D	U	G	U	A	Ç	U	V	T	S	P	F
M	E	R	G	U	L	H	Ã	O	A	U	P	I	O	L	H	O
B	E	D	V	E	U	C	Y	X	E	R	V	S	M	K	Y	P
B	O	V	B	W	V	S	X	D	P	E	S	O	B	C	Q	K
K	N	P	Y	R	D	D	T	D	N	M	M	N	A	W	Y	M

BELUGA, BIJUPIRÁ, GORILA, JAGUAR, JATAÍ, MANDUGUAÇU,
MERGULHÃO, PIOLHO, PITOMBA, VISON

287

M	A	C	U	Q	U	I	N	H	O	Q	C	M	K	D	P	V
U	Y	O	N	Y	L	B	E	F	N	Y	S	A	P	F	G	D
C	T	E	G	O	G	K	N	G	R	K	R	M	J	T	D	F
V	Q	U	Z	D	X	O	S	S	I	Y	F	E	Q	D	K	K
J	N	C	K	R	J	U	M	O	H	R	R	N	W	E	K	L
F	F	F	X	B	Y	W	Z	L	H	B	L	D	J	S	R	A
H	Z	H	Z	E	T	T	E	D	G	K	W	O	H	T	U	G
L	K	M	J	J	P	Y	T	A	B	P	W	I	B	R	R	R
O	F	J	T	V	C	J	K	D	R	K	U	M	R	O	U	Z
U	C	O	B	X	P	A	E	I	S	I	W	F	D	F	C	L
R	X	M	D	M	U	Q	D	N	T	L	B	A	N	A	U	X
O	U	C	F	Y	D	Y	X	H	V	O	K	L	G	N	D	G
A	M	V	S	W	W	H	U	O	R	J	S	S	S	T	A	B
M	J	Z	Y	L	Z	X	I	G	G	F	F	O	U	I	M	R
E	T	L	Y	E	A	S	K	V	L	T	K	Z	J	N	A	I
R	Z	S	F	V	E	F	Q	D	X	I	F	V	L	A	T	P
I	Q	C	A	C	H	A	L	O	T	E	C	V	E	E	A	S
C	U	L	P	L	B	H	C	S	D	R	V	Í	U	Z	G	Á
A	E	L	C	I	F	A	B	U	R	M	U	G	N	K	K	L
N	T	Y	A	K	S	Y	L	Z	V	W	M	K	O	I	P	I
O	E	T	W	L	M	A	P	E	D	V	E	I	N	S	A	S
M	D	A	M	A	D	A	N	O	I	T	E	S	N	Z	H	J
R	O	O	K	T	L	I	B	Á	D	A	R	M	F	S	T	L
A	S	S	G	R	G	G	W	H	G	G	F	A	V	G	L	P
R	U	A	V	O	R	D	Y	G	U	U	D	I	Z	J	A	D
O	L	Y	F	L	X	Z	H	A	Z	L	A	O	N	M	L	A

AMENDOIM-FALSO, BALEIA-FIN, CACHALOTE, DAMA-DA-NOITE, ESTROFANTINA, GLICÍNIA, LOURO-AMERICANO, MACUQUINHO, PISA-N'ÁGUA, QUETE-DO-SUL, RIPSÁLIS, SOLDADINHO, URUCU-DA-MATA

H	S	H	O	Z	O	S	C	F	U	D	Y	N	R	P	Z	C
I	I	F	R	R	J	V	U	N	O	I	P	E	M	Y	Y	O
P	P	S	O	R	V	I	N	H	A	Z	R	E	Á	X	C	M
I	C	Y	D	P	V	M	B	G	C	B	U	P	R	I	Q	C
W	G	O	C	B	D	U	T	L	O	S	J	X	V	E	V	X
E	O	I	R	Z	N	B	C	P	H	B	W	G	O	N	U	O
F	I	R	B	J	I	V	O	V	R	M	N	H	R	Y	Z	V
B	A	C	F	G	G	Ã	N	C	Y	I	N	H	E	L	T	X
L	B	P	N	C	O	D	J	A	L	I	M	V	D	T	P	G
I	A	L	N	J	P	U	U	L	T	B	E	A	O	V	A	H
B	P	Q	F	R	L	Y	D	A	D	D	I	Z	V	U	E	H
H	E	I	W	E	N	Y	P	N	P	Z	Z	T	I	E	R	E
Z	R	B	O	M	P	A	W	G	L	L	C	A	A	Z	R	J
D	A	B	W	D	C	E	T	Ã	S	L	A	L	J	U	D	A
N	B	A	T	A	T	A	D	O	C	E	T	D	A	Y	P	Q
Z	X	R	V	Q	E	S	O	U	N	A	I	R	N	X	L	F
I	X	O	T	S	U	F	T	H	G	A	R	A	T	Z	K	F
J	T	X	N	L	Z	N	Y	E	I	M	U	B	E	W	X	J
H	N	Z	W	P	J	T	L	F	V	P	M	O	D	W	Y	E
T	P	E	T	Z	X	A	B	B	M	B	B	D	U	S	O	D
V	G	Y	I	S	G	L	L	Q	E	H	A	E	G	I	Z	J
H	L	S	S	A	Y	I	T	M	Z	D	V	P	U	S	P	C
Y	P	K	R	D	L	R	H	H	L	B	A	A	C	U	O	A
S	A	Í	R	A	D	E	B	A	N	D	O	L	D	A	M	C
T	A	R	U	M	Ã	P	R	E	T	A	T	H	P	P	F	S
S	I	E	J	H	G	J	S	P	O	Q	S	A	L	T	Q	U

ÁRVORE-DO-VIAJANTE, BATATA-DOCE, CALANGÃO, CATIRUMBAVA, GOIABA-PERA, JOÃO-POBRE, PRIMAVERA, RABO-DE-PALHA, SAÍRA-DE-BANDO, SAÍRA-GALEGA, SORVINHA, TARUMÃ-PRETA, TOVACA-PATINHO

S	G	H	N	M	R	V	R	U	M	H	Y	I	Q	G	J	J
J	A	B	G	P	C	J	X	J	L	D	X	Z	E	T	O	P
P	R	A	T	E	A	D	I	N	H	A	R	U	L	R	J	C
F	Ç	N	J	Q	A	M	X	E	C	V	K	K	I	O	O	N
V	A	C	Y	D	K	P	S	N	B	N	Z	E	D	H	A	W
T	V	G	A	B	J	H	S	C	R	J	H	T	M	V	V	P
D	A	E	U	F	Q	P	I	T	A	N	G	U	E	I	R	A
M	Q	U	W	J	E	P	F	M	A	P	X	I	F	X	G	V
R	U	W	R	O	F	Z	L	T	O	G	T	L	V	H	P	A
R	E	N	R	X	V	W	I	F	Y	J	Y	R	N	P	R	C
G	I	S	G	U	K	T	Q	N	L	H	R	Y	R	I	O	E
S	R	S	Q	W	Y	Y	E	Z	H	W	Q	P	E	T	R	H
Q	A	B	A	M	B	U	D	A	S	O	R	T	E	U	L	W
V	Z	Z	V	T	O	E	L	N	T	M	I	P	B	S	I	V
J	I	G	S	V	P	Z	S	V	B	F	Q	V	X	O	S	H
J	D	U	I	H	H	B	Q	V	A	U	E	V	C	O	C	I
P	I	L	V	P	X	A	O	I	E	E	D	T	N	J	A	H
E	O	Z	K	I	U	W	R	L	H	A	X	D	D	I	N	D
Q	H	H	M	A	N	A	G	C	V	H	T	P	J	O	Ç	S
U	Z	X	I	S	M	H	I	V	I	G	H	C	P	D	O	I
I	U	N	A	Z	C	Q	A	G	P	F	E	T	N	X	F	R
Á	G	U	I	A	C	I	N	Z	E	N	T	A	N	Y	T	A
D	O	R	M	I	D	E	I	R	A	D	O	M	A	T	O	I
O	L	W	Z	I	C	B	E	O	U	O	G	B	L	Q	A	T
C	B	I	U	E	D	P	D	I	T	Y	T	O	B	Y	C	I
E	A	L	J	F	C	X	Z	F	V	C	Y	I	V	D	A	A

ÁGUIA-CINZENTA, BAMBU-DA-SORTE, CAFEZINHO, DORMIDEIRA-
-DO-MATO, GARÇA-VAQUEIRA, LISCANÇO, MARIA-FITEIRA,
PEQUIÁ-DOCE, PITANGUEIRA, PRATEADINHA,
SIRAITIA, TANHEIRO, VIUVINHA

S	A	Í	R	A	D	I	A	M	A	N	T	E	B	M	B	H
R	N	D	Q	Y	R	R	J	O	V	L	S	J	T	G	A	R
P	L	C	Q	Q	J	T	A	G	L	O	R	I	O	S	A	R
C	Q	O	K	S	P	G	F	R	S	A	Z	F	H	P	P	P
I	A	U	N	B	G	J	U	L	P	X	F	R	X	J	S	N
S	A	B	I	Á	C	A	S	T	A	N	H	O	V	W	L	E
A	M	E	N	D	O	I	M	D	E	M	A	C	A	C	O	G
R	W	X	S	M	C	E	Z	A	A	H	W	A	H	O	E	R
A	M	B	U	K	H	H	S	T	T	Z	K	O	D	V	N	I
R	S	R	C	V	F	P	D	L	A	G	U	F	Z	S	K	N
A	L	G	A	U	W	O	R	E	S	Q	U	I	L	O	A	H
B	Y	I	E	N	M	Q	O	P	A	T	Y	B	I	I	G	O
O	Y	U	Y	Q	S	K	F	A	N	V	D	Z	E	Z	J	D
I	P	K	T	M	F	D	R	U	L	N	N	R	F	N	Y	O
A	N	T	C	G	T	Y	H	C	F	M	A	O	W	G	E	M
D	G	T	T	N	Q	D	R	I	K	E	C	C	C	B	L	A
S	Z	E	G	H	L	F	A	G	D	Y	O	Y	O	D	E	T
S	Q	H	I	T	W	R	G	A	Y	X	A	Y	N	Y	F	O
K	L	I	I	H	B	J	X	R	F	G	N	B	S	H	H	J
S	G	H	Y	Y	E	I	X	R	K	I	D	D	E	Z	Z	Z
W	P	S	Z	G	T	I	S	A	B	S	U	M	R	T	J	N
H	U	T	O	R	X	L	M	A	I	V	M	P	P	C	B	W
Q	P	R	A	O	X	Q	C	F	T	K	I	S	E	P	Q	Y
B	U	G	U	Z	U	M	I	N	E	I	R	I	N	H	O	U
L	A	T	U	C	K	C	L	U	E	S	I	A	T	L	X	J
L	E	S	M	E	R	I	L	H	Ã	O	M	B	E	H	V	O

AMENDOIM-DE-MACACO, ARARABOIA, COANDU-MIRIM, ESMERILHÃO, ESQUILO, GLORIOSA, LAGARTIXA-DE-AREIA, MINEIRINHO, NEGRINHO-DO-MATO, PAU-CIGARRA, SABIÁ--CASTANHO, SAÍRA-DIAMANTE, SERPENTE

291

A	L	B	A	T	R	O	Z	E	R	R	A	N	T	E	P	P
R	O	S	A	C	H	A	M	P	A	G	N	E	Q	K	B	S
B	Z	P	T	E	X	R	B	G	D	T	D	U	H	D	W	D
Z	D	O	W	C	X	V	W	X	M	E	F	Y	E	G	F	L
P	Y	H	H	D	V	B	A	C	U	R	I	A	Ç	U	E	A
W	Z	H	W	T	O	P	N	S	C	E	R	O	H	A	D	G
T	V	C	A	R	E	B	A	A	M	A	R	E	L	A	P	O
G	S	P	U	M	W	A	N	P	Y	I	H	S	S	T	L	S
L	R	K	A	L	A	N	C	H	O	E	S	O	F	O	A	T
W	K	A	Q	B	M	B	W	G	I	P	N	I	B	O	S	I
D	X	N	M	N	G	P	D	U	Q	E	N	E	C	Z	V	M
D	P	L	K	A	R	N	I	M	N	F	D	V	Á	U	E	G
Z	X	H	M	A	P	B	O	E	J	A	Y	S	G	H	M	S
E	A	B	S	S	U	R	V	J	H	G	F	A	A	X	B	D
U	B	V	N	O	U	L	E	L	P	D	L	E	D	J	I	N
V	J	N	E	S	A	X	O	T	K	K	O	I	O	A	R	G
S	V	I	B	R	I	F	I	V	A	S	R	T	A	O	A	X
A	B	H	O	E	S	Y	O	U	J	G	D	J	M	P	B	Y
H	L	C	U	C	J	D	F	O	J	T	E	E	A	M	R	M
Y	E	E	C	Y	I	O	P	W	N	I	S	N	R	L	A	Q
L	I	K	J	L	N	F	T	L	X	M	Ã	Y	E	S	N	O
Z	T	Y	G	E	Z	Q	Y	N	S	C	O	Q	L	Q	C	Q
W	E	J	O	I	T	W	Z	C	D	T	J	H	O	C	A	B
L	I	N	R	H	U	S	A	N	G	V	O	O	F	H	Y	U
P	R	O	H	U	Y	L	G	A	L	C	Ã	U	F	O	K	Z
G	A	L	K	I	T	O	T	A	C	J	O	K	C	H	D	F

ALBATROZ-ERRANTE, BACURI-AÇU, CÁGADO-AMARELO, CAREBA-AMARELA, CORAL-VENENOSA, EMBIRA-BRANCA, FLOR DE SÃO JOÃO, FOLHA-DE-BOLO, GRAMA-PRETA, KALANCHOE, LAGOSTIM, LEITEIRA, ROSA CHAMPAGNE

292

W	A	L	O	B	S	R	V	K	Y	B	T	U	R	G	V	M
W	C	Y	C	E	H	M	P	C	E	X	H	Q	X	P	S	Z
J	W	M	A	R	U	P	A	Ú	B	A	G	C	A	T	C	C
S	U	A	R	C	S	L	N	N	N	M	P	A	Z	V	A	K
R	V	F	H	E	I	W	M	A	J	H	Q	J	Q	A	F	I
Q	Z	E	G	P	P	I	E	F	T	E	R	Á	O	M	E	J
R	R	L	P	S	F	A	T	O	A	F	R	M	E	I	E	Q
C	V	A	H	N	Z	A	P	W	O	S	E	I	B	H	I	I
Y	H	N	R	F	U	B	P	A	K	V	L	R	C	H	R	B
I	O	D	K	F	H	C	V	A	P	F	T	I	M	Ã	O	T
S	M	R	V	M	A	E	C	L	I	I	M	M	T	V	O	Z
P	Y	A	B	W	U	D	T	M	I	U	N	A	T	O	B	I
F	Q	C	G	P	K	R	I	A	O	D	S	T	B	I	A	P
T	C	O	Y	C	A	G	T	D	B	P	K	H	O	C	N	E
Q	Q	R	W	I	S	U	H	E	I	Y	O	Q	D	H	A	H
X	V	A	S	T	C	D	D	M	S	R	W	B	B	M	N	I
I	T	L	M	J	B	H	Q	E	M	I	L	C	O	R	E	S
V	Q	L	Q	A	C	G	V	S	C	C	J	E	P	V	I	D
E	I	B	K	B	Y	A	W	T	S	O	I	E	V	S	R	F
R	M	C	S	O	Q	T	J	R	E	U	L	B	R	C	A	W
F	E	K	B	T	X	L	A	E	P	Q	Y	H	Q	C	S	A
R	H	C	C	I	A	Q	D	G	A	M	E	L	E	I	R	A
B	I	P	X	C	F	H	Z	O	R	V	J	V	K	R	F	T
F	F	A	R	A	T	I	C	U	M	D	E	P	A	C	A	I
C	F	W	L	B	A	W	V	T	Y	Q	K	G	Z	W	F	N
T	O	I	S	A	P	H	R	M	G	P	X	R	K	V	P	B

AFELANDRA-CORAL, ALMA-DE-MESTRE, ARATICUM-DE-PACA, BANANEIRA, CAFEEIRO, CAJÁ-MIRIM, GAMELEIRA, JABOTICABA, MANJERICÃO, MARUPAÚBA, MIL-CORES, PAPA-PINTO, PAU-DE-COLHER

G	A	W	C	M	Y	R	E	E	G	S	I	W	V	V	J	V
P	T	H	V	R	U	C	T	X	N	M	M	S	C	U	G	D
U	W	E	O	H	Z	Q	B	V	F	H	A	A	Y	X	G	Z
T	E	T	B	K	J	Y	B	K	L	S	O	J	L	A	R	N
T	E	T	P	U	B	U	R	X	A	H	W	O	A	N	U	D
B	Z	K	C	V	V	P	E	Q	M	Q	R	T	V	T	M	V
R	S	Z	I	H	S	F	L	N	L	X	A	T	Q	M	I	P
X	M	X	E	L	M	P	F	B	R	M	X	A	A	K	X	U
U	R	S	O	G	B	V	D	Y	A	X	R	A	P	G	A	E
U	F	S	N	Y	O	Y	M	D	I	S	J	E	K	F	M	D
W	A	L	I	K	E	U	U	A	F	A	I	S	Ã	O	A	Z
L	M	A	B	J	U	B	M	U	N	O	U	P	M	A	W	I
D	O	U	W	T	U	D	D	N	B	D	E	J	Q	F	L	W
A	R	Z	J	R	L	N	B	H	Q	N	I	R	Q	G	U	B
G	A	W	U	T	R	O	E	W	I	V	S	O	I	B	J	C
Z	V	T	L	S	L	S	E	D	R	A	O	Z	C	R	P	K
G	E	H	H	X	J	Z	O	Y	L	L	S	W	M	A	O	U
V	R	N	U	C	T	S	L	O	B	U	J	P	P	I	M	M
E	M	Z	E	S	Z	P	A	U	M	U	L	A	T	O	B	B
W	E	Y	B	G	N	M	N	C	R	U	T	C	Y	O	A	U
N	L	H	G	X	R	A	B	V	A	M	N	S	J	O	D	G
Z	H	U	Y	T	E	I	Ú	P	I	G	M	E	U	Y	O	U
H	A	Q	O	D	P	E	N	S	T	Ê	M	O	N	T	C	E
Z	J	U	I	Q	D	U	D	H	O	R	X	I	Y	M	A	L
L	I	M	O	E	I	R	O	D	O	M	A	T	O	C	B	A
X	M	A	N	Ê	M	O	N	A	D	O	J	A	P	Ã	O	B

AMORA-VERMELHA, ANÊMONA-DO-JAPÃO, FAISÃO, GRUMIXAMA, LIMOEIRO-DO-MATO, MANDIOCA, NEGRINHO, PAU-MULATO, PENSTÊMON, POMBA-DO-CABO, TEIÚ-PIGMEU, UMBUGUELA, URUBU-DA-MATA

C	J	S	P	C	F	S	D	O	B	M	F	P	J	I	R	B
G	Á	I	J	M	X	E	U	B	M	O	O	Q	C	I	I	X
I	D	S	K	O	F	I	V	P	W	P	J	A	A	Y	W	L
S	D	Z	S	Q	Q	X	S	M	E	C	B	R	I	U	C	P
T	C	Z	K	I	U	W	S	U	V	P	I	I	A	N	V	M
Z	Y	K	J	U	A	H	D	A	V	O	R	C	R	X	N	O
L	E	V	N	H	T	R	B	G	Í	F	O	U	A	L	A	P
Q	E	H	Y	J	I	N	O	D	C	C	O	R	R	O	M	V
E	L	I	X	K	P	F	G	S	D	A	A	A	A	P	A	I
R	E	X	W	X	U	G	Z	U	A	J	P	N	C	Z	M	R
U	P	L	M	Q	R	Z	I	A	D	C	N	A	Á	N	T	Y
P	O	V	K	M	U	S	D	Z	O	J	I	W	R	R	X	C
B	Z	I	Q	G	Q	S	I	G	R	M	A	M	F	P	I	F
R	G	G	L	R	G	W	M	N	M	H	W	A	H	V	R	O
A	J	A	K	G	W	F	V	Z	I	T	B	R	I	I	I	Y
D	E	Y	J	G	V	M	D	H	D	J	I	I	V	Ú	V	E
U	A	R	A	Ç	Á	D	A	S	E	R	R	A	V	V	F	A
V	P	Y	Z	D	B	D	A	O	I	S	V	M	Y	A	B	S
I	Y	C	V	E	I	D	S	I	R	W	R	I	E	N	F	A
P	X	F	W	R	H	N	K	M	A	V	R	R	G	E	N	G
U	N	G	G	W	H	B	M	B	S	Z	O	I	R	G	N	A
O	K	D	N	T	I	O	T	P	Q	P	E	M	U	R	Q	F
M	C	O	R	R	E	D	E	I	R	A	D	O	M	A	T	O
Y	A	G	R	I	Ã	O	D	A	T	E	R	R	A	K	U	A
R	A	B	O	D	E	B	U	R	R	O	O	R	R	K	B	M
K	K	R	Z	Á	S	T	E	R	D	A	C	H	I	N	A	G

AGRIÃO-DA-TERRA, ARAÇÁ-DA-SERRA, ARICURANA, ÁSTER-DA-CHINA, CAIARARA, CÁSSIA-ROSA, CORREDEIRA-DO-MATO, DORMIDEIRA, MARIA-MIRIM, QUATIPURU, RABO-DE-BURRO, SAÍ-CANÁRIO, VIÚVA-NEGRA

295

U	C	X	S	L	L	P	M	S	F	P	R	I	J	H	N	E
W	F	Z	K	L	V	B	Z	H	W	M	W	R	G	J	F	C
G	A	G	O	P	E	T	R	E	L	G	R	A	N	D	E	H
J	D	D	K	D	R	U	G	W	M	Q	A	N	S	P	F	P
H	X	O	J	Z	M	A	N	G	O	S	T	I	M	A	P	Q
D	F	R	H	M	O	B	X	Q	E	K	O	A	J	U	A	D
S	Y	Z	A	E	A	V	I	D	J	D	D	F	T	D	L	U
S	E	C	H	N	U	D	N	H	K	A	O	L	Z	E	M	E
X	R	B	G	B	H	C	L	H	L	R	M	U	Q	L	I	K
S	K	E	O	J	F	N	H	C	M	I	A	Y	V	A	T	C
B	Q	G	L	D	Z	W	N	E	C	I	T	Y	Z	C	O	A
O	P	G	F	P	V	Q	P	E	R	W	O	D	P	R	J	F
I	G	O	I	A	B	A	D	O	C	A	M	P	O	E	U	É
P	D	U	N	R	V	H	F	K	T	G	X	A	U	E	Ç	D
E	G	E	H	D	I	X	H	X	N	O	W	Q	W	X	A	O
V	J	D	O	S	S	D	S	K	X	X	R	C	K	F	R	M
A	R	E	C	A	B	A	M	B	U	A	Q	R	A	N	A	A
C	V	L	O	X	W	C	X	F	C	V	J	C	U	A	V	T
O	U	O	M	O	U	J	R	K	X	H	A	X	I	M	T	O
M	J	S	U	X	R	P	A	U	X	S	X	Z	G	G	K	C
U	U	U	M	I	O	P	D	S	S	K	V	Q	F	V	D	F
M	M	O	S	M	W	A	Y	I	T	T	S	V	R	U	F	U
E	G	F	Q	S	L	G	A	Q	A	B	Y	Y	P	M	B	Q
T	Y	N	G	M	R	C	Q	N	Y	H	T	K	O	H	X	H
Q	H	M	V	D	S	V	Z	Z	W	P	U	Q	R	P	V	U
P	P	I	R	B	Z	T	K	Q	U	D	X	C	S	T	P	U

ARECA-BAMBU, BOIPEVA-COMUM, CAFÉ-DO-MATO, CAISSACA, CARQUE
GOIABA-DO-CAMPO, GOLFINHO-COMUM, HEUCHERA, MANGOSTIM,
PALMITO-JUÇARA, PAU-DE-LACRE, PETREL-GRANDE, RATO-DO-MATO

296

Y	P	N	Z	T	R	X	W	R	F	J	J	J	M	Y	P	X
K	I	L	X	U	Á	C	D	A	E	L	L	P	U	Y	H	L
P	N	Q	N	C	C	T	G	P	K	A	E	H	Ç	P	U	F
K	C	A	I	U	P	I	L	O	J	G	M	F	U	J	U	Y
A	U	A	G	X	Z	N	P	S	R	O	A	N	R	U	M	Z
Q	U	S	Á	I	M	J	A	Ã	Q	S	B	S	A	U	R	Á
G	Z	L	L	G	I	U	U	O	K	T	Y	G	N	B	K	Y
F	G	M	A	U	K	E	F	Y	S	I	E	N	A	Q	C	E
N	C	K	G	X	E	P	A	F	C	M	V	M	C	Q	Z	S
X	E	A	O	O	E	C	V	N	B	J	E	C	R	Z	I	T
E	S	P	O	N	J	A	A	Q	T	X	X	N	U	P	N	C

ESPONJA, GÁLAGO, GUAICÁ, LAGOSTIM, MUÇURANA, PAU-FAVA, RAPOSÃO, SAGUI, SAURÁ, TUCUXI

297

M	G	G	H	A	O	R	Á	J	E	I	J	T	P	R	N	B
E	L	A	N	D	E	U	T	B	A	T	U	Í	R	A	Z	Y
Q	C	O	X	G	D	W	I	C	N	U	A	J	Q	G	X	C
F	C	H	P	N	S	O	T	X	H	M	M	Y	H	F	S	H
O	S	Q	A	L	Y	Q	T	I	U	J	V	Y	B	S	U	I
J	B	M	B	A	T	U	I	R	U	Ç	U	W	X	A	I	N
A	A	O	E	E	A	A	A	V	X	Z	S	M	Q	H	R	C
T	N	R	F	V	I	T	Y	D	O	N	I	N	H	A	I	H
C	Z	E	K	I	Ú	C	H	K	F	A	V	J	Y	I	R	I
B	T	I	J	G	V	L	U	N	D	D	G	L	A	L	I	L
E	X	A	C	C	A	F	A	W	Z	O	Z	H	A	U	W	A

BATUÍRA, BATUIRUÇU, CHINCHILA, DONINHA, ELANDE, MOREIA, SUIRIRÍ, TAIÚVA, TAMANDUÁ, TARUMAÍ

298

G	O	I	A	B	A	S	E	R	R	A	N	A	T	R	K	D
O	X	N	J	J	R	B	D	U	O	F	U	M	W	A	W	A
I	H	Q	Y	G	B	Z	T	E	T	X	U	I	M	B	U	D
A	C	Z	S	R	J	U	T	F	Q	Y	E	M	A	O	C	W
B	D	R	W	K	N	A	S	D	J	J	T	F	Y	D	B	C
A	Y	Y	S	K	Z	T	Y	E	J	S	R	X	Z	E	V	F
S	N	G	S	I	U	M	U	Ç	U	R	A	N	A	A	P	W
I	J	R	L	Y	E	C	U	F	Y	Q	S	G	U	R	T	I
L	T	Z	N	M	G	M	X	P	O	H	D	G	A	A	A	N
V	F	C	U	M	H	G	C	I	O	F	Á	Z	L	M	W	R
E	N	W	Y	V	H	C	H	L	C	D	L	E	B	E	I	T
S	D	I	T	M	S	F	D	R	A	O	R	N	C	R	L	H
T	W	Z	F	W	R	J	I	R	K	T	B	E	U	U	T	A
R	K	U	O	W	M	C	G	E	S	H	Z	C	R	P	X	R
E	I	L	A	P	M	N	T	E	O	L	D	C	R	A	H	A
V	A	R	A	P	A	Ç	U	P	A	R	D	O	I	T	U	Ç
L	I	V	J	S	J	R	P	J	C	R	S	A	O	X	E	A
F	K	M	I	P	U	U	A	A	O	K	I	I	L	Q	G	R
M	Q	X	L	P	G	Q	Y	O	U	P	Y	G	A	C	S	I
Z	A	G	A	G	F	Q	C	U	E	M	Y	R	B	P	A	B
M	J	R	P	C	T	A	M	T	K	S	A	E	E	O	N	A
N	I	Q	W	L	W	X	S	I	H	A	S	R	V	E	I	N
U	D	A	C	Q	J	I	I	X	H	X	F	I	F	N	C	A
T	W	M	U	K	R	E	Y	A	G	C	L	S	X	I	F	N
K	K	W	K	T	R	T	T	W	W	B	H	T	I	H	M	A
C	O	R	T	I	Ç	A	L	I	S	A	M	E	K	Y	C	K

ARAÇARI-BANANA, ARAPAÇU-PARDO, ARIGBOIA, CORTIÇA-LISA, CURRIOLA, GOIABA-SERRANA, GOIABA-SILVESTRE, MUÇURANA, PAU-MARFIM, RABO-DE-ARAME, SANGRA D'ÁGUA, TRISTE-PIA, UIRAPURU-ESTRELA

299

C	T	T	S	I	F	G	N	U	V	R	D	Y	B	Z	A	M
A	J	X	A	F	G	U	K	K	Z	O	X	F	Q	A	L	A
N	O	B	B	K	L	A	E	F	N	R	A	W	Y	N	D	K
E	L	N	I	R	W	S	C	A	B	E	Ç	A	S	E	C	A
L	M	K	Á	T	D	S	T	U	O	X	K	Y	E	P	U	U
A	F	S	R	V	H	A	W	W	I	A	I	W	V	W	S	Z
C	R	D	U	U	G	T	H	N	L	E	A	R	E	N	T	R
O	D	A	I	T	H	U	R	E	I	S	F	P	L	V	Z	O
Q	S	B	V	H	T	N	U	D	W	Q	O	W	N	S	Y	U
U	L	Y	O	S	W	G	T	H	C	N	J	Q	S	A	S	I
E	J	R	L	P	A	U	F	E	D	O	R	E	N	T	O	K
I	I	A	Q	P	J	A	S	M	I	M	M	A	N	G	A	C
R	T	L	A	B	I	O	H	C	X	I	N	M	J	I	J	N
O	Y	P	E	K	L	S	D	A	R	N	J	Y	L	C	V	I
I	D	N	G	W	G	I	A	F	O	M	P	D	O	R	M	S
P	P	R	B	G	X	N	O	É	S	P	F	C	B	D	O	J
I	N	O	P	H	A	C	A	D	A	K	N	O	E	A	J	O
V	Z	Z	A	R	K	K	Y	O	D	B	G	N	I	C	Z	K
M	P	A	U	E	Z	O	C	S	E	B	R	R	R	O	B	F
I	V	Ç	P	C	W	B	E	E	J	M	W	E	A	B	W	N
D	U	H	E	A	A	H	R	R	E	W	D	B	D	R	D	O
M	Q	N	O	I	X	G	H	T	R	K	W	O	A	A	O	H
V	M	Y	E	P	O	N	W	Ã	I	U	B	P	M	C	I	G
J	P	Q	E	G	V	Y	R	O	C	L	F	E	A	E	D	P
X	Y	N	P	K	U	D	T	X	Ó	K	P	Z	T	G	K	E
J	E	Q	U	I	T	I	B	Á	R	E	I	A	A	A	J	P

CABEÇA-SECA, CAFÉ DO SERTÃO, CANELA-COQUEIRO,
COBRA-CEGA, GUASSATUNGUA, JASMIM-MANGA, JEQUITIBÁ-REI,
LOBEIRA DA MATA, MUÇURANA, PAPAGUELA, PAU-FEDORENTO,
ROSA-DE-JERICÓ, SABIÁ-RUIVO

300

R	J	X	W	X	T	F	M	C	S	U	A	V	U	X	F	C
N	M	G	N	Z	N	Y	E	C	O	L	N	Z	Q	Q	A	A
A	E	O	C	B	O	A	Y	N	I	A	U	H	I	R	Z	M
F	W	Y	H	Y	Y	U	C	H	X	T	O	C	R	Q	V	B
W	C	A	M	A	N	A	C	Á	D	A	S	E	R	R	A	A
Q	Z	V	Q	V	M	N	O	L	Z	V	S	X	X	R	B	R
L	D	J	H	S	I	Z	K	L	M	A	R	A	C	U	J	Á
O	H	Q	S	H	S	A	T	B	D	O	N	D	O	Q	Q	D
S	X	K	C	L	O	P	J	O	F	G	L	W	T	D	A	O
E	C	H	H	D	Y	C	R	U	E	W	J	R	I	L	V	M
E	T	P	B	P	U	U	R	W	N	W	K	B	Ú	F	K	A
G	R	X	A	A	O	M	C	Q	Q	U	W	C	V	H	P	T
F	T	B	H	L	I	K	S	Q	H	O	O	J	E	W	O	O
Z	V	D	E	T	M	Z	H	K	Y	D	W	A	R	M	M	U
R	H	V	U	A	G	E	F	U	A	U	U	C	D	K	E	D
J	D	A	E	D	Y	R	I	E	I	M	Z	U	A	C	B	H
J	L	O	P	T	N	G	V	R	J	I	V	R	D	C	H	B
F	O	L	H	A	D	E	P	R	A	T	A	A	E	G	C	Z
Y	S	I	U	H	D	L	Z	Y	W	I	O	R	I	K	M	N
V	V	J	O	A	U	O	E	J	N	A	Ç	U	R	A	D	Q
P	T	I	R	G	V	I	G	B	J	D	V	Á	O	C	N	H
C	O	B	R	A	E	S	P	A	D	A	X	A	D	R	E	Z
S	O	S	B	K	J	Y	Q	J	Q	V	G	Z	Y	F	X	H
C	V	S	F	A	C	U	P	T	W	S	E	G	C	A	Q	G
S	A	I	T	T	R	R	E	C	A	V	A	L	I	N	H	A
E	E	C	A	F	S	U	W	Y	I	T	U	A	D	G	U	X

CAMBARÁ-DO-MATO, CAVALINHA, CHINCHILA, COBRA-DE-VEADO, COBRA-ESPADA-XADREZ, FLAUTIM-RUFO, FOLHA-DE-PRATA, JACURARU, LOURO-DA-SERRA, MANACÁ-DA-SERRA, MARACUJÁ, PALMEIRA-IÇÁ, TIÚ-VERDADEIRO

C I G A R R A P R E T A J H D V W
S M P P V A I K W J W W A M K A K
Y W T W M I J K F G P H J D O X O
J Y Q U M B P J X O K F D B X G C
V I N A G R E I R A Z L N W N O D
Q N J D U G C B R L I Z J B K A Z
C F I A O T H U A Q K E M E R U E
J B Z M C H O S N D Q X Q B U Z G
Q B C E I M C H A F Q U U B N C C
S P J J A U A X X C S R J Q D O A
Z B N Ç R S D W M A A E C Q J H P
L G R I C J E A H I Y M Y T A X I
T A O O Q R S L É M X B C J C Y T
G M Q T V B O M U C V M J X I C Ã
E Y W G W F O O X A Z K H W N R O
H G D T O P R D M N H C V M T N D
U P J C I X E M O E V P R K O C O
I O N A C T T C E L U J F G U G C
T I V P X U A T K A G N A I V U A
C P J I D F M Z V D C C E O A A M
W K L N O M A B R O O Q C B N P P
F Z O I L I A S A B R A N C A U O
P W H N L H J T E R J B U M G R L
C A N G A P A R A E A N C E R U Y
G N T A F G L U H J E U D W W V J
M T X G X W H Q Z O Q O K I S U C

ASA-BRANCA, CANELA-DO-BREJO, CANGAPARA, CAPININGA, CAPITÃO-DO-CAMPO, CHOCA-DE-SOORETAMA, CIGARRA-PRETA, CINCO-FOLHAS, GARÇA-MOURA, GUAPURUVU, IPOMÉIA-RUBRA, JACINTO-UVA, VINAGREIRA

A	J	A	C	U	P	I	R	A	N	G	A	A	V	E	U	P
B	M	W	R	J	T	C	M	F	W	J	U	W	N	U	G	U
I	A	Q	F	H	K	C	I	B	F	G	J	S	D	V	W	E
U	R	L	G	U	T	Z	W	I	Á	Z	G	V	Q	R	J	U
Z	I	F	J	Z	J	F	E	D	Y	N	R	T	M	Q	K	L
I	Q	Z	Q	C	W	G	O	M	S	I	Ã	D	N	B	F	S
N	U	R	V	W	O	J	Z	L	D	Z	O	O	R	O	G	M
H	I	S	Z	X	E	O	E	J	Y	O	D	C	E	D	M	V
O	T	L	U	T	H	K	Q	Q	T	I	E	X	W	Y	F	F
V	A	H	M	C	C	E	Z	S	L	E	C	L	A	D	M	Y
L	D	V	Y	H	U	Y	M	G	A	X	A	C	I	X	Z	V
S	E	Q	B	K	N	P	P	J	A	N	V	T	L	H	M	Q
Q	G	B	E	M	K	V	I	R	Q	K	A	B	E	O	U	P
X	A	W	J	M	I	I	R	R	G	H	L	R	O	A	S	Y
Y	R	H	G	U	U	A	N	P	A	H	O	T	F	R	G	J
N	G	U	S	I	G	W	L	V	P	P	A	N	J	O	O	O
U	A	A	C	I	F	I	E	V	A	L	R	C	C	S	T	Ã
R	N	B	C	A	O	A	Z	Q	U	U	U	E	R	A	A	O
F	T	U	N	I	G	U	T	M	D	Y	R	B	T	D	P	P
K	A	B	U	G	V	G	I	N	E	F	T	X	Z	O	E	I
P	P	T	B	Z	V	R	L	T	R	W	A	J	S	J	T	N
P	R	Z	A	F	A	O	I	N	O	M	D	T	O	A	E	T
D	E	X	P	Ç	Y	G	O	T	S	R	F	W	H	P	I	O
W	T	T	A	K	F	Z	C	A	A	L	F	O	G	Ã	C	R
I	A	R	M	M	Z	C	K	I	S	M	R	O	S	O	M	D
G	A	T	O	M	A	R	A	C	A	J	Á	J	Q	L	O	D

ABIUZINHO, ARAÇARI-MULATO, GATO-MARACAJÁ, GRÃO-DE-CAVALO, JACUPIRANGA, JOÃO-PINTO, MARIQUITA-DE--GARGANTA-PRETA, MUSGO-TAPETE, PAU-CIGARRA, PAU-DE--ROSAS, ROSA-DO-JAPÃO, SUCUPIRA-PRETO, TEJO-D'ÁGUA

B	U	Q	U	Ê	D	E	N	O	I	V	A	U	O	L	R	S
H	Y	O	I	S	V	L	V	R	V	Z	I	M	P	C	U	D
U	G	H	L	U	O	V	T	G	B	S	K	M	V	E	Q	S
Q	P	Y	X	A	Y	E	J	V	C	V	G	Z	S	R	R	E
A	M	K	Z	J	U	V	T	W	V	M	W	U	Y	E	W	R
P	S	B	B	O	J	R	W	W	V	M	N	X	F	F	G	I
H	W	C	C	S	I	Z	O	B	B	C	D	U	E	Ó	Z	N
S	F	E	Z	T	W	Z	R	T	H	K	M	G	I	L	Q	G
A	R	A	Ç	Á	P	Ê	R	A	I	N	V	Z	J	I	B	U
N	H	F	N	F	N	R	L	I	X	N	U	L	O	O	O	E
D	K	R	M	Q	I	O	J	Z	A	Z	O	C	E	D	B	I
A	K	G	A	T	U	R	A	M	O	C	A	P	I	M	J	R
E	Y	E	L	D	L	P	H	J	D	E	Y	F	R	I	H	A
X	L	Q	C	K	G	B	O	I	B	O	M	S	O	A	H	S
U	N	N	M	Q	R	Q	J	N	H	Z	L	A	F	N	J	A
C	M	M	L	W	R	C	N	N	G	Y	F	Í	I	T	K	Í
F	P	B	V	R	B	E	I	J	N	J	R	R	O	Ú	E	R
Q	X	P	N	R	J	D	R	H	O	A	I	A	W	R	W	A
J	N	T	B	M	U	D	Z	N	X	E	S	P	T	I	R	C
Q	L	D	Z	Ç	F	O	V	O	D	G	Y	I	F	O	E	A
O	X	H	E	B	T	O	L	N	V	O	G	N	V	R	S	R
K	Y	B	I	Q	E	S	A	H	G	L	Q	T	S	A	P	I
S	A	Q	Z	Z	T	B	T	W	V	K	U	A	X	I	R	J
C	P	W	S	H	V	K	C	E	S	N	N	D	T	N	C	Ó
T	M	A	T	W	K	W	K	P	A	U	D	A	L	H	O	T
I	W	W	V	X	I	C	X	X	F	K	G	I	X	A	G	N

ANTÚRIO-RAINHA, ARAÇÁ-PÊRA, BANDEIRINHA, BUQUÊ-DE-NOIVA, CABEÇUDINHO, CEREFÓLIO, FEIJOEIRO, GATURAMO-CAPIM, LAUROTINO, PAU-D'ALHO, SAÍRA-CARIJÓ, SAÍRA-PINTADA, SERINGUEIRA

T	C	G	P	H	V	W	O	D	S	O	K	N	N	J	V	X
D	C	O	B	R	A	D	O	M	A	T	O	I	L	U	X	C
O	U	V	L	O	F	O	Z	A	A	U	V	D	Z	L	M	D
P	C	L	V	D	C	V	W	K	J	H	I	E	C	U	D	F
E	I	V	M	A	K	N	B	W	J	B	W	S	I	A	A	Y
T	G	L	M	G	N	L	L	K	J	Y	X	Y	R	X	B	D
Ú	I	N	F	U	N	T	E	R	J	A	K	I	Q	K	I	K
N	O	F	I	F	P	W	K	I	X	G	E	K	M	S	U	F
I	B	Q	G	P	G	P	O	H	S	B	Y	S	L	A	C	S
A	O	T	E	A	K	P	A	U	A	G	G	K	X	P	A	K
C	G	T	Z	T	A	N	G	I	C	O	R	O	X	O	R	E
O	I	W	G	X	X	A	O	D	X	O	I	R	P	T	R	T
M	Y	E	O	U	L	G	N	N	T	B	T	C	N	A	I	B
U	F	K	E	K	S	I	O	K	K	F	A	A	H	P	O	T
M	D	D	E	Q	R	A	M	V	W	A	D	P	E	R	L	E
C	Y	Z	I	C	U	D	Y	P	R	S	O	I	T	E	A	S
X	J	S	J	E	F	D	I	I	N	H	R	G	A	T	A	F
C	U	X	W	Q	Y	O	B	K	C	U	D	M	J	A	G	R
G	B	H	I	K	J	M	W	X	U	C	A	É	P	J	H	E
D	P	X	R	V	E	B	Q	D	M	K	G	I	J	N	T	G
E	S	Q	U	E	L	E	T	O	E	T	U	A	V	P	G	A
A	J	T	D	S	X	X	P	D	Y	E	I	Z	G	K	X	D
L	O	U	R	O	B	R	A	N	C	O	A	A	D	E	O	I
I	A	T	Z	K	O	S	W	D	H	D	N	F	P	L	A	N
P	L	U	J	N	O	X	W	Z	W	J	A	Z	W	J	F	H
I	O	I	T	G	J	B	C	G	A	N	B	T	B	D	S	A

ABIU-CARRIOLA, ANGICO-ROXO, COBRA-DO-MATO, ESFREGADINHA, ESQUELETO, GOIABEIRA, GRITADOR-DA-GUIANA, LOURO-BRANCO, ORCA-PIGMÉIA, PAU-DE-EMBIRA, PETÚNIA--COMUM, SAPOTA-PRETA

Q	D	Z	Y	K	I	R	V	H	U	A	P	Q	Y	V	F	I
C	J	H	B	X	W	Q	O	F	X	J	E	Y	Q	Y	Z	G
M	A	N	T	C	P	V	Q	N	H	G	F	S	P	H	B	V
P	X	B	P	E	R	O	B	A	D	E	M	I	N	A	S	E
D	X	P	E	T	I	R	I	B	A	G	R	A	N	D	E	A
Y	H	R	A	Ç	Y	B	H	L	Q	L	H	E	F	W	E	D
M	O	J	N	L	A	V	X	G	T	B	U	V	M	A	X	O
R	K	E	B	N	O	G	S	I	L	G	Q	R	G	Q	T	C
Y	Q	A	E	K	B	B	R	R	P	P	U	G	L	D	Z	A
J	G	Y	L	U	I	R	I	A	L	I	V	R	H	X	W	M
J	B	Y	A	Y	P	O	V	S	N	C	Q	H	N	R	F	P
D	O	Y	E	N	C	D	V	S	G	D	B	U	J	A	J	E
P	J	Z	M	E	H	T	X	O	D	I	E	O	L	B	U	I
O	C	K	Í	E	O	W	N	L	M	H	E	K	P	O	S	R
V	V	V	L	L	C	W	M	R	K	S	A	V	C	D	E	O
V	B	E	I	J	A	F	L	O	R	V	E	R	D	E	T	Q
J	F	J	A	X	P	H	R	E	V	O	L	A	C	B	E	D
I	J	K	S	B	I	Q	T	M	H	G	Y	W	O	U	C	D
Q	Y	H	K	P	N	J	L	O	E	R	B	Q	R	G	A	M
W	K	A	V	O	T	S	E	C	Q	Y	D	L	A	I	S	W
H	Y	W	X	C	A	L	B	P	E	B	C	E	L	O	C	H
K	W	P	A	U	D	E	C	I	N	Z	A	S	F	R	A	Y
H	P	D	R	E	A	Q	D	R	U	S	E	K	A	R	S	K
L	B	O	D	L	Q	I	B	X	J	Q	V	Y	L	N	L	W
G	O	L	F	I	N	H	O	D	E	R	I	S	S	O	R	R
M	E	G	O	F	F	I	Q	H	N	T	P	C	A	Q	J	I

BEIJA-FLOR-VERDE, BELA-EMÍLIA, CABEÇA-GRANDE, CHOCA-PINTADA, CORAL-FALSA, GIRASSOL, GOLFINHO-DE-RISSO, PAU-DE-CINZAS, PEROBA-DE-MINAS, RABO-DE-BUGIO, SETE--CASCAS, TIRIBA-GRANDE, VEADO-CAMPEIRO

306

K	F	A	Q	Q	E	S	G	I	P	C	C	S	V	P	D	Y
F	E	O	E	J	R	V	E	V	T	U	B	Q	K	F	P	Y
O	N	N	C	R	T	O	T	B	Ç	I	T	K	C	R	J	P
Z	F	C	Á	F	Z	V	U	A	W	H	I	Y	P	Z	C	T
U	Q	Z	G	M	D	M	R	T	A	P	I	R	I	R	Á	P
Z	L	Y	A	F	N	A	Z	I	O	O	V	U	I	S	G	C
W	C	M	D	Q	M	Y	Y	T	X	U	V	K	T	G	A	C
V	H	G	O	A	F	Z	B	Ô	H	E	F	Y	M	I	D	G
L	K	U	C	N	Z	X	A	G	V	F	D	Y	H	C	O	G
S	P	A	A	B	C	L	Y	R	A	A	P	I	O	Z	D	U
B	J	R	B	Z	E	Y	F	A	V	K	E	P	T	J	A	I
T	G	A	E	G	V	Y	P	N	W	O	M	T	K	Z	S	R
X	O	C	Ç	I	Q	R	C	D	T	A	V	E	L	M	E	A
L	M	A	U	Y	V	J	Q	E	C	W	M	X	D	L	R	P
G	I	V	D	Y	J	E	B	O	L	A	L	O	S	U	R	U
Z	C	A	O	G	O	R	D	I	N	H	O	A	G	M	A	R
U	Y	S	Y	P	N	O	L	H	G	D	V	U	R	O	U	U
M	W	E	Z	N	Ã	F	H	N	G	U	O	X	N	P	Z	L
U	H	R	I	S	U	M	A	R	É	D	A	P	R	A	I	A
P	H	R	N	S	E	W	R	X	V	H	H	T	P	Q	H	R
F	S	A	Y	O	T	C	B	B	R	I	V	Q	I	Y	B	A
S	S	N	Y	Q	A	X	B	M	D	T	J	H	U	N	P	N
P	D	A	W	K	D	U	Y	J	F	O	X	M	J	B	G	J
U	V	A	L	H	A	D	O	C	A	M	P	O	X	P	U	A
J	X	L	B	M	L	J	A	S	M	I	M	L	E	I	T	E
F	I	A	V	N	C	C	I	Z	H	S	J	U	F	E	J	J

BATITÔ-GRANDE, BIGUATINGA, CÁGADO-CABEÇUDO, CÁGADO-DA-SERRA, GORDINHO, GUARACAVA-SERRANA, JACAMARAÇU, JASMIM-LEITE, SANSÃO-DO-CAMPO, SUMARÉ-DA--PRAIA, TAPIRIRÁ, UIRAPURU-LARANJA, UVALHA-DO-CAMPO

307

J	F	S	I	H	P	Y	X	L	C	U	Z	P	K	R	P	A
P	E	R	U	D	K	K	S	O	R	O	R	O	C	A	F	B
C	C	G	V	A	Z	M	O	Z	H	F	N	A	E	H	J	I
S	T	C	U	W	T	Z	P	U	T	H	Q	D	B	J	Q	P
S	A	O	C	E	R	Y	G	S	I	G	H	W	A	U	M	E
Y	I	C	A	R	A	N	G	U	E	J	E	I	R	A	D	R
B	Y	A	A	X	I	A	M	F	M	P	E	R	D	I	Z	O
E	X	V	M	J	R	M	U	Z	T	Y	V	B	G	P	O	V
B	A	A	J	C	Ã	B	W	A	M	A	R	I	P	O	S	A
E	K	L	B	H	O	U	X	A	W	O	J	C	Y	R	L	N
W	J	O	Z	J	A	F	C	W	V	G	X	U	Y	I	X	A

CARANGUEJEIRA, CAVALO, JEGUE, MARIPOSA, PERDIZ, PEROVANA, RABUDO, SOROROCA, TRAIRÃO, YNAMBU

308

G	W	N	P	B	B	O	Q	O	E	G	L	H	C	F	Y	X
Q	X	M	I	H	A	O	L	R	G	M	C	W	C	F	W	R
V	U	S	G	V	G	B	O	F	L	F	A	D	S	N	A	H
T	A	T	F	V	I	H	U	N	J	O	N	N	C	K	H	U
R	Q	A	S	H	N	H	S	Í	Ç	G	T	E	G	M	K	B
A	A	D	B	O	H	E	Z	N	N	O	O	V	V	O	V	R
Í	B	L	G	I	J	S	A	R	W	O	R	T	Q	R	N	D
R	Q	I	G	T	F	C	R	O	C	O	D	I	L	O	C	A
A	V	E	R	D	I	N	H	O	J	K	E	Y	S	R	I	A
P	A	R	Á	P	A	R	Á	L	U	G	I	K	L	Ó	L	W
S	O	C	F	F	P	Y	W	D	D	R	A	O	D	B	M	L

BABUÍNO, CROCODILO, MANGONA, MORORÓ, PARÁ-PARÁ, PICANÇO, TORDEIA, TRAÍRA, VERDINHO, VIGONHO

309

H	A	L	A	D	O	H	A	V	A	Í	P	Y	Z	R	O	Y
T	R	U	B	H	C	C	O	Y	N	V	P	B	M	O	O	V
A	A	F	U	R	J	A	F	J	W	P	P	D	S	H	A	H
P	T	E	F	R	E	G	R	N	M	D	R	F	G	G	V	S
A	I	Z	G	V	H	N	T	E	B	P	U	Y	M	R	Z	V
C	C	V	Y	T	T	S	H	G	B	F	E	I	H	K	R	O
U	U	F	S	L	E	Z	E	D	Y	A	K	A	N	E	T	S
L	M	C	L	S	Z	I	C	K	J	J	M	D	N	I	F	O
O	D	V	T	A	A	J	F	D	Q	I	O	O	F	R	C	Z
D	O	G	W	Z	M	U	M	N	F	Q	K	O	L	M	N	V
E	M	C	R	Z	X	I	G	B	B	Z	R	F	T	E	I	I
B	A	R	J	W	S	X	N	S	R	O	Y	K	P	S	A	V
R	T	U	G	M	B	Z	G	G	L	S	Q	F	A	P	O	E
A	O	L	A	U	S	D	Y	C	O	A	O	C	W	K	H	R
S	I	D	V	S	J	B	F	G	D	C	S	J	E	C	S	D
Í	B	R	I	T	U	J	W	V	R	A	H	A	B	I	E	E
L	K	G	Ã	P	W	T	R	R	C	R	U	I	G	P	D	L
I	P	Q	O	U	V	Z	N	E	O	O	Y	N	L	R	X	H
A	X	S	Z	L	V	V	T	A	E	L	L	O	P	E	W	Ã
K	O	R	I	N	D	E	Ú	V	A	H	M	D	H	S	N	O
F	V	W	N	I	S	E	F	G	A	A	N	D	A	T	H	O
S	H	U	H	S	K	Y	H	E	S	S	Y	Z	B	E	H	F
V	D	U	O	G	L	I	E	M	C	G	S	B	K	A	N	T
M	Z	B	Q	U	J	N	M	I	S	D	N	R	D	Z	T	Z
F	Q	H	W	P	U	X	V	W	F	F	J	F	W	U	X	L
O	R	E	L	H	A	D	E	N	E	G	R	O	T	L	F	K

ARATICUM-DO-MATO, CAREBA-MOLE, CIPRESTE-AZUL, CLOROFITO, FLAMINGO-CHILENO, GAVIÃOZINHO, HALA DO HAVAÍ, ORELHA DE NEGRO, ORINDEÚVA, SACA-ROLHAS, SETE-CASCAS, TAPACULO-DE-BRASÍLIA, VERDELHÃO

T	A	P	E	R	U	Ç	U	D	O	S	T	E	P	U	I	S
C	L	Y	D	Z	G	P	L	K	R	Q	J	J	Z	W	U	H
M	X	P	P	F	X	M	O	N	J	O	L	E	I	R	O	Z
V	G	E	I	Z	L	Y	R	R	M	V	R	P	E	Y	N	Q
E	V	R	W	M	A	Ç	A	R	A	N	D	U	B	A	V	Y
G	A	O	D	Y	E	V	X	F	U	L	U	F	A	A	A	Z
B	T	B	F	C	K	R	A	F	W	X	S	U	O	W	N	W
K	H	A	J	Z	V	J	J	X	D	Q	T	I	R	L	Y	S
W	L	R	N	J	T	B	O	Q	K	R	A	X	S	Z	C	X
B	X	O	K	Q	R	Y	Y	R	Q	G	V	R	S	O	A	U
X	K	S	I	G	Z	Z	W	O	A	W	M	T	Ã	R	M	V
Z	I	A	S	N	R	N	A	P	T	Q	U	B	T	H	E	B
Y	K	B	S	R	Q	I	A	R	G	W	A	W	C	N	D	G
X	B	W	A	H	A	P	M	R	K	S	E	A	A	V	Ó	T
I	X	E	B	G	E	Z	D	P	E	C	D	P	M	J	R	T
P	S	Z	I	D	J	Z	U	D	E	H	O	M	B	A	E	Y
M	K	L	Á	L	G	A	U	W	S	I	U	L	U	C	A	M
X	P	G	B	X	G	A	S	D	C	T	R	Q	C	A	E	I
B	N	Y	R	Q	P	Q	I	M	B	K	A	O	Á	R	L	U
I	L	F	A	B	E	E	S	M	P	Z	D	U	P	É	E	F
N	G	M	N	V	P	P	R	H	B	S	I	O	E	T	G	V
I	L	N	C	U	L	R	X	E	H	V	N	R	I	I	A	F
A	D	R	O	P	G	I	G	Q	K	V	H	M	X	N	N	J
F	A	L	S	A	Q	U	I	N	A	O	A	Q	O	G	T	I
D	I	I	F	I	P	W	T	M	V	B	S	K	T	A	E	Z
N	Q	R	R	N	E	U	U	S	M	M	V	O	O	Y	A	F

CAMBUCÁ-PEIXOTO, CAMEDÓREA-ELEGANTE, DOURADINHA, FALSA-QUINA, GRIMPEIRO, INGÁ DE PAPAGAIO, JACARÉ-TINGA, MAÇARANDUBA, MONJOLEIRO, PAU-DE-SABÃO, PEROBA-ROSA, SABIÁ-BRANCO, TAPERUÇU-DOS-TEPUIS

S	L	M	N	H	C	T	R	A	T	O	D	E	F	A	V	A
A	U	G	A	R	Ç	A	A	Z	U	L	G	R	A	N	D	E
Í	E	C	M	O	H	P	N	X	C	Z	E	R	Z	F	B	M
R	O	B	U	N	L	G	T	A	H	V	N	S	V	J	D	W
A	I	A	W	R	J	T	U	M	D	F	G	R	U	R	W	J
S	U	B	W	I	I	O	N	E	Z	E	I	L	W	H	E	J
A	C	H	C	V	C	C	D	O	R	A	A	O	J	K	E	Q
P	A	C	R	B	B	N	O	E	P	B	M	Ç	L	U	M	N
U	G	L	W	E	T	W	V	M	W	F	Z	H	Ú	Z	V	A
C	I	V	S	R	J	R	I	Y	U	Y	Q	A	J	C	C	G
A	G	Z	P	I	Z	Q	T	P	J	M	C	D	D	N	A	Z
I	A	F	H	C	J	J	Ó	T	R	E	T	N	S	U	S	R
A	N	X	U	B	R	S	R	S	T	T	J	M	F	O	A	U
E	T	X	N	K	M	C	I	S	M	C	O	E	B	I	L	Q
C	E	F	Q	U	T	C	A	O	H	R	Q	X	R	S	Y	O
T	O	E	O	T	L	O	R	H	D	U	N	E	V	R	T	Y
L	G	R	A	N	I	O	É	N	H	Y	T	R	X	N	G	E
U	J	I	E	R	P	Q	G	X	Q	S	R	I	C	B	I	K
R	Q	M	Í	Ó	Z	I	I	B	I	R	G	Q	W	V	R	F
A	T	L	Q	U	P	T	A	E	P	Q	X	U	B	P	B	U
D	G	H	J	D	L	S	H	M	Ê	V	Y	E	J	B	U	L
V	A	G	P	J	R	T	I	B	P	S	B	I	S	O	P	P
W	W	A	W	V	I	A	W	S	R	M	T	R	I	U	V	A
C	X	M	A	Y	L	G	B	L	E	V	D	A	V	U	S	Y
T	S	A	Q	Y	P	O	N	Y	T	T	X	X	Q	T	S	W
C	C	H	I	R	I	T	O	D	O	B	A	M	B	U	D	A

CANA-DE-AÇÚCAR, CHIRITO-DO-BAMBU, COREÓPSIS, GARÇA-AZUL-GRANDE, HEISTERIA, IPÊ-PRETO, IUCA-GIGANTE, LÍRIO-ASTECA, MEXERIQUEIRA, RATO-DE-FAVA, SAÍRA-SAPUCAIA, SUCURI-COMUM, VITÓRIA-RÉGIA

C	S	T	Z	B	S	R	C	A	Y	I	S	X	R	R	F	P
A	S	V	I	C	O	Z	L	D	A	E	M	Q	Y	O	S	I
D	U	U	E	J	S	J	E	T	M	D	S	E	H	F	K	K
E	S	L	X	L	I	Z	D	R	K	P	A	K	J	P	U	W
I	D	Z	E	I	W	X	D	C	G	E	Í	E	H	A	E	L
R	S	X	F	L	Q	O	P	E	E	K	A	H	D	A	I	H
A	U	Y	S	R	E	U	Q	B	H	T	N	U	B	S	G	E
D	A	O	N	Ç	A	P	I	N	T	A	D	A	L	S	F	Z
E	U	L	B	K	P	M	L	K	I	P	O	I	P	K	R	E
S	H	A	B	I	U	L	B	V	H	W	R	Q	S	X	J	S
O	B	E	K	U	C	M	O	O	I	R	I	C	B	E	O	Q
G	S	M	Q	B	A	K	I	C	E	Y	N	G	R	M	V	A
R	Q	D	U	M	M	K	L	F	O	S	H	U	S	I	B	B
A	X	T	H	K	A	R	G	K	V	B	A	E	A	R	T	E
K	N	L	D	Z	R	R	E	E	Q	H	R	T	A	I	V	C
K	W	K	J	M	Ã	E	C	N	H	M	N	A	U	N	G	Y
C	I	W	Z	R	O	G	Q	P	O	A	Q	V	L	D	V	O
I	M	H	V	P	A	C	O	K	M	P	S	S	K	I	E	H
V	S	Z	V	W	Z	U	R	A	K	X	W	P	L	B	S	D
Q	T	L	V	K	U	J	L	B	H	P	M	O	Y	A	K	A
Z	A	N	L	G	L	A	E	G	I	M	N	M	F	R	F	X
W	C	V	X	E	S	W	J	Z	E	V	Z	B	Y	O	D	N
O	L	H	O	D	E	C	A	B	R	A	F	E	S	S	F	L
I	P	Ê	D	A	S	E	R	R	A	H	E	I	R	A	Y	S
P	A	U	D	E	N	O	V	A	T	O	X	R	U	W	D	A
X	R	P	E	N	T	E	D	E	M	A	C	A	C	O	D	F

CADEIRA-DE-SOGRA, CAMARÃO-AZUL, COBRA-LISA, FRAMBOESA, IPÊ-DA-SERRA, MIRINDIBA-ROSA, OLHO DE CABRA, ONÇA-PINTADA, PAU-DE-NOVATO, PENTE-DE-MACACO, POMBEIRA, SAÍ-ANDORINHA, SALAMANTA

313

J	I	P	Ê	S	E	R	R	A	N	A	J	I	Z	V	Q	R
K	C	E	D	E	Y	J	D	T	W	H	L	W	Y	D	M	S
I	P	Ê	V	E	R	M	E	L	H	O	I	E	N	Z	M	I
J	R	K	T	Q	Z	U	B	Y	U	N	Q	X	C	Z	L	Q
D	W	X	D	Y	O	K	A	G	G	I	Q	B	N	F	C	K
F	E	B	P	U	L	G	A	K	G	R	M	N	C	T	T	U
L	F	C	P	T	F	J	T	C	A	J	Á	M	I	R	I	M
M	Z	Z	P	T	R	N	Q	D	D	X	G	P	J	O	U	G
O	R	X	E	N	W	N	R	J	N	O	O	R	K	K	J	G
G	S	Q	J	U	A	P	I	C	A	P	A	U	R	E	I	G
V	O	N	W	E	J	I	Q	L	B	I	H	E	O	M	H	Q
E	V	K	G	L	Z	L	M	A	P	R	T	H	I	J	L	M
G	G	Y	O	A	M	A	K	J	Z	I	C	R	R	E	O	H
R	P	T	F	X	V	K	Q	B	W	N	A	M	J	Q	H	F
S	A	Z	I	G	B	S	W	U	U	P	O	M	C	C	S	T
M	R	H	B	O	U	O	V	F	A	R	Q	S	J	E	F	V
U	A	Z	Z	L	T	X	A	R	R	K	G	R	A	S	O	H
J	R	X	R	F	S	L	A	U	Y	Z	J	N	B	K	V	A
C	A	C	H	I	E	U	B	H	Z	Z	D	U	Y	J	B	P
L	C	Q	X	N	G	E	P	T	A	J	U	V	I	N	H	A
U	A	Q	A	H	D	M	A	R	I	A	N	I	N	H	A	L
S	N	C	L	O	Y	S	W	Z	U	M	O	Q	P	I	M	C
K	G	L	C	F	C	V	Q	F	R	L	J	K	C	W	O	H
I	A	S	W	H	C	N	L	A	J	Y	J	I	I	C	K	Y
R	A	M	M	G	G	N	O	S	P	L	R	M	G	N	W	Y
C	O	B	R	A	D	E	C	H	U	M	B	I	N	H	O	V

ARARACANGA, CAJÁ MIRIM, CANELA-FUNCHO, CASCO-DE-BURRO, COBRA-DE-CHUMBINHO, GOLFINHO, GUARAPARIM, IPÊ-SERRANA, IPÊ-VERMELHO, MARIANINHA, PICA-PAU-REI, TAJUVINHA

B	C	O	T	N	G	I	C	E	S	P	A	T	Ó	D	E	A
B	X	D	S	P	P	Q	X	L	O	E	C	T	M	G	N	V
X	T	M	X	C	L	B	Q	E	B	L	E	Y	U	G	W	B
R	S	S	A	L	G	U	E	I	R	O	D	O	R	I	O	M
N	H	U	X	A	J	A	W	J	F	G	R	Q	I	K	I	X
G	B	K	R	Z	N	E	C	I	L	F	O	U	C	R	F	X
A	E	J	X	M	Q	L	T	B	U	E	D	D	I	U	E	U
I	S	I	C	R	N	G	R	O	Q	R	O	D	R	E	B	S
B	V	P	L	E	I	T	E	I	R	O	B	R	A	N	C	O
E	M	T	T	U	H	T	C	A	H	X	R	E	S	F	V	B
M	T	Q	U	B	G	L	V	V	E	D	E	Q	T	N	I	C
R	H	Q	J	K	E	O	Q	E	K	E	J	L	E	N	N	A
P	M	P	P	W	I	J	K	R	J	X	O	I	I	K	H	R
F	K	K	H	I	Z	F	B	M	O	B	U	J	R	S	Á	A
J	C	V	W	Q	C	E	J	E	T	D	M	I	O	C	T	N
G	U	V	Q	U	N	A	S	L	V	V	G	Z	R	W	I	G
W	P	Y	H	E	T	C	P	H	E	C	Q	J	C	F	C	U
R	S	J	B	B	B	P	C	A	G	E	V	P	I	C	O	E
J	C	U	A	R	A	P	A	Ç	U	D	E	S	P	I	X	J
F	Q	Q	E	A	P	V	L	W	B	D	P	F	A	I	X	E
P	I	C	A	P	A	U	L	I	N	D	O	S	H	Y	S	I
P	A	U	D	E	T	U	C	A	N	O	V	U	S	U	T	R
Z	N	K	B	D	E	S	I	M	L	P	S	V	R	M	T	A
W	R	N	H	R	K	I	J	C	P	B	X	M	S	A	U	W
M	X	O	X	A	J	W	B	Z	D	P	U	X	S	J	D	W
H	E	F	E	Y	J	Y	O	J	D	X	K	X	S	O	Q	O

ARAPAÇU-DE-SPIX, CARANGUEJEIRA, CEDRO DO BREJO, ESPATÓDEA, JIBOIA-VERMELHA, LEITEIRO-BRANCO, MURICI--RASTEIRO, PAU-DE-TUCANO, PICA-PAU-DOURADO, PICA-PAU--LINDO, QUEBRA-PEDRA, SALGUEIRO-DO-RIO, VINHÁTICO

315

S	U	C	U	P	I	R	A	B	R	A	N	C	A	N	N	E
D	Z	O	N	U	A	Y	N	Y	F	R	H	L	P	R	P	A
U	V	F	K	R	J	U	R	J	Y	I	E	F	K	B	N	B
N	S	O	S	W	N	T	D	N	B	D	C	S	D	A	X	Z
S	G	N	F	T	H	F	P	E	R	U	J	A	N	K	F	O
R	Y	V	T	C	H	L	F	A	C	Q	S	A	K	R	G	I
U	U	M	O	J	G	O	I	A	B	A	B	R	A	N	C	A
S	V	U	M	Y	P	H	Q	V	U	A	N	T	Y	A	T	M
D	S	Q	U	F	L	F	U	L	S	V	C	Z	N	G	R	Z
K	H	L	T	U	X	B	S	S	J	V	A	U	I	J	T	L
I	V	L	V	A	M	G	A	M	R	P	B	P	R	L	E	Q
G	S	Y	X	K	M	C	K	Z	F	Q	E	A	J	G	S	A
U	P	S	K	R	M	E	P	Q	A	E	Ç	T	Y	M	O	Z
Q	W	A	P	B	B	X	G	S	H	A	A	O	O	L	U	Z
E	M	D	C	C	Y	R	Q	B	D	O	D	M	V	V	R	U
S	B	A	J	W	Y	P	V	E	R	Q	E	E	Q	S	Ã	V
A	Q	R	Z	H	D	D	Z	I	S	E	S	R	Q	W	O	A
S	K	B	U	F	B	A	E	J	S	S	A	G	L	W	G	I
S	U	K	F	Y	A	L	T	O	M	A	P	U	V	P	R	A
G	J	X	B	B	O	S	G	P	Y	G	O	L	X	W	A	R
V	Q	W	A	C	P	L	T	I	Q	U	Z	H	H	S	N	E
H	H	I	A	R	K	D	U	N	U	A	B	Ã	K	I	D	D
Q	O	R	D	J	O	P	V	T	G	R	A	O	Q	K	E	O
G	A	R	Ç	A	D	A	M	A	T	A	L	T	S	Y	E	N
C	D	R	C	V	F	L	V	D	C	J	D	T	B	Z	A	D
U	U	S	P	I	S	L	Q	O	B	I	U	W	B	Z	X	A

BEIJO-PINTADO, CABEÇA-DE-SAPO, CARACOLEIRO, CASSABANANA, GARÇA-DA-MATA, GOIABA AZEDA, GOIABA BRANCA, PATO-MERGULHÃO, PAU-DE-CANZIL, SAGUARAJI, SUCUPIRA BRANCA, TESOURÃO-GRANDE, UVAIA-REDONDA

B	I	C	O	R	E	T	O	A	Z	U	L	P	O	S	K	X
K	K	C	E	E	T	Q	V	D	H	T	C	E	Y	Í	B	G
Q	J	L	B	E	Z	O	X	W	R	X	J	U	V	R	A	Q
D	G	D	U	P	P	C	M	S	H	F	D	B	W	I	I	C
D	X	E	H	E	O	S	C	K	N	S	X	C	R	S	E	X
D	D	T	T	E	Y	H	P	O	C	N	S	É	D	A	R	U
O	E	O	C	D	S	F	W	E	F	Y	M	Q	R	M	D	P
V	X	G	B	V	V	P	A	V	R	E	E	I	F	A	P	B
H	K	C	J	O	O	W	E	U	O	I	S	U	M	R	B	S
B	C	Y	C	T	A	M	K	R	O	O	Q	B	U	E	P	T
N	Q	Y	B	E	G	A	T	A	Í	Z	I	U	M	L	D	J
Q	S	N	E	N	V	S	A	G	S	D	Y	X	I	O	R	K
O	W	U	H	S	L	U	O	S	M	B	I	P	V	T	X	J
P	L	Q	S	A	P	J	I	W	X	O	V	O	P	N	Ã	J
E	A	Z	I	E	H	I	U	J	F	U	N	T	T	N	R	O
U	E	Q	L	W	N	E	R	E	J	C	V	D	Z	B	D	G
M	U	T	A	M	B	A	P	R	E	T	A	C	Y	O	C	G
I	F	M	Y	V	F	K	N	O	A	R	Y	U	E	R	W	F
S	P	M	B	X	C	V	J	B	C	D	C	U	G	R	C	T
C	Á	G	A	D	O	D	E	H	O	G	E	I	F	A	J	D
C	A	N	E	L	A	S	A	N	T	A	O	I	P	L	T	Y
V	X	J	U	C	C	Y	X	U	L	G	A	D	R	H	R	G
J	O	Ã	O	F	O	L	H	E	I	R	O	W	V	A	K	B
U	N	H	A	D	E	G	A	T	O	H	H	I	E	R	B	M
J	Ó	I	A	D	O	C	A	B	O	W	N	X	W	A	O	D
J	D	W	X	A	S	H	W	H	H	G	W	Q	R	R	N	L

ALSTROEMÉRIA, BICO-RETO-AZUL, BORRALHARA, CÁGADO-DE-HOGEI, CANELA-SANTA, ESPIRRADEIRA, HESPERÍDIO, ÍRIS-AMARELO, JOÃO-FOLHEIRO, JÓIA-DO-CABO, MUTAMBA-PRETA, PERIQUITÃO, UNHA-DE-GATO

Q	Z	K	J	M	H	A	D	D	B	K	W	K	V	M	E	N
L	U	B	C	K	E	Q	O	A	U	E	E	X	K	O	G	N
Z	H	P	D	U	R	S	E	Q	H	L	I	Q	I	G	Z	I
R	H	A	K	K	J	J	S	G	Q	V	R	D	E	J	X	G
S	N	R	R	N	O	F	A	M	S	L	T	M	P	W	N	R
U	D	D	D	I	W	K	A	C	E	Q	X	W	C	L	K	W
C	Z	E	M	V	R	I	J	E	A	T	A	T	B	S	L	P
U	U	L	F	B	R	A	M	S	R	T	L	Z	G	Q	E	G
R	F	A	Y	A	Y	I	M	P	A	H	I	W	P	T	X	C
I	B	P	M	I	F	I	E	B	P	A	P	R	S	N	M	O
V	O	E	C	T	Q	D	H	M	A	U	M	E	Ã	B	U	B
E	I	Q	V	U	C	S	A	D	Ç	P	O	D	Q	O	Y	R
R	P	U	Z	A	H	T	Z	X	U	O	R	U	P	B	A	A
D	E	E	G	Q	O	Z	A	G	D	L	K	E	D	F	Ç	D
E	V	N	T	F	Q	C	A	A	A	K	T	W	T	R	A	O
A	A	A	H	W	U	A	H	R	T	N	B	B	G	A	Í	C
F	R	B	N	P	I	C	S	S	A	Q	D	Q	I	P	D	A
V	A	M	D	W	N	U	R	B	O	V	O	A	B	R	O	P
A	J	L	S	I	H	L	Q	D	C	I	U	X	L	Z	P	I
N	A	B	R	Z	A	I	S	A	A	T	Y	Q	N	D	A	M
K	D	R	Z	H	C	Y	G	U	A	P	Q	C	Y	Y	R	Z
A	A	R	M	N	A	O	J	H	B	U	P	H	W	G	Á	G
G	O	O	M	H	R	R	T	A	T	A	J	U	V	A	G	G
M	A	Ç	A	R	I	C	O	B	R	A	N	C	O	B	U	U
U	U	Y	C	Z	J	S	Z	B	Z	N	C	I	K	A	D	V
Y	U	W	H	P	Ó	K	A	W	I	D	U	A	P	R	V	N

AÇAÍ-DO-PARÁ, ARAPAÇU-DA-TAOCA, ARIRAMBA-PRETA, BOIPEVA-RAJADA, CHOQUINHA-CARIJÓ, COBRA-DO-CAPIM, GARRINCHA-DO-OESTE, JACATIRÃO, MAÇARICO-BRANCO, MARIA--MOLE, PARDELA-PEQUENA, SUCURI-VERDE, TATAJUVA

318

G	R	U	M	I	X	A	M	A	Y	I	S	L	L	V	T	J
Y	A	C	Z	C	W	Y	F	Q	Y	X	T	R	I	T	Ã	O
G	D	E	F	M	U	T	A	M	B	O	W	L	F	J	S	N
V	R	L	O	L	X	O	T	E	E	M	A	J	H	V	Q	O
B	D	Á	S	E	R	Y	C	A	M	G	M	U	A	H	U	I
D	J	S	P	O	V	O	T	B	T	O	K	J	J	E	Y	T
A	R	O	X	I	O	T	E	R	E	R	C	B	H	F	Z	I
R	H	Q	P	S	A	U	X	Ó	V	Y	L	Z	S	Q	E	B
Z	Y	S	O	W	A	K	U	T	I	W	R	F	I	S	B	Ó
Z	S	L	Y	X	B	Y	G	E	X	W	T	U	C	E	R	U
J	U	P	A	R	Á	W	O	A	O	R	I	C	E	B	A	S

ABRÓTEA, BEM-TE-VI, GRÁPIA, GRUMIXAMA, JUPARÁ, MUTAMBO, NOITIBÓ, TEXUGO, TRITÃO, ZEBRA

319

D	I	A	B	L	O	T	I	M	P	A	T	T	K	O	E	I
K	Q	G	U	A	T	A	M	B	U	A	M	A	R	E	L	O
L	K	S	T	U	C	A	Z	E	C	B	O	N	I	T	O	V
V	I	T	E	L	A	Q	H	T	M	A	Ç	A	R	I	C	O
U	P	N	O	X	V	O	X	A	V	L	O	M	N	V	W	R
W	N	P	G	N	E	Z	X	R	M	A	Y	D	P	K	N	I
M	D	R	O	U	D	A	T	A	H	G	K	W	V	K	K	N
A	L	B	F	Y	A	H	P	I	N	D	A	U	B	U	N	A
O	E	N	P	Z	E	D	G	T	X	K	T	E	F	G	R	X
D	O	M	F	A	F	E	O	S	Y	B	B	V	V	T	N	S
E	J	M	P	X	G	M	S	A	R	A	C	U	R	A	N	O

BETARA, BONITO, DIABLOTIM, DOM-FAFE, GUATAMBU-AMARELO, LINGUADO, MAÇARICO, PINDAUBUNA, SARACURA, VITELA

G	A	V	I	Ã	O	P	E	N	E	I	R	A	T	B	F	E
N	H	L	L	C	F	A	N	R	U	V	X	M	A	Y	N	I
R	O	Z	S	B	P	C	T	S	G	S	R	M	C	B	G	B
J	A	C	A	R	E	T	I	N	G	A	Z	D	N	P	A	F
L	C	Y	J	K	Z	U	N	H	A	D	E	V	A	C	A	Y
A	K	H	Q	W	W	Z	N	M	J	G	Z	E	Z	H	Q	Z
R	Y	O	W	G	R	I	M	P	E	I	R	I	N	H	O	K
B	M	A	M	I	N	H	A	C	A	D	E	L	A	W	S	W
I	A	J	C	O	M	H	K	N	O	I	O	M	A	G	L	T
G	W	M	C	Z	C	P	K	O	R	R	O	M	M	B	C	S
O	D	E	Z	X	H	U	J	Z	Q	O	B	T	I	P	Z	A
D	K	K	M	C	L	K	Y	K	U	O	Z	C	V	X	T	K
I	L	H	Z	F	J	V	T	Z	Í	H	D	A	U	P	P	H
N	N	N	A	B	R	I	C	Ó	D	E	M	A	C	A	C	O
H	Z	J	M	O	O	C	P	K	E	M	C	W	O	V	S	F
O	E	N	A	T	H	X	Q	U	A	O	N	W	N	D	A	N
R	N	L	N	J	U	R	O	P	P	S	B	U	M	V	S	U
J	O	E	D	Z	N	F	S	I	O	Q	I	R	N	B	N	V
F	B	W	U	A	D	F	U	L	M	U	C	U	S	X	T	Y
B	E	R	G	A	M	O	T	A	B	I	O	B	C	U	H	M
K	T	P	U	H	H	V	P	W	A	T	G	N	Y	X	Z	E
N	G	U	A	R	A	X	A	I	M	I	R	Q	V	K	M	N
I	N	Z	Ç	S	N	W	I	N	U	N	O	E	F	J	Q	H
Y	P	I	U	K	Q	G	E	U	N	H	S	T	X	X	B	O
T	R	E	X	T	M	K	M	R	T	O	S	F	Y	B	D	T
O	T	Z	T	H	L	J	K	N	O	H	O	N	A	W	J	X

ABRICÓ-DE-MACACO, BERGAMOTA, BICO-GROSSO, BIGODINHO, GAVIÃO-PENEIRA, GRIMPEIRINHO, GUARAXAIM, JACARETINGA, MAMINHA-CADELA, MANDUGUAÇU, MOSQUITINHO, ORQUÍDEA-POMBA, UNHA-DE-VACA

I	P	Ê	R	O	X	O	D	E	B	O	L	A	L	C	G	W
Z	I	E	Z	Q	A	K	X	Z	E	E	O	R	Y	E	T	X
M	C	H	L	Z	D	K	U	F	L	H	J	C	D	R	X	R
E	A	Q	W	P	Q	T	O	S	A	C	A	I	B	O	I	A
H	P	R	M	N	L	C	A	T	S	C	M	E	P	H	R	T
B	A	C	I	S	Q	S	B	M	O	V	F	C	W	I	P	H
A	U	L	S	A	P	C	N	T	M	O	P	Q	Q	B	M	W
L	Z	M	D	B	T	B	O	W	B	C	O	R	U	M	J	X
O	I	A	N	R	U	E	F	T	R	T	Q	T	Q	H	Y	I
A	N	F	I	F	J	P	V	W	A	V	H	U	W	A	J	E
N	H	S	A	F	L	R	R	I	Q	N	B	F	Z	P	O	E
N	O	B	S	Y	X	E	F	B	U	I	V	K	N	M	Ã	I
X	D	R	I	Z	J	O	U	B	X	Q	V	G	B	C	O	L
P	E	R	P	U	I	R	A	P	U	R	U	V	E	A	D	O
M	B	K	S	Y	R	X	S	H	H	J	R	C	K	P	E	U
P	A	A	A	E	P	S	J	H	B	N	G	G	J	B	P	R
C	R	M	L	A	A	Y	Q	X	E	J	H	S	K	P	E	O
J	R	C	A	M	B	U	C	A	Z	E	I	R	O	M	I	C
R	A	J	X	J	A	J	U	W	G	B	O	Q	M	B	T	A
U	S	C	V	M	A	D	R	E	S	S	I	L	V	A	O	B
D	F	I	M	A	P	S	E	R	S	E	H	L	S	U	E	E
F	I	Z	K	J	Y	M	O	G	M	D	O	F	X	I	S	L
I	N	G	Á	B	A	N	A	N	A	A	Z	R	E	C	C	U
S	A	P	A	U	D	E	C	O	R	T	I	Ç	A	D	U	D
Y	S	M	K	C	W	W	A	J	M	K	O	V	R	A	R	O
R	L	Z	L	S	P	E	Z	T	X	N	D	L	O	B	O	G

ALMA-DE-GATO, BELA-SOMBRA, CAMBUCAZEIRO, INGÁ-BANANA, IPÊ-ROXO-DE-BOLA, JOÃO-DE-PEITO-ESCURO, LOURO-CABELUDO, MADRESSILVA, MARIA-TE-VIU, PAU-DE-CORTIÇA, PICAPAUZINHO--DE-BARRAS-FINAS, SACAIBOIA, UIRAPURU-VEADO

P	F	I	G	B	A	R	U	L	H	E	N	T	O	I	A	B
A	U	B	Y	M	M	M	M	Y	A	K	H	L	Z	G	S	J
I	D	P	N	D	J	U	L	F	X	H	P	S	X	U	P	X
N	A	S	D	N	A	R	A	N	J	I	L	L	A	A	D	C
E	U	O	P	T	M	B	S	Z	C	S	C	W	S	N	C	H
I	T	D	G	P	G	M	X	A	K	I	V	G	U	I	V	A
R	M	C	P	Q	L	M	A	N	G	U	E	R	A	N	A	D
A	J	O	C	X	H	C	Q	I	I	L	N	R	E	H	R	C
A	Q	Q	P	Z	E	C	U	O	D	O	W	H	I	A	A	O
M	Z	R	O	Q	W	C	V	K	D	Z	W	J	U	A	Ç	G
A	X	L	Z	L	B	J	P	R	N	Y	A	A	E	Z	Á	Z
R	G	C	B	Q	Y	P	A	K	T	I	W	C	A	U	P	Z
E	U	L	A	R	O	P	D	U	A	O	K	A	B	L	I	K
L	M	F	K	P	U	A	W	R	C	Z	Y	R	U	E	R	O
A	U	L	O	A	K	X	P	V	A	O	N	A	R	G	A	W
X	H	J	T	W	R	A	A	L	X	D	O	N	U	K	N	M
B	S	U	X	U	D	W	O	M	S	R	T	D	T	S	G	O
L	R	E	L	I	S	R	R	J	I	I	S	Á	U	L	A	F
U	C	N	T	P	O	X	Z	E	G	R	Z	B	P	G	Y	Y
I	J	I	P	Ã	K	K	U	T	M	A	G	R	R	C	V	K
M	O	L	G	X	B	G	R	O	W	W	C	A	E	Q	S	M
R	N	I	H	O	N	T	R	A	O	K	Y	N	T	T	M	Q
O	A	W	X	A	Y	V	S	F	T	X	E	C	O	K	Y	B
F	Y	V	P	G	J	L	I	K	O	M	P	O	B	E	O	W
G	U	A	T	A	M	B	U	B	R	A	N	C	O	C	A	C
W	C	T	H	R	W	K	K	R	T	C	U	R	U	M	S	X

ARAÇÁ-PIRANGA, BARULHENTO, CAPANGUEIRO, FAIGÃO-ROLA, GUATAMBU-BRANCO, IGUANINHA-AZUL, JACARANDÁ BRANCO, MANGUERANA, NARANJILLA, OITI-DA-PRAIA, PAINEIRA-AMARELA, URUTAU-PARDO, URUTU-PRETO

B	E	G	Ô	N	I	A	A	S	A	D	E	A	N	J	O	K
C	J	L	F	O	I	A	C	U	I	N	R	P	C	U	K	A
D	F	L	Y	W	U	A	T	C	E	L	M	X	K	S	R	D
O	L	W	Y	D	Y	N	P	U	S	D	U	F	A	D	B	R
K	R	F	Z	L	F	T	Z	R	Z	K	D	V	G	Z	A	V
L	F	U	S	Q	I	R	K	I	L	P	J	I	W	S	A	P
M	T	H	L	U	D	Q	B	J	N	C	D	G	N	F	R	I
L	T	G	J	E	C	I	O	U	Y	P	Q	L	S	O	O	T
X	W	Y	A	V	F	U	S	B	M	R	O	O	S	U	E	I
E	H	I	S	P	L	X	P	A	L	K	E	I	U	O	I	Á
R	U	H	M	R	C	W	O	I	N	X	L	D	H	P	R	D
Z	H	Z	I	E	T	A	P	F	R	O	N	H	E	B	A	E
G	S	C	M	C	L	D	B	X	R	A	M	L	J	U	P	L
X	H	J	C	N	L	E	O	I	A	W	B	H	C	L	R	A
C	A	O	A	W	Y	V	E	V	K	O	C	R	Q	P	E	G
S	O	C	F	A	W	U	U	V	N	T	S	E	A	F	T	O
Q	H	B	É	S	G	D	E	R	B	A	T	I	M	N	A	A
V	I	V	R	I	N	S	W	C	O	U	G	W	R	F	C	E
M	D	E	M	A	T	Q	D	X	Q	P	U	N	R	L	T	A
J	M	R	Ç	Z	V	S	D	X	M	M	H	Q	E	N	H	V
W	O	A	X	K	N	O	N	K	G	E	O	V	B	F	A	J
F	R	Q	U	E	B	R	A	M	A	C	H	A	D	O	C	L
A	S	A	U	J	N	F	R	D	S	J	G	M	U	S	F	Y
Y	M	F	L	A	M	I	N	G	O	D	A	P	U	N	A	O
I	P	Ê	A	M	A	R	E	L	O	R	P	A	Z	D	Q	H
L	O	U	R	O	B	R	A	N	C	O	A	I	L	A	T	Q

ARAÇANDUVA, AROEIRA-PRETA, BEGÔNIA-ASA-DE-ANJO, COBRA-VOADORA, FLAMINGO-DA-PUNA, FORMIGUEIRO-LISO, IPÊ-AMARELO, JASMIM-CAFÉ, LOURO-BRANCO, PITIÁ-DE-LAGOA, QUEBRA-MACHADO, SUCUPIRA-BRANCA, SUCURIJUBA

324

J	Y	Y	C	B	A	C	U	R	I	P	A	R	I	A	Q	C
C	S	Q	N	Q	C	K	F	S	P	R	B	K	U	R	O	U
A	R	A	Ç	Á	D	O	C	E	R	R	A	D	O	A	A	L
X	Y	G	T	S	Z	V	F	E	Z	K	Y	V	Y	T	B	P
B	H	B	Y	W	W	M	S	K	S	W	O	M	Y	I	A	T
L	H	Z	J	O	E	A	B	S	R	C	L	W	F	C	P	X
J	I	V	X	C	D	J	Q	T	B	R	E	P	D	U	E	J
I	Z	M	X	Í	Y	A	L	K	T	O	I	F	B	M	B	K
E	V	V	A	D	Z	C	U	G	H	F	T	H	Z	M	A	U
Y	H	U	F	J	O	M	N	N	C	G	E	P	E	I	P	C
S	G	D	S	E	R	S	I	J	A	M	I	Q	L	R	Ê	O
A	L	U	Y	L	W	L	F	Z	L	I	R	S	L	I	S	B
S	D	M	A	Í	E	L	X	S	A	M	O	N	A	M	S	R
I	I	Y	Z	R	C	L	I	S	N	F	V	K	R	Y	E	A
X	Z	Y	A	I	V	L	O	B	G	I	E	F	G	B	G	E
W	C	M	C	O	E	N	K	Y	O	X	R	Y	T	N	O	S
R	A	F	O	D	V	G	J	O	D	T	M	W	V	H	P	P
K	N	O	R	O	F	P	Q	D	E	A	E	A	Y	W	M	A
V	L	O	U	Z	A	H	C	W	M	M	L	E	U	C	J	D
J	L	A	N	É	D	T	T	S	U	A	H	S	H	V	O	A
F	F	D	P	F	S	Q	T	C	R	N	A	Y	O	E	Z	P
N	P	Q	I	I	H	C	A	P	O	R	O	R	O	C	Ã	O
A	N	D	O	R	I	N	H	A	A	Z	U	L	G	C	M	K
R	N	J	X	O	G	C	H	P	S	N	V	F	R	Z	R	N
X	F	X	O	Q	H	M	Q	Q	H	J	L	U	J	X	N	W
X	D	Z	B	Z	N	O	S	H	R	T	T	Z	Y	V	C	N

AGUAÍ-DA-SERRA, AMARELINHO, ANDORINHA-AZUL, ARAÇÁ-DO--CERRADO, ARATICUM-MIRIM, BACURIPARI, BAPEBA-PÊSSEGO, CALANGO-DE-MURO, CAPOROROCÃO, COBRA-ESPADA, FLOR-DE-LIS, LEITEIRO-VERMELHA, LÍRIO-DO-ZÉFIRO

M	Q	L	H	T	J	P	K	B	H	T	E	V	W	B	T	W
S	B	Q	A	X	J	S	D	W	L	P	X	I	S	F	L	P
A	F	S	C	H	H	X	G	N	B	K	V	K	H	H	A	K
Í	Q	I	O	T	N	C	P	U	E	K	V	D	B	A	F	C
R	W	Y	L	D	L	U	P	J	X	D	E	V	O	I	P	A
A	Z	K	E	A	F	T	O	Y	U	J	Y	J	Y	D	Z	J
M	H	H	I	K	D	I	S	A	P	O	T	I	N	H	A	Á
A	N	O	R	Q	G	A	X	Z	D	B	G	N	G	C	W	R
S	H	A	O	Y	L	X	E	R	A	W	Y	K	O	F	V	E
C	L	O	D	M	P	Q	F	B	G	Z	M	U	L	L	X	D
A	A	R	O	A	M	T	Q	U	A	H	E	O	N	L	A	O
R	K	U	B	E	C	O	O	Q	V	L	S	Z	H	U	Z	N
A	X	H	R	B	G	M	W	R	E	E	E	V	E	T	Z	D
D	Z	B	E	G	D	U	N	A	D	C	C	I	R	R	Y	O
A	X	C	J	Z	U	R	O	A	R	C	M	I	A	Ê	R	R
B	E	N	O	H	L	T	H	L	A	H	Y	N	A	S	C	K
G	L	B	E	J	Q	N	C	W	G	O	X	A	F	M	E	P
P	H	C	J	T	I	Y	Y	B	Ã	C	H	P	R	A	V	I
Q	H	G	U	S	I	I	W	H	O	A	K	W	I	R	Z	O
W	W	I	O	J	M	G	H	J	Z	S	L	K	C	I	G	Y
X	W	R	A	Q	W	H	R	L	Q	E	U	R	A	A	Z	Q
A	P	T	Y	M	Q	I	Y	E	U	L	N	O	N	S	Y	S
K	C	W	D	S	I	W	H	L	F	A	W	Q	A	L	A	S
T	F	S	X	L	L	P	Y	G	K	D	O	Y	P	T	F	H
X	D	C	R	P	A	U	D	E	M	A	S	T	R	O	L	V
T	A	R	U	M	Ã	A	Z	E	I	T	O	N	A	U	B	N

AGAVE-DRAGÃO, BALEIA-SEI, CAJÁ-REDONDO, CHOCA-SELADA, COLEIRO-DO-BREJO, HERA AFRICANA, PAU-DE-MASTRO, ROSINHA-DE-SOL, SAÍRA-MASCARADA, SAPOTINHA, TARUMÃ-AZEITONA, TIGRE, TRÊS-MARIAS

C	O	R	R	E	D	E	I	R	A	C	O	M	U	M	R	P
V	F	E	P	H	T	Z	N	H	J	E	G	Q	I	R	A	E
S	Y	G	J	P	M	P	T	M	J	A	E	X	R	V	N	R
F	B	B	F	E	E	A	H	J	V	S	A	Q	W	S	D	I
M	U	N	L	W	Z	G	V	R	H	R	R	Z	W	A	E	Q
M	K	T	A	P	I	R	A	C	O	I	A	N	A	X	J	U
L	L	G	U	S	X	J	P	P	D	A	Z	E	O	V	I	I
T	C	U	T	P	G	N	N	C	R	Y	A	U	N	W	V	T
Q	D	U	I	C	A	P	U	T	U	N	A	P	R	E	T	A
W	V	U	M	W	H	U	E	I	D	V	L	E	S	K	A	M
L	H	S	M	C	A	K	X	W	K	C	N	R	L	W	K	B
H	X	H	A	Z	B	K	P	E	Q	U	I	Z	E	I	R	O
K	R	G	R	N	P	R	M	O	W	J	X	U	E	A	K	I
D	N	B	R	R	Q	Q	H	D	Y	H	P	L	F	G	L	A
E	Y	G	O	O	K	B	J	F	P	P	O	U	M	L	R	W
W	L	C	M	S	P	R	Y	H	D	M	P	G	V	G	M	U
G	D	D	S	G	B	A	Q	N	A	J	V	I	S	W	P	F
L	K	T	J	D	I	S	Í	I	B	V	I	G	B	Z	H	U
H	Q	X	O	O	F	H	R	A	F	L	E	A	N	H	H	H
Z	E	T	Ã	D	A	A	M	O	Z	Y	E	N	W	H	B	Y
Z	Z	J	O	X	M	K	H	L	S	E	C	T	S	F	Y	P
Z	Y	G	P	E	C	E	K	T	X	M	I	E	T	Z	F	O
U	W	U	O	Z	I	F	V	W	S	C	S	T	R	L	E	S
K	E	K	R	P	I	U	V	A	A	M	A	R	E	L	A	U
M	J	A	C	A	R	É	U	N	A	J	U	Z	L	Y	E	G
J	A	C	A	R	A	N	D	Á	P	A	U	L	I	S	T	A

CAPUTUNA-PRETA, CORREDEIRA-COMUM, FLAUTIM-MARROM, GROPAÍ-AZEITE, JACARANDÁ-PAULISTA, JACARÉ-UNA, JOÃO-PORCA, MARIA-MOLE, PEQUIZEIRO, PERIQUITAMBOIA, PIUVA-AMARELA, TAPIRA-COIANA, ZULU GIGANTE

B	B	R	Y	M	N	N	H	W	Y	F	M	F	X	Z	I	U
K	U	O	K	L	Y	H	T	B	B	T	X	E	H	E	J	D
H	T	T	S	E	P	P	E	P	V	E	I	P	X	A	P	M
U	B	U	I	I	R	H	F	L	R	V	J	Y	U	N	W	O
K	Y	Q	E	Á	H	D	G	N	F	W	S	P	V	X	L	C
W	A	O	O	U	D	G	D	Y	Y	Z	P	T	R	C	A	H
D	Q	B	Y	O	Z	A	R	A	T	T	I	R	W	U	Q	O
V	J	P	I	C	Y	J	P	E	S	D	P	D	V	X	F	D
S	Q	H	Q	I	Y	A	F	R	Q	Z	E	D	D	I	L	O
W	Z	P	P	J	T	R	C	L	A	D	A	J	I	Ú	F	S
F	E	U	A	O	A	A	S	Z	V	I	W	Q	C	D	J	B
L	M	Z	L	L	Y	R	K	M	F	S	A	U	H	E	I	A
J	A	S	M	I	M	A	M	A	R	E	L	O	U	U	F	N
Z	G	A	I	I	P	Q	Y	I	B	C	C	F	V	T	N	H
T	Q	Q	T	N	H	U	O	L	X	C	C	M	A	A	H	A
E	T	G	O	O	K	I	D	O	E	H	W	F	D	H	W	D
V	A	Q	J	T	U	N	A	D	C	V	N	H	E	I	O	O
Q	T	L	U	Z	W	H	C	L	U	R	I	G	O	C	D	S
G	U	P	Ç	S	M	A	I	F	R	Y	O	J	U	K	A	G
G	G	W	A	T	G	D	C	A	B	O	V	E	R	D	E	E
U	A	G	R	K	C	Á	M	H	U	G	E	S	O	Q	Q	E
P	L	L	A	Y	G	G	B	H	E	E	H	X	V	K	A	O
E	I	J	L	F	R	U	T	A	D	E	A	R	A	R	A	J
K	N	Q	K	Q	C	A	N	E	L	A	F	R	A	D	E	E
O	H	B	I	C	H	O	P	R	E	G	U	I	Ç	A	B	G
T	A	U	A	T	Ó	P	I	N	T	A	D	O	I	I	O	G

BICHO-PREGUIÇA, BUTIÁ-DA-PRAIA, CABO-VERDE, CANELA--FRADE, CHUVA-DE-OURO, CUXIÚ DE UTA-HICK, FRUTA-DE-ARARA, JARARAQUINHA-D'ÁGUA, JASMIM-AMARELO, MOCHO-DOS--BANHADOS, PALMITO-JUÇARA, TATU-GALINHA, TAUATÓ-PINTADO

E	S	T	R	E	L	A	D	O	N	O	R	T	E	U	S	Z
O	B	U	C	S	Y	B	Q	Q	Z	N	O	R	U	Y	D	A
R	Y	F	M	F	C	U	K	F	D	M	H	B	O	M	C	R
W	W	J	H	K	O	U	N	R	W	Y	G	P	Z	P	A	A
I	F	I	R	K	W	J	H	A	Z	J	A	A	V	E	R	P
H	E	Y	I	K	E	C	L	T	N	S	I	H	F	R	O	A
Q	J	Q	H	H	G	K	T	O	E	R	D	A	I	I	B	Ç
V	L	K	G	J	L	P	C	D	I	L	V	U	N	Q	A	U
J	X	S	L	V	L	G	U	O	A	L	K	X	O	U	B	G
A	N	E	B	G	S	B	W	C	P	X	E	N	A	I	R	R
M	K	T	Q	X	M	M	A	H	S	J	A	R	C	T	A	A
P	P	R	M	A	I	J	M	Ã	U	C	D	Z	N	E	N	N
V	E	N	T	M	E	H	X	O	I	N	E	A	U	I	C	D
K	H	A	E	D	Y	A	N	R	A	L	J	P	L	R	A	E
N	U	O	O	D	O	V	E	S	Z	X	O	H	C	A	R	Q
G	D	C	M	E	M	M	I	C	I	T	R	O	N	E	L	A
Y	I	J	A	R	A	R	A	C	U	S	S	U	E	E	P	X
B	W	F	U	O	O	G	S	W	J	S	L	I	F	U	D	R
X	C	B	N	C	E	F	I	U	W	J	M	B	Z	E	P	K
R	Z	I	I	R	A	T	O	E	S	P	I	N	H	O	S	O
Q	R	D	U	F	D	N	W	W	O	Y	G	D	L	B	Z	P
C	C	K	R	Y	J	Q	T	I	U	U	C	U	Q	I	W	N
K	Y	F	F	D	R	S	Y	D	K	A	H	L	M	X	A	N
W	K	K	A	I	V	R	Y	O	Y	O	T	F	T	I	S	S
O	V	V	A	B	R	E	A	S	A	D	O	T	E	P	U	I
O	S	P	F	E	E	R	G	S	M	C	Y	S	I	X	B	L

ABRE-ASA-DO-TEPUI, ARAPAÇU-GRANDE, BICO-DE-JACA, CAROBA--BRANCA, CITRONELA, CRINO-AMERICANO, DICORISANDRA, ESTRELA-DO-NORTE, GUATAMBU-DE-SAPO, JARARACUSSU, PERIQUITEIRA, RATO-DO-CHÃO, RATO-ESPINHOSO

M	V	C	W	V	D	N	T	C	D	H	L	P	V	N	K	A
K	C	E	G	V	R	S	I	P	A	C	E	S	Q	X	G	Z
G	T	A	M	A	N	Q	U	E	I	R	O	A	G	R	N	G
O	J	M	P	D	R	U	I	V	V	J	N	X	E	V	V	Q
J	K	N	R	J	W	F	Q	D	D	A	A	B	N	L	E	T
U	B	F	H	C	F	O	Y	Q	Z	C	M	Y	E	Ê	V	A
M	T	M	R	M	E	L	H	A	R	U	C	O	T	M	L	B
E	C	I	Z	Z	U	A	T	O	X	N	Y	U	A	U	R	Y
N	K	X	K	P	H	A	T	A	K	D	Z	H	V	R	T	I
T	A	M	B	O	R	I	L	T	M	Á	S	Z	K	E	N	R
O	X	Y	M	S	A	B	O	E	I	R	O	I	O	S	B	W

GENETA, JACUNDÁ, JUMENTO, LÊMURE, MELHARUCO, RATAZANA, SABOEIRO, TAMANQUEIRO, TAMBORIL, XUMBERGA

330

M	U	C	U	K	S	R	X	U	Z	A	G	L	O	S	S	O
G	U	A	T	A	M	B	U	D	O	C	E	R	R	A	D	O
J	L	K	A	W	S	T	Q	S	W	D	W	X	F	K	V	H
G	N	F	C	Q	X	B	B	M	Z	S	Y	K	S	Q	T	B
B	W	V	E	O	G	S	A	N	G	U	E	D	E	B	O	I
T	M	I	Z	I	Q	Q	P	F	K	M	Z	I	D	E	D	Ê
P	A	R	O	E	I	R	A	B	R	A	V	A	Q	Q	V	Q
K	Ô	Q	W	P	A	U	D	E	T	U	C	A	N	O	G	E
D	O	N	E	N	D	I	P	E	U	M	E	K	S	J	E	L
A	O	D	E	A	P	A	S	S	U	A	R	É	F	F	K	R
F	I	G	U	I	N	H	A	D	O	M	A	N	G	U	E	M

AROEIRA-BRAVA, FIGUINHA-DO-MANGUE, GUATAMBU-DO-CERRADO, PASSUARÉ, PAU-DE-TUCANO, PÔNEI, SANGUE-DE-BOI, SUMAUMA, ZAGLOSSO, ZIDEDÊ

331

Z	Q	F	X	A	G	H	Y	Y	L	D	F	O	O	B	V	X
Z	A	M	F	P	G	W	B	C	T	T	Ã	P	D	W	D	R
B	M	E	U	T	H	W	D	A	K	G	D	E	R	V	C	W
C	N	O	Q	O	C	Q	C	V	A	E	S	R	L	B	B	R
G	H	W	H	L	L	A	G	C	B	A	G	O	I	K	K	I
Y	W	K	U	N	C	B	M	U	H	W	D	B	V	B	L	N
W	R	M	U	Q	N	U	A	B	E	T	M	A	O	C	O	V
Y	Y	U	L	A	C	W	R	B	U	E	R	A	Q	C	E	F
U	R	O	P	I	A	G	A	R	A	Í	X	M	N	R	H	I
T	L	W	T	J	C	Q	L	Y	W	A	P	A	R	G	A	G
D	V	A	R	L	X	H	D	A	Y	S	R	R	T	I	X	A
B	R	M	I	K	L	M	G	R	V	B	A	E	E	W	B	I
A	C	S	K	T	M	U	E	B	I	T	X	L	W	T	F	V
D	F	X	U	X	E	S	K	U	O	I	N	A	R	K	O	O
W	T	P	Z	D	W	R	G	H	L	Ê	X	S	Z	A	N	T
I	C	F	W	K	M	A	N	T	E	D	L	I	U	G	H	A
P	V	E	G	E	S	A	U	G	T	E	O	M	L	B	V	A
A	C	J	D	B	C	S	R	K	A	T	J	F	X	O	N	L
U	K	C	K	R	L	Y	K	K	P	O	X	Y	Q	Y	G	E
D	W	N	O	X	O	H	Z	Y	E	P	P	S	Q	U	C	G
E	K	L	V	Y	S	C	K	G	R	E	O	Z	I	O	F	R
B	F	U	G	J	F	X	E	L	S	T	C	A	Y	F	M	E
A	S	N	Y	G	C	Y	X	T	A	E	P	W	Y	M	A	U
L	Q	T	U	M	B	É	R	G	I	A	A	Z	U	L	Z	Q
S	W	C	P	D	F	H	C	P	D	M	K	U	K	P	A	A
A	K	C	T	F	A	V	E	I	R	A	B	O	L	O	T	A

ARATICUM CAGÃO, CAMBUÍ-PRETO, CEDRO-CETIM, FAVEIRA-BOLOTA, FLOR-CANHOTA, GAIVOTA-ALEGRE, PAU-DE--BALSA, PEROBA-AMARELA, SAGUI-BRANCO, TIÊ-DE-TOPETE, TUMBÉRGIA-AZUL, UROPIAGARA, VIOLETA-PERSA

M	A	R	I	A	T	O	P	E	T	U	D	A	R	V	G	W
J	F	G	U	R	U	T	U	D	A	S	E	R	R	A	A	S
I	Q	O	I	W	G	G	K	I	Z	G	Q	C	Y	R	V	B
G	N	X	S	Z	D	B	Z	K	T	R	D	R	Y	K	I	H
Q	G	B	T	M	X	T	P	Q	J	A	F	R	C	U	Ã	A
B	I	W	O	A	I	T	E	W	E	Z	P	S	Q	C	O	E
M	J	M	K	L	Z	N	J	T	Q	I	J	J	J	Ã	C	S
Y	G	R	E	Z	M	C	T	S	U	N	S	Q	M	V	A	T
J	P	R	D	R	T	G	X	I	I	A	N	I	Q	A	R	R
J	T	K	X	U	A	U	I	F	T	D	T	S	M	H	A	E
S	X	B	O	E	L	A	P	X	I	A	F	B	H	B	N	L
O	M	H	X	T	L	T	H	H	B	M	J	Q	A	G	G	A
O	J	G	C	P	J	A	W	R	Á	A	L	P	T	N	U	D
E	H	O	G	G	W	M	A	S	G	D	L	V	O	J	E	O
V	V	J	O	O	V	B	E	A	A	E	R	B	A	H	J	N
R	I	B	D	Q	P	U	M	U	E	I	I	R	T	M	E	A
F	K	P	X	C	P	M	U	T	H	R	V	P	X	M	I	T
D	Y	A	M	G	A	A	N	D	L	A	O	N	J	P	R	A
X	A	P	K	D	U	R	N	Q	W	Q	Z	V	L	R	O	L
A	F	O	H	Q	A	F	C	N	E	C	T	A	R	I	N	A
I	D	B	P	G	M	I	D	A	S	J	T	G	Y	K	E	L
A	S	R	Z	V	A	M	S	T	G	F	V	A	Q	U	G	S
I	E	A	T	H	R	Y	P	K	C	I	U	X	Y	W	R	U
Y	G	N	F	T	E	X	J	P	V	G	H	O	N	M	O	W
N	G	C	U	H	L	O	O	M	M	L	Q	T	F	K	A	C
V	Y	O	L	C	O	A	K	X	A	Q	V	N	I	L	B	D

BARBATIMÃO, COBRA-TOPETE, ESTRELA-DO-NATAL, GAVIÃO--CARANGUEJEIRO-NEGRO, GRAZINA-DA-MADEIRA, GUATAMBU--MARFIM, JEQUITIBÁ, MARIA-TOPETUDA, NECTARINA, PAPO--BRANCO, PAU-AMARELO, STRELITZIA, URUTU-DA-SERRA

333

D	B	I	C	O	E	N	C	A	R	N	A	D	O	N	W	J
E	M	H	R	M	M	B	F	H	E	V	X	R	E	Z	Y	D
J	P	I	N	H	E	I	R	O	B	R	A	V	O	J	N	B
X	K	G	M	X	M	A	O	X	M	U	K	M	J	A	K	O
R	W	B	X	N	Y	T	B	K	J	H	F	M	M	D	R	B
W	S	V	A	N	C	O	F	Y	D	I	F	O	O	T	K	R
E	U	S	Y	P	C	T	O	G	F	C	Y	Z	N	W	U	J
T	Q	D	H	H	W	A	T	U	S	H	R	O	Y	A	R	E
I	E	D	V	V	Q	I	R	X	I	J	C	F	F	J	P	I
R	C	I	L	F	N	O	I	N	M	N	X	H	W	M	D	J
I	P	D	A	M	A	S	Q	U	E	I	R	O	D	M	D	O
R	P	I	K	O	T	U	M	E	G	D	L	J	U	T	V	Ã
I	M	B	U	N	T	A	D	S	L	G	E	F	I	I	P	O
Z	L	F	F	I	Z	Ê	E	Z	H	P	Q	V	U	M	J	C
I	R	O	S	A	D	O	C	A	M	P	O	R	A	V	I	H
N	G	O	Q	E	R	E	E	B	G	F	O	Z	S	C	R	A
H	O	T	D	R	S	U	T	N	N	I	A	G	B	I	A	Q
O	N	I	D	T	Y	U	C	O	G	G	A	Z	I	V	Ú	U
D	Z	V	P	N	Y	T	V	U	P	U	U	R	D	I	N	E
O	H	N	Y	Q	O	Z	B	I	W	E	F	Z	N	T	A	N
M	J	K	Q	V	N	E	B	P	J	I	T	A	X	P	G	H
A	X	C	K	H	M	T	Z	T	I	R	V	E	R	U	R	O
T	H	R	Z	D	U	P	G	I	J	I	I	O	M	R	A	L
O	W	P	E	V	P	L	N	S	V	N	M	V	V	V	N	B
D	Y	Z	U	P	A	T	P	X	G	H	Q	A	D	S	D	N
C	A	P	I	T	Ã	O	D	E	S	A	Í	R	A	Z	E	O

BICO-ENCARNADO, BUGIO-RUIVO, CAPITÃO-DE-SAÍRA, CARNE--DE-VACA, DAMASQUEIRO, FIGUEIRINHA, IRAÚNA-GRANDE, JOÃO--CHAQUENHO, PINHEIRO-BRAVO, PIUI-DE-TOPETE, ROSA-DO--CAMPO, TIRIRIZINHO-DO-MATO, ZIDEDÊ-DE-ENCONTRO

334

B	R	I	B	A	D	E	R	A	B	O	G	R	O	S	S	O
H	J	A	A	O	Z	J	B	E	D	Z	N	C	Y	P	S	C
P	V	V	R	X	Y	C	A	R	A	C	O	L	E	I	R	A
C	H	O	R	O	N	A	C	I	N	Z	A	Y	A	V	O	C
G	V	R	R	C	J	K	J	X	O	S	R	C	X	V	C	A
S	X	G	I	B	Ã	O	D	E	C	O	U	R	O	B	T	U
B	G	V	Q	X	V	L	Z	H	Y	K	Q	U	Q	A	C	V
G	N	K	K	W	I	W	C	Z	Q	S	O	B	M	G	O	E
Z	S	X	Q	A	S	X	E	Q	H	D	Q	A	A	P	B	R
O	I	T	X	R	S	B	L	E	A	P	D	R	H	Y	R	D
I	U	Q	N	Q	Q	W	G	R	J	A	B	M	Q	Z	A	A
V	F	E	J	F	H	B	U	T	S	A	J	U	F	T	R	D
W	U	T	R	U	W	O	R	O	C	C	L	D	E	H	E	E
A	X	D	E	P	D	R	R	E	C	T	O	K	M	N	T	I
P	X	K	E	U	G	Q	D	S	A	D	T	X	A	N	I	R
T	A	A	T	E	F	O	F	S	Ú	P	D	A	H	K	C	O
B	S	U	W	M	H	A	Y	I	C	I	O	I	F	N	U	I
W	R	V	C	L	Q	U	M	L	I	P	S	K	U	W	L	F
U	Z	P	O	I	M	O	C	P	Q	I	C	J	S	Z	A	B
I	R	U	D	L	G	C	Q	W	V	R	O	V	O	F	D	L
C	T	D	V	A	T	A	N	E	L	A	Q	C	X	P	A	I
H	C	G	R	K	O	Z	R	E	M	P	N	B	S	Z	Q	F
D	U	D	D	A	X	S	H	R	N	R	F	Q	Y	B	I	E
R	L	E	L	N	H	G	D	X	A	E	B	H	X	T	L	Y
A	C	A	N	E	L	A	P	R	E	T	A	Q	E	S	A	Z
N	U	R	B	N	Z	J	K	Y	F	A	W	A	B	P	A	W

ALDRAGO MIÚDO, BRIBA-DE-RABO-GROSSO, CACAU-VERDADEIRO, CANELA-PRETA, CARACOLEIRA, CHORONA-CINZA, COBRA--RETICULADA, GIBÃO-DE-COURO, OLHO-DE-CABRA, PAU-CIGARRA, PIPIRA-PRETA, ROSA-DA-MATA, URUTU-DOURADO

335

C	U	K	C	U	I	I	K	Q	U	G	G	X	X	L	L	A
I	A	B	X	Q	O	X	H	P	A	U	P	O	M	B	O	N
S	A	B	I	Á	D	E	C	A	R	A	C	I	N	Z	A	G
T	J	Y	D	V	Q	Q	W	F	I	L	O	F	Q	U	B	E
Q	E	F	E	V	A	Z	H	I	E	L	L	X	B	A	A	L
I	C	A	N	T	A	D	O	R	O	C	R	Á	C	E	O	I
E	Y	Y	N	N	M	N	M	D	T	B	L	E	A	A	V	M
K	N	E	D	Y	P	S	V	E	R	W	E	Y	T	Q	W	R
M	C	P	F	S	F	Q	J	U	L	S	P	A	G	B	N	O
N	F	J	Q	A	B	C	O	G	U	N	M	N	F	I	M	S
A	I	Z	B	M	Y	Á	U	K	R	A	L	Y	K	B	E	A
B	M	S	I	A	Z	G	D	A	D	Q	P	O	H	Y	E	O
A	F	L	D	W	V	A	D	O	T	H	L	O	J	Q	P	P
C	I	N	P	G	L	D	X	O	E	N	T	F	X	A	T	A
A	M	A	K	L	E	O	Y	X	Y	A	C	C	S	S	Q	U
X	G	Q	F	W	R	D	E	Z	M	Y	J	E	Z	E	K	F
I	R	D	F	Ê	F	E	D	O	L	X	D	K	W	T	S	O
R	A	P	P	X	R	B	D	Z	X	A	E	V	D	A	T	R
O	N	I	I	D	F	A	O	A	C	J	Z	D	S	F	K	M
X	D	Z	W	Q	L	R	W	O	Z	L	C	F	U	Q	E	I
O	E	L	L	E	N	B	B	J	Q	T	X	X	L	N	F	G
F	T	H	N	J	J	I	L	V	O	P	L	N	C	W	S	A
B	P	A	X	J	X	C	T	H	X	A	X	W	I	E	B	V
K	C	O	W	D	R	H	V	I	R	A	P	E	D	R	A	S
F	C	A	R	D	E	A	L	D	A	B	O	L	Í	V	I	A
M	C	W	F	H	O	T	A	T	F	Q	N	Y	Q	V	H	E

ABACAXI-ROXO, ANGELIM-ROSA, BOCA-DE-SAPO, CÁGADO-DE-BARBICHA, CANELA-DO-MATO, CANTADOR-OCRÁCEO, CARDEAL-DA-BOLÍVIA, FIM-FIM-GRANDE, IPÊ-ROXO-DA-MATA, PAU-FORMIGA, PAU-POMBO, SABIÁ-DE-CARA-CINZA, VIRA-PEDRAS

F W M X B Y Z M F D E C R C U P J

G Z M Y S H H H N M T I R E P J S

D T Q U I R I Q U I R I H D I S O

S J Z Q I Q S K U M P I Z R N Z L

C V C S V P M K R L L C J O H Q F

O F K A V R K H A A S B L V O C Q

T T D H K V B V C U F U J E B X A

I B V Z K C W M W N Q W C R R Y R

A I L Z W I L J U R K Á T M A K A

R W L Z L C H J H G V H Z E V M Ç

I E E C H A P A D I N H A L O E Á

N L R A M I H U L A D C W H N E A

H U O G F P N O Z Y Q O K O A R M

A I N A M B U A N H A N G A Í V A

P L A N T A D A A M I Z A D E I R

N K Q N P F I J F A H Y P G R L E

T K G A K L I K V Ç R Y P M J H L

A X C C Z X Y X Q A N G O Q R A O

J I H S P R R A Q R I X P Y M D L

P Y N X E E S V V I Q O G F W E D

J E C N G E I X X Q S F V K Z C U

A W G U A T A M B U O L I V A H Z

B H Y I R R G T I I R N G Q V E R

H A L M W S A P A N B Q C D H I A

N C B N F H G N U H Y K O S F R H

B R O M É L I A C O R A L H Y O B

ARAÇÁ-AMARELO, BROMÉLIA-CORAL, CEDRO-VERMELHO, CHAPADINHA, COTIARINHA, ERVILHA DE CHEIRO, GUATAMBU-OLIVA, INAMBU-ANHANGAÍ, MAÇARIQUINHO, PICA-PAU-OLIVÁCEO, PINHO-BRAVO, PLANTA-DA-AMIZADE, QUIRIQUIRI

337

C	M	S	R	N	O	G	Q	M	R	O	T	N	T	L	E	F
F	O	D	A	J	G	V	O	J	G	R	B	B	H	O	U	D
B	T	B	R	F	P	Z	U	X	H	O	Q	L	D	B	M	R
X	X	F	R	T	K	E	T	Y	K	W	T	I	L	E	N	R
I	Q	R	K	A	P	N	S	O	M	W	L	O	J	Q	E	M
R	C	A	V	W	D	F	O	C	G	Á	I	Q	Q	U	G	L
E	G	B	J	M	W	E	N	C	P	D	S	C	G	O	Y	W
S	K	O	P	W	P	U	V	O	S	E	D	I	R	Q	U	C
J	Q	D	G	G	M	Z	I	I	R	O	A	A	F	J	O	V
W	V	E	G	Y	M	D	Q	M	D	G	F	K	L	I	F	V
D	Q	M	U	I	E	S	K	D	H	R	S	O	O	I	K	I
K	O	A	O	R	U	U	I	T	E	D	O	F	R	E	T	R
H	D	C	R	W	G	S	R	R	Y	C	B	F	D	Q	O	A
D	B	A	R	K	L	N	G	K	A	Z	V	I	E	X	R	Ú
J	L	C	G	P	E	I	T	O	D	E	P	O	M	B	O	N
G	S	O	Z	U	T	I	R	V	X	O	M	C	A	F	M	A
F	S	X	T	A	E	C	R	H	D	Q	A	A	I	L	D	V
Y	Q	I	R	D	L	M	W	Q	S	K	P	B	O	O	O	E
Y	B	B	V	G	Z	A	F	P	L	M	B	E	A	R	I	L
C	O	B	R	I	N	H	A	C	I	P	Ó	Ç	E	D	M	A
C	A	W	E	M	N	X	O	X	Z	T	N	A	F	E	E	D
J	A	D	E	V	E	R	M	E	L	H	A	P	G	C	R	A
A	R	A	T	I	C	U	M	L	I	S	O	R	D	E	I	B
W	S	T	X	X	W	G	T	I	V	J	L	E	J	R	B	L
X	K	U	J	U	H	I	C	V	N	W	Q	T	O	A	G	Z
L	K	Z	Z	H	W	H	M	Z	Z	W	L	A	L	R	H	Q

ARATICUM-LISO, ARREDIO-PÁLIDO, CABEÇA-PRETA, COBRA-DE--VIDRO, COBRA-TIGRE, COBRINHA-CIPÓ, FLOR-DE-CERA, FLOR--DE-MAIO, IRAÚNA-VELADA, JADE-VERMELHA, PEITO-DE-POMBO, RABO-DE-MACACO, TOROM-DO-IMERI

G	Z	Y	V	R	V	X	I	O	Y	A	V	C	E	N	A	S
U	B	V	K	M	A	A	N	F	I	I	K	A	B	I	W	R
A	O	V	Z	N	T	O	J	T	T	Y	Q	Ú	O	U	P	Q
R	A	G	E	B	F	L	I	Y	B	M	N	N	N	C	I	U
A	R	E	E	U	A	T	B	K	E	Z	M	A	O	F	M	I
C	Z	S	B	P	P	J	O	Y	L	C	T	L	I	S	O	Q
A	P	E	R	I	Q	U	I	T	O	R	E	I	U	F	P	U
V	E	Z	L	P	M	W	A	C	X	V	X	S	R	X	F	W
A	P	F	K	B	S	A	B	L	H	I	N	A	A	O	J	K
D	Z	A	I	N	N	T	R	I	Y	Q	L	J	D	E	H	D
E	Z	F	R	C	P	T	A	W	V	V	E	Ú	A	W	K	E
T	A	S	R	D	W	Z	N	F	C	O	I	J	N	E	N	M
O	J	O	K	K	E	B	C	K	M	M	P	A	Ú	Q	H	Q
P	X	L	P	X	A	L	A	R	A	M	L	J	B	I	R	B
E	P	A	T	L	B	Y	A	H	L	O	N	E	I	A	E	O
T	H	N	F	G	Y	P	L	E	I	Q	V	K	O	G	R	Y
E	B	D	N	S	Q	O	F	V	S	H	R	S	A	F	V	O
V	W	R	N	B	F	L	E	A	M	C	D	A	Z	O	A	V
E	E	A	T	A	P	D	I	M	D	J	U	P	U	G	D	H
R	Y	A	P	Y	U	L	M	R	S	Y	K	R	L	T	E	X
M	E	M	B	A	Ú	B	A	B	R	A	N	C	A	J	G	K
E	I	A	P	B	D	P	I	N	G	O	D	E	O	U	R	O
L	C	R	C	W	Y	Q	I	M	S	L	L	I	D	I	A	C
H	M	E	W	T	V	O	F	I	R	H	F	Q	R	U	L	Z
O	H	L	U	S	G	A	L	B	E	Y	H	F	M	E	H	T
Z	H	A	B	R	O	M	É	L	I	A	Z	E	B	R	A	Z

BROMÉLIA-ZEBRA, CAÚNA-LISA, DANÚBIO-AZUL, EMBAÚBA--BRANCA, ERVA-DE-GRALHA, GUARACAVA-DE-TOPETE-VERMELHO, JIBOIA-BRANCA, LIMPA-FOLHA-MIÚDO, PARDELA-ESCURA, PAU-DE--VIOLA, PERIQUITO-REI, PINGO-DE-OURO, SOLANDRA-AMARELA

339

H	I	F	E	I	T	W	I	B	P	N	H	O	A	G	A	R
C	D	J	J	D	Z	Y	X	E	E	P	V	R	T	H	R	E
A	A	S	R	P	G	Q	X	R	C	A	V	Z	V	Z	A	I
Y	E	E	V	K	L	F	N	W	K	P	W	W	S	W	P	P
P	H	O	F	U	X	F	I	G	L	A	W	P	E	E	U	U
G	R	V	E	N	M	N	C	B	E	V	C	U	B	U	T	K
Z	W	A	O	H	Y	D	A	Z	G	E	F	C	U	K	A	U
X	V	X	H	A	O	M	L	O	J	N	L	K	Y	F	N	P
M	L	U	F	D	P	Y	C	B	P	T	O	O	U	I	G	A
M	A	C	R	E	H	X	E	B	B	O	R	I	C	W	A	F
Z	Q	C	N	V	J	U	O	L	E	C	B	V	Z	E	R	Q
S	U	N	U	A	I	U	L	P	N	O	A	Y	L	C	G	J
V	L	J	O	C	W	N	Á	V	V	M	T	J	M	N	B	C
X	L	J	T	A	U	O	R	E	O	U	O	N	T	O	T	E
I	Í	O	P	D	X	R	I	H	S	M	M	J	H	J	S	S
W	N	P	P	O	M	H	A	C	R	P	X	N	I	T	A	X
R	G	U	B	C	E	G	Z	N	F	U	I	W	E	S	L	Y
X	U	D	R	E	X	G	P	E	A	M	B	N	O	G	S	V
V	A	G	T	R	E	J	E	B	A	Z	T	R	H	K	S	K
J	D	S	N	R	V	O	Z	S	Z	K	A	Z	F	O	L	Y
Y	E	A	C	A	X	N	L	Y	G	V	Z	Q	X	V	P	B
Q	S	J	W	D	P	A	P	A	L	A	G	A	R	T	A	N
U	O	G	F	O	B	T	N	A	M	D	I	G	D	W	U	C
V	G	P	P	X	Y	B	M	W	N	A	Q	Y	L	Y	Z	U
I	R	X	B	G	U	A	R	A	C	A	V	U	Ç	U	M	E
L	A	G	A	R	T	O	B	R	I	L	H	A	N	T	E	J

ARAPUTANGA, BALSAMINHO, CALCEOLÁRIA, FLOR-BATOM, GUARACAVUÇU, JUÁ-ESPINHO, LAGARTO-BRILHANTE, LÍNGUA-DE-SOGRA, MACUCURANA, MALVA-ROSA, PAPA-LAGARTA, PAPA-VENTO-COMUM, UNHA-DE-VACA-DO-CERRADO

340

L	B	B	A	R	B	U	D	O	P	A	R	D	O	H	P	L
P	A	T	A	D	E	E	L	E	F	A	N	T	E	J	O	I
B	G	I	Q	A	S	D	Y	Y	T	S	B	C	O	B	I	A
R	W	J	P	A	U	J	V	Z	S	B	P	I	G	G	C	A
J	A	T	O	B	Á	P	E	Q	U	E	N	O	B	Q	A	M
O	S	A	U	Z	F	D	H	P	U	I	O	G	B	O	D	E
Y	X	W	H	T	B	C	H	C	C	J	U	J	W	B	Y	I
I	A	D	G	H	Y	C	A	B	U	A	F	U	Z	M	N	L
B	I	A	I	A	V	U	A	X	Ú	F	U	F	N	K	S	S
X	M	P	A	Z	L	M	R	F	B	L	N	O	Y	W	D	C
J	W	K	M	K	A	Y	W	W	A	O	N	N	L	S	Q	R
A	U	B	E	R	E	O	C	O	B	R	A	B	O	L	A	B
C	P	H	U	Z	H	X	D	S	R	R	N	J	C	T	P	M
A	Y	M	F	U	T	K	U	M	A	O	M	H	I	R	L	A
R	D	T	R	T	R	W	U	L	N	X	P	L	X	G	G	R
É	N	Y	Z	N	U	O	K	A	C	O	I	J	J	Z	U	R
V	D	A	F	V	O	T	B	R	A	M	J	T	B	Q	A	E
E	I	H	W	O	Z	C	B	H	É	Z	O	Y	H	G	T	C
R	V	J	V	P	J	Y	O	B	Y	D	T	W	N	C	A	A
M	J	K	Y	O	M	B	M	X	H	P	T	U	V	Q	M	O
E	I	L	A	A	O	A	V	C	L	T	T	K	T	B	B	V
L	A	C	B	L	N	N	P	W	G	A	R	B	H	E	U	E
H	Q	K	F	A	I	G	C	S	Ç	K	U	R	Z	N	R	I
O	C	A	S	T	A	N	H	A	J	A	R	A	N	A	O	R
K	B	A	C	U	R	A	U	Z	I	N	H	O	Z	S	S	A
U	Q	X	B	B	Z	G	D	K	L	I	W	V	C	I	A	F

ANAMBÉ-MILITAR, BACURAUZINHO, BARBUDO-PARDO, BEIJA-FLOR-ROXO, CASTANHA-JARANA, COBRA-BOLA, GUAÇATUNGA, GUATAMBU-ROSA, JACARÉ-VERMELHO, JATOBÁ-PEQUENO, MARRECA-OVEIRA, PATA-DE-ELEFANTE

E	M	S	R	G	P	S	H	N	N	N	Z	O	C	V	P	P
M	A	A	F	D	S	I	D	I	V	D	E	Q	V	N	T	B
B	H	G	M	T	E	X	B	Z	V	R	R	V	X	G	L	K
I	Q	L	H	I	L	E	U	B	Ó	H	G	K	B	X	C	B
R	F	F	N	I	C	W	S	B	Y	M	S	T	R	H	S	U
A	O	Q	A	C	D	A	R	X	Q	G	U	V	F	Y	C	A
D	O	G	R	X	C	A	D	W	E	Y	Y	V	I	L	W	N
E	H	Y	C	Q	M	P	D	E	A	A	L	K	B	P	K	X
S	V	F	P	U	N	I	T	T	P	W	O	A	V	M	O	H
A	P	R	C	K	R	L	I	Z	N	O	R	M	I	U	Y	R
P	U	U	B	E	Z	U	M	W	M	A	R	I	Q	I	N	K
O	R	B	D	C	Q	E	R	A	U	F	T	C	I	R	U	C
U	G	R	V	I	U	P	W	Q	G	C	X	O	A	A	R	Á
P	Z	Q	R	A	C	X	A	M	I	X	O	L	G	C	U	S
W	I	A	M	C	S	T	N	B	U	R	U	E	E	A	D	S
Z	M	N	B	Z	A	R	C	A	I	E	X	Ã	C	T	E	I
O	M	N	D	D	R	N	C	E	U	U	G	O	C	I	T	A
Y	R	Y	O	A	P	J	U	L	C	S	X	P	H	A	O	I
Y	A	T	C	B	Í	G	F	T	D	T	N	R	O	R	P	M
J	A	H	Y	Y	N	B	D	G	G	N	Y	E	C	A	E	P
R	G	Q	C	A	N	M	A	I	D	W	J	T	A	R	T	E
J	J	Y	R	B	K	W	Q	D	A	O	Q	O	D	A	E	R
K	B	O	Z	G	A	A	I	D	Á	K	D	S	Á	J	Z	I
X	M	F	G	B	Y	S	B	W	Q	G	S	Y	G	A	Z	A
N	L	J	B	R	A	X	U	P	E	I	U	G	U	D	I	L
C	A	R	A	D	O	U	R	A	D	A	E	A	A	A	W	T

CARA-DOURADA, CÁSSIA-IMPERIAL, CHOCA-D'ÁGUA, EMBIRA--DE-SAPO, MAMICA-DE-PORCA, MARIQUITA, MICO-LEÃO-PRETO, MORANGUEIRO, MUIRACATIARA-RAJADA, PINDAÍBA-D'ÁGUA, RATO--DA-TAQUARA, URUCUM ARBÓREO, URU-DE-TOPETE

J	A	R	A	R	A	C	A	D	O	B	R	E	J	O	L	T
P	D	P	U	C	C	Q	V	W	M	H	O	A	E	Q	I	R
H	O	T	Q	F	M	G	Q	O	T	E	G	R	C	A	Z	O
A	S	H	V	E	M	I	P	E	R	O	B	A	R	O	S	A
V	A	C	M	F	X	J	O	G	U	I	K	Ç	N	Q	Z	A
V	N	I	L	X	N	S	J	B	Q	F	T	Á	Z	P	H	C
N	G	K	T	R	C	K	I	V	Z	B	I	G	K	X	J	T
P	R	B	F	S	C	G	X	X	D	I	R	R	E	X	N	W
I	A	Y	K	C	G	U	S	B	W	Z	Z	A	H	L	P	Q
M	D	X	S	N	Q	Q	R	J	C	N	A	N	R	I	D	L
E	Á	W	C	U	S	P	R	O	Á	D	B	D	N	V	T	G
N	G	V	L	X	X	D	K	W	G	U	B	E	X	S	E	P
T	U	J	X	I	O	U	W	H	A	P	E	Z	U	C	I	A
E	A	M	A	G	M	F	F	G	D	V	E	Y	V	U	Ú	L
I	G	M	F	R	I	I	X	T	O	M	J	S	O	X	G	M
R	F	D	W	P	A	F	R	P	F	E	W	E	J	G	I	E
A	Z	C	P	J	F	Ç	M	C	E	J	L	C	G	O	G	I
Q	I	S	S	A	J	A	Á	T	I	I	C	W	G	V	A	R
X	Y	X	D	Y	C	N	Y	V	O	K	H	N	W	Z	N	A
L	E	E	C	E	N	O	T	W	E	W	J	T	A	U	T	J
Z	M	T	R	T	X	C	W	R	J	R	L	W	G	O	E	E
W	R	R	F	U	H	Z	U	L	U	C	M	P	K	K	R	R
C	O	B	R	A	D	E	C	A	Ç	O	T	E	W	V	M	I
C	C	K	K	J	Y	M	G	P	F	Y	V	C	L	N	C	V
G	F	N	I	B	A	R	B	U	D	I	N	H	O	H	C	Á
P	A	U	D	E	C	U	T	I	A	E	T	I	F	F	O	J

ARAÇÁ GRANDE, ARAÇÁ-VERMELHO, BARBUDINHO, CÁGADO-
-FEIO, COBRA-DE-CAÇOTE, CORRE-CAMPO, JARARACA-DO-BREJO,
PALMEIRA JERIVÁ, PAU-DE-CUTIA, PEROBA-ROSA, PIMENTEIRA,
SANGRA D'ÁGUA, TEIÚ-GIGANTE

S	A	Í	R	A	P	É	R	O	L	A	M	J	F	F	D	K
M	P	H	M	K	Q	E	R	I	J	N	U	P	L	A	S	C
N	V	J	X	O	U	Q	S	M	C	H	J	U	A	A	S	C
P	G	G	X	V	D	A	L	X	A	X	D	F	M	P	I	E
W	A	O	H	B	R	J	F	Q	R	U	G	U	B	V	B	F
X	L	U	Z	B	N	E	S	K	A	A	J	R	O	H	D	V
G	M	E	U	I	Z	O	B	Q	Ç	J	P	A	Y	S	U	M
U	M	A	K	C	Y	L	L	Z	Á	M	E	F	A	R	L	N
S	P	M	V	I	D	B	S	D	A	L	R	L	N	A	M	K
Z	Z	J	F	W	L	C	O	B	M	D	O	O	T	T	A	S
N	O	T	X	J	R	Y	J	F	A	F	B	R	I	O	K	S
A	V	X	K	E	N	M	R	I	R	B	A	G	G	D	V	C
P	X	X	J	T	W	Y	F	Z	E	D	P	R	V	O	M	R
F	B	T	F	U	C	G	Y	A	L	Z	O	A	X	C	P	E
Z	A	T	E	Q	C	H	T	I	O	L	C	N	S	A	É	K
W	K	U	L	M	Q	W	S	P	A	U	A	D	S	C	D	I
D	I	S	Q	O	W	X	V	V	Y	I	L	E	A	A	E	W
J	B	H	Q	W	O	C	A	I	W	L	U	R	Z	U	C	O
C	Á	G	A	D	O	C	O	M	U	M	X	T	S	I	O	O
Q	F	Z	W	B	A	I	A	B	K	P	Q	G	K	I	E	G
B	N	D	U	T	Y	Z	J	A	C	U	E	S	T	A	L	O
F	M	P	I	N	G	U	I	M	R	E	I	W	Q	K	H	N
D	S	O	C	O	S	T	E	L	A	D	E	A	D	Ã	O	L
V	Ç	Z	D	B	L	U	N	U	I	L	H	S	P	H	G	A
A	C	B	O	N	L	P	T	R	Z	G	C	Y	D	M	E	O
W	T	I	H	E	X	E	S	T	W	S	Y	C	F	X	H	S

AÇOITA-CAVALO, ARAÇÁ-AMARELO, CÁGADO-COMUM, COSTELA-DE-ADÃO, FLAMBOYANT, FURA-FLOR-GRANDE, JACU-ESTALO, PAU-BRASIL, PÉ-DE-COELHO, PEROBA-POCA, PINGUIM-REI, RATO-DO-CACAU, SAÍRA-PÉROLA

P	I	N	G	U	I	M	T	E	R	X	Y	O	W	Z	B	D
P	R	A	C	U	Í	B	A	V	E	R	M	E	L	H	A	F
M	G	J	F	P	D	H	V	U	I	O	F	I	K	E	Y	A
B	C	T	A	H	M	Z	T	N	I	L	S	Y	E	A	X	Z
L	Í	R	I	O	D	O	B	R	E	J	O	M	O	I	O	H
M	A	R	A	C	A	N	Ã	G	U	A	Ç	U	O	W	R	S
K	T	L	M	D	K	C	F	G	I	C	I	J	V	V	E	C
M	Q	G	G	Y	S	A	B	M	Z	O	Z	U	A	A	L	T
Y	G	U	A	T	A	M	B	U	V	E	R	M	E	L	H	O
P	U	A	A	J	U	T	G	G	T	R	S	U	R	F	A	X
L	I	W	H	V	T	K	H	Z	J	S	K	I	Z	A	D	Q
R	P	T	A	J	K	P	M	C	V	O	M	X	T	K	E	C
Q	M	H	A	R	T	E	B	A	M	F	M	E	O	G	O	L
C	O	Q	U	N	F	Q	U	X	J	Q	S	K	F	D	N	C
K	U	F	Z	G	G	B	P	F	Y	O	P	Z	K	U	Ç	J
L	A	B	J	Y	U	A	Q	T	R	D	J	W	W	B	A	S
H	A	P	X	H	A	L	T	O	F	A	R	D	N	D	R	T
N	Q	H	M	X	R	O	T	U	T	J	G	U	K	Q	A	Q
W	A	F	G	S	D	R	W	E	B	W	V	X	I	W	F	M
B	R	A	Ú	N	A	P	R	E	T	A	V	O	M	G	D	E
U	K	N	M	G	V	J	K	J	Z	T	F	E	C	H	E	T
S	D	X	A	N	Á	R	P	K	C	U	M	R	J	C	G	V
I	G	L	T	C	R	I	S	T	A	D	E	P	E	R	U	G
B	G	Q	I	L	Z	R	A	B	O	D	E	O	S	S	O	T
S	Y	A	R	O	E	I	R	A	S	A	L	S	O	K	E	L
A	F	Z	J	H	A	I	V	X	E	R	C	Y	Z	Q	L	M

AROEIRA-SALSO, BRAÚNA-PRETA, CRISTA-DE-PERU, GUARDA--VÁRZEA, GUATAMBU-VERMELHO, LAGARTO-ROSETA, LÍRIO--DO-BREJO, MARACANÃ-GUAÇU, ORELHA-DE-ONÇA, PINGUIM, PITANGATUBA, PRACUÍBA-VERMELHA, RABO-DE-OSSO

345

S	M	I	U	O	A	D	V	V	I	C	P	E	I	E	S	R
H	A	V	I	U	P	L	A	W	A	T	L	E	W	C	S	E
L	M	G	L	Á	G	U	I	A	S	E	R	R	A	N	A	X
C	I	Q	W	Z	W	A	J	T	C	V	H	J	W	Z	A	P
H	C	C	O	T	S	L	D	Q	N	A	Z	I	U	F	B	S
G	A	L	L	B	N	U	O	W	I	Q	I	E	A	N	S	T
X	D	S	Q	Z	Z	T	Z	B	W	T	D	F	C	Y	K	X
M	E	Q	A	A	D	S	M	O	B	B	Z	U	A	M	A	P
S	P	A	G	B	D	H	D	I	P	G	Z	M	R	D	T	X
U	O	E	W	V	I	Q	R	T	L	X	N	H	I	E	W	C
C	R	M	O	A	T	Á	G	I	H	T	Y	X	P	C	M	M
U	C	E	R	D	T	O	C	P	S	T	Q	L	R	P	R	A
R	A	X	Q	F	J	Y	J	O	W	P	W	X	E	P	K	R
I	G	E	U	X	Z	H	N	R	L	B	V	B	T	L	A	A
M	E	R	Í	B	V	L	L	A	R	E	K	N	O	O	N	C
A	Q	I	D	G	G	B	T	N	J	U	I	K	U	D	G	U
L	V	C	E	G	D	P	L	A	N	Y	Z	R	Q	B	I	J
H	P	A	A	J	A	B	Q	G	A	B	J	A	A	Q	C	Á
A	Z	D	A	R	A	P	A	Ç	U	V	E	R	D	E	O	D
D	C	O	B	R	A	D	O	F	O	L	H	I	Ç	O	D	O
A	X	M	A	W	T	G	O	G	N	R	A	E	N	E	O	C
X	Z	A	C	A	N	R	M	N	F	P	H	T	V	Y	M	E
Q	R	T	A	U	A	R	I	V	E	R	M	E	L	H	O	L
Y	S	O	X	I	B	N	E	M	S	F	L	U	R	X	R	Y
U	G	T	I	W	C	Z	E	T	V	H	W	K	E	J	R	G
Y	Z	T	Z	R	X	S	O	N	C	S	Y	O	K	K	O	K

ÁGUIA-SERRANA, ANGICO-DO-MORRO, ARAPAÇU-VERDE, BOITIPORANA, COBRA-DO-FOLHIÇO, MAMICA-DE-PORCA, MARACUJÁ--DOCE, MEXERICA DO MATO, ORQUÍDEA-ABACAXI, SABIÁ-COLEIRA, SUCURI-MALHADA, TAUARI-VERMELHO, UACARI-PRETO

346

B	Ô	R	D	O	J	A	P	O	N	Ê	S	O	Q	D	O	C
J	A	N	G	A	D	A	D	O	C	A	M	P	O	R	B	O
Y	O	K	I	X	N	O	V	S	U	B	P	U	I	K	R	C
C	P	D	S	Q	B	I	H	X	T	L	E	E	W	Q	I	O
N	C	K	L	O	I	D	Q	K	I	K	Z	H	B	Z	S	D
U	P	J	P	Z	U	T	L	R	G	U	R	T	N	G	S	E
X	X	A	Q	U	P	I	F	H	R	B	E	K	X	K	B	E
R	F	W	U	S	N	X	V	C	E	T	S	W	I	U	K	S
V	F	I	I	D	H	N	U	F	D	G	Y	R	R	U	U	P
U	V	C	D	B	E	T	H	U	Á	R	U	M	O	F	C	I
U	I	X	H	D	U	C	R	A	G	S	X	D	I	O	F	N
C	P	I	T	R	I	Q	A	W	U	A	W	R	P	U	U	H
U	L	L	U	C	G	W	V	N	A	S	X	A	R	H	W	O
U	W	J	D	R	M	E	J	L	G	D	H	C	C	G	Q	L
G	I	J	S	V	M	R	T	W	K	A	G	E	U	H	H	L
F	K	B	U	C	H	O	D	E	C	A	R	N	E	I	R	O
A	H	E	N	T	V	E	R	G	A	O	D	A	V	V	G	X
L	K	M	V	N	I	D	N	Z	L	R	A	V	M	Q	R	J
J	Z	C	P	X	T	B	K	G	K	R	O	E	C	M	A	Y
F	R	U	T	A	D	O	C	O	N	D	E	R	X	W	V	S
G	J	A	B	U	T	I	A	P	E	R	E	M	A	Y	I	A
F	Q	C	Q	D	J	R	R	K	D	Q	G	E	L	K	T	K
P	R	E	G	U	I	Ç	A	R	E	A	L	L	Z	A	I	L
O	O	T	V	N	Y	E	C	M	H	J	L	H	X	Z	N	T
P	X	K	H	D	K	J	O	K	Q	T	X	A	G	O	G	Q
L	A	G	A	R	T	I	X	A	V	E	R	D	E	R	A	X

BÔRDO-JAPONÊS, BUCHO-DE-CARNEIRO, COCO-DE-ESPINHO, DRACENA-VERMELHA, FRUTA-DO-CONDE, GRAVITINGA, JABUTI--APEREMA, JANGADA-DO-CAMPO, LAGARTIXA-VERDE, PAU-DE--CANGA, PREGUIÇA-REAL, TIGRE-D'ÁGUA, URUTU-CRUZEIRO

347

P	I	Y	N	X	W	N	B	N	R	Z	K	O	U	E	C	L
A	F	Y	X	V	U	T	C	T	X	S	T	N	D	J	J	L
I	C	E	Q	O	X	T	B	K	N	A	E	R	S	I	C	P
N	M	K	V	F	H	A	D	U	M	U	E	U	P	B	A	L
E	J	F	V	D	I	P	N	O	C	V	F	A	X	O	N	V
I	I	M	L	D	G	A	D	X	O	J	L	S	D	I	E	T
R	H	G	Q	I	A	O	N	T	I	H	D	Z	K	A	L	I
A	U	I	E	O	Ã	Y	I	B	G	V	G	Q	R	D	A	M
B	V	K	P	T	U	U	D	X	F	S	Q	Q	Q	O	D	V
R	C	L	I	O	Q	V	X	B	K	S	P	M	O	C	E	L
A	K	P	L	I	P	Q	J	H	E	V	O	X	Q	E	V	A
N	A	A	R	I	T	Ó	H	O	H	P	X	R	R	R	E	A
C	J	E	C	D	W	V	T	D	A	K	K	J	E	R	A	F
A	P	O	N	K	Z	O	Q	A	G	D	D	S	T	A	D	A
G	D	H	Q	X	V	S	Y	V	M	B	Z	N	Y	D	O	I
Z	Z	L	Z	S	M	D	G	Q	Q	O	C	A	J	O	S	N
C	A	C	T	O	C	A	N	D	E	L	A	B	R	O	K	G
E	F	Z	R	P	G	Q	K	W	O	X	R	I	X	Y	C	Á
Q	E	K	A	T	J	R	X	V	E	K	V	U	G	T	X	D
X	R	M	Y	L	G	M	H	J	P	Q	Q	T	Z	G	K	O
T	A	R	T	A	R	U	G	A	M	A	R	I	N	H	A	B
N	D	T	C	H	O	C	A	B	A	T	E	C	A	B	O	R
I	S	O	G	Y	Y	B	J	F	J	N	G	Ú	D	N	Y	E
C	M	F	D	G	I	N	L	K	R	L	S	N	J	V	M	J
C	E	R	E	J	E	I	R	A	R	A	J	A	D	A	E	O
A	M	E	N	D	O	I	M	D	O	C	A	M	P	O	B	K

ABIU-TICÚNA, AMENDOIM-DO-CAMPO, CACTO-CANDELABRO, CANELA-DE-VEADO, CAPITÃO-DO-MATO, CEREJEIRA-RAJADA, CHOCA--BATE-CABO, HIPOPÓTAMO, INGÁ-DO-BREJO, JIBOIA-DO-CERRADO, PAINEIRA-BRANCA, PERIQUITO-VERDE, TARTARUGA-MARINHA

348

J	R	B	F	F	C	K	S	T	F	R	X	D	K	X	O	B
O	V	T	D	B	F	O	A	H	S	I	K	I	H	B	J	I
Ã	R	W	K	N	N	A	X	V	M	D	A	Q	O	B	I	A
O	Y	Q	E	U	D	N	N	F	Z	M	T	L	C	G	M	W
D	D	Y	F	D	X	O	F	V	Z	Q	E	C	O	A	B	U
O	I	J	Q	U	P	M	M	G	N	D	L	N	O	T	U	H
P	M	D	F	I	W	T	V	I	A	T	R	E	C	I	I	I
A	B	S	R	W	A	I	R	T	S	P	F	L	A	M	A	U
N	U	M	W	J	Z	B	U	Q	A	V	O	D	L	B	B	J
T	I	R	A	X	D	R	W	T	F	B	U	E	A	U	R	R
A	A	V	U	U	F	M	Y	I	M	B	G	L	N	I	A	F
N	A	N	V	T	I	G	Z	U	E	M	K	V	G	A	S	T
A	M	D	X	V	U	W	H	D	R	Q	O	S	O	C	I	A
L	A	P	Q	J	F	C	O	K	D	N	T	L	C	L	N	M
L	R	Y	V	G	A	R	R	D	A	O	S	V	A	A	A	A
C	E	E	Z	R	I	U	K	U	S	Y	H	I	B	R	A	N
U	L	K	B	E	E	L	N	A	Z	K	I	V	E	A	S	D
A	A	O	H	Q	H	Y	P	M	A	E	A	K	Ç	W	O	U
Q	C	N	Q	H	O	T	I	C	T	H	I	J	U	W	O	Á
G	I	B	O	P	I	U	B	A	C	G	L	R	D	T	Y	M
P	C	O	T	I	N	G	A	A	Z	U	L	R	O	W	D	I
G	R	A	M	A	B	A	T	A	T	A	I	S	S	L	S	R
Z	O	A	H	I	E	F	R	I	Z	S	E	V	I	C	L	I
R	G	U	V	L	K	Z	I	F	W	L	Q	Q	F	J	L	M
P	J	C	F	X	V	I	O	L	E	T	E	I	R	A	V	L
H	R	A	C	W	Q	Y	S	Z	Y	P	J	D	X	F	M	O

CALANGO-CABEÇUDO, COBRA-CHUMBO, COTINGA-AZUL, FRUTA--DE-LOBO, GRAMA-BATATAIS, IMBUIA-AMARELA, IMBUIA-BRASINA, IMBUIA-CLARA, JOÃO-DO-PANTANAL, PINHEIRO-DE-BUDA, TAMANDUÁ-MIRIM, URUTU-CRUZEIRO, VIOLETEIRA

J	O	Ã	O	B	A	I	A	N	O	H	M	I	Y	Q	L	E
M	E	M	P	K	W	F	Y	G	D	M	Y	H	H	T	E	Q
O	U	Q	R	G	A	V	I	Ã	O	D	E	A	N	T	A	H
D	D	U	B	V	U	C	C	E	Y	K	D	O	I	J	F	B
B	F	F	U	A	M	N	O	X	T	G	I	Q	R	I	B	G
G	U	O	E	O	D	J	I	B	L	S	C	T	A	O	S	V
G	V	K	C	H	D	N	Q	M	R	A	P	O	G	C	B	U
K	P	P	O	X	P	L	J	J	H	A	R	F	V	C	T	G
H	T	X	R	O	Y	D	G	N	N	I	M	I	L	Z	N	G
Q	Y	I	T	I	V	D	I	L	E	V	Í	A	A	S	Z	J
D	L	M	I	Q	U	V	L	Z	B	A	N	A	R	V	U	C
J	F	L	C	H	E	Y	A	X	T	T	I	Y	Z	R	U	E
A	E	X	E	P	F	J	D	A	N	V	L	N	H	V	O	M
B	J	E	I	Y	U	K	J	C	Y	M	S	W	M	H	I	M
U	Z	O	R	C	Y	Á	B	D	L	A	G	O	V	F	Y	Q
X	B	A	A	L	I	G	Q	H	O	R	R	W	G	F	U	H
M	P	R	O	T	O	Z	O	Á	R	I	O	D	S	F	F	Z
Q	A	G	U	A	R	A	R	A	C	A	N	I	N	D	É	S
M	V	B	Y	Y	V	U	F	A	L	S	A	M	U	R	T	A
X	C	H	I	C	H	Á	D	O	C	E	R	R	A	D	O	Q
R	C	Y	O	I	U	Q	V	J	Q	B	G	A	J	K	C	Q
D	G	P	R	J	U	D	A	B	X	I	N	F	Z	O	G	Y
F	Q	S	K	F	G	S	L	T	K	N	S	V	S	Z	Q	G
Q	G	N	V	U	Z	B	X	H	Q	H	I	O	M	M	V	Z
C	O	B	R	A	C	E	G	A	M	A	R	R	O	M	M	H
X	T	Y	Q	T	J	Y	H	F	K	L	C	X	Z	A	B	H

ARARA-CANINDÉ, BOIPEVINHA, BUTIÁ-JATAÍ, CHICHÁ-DO-
-CERRADO, COBRA-CEGA-MARROM, COBRA-MARROM,
CORTICEIRA, FALSA-MURTA, GAVIÃO-DE-ANTA, JOÃO-BAIANO,
MARACUJAZEIRO, MARIA-SEBINHA, PROTOZOÁRIO

S	J	D	B	I	L	A	H	V	R	A	N	U	A	F	S	R
H	D	L	H	C	D	D	M	T	C	V	J	H	Y	T	U	O
N	C	Z	P	R	L	Y	Y	U	A	M	S	A	F	C	C	S
C	C	S	X	P	O	J	T	Q	N	P	R	P	K	S	E	A
A	A	N	E	I	K	B	W	E	A	U	P	A	H	R	D	V
L	N	N	R	X	W	A	K	Q	F	U	T	F	S	Ú	U	E
I	U	H	D	X	M	A	G	Q	Í	T	K	K	I	B	O	R
C	D	T	I	K	L	B	U	K	S	R	F	M	W	S	H	M
A	O	D	H	I	I	I	X	I	T	W	A	C	F	D	A	E
R	D	Q	J	P	Y	U	I	G	U	H	D	V	S	P	V	L
P	E	O	P	B	X	D	B	R	L	Y	Ó	H	O	M	B	H
A	P	L	E	O	R	O	B	O	A	S	L	C	I	K	Z	A
C	I	U	V	Y	F	M	F	V	B	W	A	L	M	S	P	M
H	T	P	N	D	J	A	Q	R	E	D	R	O	B	J	I	U
I	O	E	H	J	D	T	N	L	I	M	D	Y	U	R	I	H
N	E	P	K	A	O	O	F	V	Y	V	E	U	I	X	Z	I
E	W	B	N	U	X	Ã	E	P	C	K	P	Z	A	K	E	E
S	W	Ú	Y	J	R	T	O	Y	V	X	R	S	P	D	G	U
A	A	H	Q	Y	M	M	E	G	G	Q	A	Y	R	U	U	K
C	L	G	Z	E	C	B	X	S	R	O	T	X	E	J	I	O
D	F	K	B	S	F	T	K	J	F	I	A	K	T	M	E	T
A	K	U	E	O	H	V	B	N	Y	E	L	K	A	E	A	U
B	E	I	J	O	D	E	F	R	A	D	E	O	W	N	R	A
C	O	R	R	E	D	O	R	C	R	E	S	T	U	D	O	W
C	Z	P	I	T	A	N	G	A	P	R	E	T	A	B	H	N
B	C	J	A	Z	Y	E	F	K	J	O	Z	H	H	E	Y	J

ABIU DO MATO, BEIJO-DE-FRADE, BEM-TE-VI-DA-COPA, CALICARPA-CHINESA, CANAFÍSTULA, CANUDO-DE-PITO, CAÚNA-DA--FOLHA-MIÚDA, CORREDOR-CRESTUDO, DÓLAR-DE-PRATA, IMBUIA--PRETA, JOÃO-GRILO, PITANGA PRETA, ROSA VERMELHA

V	T	F	K	L	X	F	Z	T	C	D	A	Í	T	Q	O	E
B	F	Y	B	H	H	E	V	G	S	S	I	R	G	W	I	H
P	N	O	K	T	Q	P	T	N	B	V	I	I	D	K	R	Q
D	S	G	J	Q	A	C	U	B	X	Q	O	S	R	T	O	V
T	P	A	E	V	U	G	V	A	Y	U	F	D	D	U	O	D
C	A	B	E	Ç	A	D	E	P	R	A	T	A	L	H	I	O
A	V	S	K	R	V	Y	X	C	A	F	F	P	E	G	M	B
M	E	D	Z	I	K	D	P	S	K	P	D	R	Z	R	B	N
V	Q	T	P	R	K	T	A	L	U	D	C	A	X	U	U	E
G	O	C	A	K	F	I	L	Y	R	W	T	I	W	M	I	P
W	Z	U	X	I	T	H	H	P	L	M	Y	A	A	I	A	V
C	S	F	M	W	W	R	A	N	W	H	O	N	N	X	V	O
A	P	D	Q	M	V	I	B	A	M	H	B	Q	A	A	E	E
S	F	X	W	K	T	Y	R	Z	T	F	Y	K	M	M	R	Z
T	C	Y	B	X	E	U	A	O	Z	L	P	Z	B	A	M	N
A	L	L	R	V	T	R	N	G	B	R	I	Q	É	R	E	P
N	I	Y	C	D	Q	P	C	U	L	N	J	B	D	O	L	J
H	F	Z	A	Q	R	X	A	E	L	Q	J	L	E	X	H	G
A	C	A	O	F	W	C	D	Z	Q	G	E	F	C	A	A	H
D	P	E	R	O	B	A	P	O	C	A	N	J	O	H	R	O
O	V	Y	S	M	F	K	V	G	X	L	N	F	R	E	C	X
P	A	U	P	A	R	A	T	U	D	O	E	E	O	U	V	L
A	N	A	Q	E	U	M	C	E	S	Z	N	N	A	N	U	W
R	C	H	I	C	H	Á	D	O	C	E	R	R	A	D	O	H
Á	C	A	P	I	M	D	O	S	P	A	M	P	A	S	Z	Y
C	O	B	R	A	C	I	P	Ó	C	O	M	U	M	M	Z	Q

ANAMBÉ-DE-COROA, CABEÇA-DE-PRATA, CAPIM DOS PAMPAS, CASTANHA-DO-PARÁ, CHICHÁ-DO-CERRADO, COBRA-CIPÓ-COMUM, GRUMIXAMA-ROXA, IMBUIA-VERMELHA, ÍRIS-DA-PRAIA, PALHA--BRANCA, PAU-PARA-TUDO, PEROBA-POCA, ZOGUE-ZOGUE

R	J	N	D	O	R	O	H	P	S	Q	H	A	G	O	H	A
O	O	A	K	E	S	G	Y	Y	S	M	B	X	Z	N	F	Z
S	N	W	B	V	Q	F	B	J	R	U	U	K	I	Q	S	Z
A	V	P	C	U	J	U	N	Y	J	Z	W	O	B	P	E	A
D	M	M	B	E	T	J	A	U	U	G	O	B	Y	Z	B	X
O	W	D	F	H	Q	I	R	T	D	K	E	R	B	M	I	A
C	S	A	O	H	O	U	C	K	R	S	P	B	N	Z	N	G
E	G	D	M	U	C	R	X	A	S	O	B	N	E	Z	H	M
R	D	K	Z	U	G	N	X	G	B	Y	V	F	Q	N	O	W
R	X	U	S	H	T	Y	M	Z	L	A	E	E	A	R	R	I
A	W	D	C	R	J	R	W	Y	S	S	S	H	N	X	A	E
D	G	I	G	B	O	I	N	P	I	X	C	K	F	T	J	E
O	T	I	N	G	U	I	P	R	E	T	O	T	M	V	A	Y
G	Q	E	R	S	V	I	D	L	J	Y	Q	J	Z	U	D	S
E	K	Q	W	T	E	H	D	F	K	E	B	I	N	H	O	Y
R	W	Z	B	U	V	L	H	P	X	W	V	Y	F	C	A	I
E	B	F	B	C	P	E	R	O	B	A	M	I	R	I	M	P
U	O	L	R	J	X	W	W	F	C	W	N	A	A	H	A	Ê
E	A	W	T	N	O	K	W	M	P	H	X	O	J	R	R	A
W	E	P	L	X	Z	V	I	I	V	W	B	I	Q	E	E	M
T	O	P	E	T	I	N	H	O	V	E	R	D	E	R	L	A
J	A	B	O	T	I	C	A	B	A	A	Z	E	D	A	O	R
I	P	Ê	B	R	A	N	C	O	E	Y	Q	B	E	S	Q	E
T	A	P	E	T	E	P	E	R	S	A	Q	H	X	H	Z	L
B	Y	W	E	A	K	C	P	C	D	U	R	R	Z	Q	C	O
C	O	B	R	A	V	E	A	D	E	I	R	A	W	G	T	D

COBRA-VEADEIRA, IPÊ-AMARELO, IPÊ-BRANCO, JABOTICABA--AZEDA, JABUTICABA, PEROBA-MIRIM, QUATRO-VENTAS, ROSA--DO-CERRADO, SEBINHO-RAJADO-AMARELO, SUCURUJUBA, TAPETE-PERSA, TINGUI-PRETO, TOPETINHO-VERDE

353

F I G U E I R A B R A N C A N O K
R E C U M B U C A D E M A C A C O
Y D I V J O L P X R M V O J X K V
R Z G E Q L V B T Q R D N H Y F H
O W E J T Y W A C W B R J Y V C V
B A M B U N I R C N N S C U S E R
X C Y V T W K U F T H O J M F S C
T J V G O C N D P L Y U C B K M U
R W G M O C H O D I A B O B I Ã I
R J T Z V X F C C B V R Q X J E T
Y R S K A L Q E G Z J P U Q T D C
K O X A T B C R H L H X E E X E V
W R W U E U J R Y N N H I M A T B
U L W K H I S A U D C U R U S A S
V Y G Y E D J D S A Q K O R X O K
S Z E A J X W O V R A V J I X C C
F Y O W F G G S O A W P E C Q A Á
C S Q C G C Z D T Ç I Q R I Y D G
K H Y J V H A L V Á X P I M K O A
Q B P C C P E R Z D P K V I C U D
T Z I I E A J T M E O M Á Ú I R O
U U C R A I N H A C L Á U D I A D
M A T C O B R A D O L I X O Q D Á
D P Y H I X L R X R M I N J O A G
E M X F C L Z Z L O N J A Y N G U
M A R I Q U I T A A Z U L S R G A

ARAÇÁ-DE-COROA, BARU-DO-CERRADO, CÁGADO-D'ÁGUA, COBRA--DO-LIXO, COQUEIRO-JERIVÁ, CUMBUCA-DE-MACACO, FIGUEIRA--BRANCA, MÃE-DE-TAOCA-DOURADA, MARIQUITA-AZUL, MOCHO--DIABO, MURICI-MIÚDO, RAINHA-CLÁUDIA, TREPADOR-QUIETE

G	C	H	S	R	I	B	W	O	S	L	O	N	P	F	L	R
E	Z	Q	D	E	P	X	A	A	K	Z	F	V	O	U	A	Q
B	Q	W	X	Q	D	W	P	L	X	I	Y	X	Z	M	B	S
O	N	M	J	S	P	U	V	V	K	Z	C	A	O	X	N	N
O	F	P	X	H	H	I	K	V	V	B	L	D	S	I	B	V
M	L	Z	Q	T	N	O	O	I	K	E	Z	E	J	U	L	O
L	G	M	R	D	E	W	E	D	R	I	N	H	A	F	A	W
P	N	Z	B	P	B	S	F	T	D	O	R	I	B	B	G	F
G	E	T	J	K	R	K	E	R	H	J	A	W	E	H	A	E
I	W	T	G	V	Q	P	E	G	Z	R	P	A	M	O	R	M
O	H	A	S	P	U	P	A	U	P	M	V	I	H	O	T	B
R	M	X	O	C	T	S	H	A	Z	P	F	N	D	J	O	I
L	O	I	L	Q	C	R	D	T	M	R	I	U	E	Y	S	R
G	A	R	X	Z	P	U	W	A	A	Z	L	G	U	V	E	U
P	P	E	B	Q	A	D	L	M	E	E	U	D	G	H	M	Ç
J	R	M	M	R	C	K	E	B	P	B	R	N	E	C	P	U
J	L	U	U	W	H	D	M	U	A	O	E	S	N	U	A	D
Y	C	C	I	W	O	A	Ç	B	I	G	I	Q	I	X	T	A
Z	A	F	S	H	N	U	F	R	P	Y	J	D	A	I	A	M
B	I	C	C	A	R	F	I	A	Y	B	E	Q	S	Ú	P	A
N	C	A	T	I	K	M	V	N	K	N	E	M	O	P	K	T
N	C	S	B	E	V	T	U	C	B	H	G	C	M	R	P	A
D	E	M	A	G	Y	A	C	O	N	K	Y	O	B	E	N	A
P	E	T	Ú	N	I	A	P	E	R	E	N	E	R	T	O	E
E	G	Q	Y	N	B	L	N	S	O	I	O	A	I	O	C	U
M	A	X	I	L	Á	R	I	A	C	Ô	C	O	A	G	O	K

ANAMBEZINHO, BACURAU-DA-PRAIA, CACHO-DE-MARFIM, CUXIÚ--PRETO, EMBIRUÇU-DA-MATA, EMBIRUÇU-PELUDO, EUGENIA SOMBRIA, GUATAMBU-BRANCO, LAGARTO-SEM-PATA, MAXILÁRIA--CÔCO, PERDIZ-DO-MAR, PETREL-AZUL, PETÚNIA-PERENE

R	T	J	N	X	H	E	Q	Z	B	L	Y	K	Y	P	O	H
V	B	Q	J	W	H	C	R	L	C	J	L	L	M	H	K	Z
E	G	I	Z	G	G	F	J	R	W	Q	Y	H	E	C	D	X
D	T	F	Z	H	L	Z	L	T	L	D	B	U	L	G	B	J
U	K	T	S	Q	O	Y	F	S	J	T	U	G	A	E	L	T
L	O	U	R	O	V	E	R	M	E	L	H	O	N	T	Á	P
J	G	F	W	B	A	G	A	D	E	M	O	R	C	E	G	O
A	V	I	Z	P	M	G	G	T	T	H	K	X	I	M	U	I
C	I	G	J	Z	T	K	P	I	Z	I	T	I	A	P	I	G
A	Y	U	O	Z	G	Q	F	Y	M	W	T	Y	D	E	A	G
R	H	I	Y	C	H	C	Y	K	G	G	C	X	O	R	P	R
A	H	N	S	A	P	O	T	A	B	R	A	N	C	A	E	U
N	F	H	B	F	S	J	I	Y	C	E	R	Y	A	V	S	A
D	Q	A	F	R	V	U	Q	V	V	G	A	G	M	I	C	T
Á	Q	D	E	M	R	G	M	G	L	C	R	S	P	O	A	R
M	V	O	U	C	V	T	V	B	N	V	A	N	O	L	D	G
I	Q	M	V	Z	K	K	W	A	Y	I	V	F	E	A	O	O
M	C	A	R	A	Ç	Á	R	A	S	T	E	I	R	O	R	I
O	G	N	R	R	X	B	K	V	G	R	R	A	Q	Y	A	A
S	E	G	O	U	A	W	C	Z	N	O	M	L	C	I	P	B
O	Q	U	N	L	O	M	O	W	T	N	E	X	B	O	D	A
A	D	E	E	A	O	S	P	I	I	E	L	J	B	F	V	B
Q	X	N	B	C	H	A	P	É	U	C	H	I	N	Ê	S	R
J	A	N	Y	N	R	C	G	P	K	X	A	S	P	N	W	A
C	H	A	F	G	G	O	B	E	T	W	K	O	O	I	R	V
W	N	R	F	Q	K	S	D	N	A	C	V	N	R	O	Z	A

ÁGUIA-PESCADORA, ARAÇÁ-RASTEIRO, ARARA-VERMELHA, BAGA-DE--MORCEGO, CANELA-BRANCA, CHAPÉU-CHINÊS, FIGUINHA-DO-MANGUE, GOIABA-BRAVA, JACARANDÁ-MIMOSO, LOURO-VERMELHO, MELANCIA--DO-CAMPO, SAPOTA BRANCA, TEMPERA-VIOLA

R	F	T	X	U	K	B	Y	T	L	J	S	I	I	D	I	W
K	A	J	Q	B	C	F	M	D	K	Á	M	Z	J	M	I	U
I	N	P	A	I	B	L	P	C	Z	R	Z	M	D	A	L	X
Z	L	Q	A	D	J	G	X	Y	I	V	E	X	A	A	W	N
I	B	P	U	Z	J	E	Z	J	U	O	J	L	H	N	I	S
I	J	D	F	T	I	F	C	L	G	R	W	W	Y	A	T	T
H	R	Q	I	J	M	N	K	C	P	E	M	S	Y	M	G	S
O	B	T	G	R	A	U	H	L	D	S	X	U	S	B	I	I
V	A	W	W	B	R	S	V	O	R	A	R	J	O	É	R	C
P	W	V	A	I	I	U	X	T	C	M	C	O	X	P	A	Q
Y	A	Q	Z	S	A	C	Á	C	I	A	M	I	M	O	S	A
V	O	H	U	I	P	L	A	T	B	M	R	H	Y	M	S	R
I	U	X	I	S	I	G	X	Y	B	B	Y	I	G	B	O	X
E	L	B	V	H	C	O	G	O	I	A	M	J	J	O	L	J
P	T	G	L	N	A	D	X	S	I	I	D	H	B	Ó	M	S
R	X	I	N	B	Ç	Z	O	G	A	A	M	H	K	P	E	U
T	C	K	N	C	A	I	X	E	T	A	M	O	L	E	X	R
M	I	W	E	G	N	L	B	U	Z	H	F	F	S	T	I	U
V	P	Y	E	F	Á	B	H	U	B	I	M	E	H	M	C	C
I	P	Ê	C	U	M	B	U	C	A	W	W	D	D	W	A	U
C	S	J	F	M	E	C	R	L	A	Y	T	B	X	F	N	C
N	Á	R	V	O	R	E	D	A	C	H	I	N	A	C	O	U
R	O	L	I	N	H	A	C	I	N	Z	E	N	T	A	I	L
H	U	R	R	M	S	D	G	W	G	C	Q	Y	O	U	D	I
G	S	C	C	O	R	O	A	D	E	F	O	G	O	U	G	S
R	E	W	W	S	U	S	Z	M	I	K	C	J	R	M	C	A

ACÁCIA-MIMOSA, ANAMBÉ-POMBO, ÁRVORE-DA-CHINA, ÁRVORE-
-SAMAMBAIA, CAIXETA-MOLE, COROA-DE-FOGO, GIRASSOL-
-MEXICANO, INGÁ-BRANCO, IPÊ-CUMBUCA, MARIA-PICAÇA,
RAPAZINHO-CARIJÓ, ROLINHA-CINZENTA, SURUCUCU-LISA

P	X	G	V	A	S	M	Z	R	W	J	Q	W	F	S	J	O
A	M	X	N	C	W	C	A	I	T	F	T	Z	O	I	M	K
I	N	N	M	O	G	O	Y	K	Z	I	F	Y	R	Z	I	I
N	T	S	R	T	G	B	F	Q	P	V	X	N	M	D	M	Z
E	M	I	T	T	O	R	U	I	K	G	L	Z	I	O	K	J
I	J	J	V	U	D	A	L	D	W	V	L	A	G	K	B	X
R	I	Q	Z	L	D	B	F	I	I	V	F	N	U	A	K	D
A	E	X	O	Z	D	I	Z	B	N	J	O	L	E	S	X	E
V	P	S	A	N	Ã	C	A	R	I	J	Ó	A	I	E	G	S
E	D	P	K	T	T	U	B	G	J	Q	W	G	R	Y	S	U
R	K	L	W	X	H	D	C	B	A	J	S	A	O	Y	C	I
M	G	C	J	P	F	A	C	N	T	O	D	R	D	Q	N	R
E	B	V	H	T	S	K	A	G	J	Ã	D	T	E	F	O	A
L	S	B	A	E	Y	R	S	O	L	O	G	I	B	C	R	P
H	R	D	A	M	I	G	M	J	Q	D	D	X	A	K	A	U
A	Q	A	N	P	Z	E	R	B	F	A	X	A	R	P	S	R
U	U	C	U	I	V	T	Z	J	I	C	X	D	R	L	B	U
N	T	C	T	J	E	N	E	E	M	A	J	O	I	I	O	Z
N	U	W	B	T	P	F	K	N	R	N	C	L	G	R	I	I
S	I	U	I	O	J	S	L	K	W	A	I	A	A	N	C	N
W	M	R	R	U	F	F	F	C	V	R	N	J	P	M	O	H
I	P	Ê	D	A	V	Á	R	Z	E	A	I	E	R	D	T	O
N	B	F	K	L	T	Q	J	K	I	N	X	D	E	R	I	P
P	I	N	H	O	C	U	I	A	B	A	N	O	T	H	A	L
R	A	B	O	D	E	D	R	A	G	Ã	O	Q	A	U	R	W
U	X	C	A	M	A	L	E	Ã	O	Z	I	N	H	O	A	J

BOICOTIARA, CAMALEÃOZINHO, COBRA-BICUDA, FORMIGUEIRO--DE-BARRIGA-PRETA, IPÊ-DA-VÁRZEA, JOÃO-DA-CANARANA, LAGARTIXA-DO-LAJEDO, PAINEIRA-VERMELHA, PINHO-CUIABANO, RABO-DE-DRAGÃO, SANÃ-CARIJÓ, SUCUPIRANA, UIRAPURUZINHO

F	E	Z	M	C	E	W	K	P	N	E	M	I	Y	P	D	G
I	P	Ê	F	E	L	P	U	D	O	M	G	P	M	X	G	B
R	C	U	J	P	E	C	V	C	V	P	J	Ê	H	W	O	A
O	J	I	L	T	C	D	F	Q	O	X	I	D	I	V	I	G
L	J	R	V	G	Q	R	I	S	H	J	U	O	C	A	A	D
W	P	A	L	O	P	Q	Z	R	E	A	Z	M	R	P	B	O
X	S	P	O	I	C	L	U	I	N	Z	T	O	D	N	A	Z
C	O	U	N	A	C	A	M	U	M	M	C	R	Y	Q	C	Y
X	G	R	D	B	P	D	P	R	Z	O	X	R	Q	E	A	M
M	Q	U	C	E	E	D	I	I	Ã	U	R	O	G	E	S	U
Z	K	C	I	I	P	H	N	H	M	U	T	O	M	C	C	T
P	U	I	G	R	T	Z	C	Z	W	C	X	X	N	A	U	U
E	T	G	A	A	F	N	A	D	Q	X	H	K	Y	P	D	M
S	Z	A	Y	B	I	T	C	H	R	W	O	O	S	I	A	C
S	L	R	Z	R	Y	Z	B	W	N	C	N	N	R	T	S	A
E	C	R	R	A	W	I	S	Z	Z	E	Y	C	P	Ã	N	V
G	Q	A	Y	N	G	P	O	G	C	R	Z	H	C	O	O	A
U	G	T	P	C	C	B	F	O	B	H	Z	T	U	Z	U	L
E	L	Q	Q	A	M	V	A	Y	K	T	G	T	I	I	Y	O
I	M	B	I	R	U	Ç	U	D	A	M	A	T	A	N	Q	K
R	N	L	I	T	O	A	S	D	D	I	X	R	T	H	P	L
O	O	S	T	X	M	Q	W	R	N	W	J	S	G	O	B	T
H	A	N	C	H	P	I	T	O	M	B	E	I	R	A	H	Z
P	O	M	B	A	A	N	T	Á	R	T	I	C	A	O	X	V
F	Y	I	E	M	R	O	P	O	Q	I	P	V	K	O	Q	N
A	P	M	Z	H	U	G	Q	W	N	U	Y	X	C	H	G	S

CAPIM-CHORÃO, CAPITÃOZINHO, GARRINCHÃO-CORAIA, GOIABA-CASCUDA, GOIABEIRA-BRANCA, IMBIRUÇU-DA-MATA, IPÊ-DO-MORRO, IPÊ-FELPUDO, MUTUM-CAVALO, PESSEGUEIRO, PITOMBEIRA, POMBA-ANTÁRTICA, UIRAPURU-CIGARRA

359

Z	Q	H	V	W	W	S	T	M	A	L	Q	W	F	O	B	T
R	B	J	N	L	R	H	B	G	C	E	Z	Z	O	K	Q	A
U	F	T	B	N	G	E	N	V	T	U	G	U	R	I	S	R
Z	R	Q	M	B	J	I	I	P	L	O	Y	S	M	K	X	U
K	Y	N	V	V	T	Y	O	W	H	Q	H	X	I	X	D	M
K	A	F	H	A	P	N	O	S	P	Z	R	Q	G	L	I	Ã
X	W	B	C	E	F	L	K	V	Q	T	Q	K	U	P	C	D
J	P	A	L	M	E	I	R	A	L	E	Q	U	E	I	O	A
L	R	Q	D	S	A	L	T	A	M	A	R	T	I	M	R	V
B	C	X	Z	R	V	Í	T	E	J	V	O	G	R	E	A	Á
V	E	L	W	J	A	R	N	C	J	T	Y	X	O	N	Ç	R
J	J	S	E	E	S	I	R	A	Q	X	S	R	D	T	Ã	Z
R	S	O	C	T	B	O	X	N	N	R	J	A	O	A	O	E
G	I	A	T	O	O	S	S	E	O	H	C	L	N	D	D	A
M	R	I	B	S	V	T	D	L	K	O	B	Q	O	E	E	H
A	E	V	I	U	U	A	Z	A	I	T	Y	P	R	M	N	N
C	A	J	Z	C	P	R	D	D	I	S	K	S	D	A	E	V
A	L	R	S	B	G	G	N	E	F	G	V	V	E	C	G	T
C	N	Y	J	X	N	A	F	C	M	Q	Q	C	S	A	R	L
O	I	K	B	P	M	Z	M	U	L	A	D	X	T	C	O	I
P	O	L	T	Ê	H	E	G	T	R	R	C	W	E	O	A	B
R	I	J	P	N	H	R	U	I	S	Y	C	A	K	S	Z	N
E	K	I	L	A	B	H	F	A	T	W	Y	S	C	J	H	K
G	O	G	F	G	B	D	H	Z	E	S	I	F	H	O	A	W
O	L	H	O	D	E	B	O	N	E	C	A	E	A	X	A	U
Q	I	H	S	F	U	J	K	Y	T	W	R	S	A	A	L	W

BRACATINGA, CANELA-DE-CUTIA, CORAÇÃO-DE-NEGRO, ESCOVA--DE-MACACO, FORMIGUEIRO-DO-NORDESTE, IPÊ-MANDIOCA, LÍRIO STARGAZER, MACACO-PREGO, OLHO-DE-BONECA, PALMEIRA-LEQUE, PIMENTA-DE-MACACO, SALTA-MARTIM, TARUMÃ-DA-VÁRZEA

C	T	X	R	Z	E	I	R	P	M	N	G	T	B	H	E	O
O	H	P	C	C	H	N	Z	F	L	T	I	F	A	E	R	O
J	H	O	H	X	P	Z	J	H	J	Z	V	L	R	I	V	X
H	A	C	C	G	Q	U	D	C	F	S	L	K	E	H	M	V
H	W	M	L	A	L	K	C	J	W	F	X	H	J	D	G	A
V	G	A	K	R	D	H	F	W	Z	Z	N	G	K	W	S	T
Y	D	N	I	F	V	A	R	D	H	I	V	V	H	U	X	E
U	C	D	E	S	N	J	M	A	R	I	A	P	R	E	T	A
O	A	I	Y	O	O	V	R	A	X	V	Z	R	J	C	H	G
G	N	O	O	J	E	U	M	L	T	U	U	Q	H	I	T	S
S	E	C	K	I	M	Q	C	A	D	A	T	Q	J	F	X	U
V	L	A	S	H	C	X	O	R	M	C	O	N	C	A	C	A
S	A	B	S	A	D	U	U	H	L	Ã	N	K	O	S	C	H
U	A	R	K	X	I	F	W	D	R	R	J	Q	L	N	I	S
C	M	A	N	V	E	D	Z	R	V	O	N	T	A	C	L	P
U	A	V	S	E	H	W	A	J	L	T	D	R	R	A	A	C
R	R	A	W	D	L	C	Y	H	H	E	B	S	D	P	R	T
U	E	Z	F	S	A	C	A	S	T	A	N	H	E	I	R	A
J	L	W	A	M	K	D	C	B	I	W	P	O	P	M	F	Z
U	A	Z	A	V	B	X	G	É	E	W	D	X	É	D	E	H
V	B	I	T	J	N	V	F	F	N	C	S	F	R	O	I	O
A	U	Y	D	V	Q	N	O	B	H	J	C	Q	O	T	S	G
T	M	Z	V	N	I	S	U	G	R	N	H	H	L	E	E	X
C	A	N	I	N	A	N	A	B	A	L	Ã	O	A	X	W	C
D	L	K	B	Q	S	G	K	Z	J	U	V	T	S	A	L	T
S	U	R	U	C	U	Á	V	A	R	I	A	D	O	S	D	C

CANELA-AMARELA, CANINANA-BALÃO, CAPIM-DO-TEXAS, CASTANHEIRA, CHOCA-DA-MATA, COLAR-DE-PÉROLAS, MANDIOCA BRAVA, MARIA-PRETA, MARINHEIRO, NINFÉIA-BRANCA, SUCURUJUVA, SURUCUÁ-VARIADO, TUIA-MACARRÃO

361

V	T	T	H	S	Q	N	Q	F	C	G	M	H	M	Z	H	L
E	B	Q	W	R	V	J	T	S	P	W	O	A	H	D	R	A
I	I	S	A	Í	D	E	B	I	C	O	C	U	R	T	O	G
M	Y	Q	O	V	G	U	B	L	Q	W	Y	S	E	L	S	A
R	E	P	R	A	P	C	M	F	N	N	Y	K	N	O	X	R
X	C	B	K	G	I	S	Q	H	D	J	M	G	F	B	K	T
R	J	S	V	F	R	Z	Q	N	F	X	J	T	Q	O	N	I
A	C	U	I	A	D	E	M	A	C	A	C	O	J	M	S	X
R	I	G	A	V	I	Ã	O	C	A	R	I	J	Ó	A	A	A
Á	Z	V	H	S	K	C	U	B	T	B	W	W	Z	R	H	D
L	N	L	L	O	A	A	R	V	Q	G	A	V	C	I	U	O
I	Q	R	V	S	H	T	U	E	T	X	P	K	A	N	K	M
A	W	Q	Z	T	Y	I	C	O	Q	J	T	M	M	H	T	É
J	Y	I	N	L	D	M	O	X	R	G	M	W	T	O	R	S
A	J	X	H	Z	F	A	R	Z	W	D	X	P	P	D	S	T
P	C	A	U	V	F	R	C	N	E	H	R	L	R	O	P	I
O	R	F	F	D	F	G	O	C	R	C	H	Q	H	S	P	C
N	B	G	O	Z	B	A	V	O	X	W	G	L	V	U	M	A
E	W	M	N	P	R	R	A	D	X	V	R	L	Q	L	W	T
S	G	R	P	S	P	I	D	V	P	K	E	Y	F	K	X	R
A	R	R	T	I	O	D	O	D	C	Z	U	H	J	K	Y	O
F	J	A	R	A	R	A	C	A	P	I	N	T	A	D	A	P
P	A	L	M	E	I	R	A	I	N	D	A	I	Á	Y	K	I
C	H	O	C	A	L	I	S	T	R	A	D	A	C	F	Q	C
U	R	U	T	U	T	Á	B	U	A	D	E	G	R	Z	Y	A
K	W	H	B	P	A	U	D	E	T	A	M	A	N	C	O	L

ARÁLIA-JAPONESA, CHOCA-LISTRADA, CUIA-DE-MACACO, GAVIÃO-CARIJÓ, JARARACA-PINTADA, LAGARTIXA-DOMÉSTICA-TROPICAL, LOBO-MARINHO-DO-SUL, MARGARIDA, PALMEIRA-INDAIÁ, PAU-DE-TAMANCO, SAÍ-DE-BICO-CURTO, URU-CORCOVADO, URUTU-TÁBUA

P	A	S	U	T	A	Q	U	A	R	A	U	O	R	V	S	X
X	B	I	Q	G	D	U	N	Y	S	O	A	K	L	E	Ã	O
D	I	A	Q	T	F	Z	R	R	S	P	B	B	U	Q	B	Q
M	Z	Y	K	U	V	I	E	X	A	R	Q	X	R	B	B	Z
P	S	T	G	F	C	P	K	Z	Y	E	P	Y	D	I	O	Z
Q	Z	X	N	K	O	G	X	T	E	Q	H	F	T	A	P	L
S	X	H	R	D	O	G	X	C	B	U	M	R	N	C	T	P
Z	Z	G	U	X	N	A	W	B	F	L	O	U	Q	B	L	V
S	J	C	L	X	D	A	I	E	I	Q	U	T	Z	N	U	E
S	S	R	A	U	R	V	M	P	B	Ç	Q	A	Y	A	A	C
E	P	O	G	U	W	H	C	E	A	W	K	D	T	W	D	I
K	A	Y	B	V	T	A	D	U	Z	Q	C	A	T	N	O	S
Z	O	B	E	N	U	D	G	J	E	Y	M	M	J	T	P	Q
B	D	V	V	D	P	U	R	L	Y	A	W	A	E	D	T	U
T	O	N	J	G	J	W	U	Y	D	P	V	R	A	V	I	E
A	R	A	R	I	N	H	A	A	Z	U	L	O	Y	S	N	I
P	Z	T	B	B	F	J	X	H	Z	U	C	L	E	U	G	R
B	F	A	L	C	H	I	C	Q	R	V	E	A	Y	R	U	O
E	U	G	W	V	T	Q	D	C	Y	K	T	L	E	I	I	D
G	O	X	E	R	M	G	I	I	B	P	X	Q	V	N	P	O
T	Y	P	A	L	M	I	T	O	A	Ç	A	Í	W	G	R	R
Z	B	G	P	V	A	T	O	B	Á	G	R	A	N	D	E	I
P	A	Y	L	L	Q	U	M	T	W	R	H	P	A	Z	T	O
L	A	N	G	E	L	I	M	P	E	D	R	A	C	D	O	B
A	K	V	V	T	T	A	Y	S	Y	U	P	I	W	I	A	O
P	A	L	M	E	I	R	A	S	A	G	U	D	U	V	J	J

ANGELIM-PEDRA, ARARINHA-AZUL, ATOBÁ-GRANDE, CISQUEIRO--DO-RIO, ESCUDO-PERSA, FRUTA DA MAROLA, GUABIJU-GUAÇU, LAGARTIXA-DA-MATA, LEÃO, PALMEIRA-SAGU, PALMITO-AÇAÍ, PASU-TAQUARA, TINGUI-PRETO

363

F A L C Ã O R E L Ó G I O P J I Q
B R R G R J J S E W N O F E F V O
N F S Q U P C B M F T L R Y A M M
U I Q Q A F I X X V G I E M L Y Q
G G A K N W L C S Z V K I N S R U
Z N S L G I P H B J M A R B A X X
B S T F I R E E E R N N I H C H A
U B T I C O T I C O C A N T O R X
Z B J B O O O T I G R E H T P P M
T E Q W D E G E I O L C A W A U Y
F Z B N A G Z C R Y T C D O Í P U
R W M T M C R A I R W H E C B V S
V Y O R A R Y K B A J N C F A E W
N W K X T Q G L I U G Z A L J V B
D N E Z A M N W Q R O D B J C U M
L M K K P Q X N T C O A E E B Y D
J O Ã O C O R T A P A U Ç B N T V
I Q P I C A P A U D O C A M P O X
N W G H G E E V J W S R C A V H N
É R I C A J A P O N E S A Y H I O
U H G T A P E R U Ç U E S C U R O
U G T V E H F T B J F P T O S O K
U J A R A R A C A R A N A M K Y J
C O R U J A D O M A T O N T U R L
N C H Q U E B R A M A C H A D O O
X L Q B Q R C U F O F F A Y K W S

ANGICO-DA-MATA, CORUJA-DO-MATO, ÉRICA-JAPONESA, FALCÃO-RELÓGIO, FALSA COPAÍBA, FREIRINHA-DE-CABEÇA-CASTANHA, JARARACARANA, JOÃO-CORTA-PAU, PICA-PAU-DO-CAMPO, QUEBRA-MACHADO, TAPERUÇU-ESCURO, TICO-TICO-CANTOR, TIGRE

L	M	F	Z	E	O	Q	D	U	H	Y	A	D	G	Z	N	V
Z	X	S	T	I	C	O	T	I	C	O	D	O	M	A	T	O
A	T	T	I	W	Q	N	Z	O	T	Q	R	Z	J	G	V	A
O	J	S	I	L	H	B	G	I	I	K	Z	P	U	D	U	S
E	Q	B	M	W	B	N	H	L	M	L	I	B	R	K	S	A
K	D	P	M	S	U	O	H	Y	B	A	Y	I	U	W	C	D
L	A	G	A	R	T	O	Á	P	O	D	O	C	T	O	I	E
M	E	D	D	V	D	F	X	W	Z	I	E	O	U	R	T	T
C	U	G	H	V	W	Z	K	P	I	W	O	D	A	E	Y	E
S	I	T	W	B	L	D	C	Y	N	F	T	E	M	L	L	L
P	O	P	U	Y	Q	W	A	Y	H	F	D	L	A	H	J	H
K	Z	F	Y	M	M	D	G	N	O	H	I	A	R	A	D	A
I	F	T	T	A	D	R	C	O	M	G	E	N	E	D	C	P
Y	N	G	R	L	H	O	W	M	X	D	Q	Ç	L	E	N	Á
X	F	D	C	P	I	H	N	T	N	J	P	A	O	G	X	L
M	Y	Z	D	K	L	L	U	O	I	Y	D	V	M	A	O	I
L	F	X	X	X	S	P	C	O	R	O	T	C	G	T	K	D
L	Q	Q	L	M	L	O	X	A	H	D	I	N	E	O	M	O
Z	G	K	M	U	D	J	G	B	I	K	E	F	W	F	R	H
O	Y	T	H	A	F	B	H	I	K	J	G	S	G	K	N	I
W	U	W	T	P	A	T	U	R	I	P	R	E	T	A	V	J
H	U	U	Y	F	S	P	C	D	G	V	K	U	S	E	Z	A
X	R	I	C	H	O	R	O	R	Ó	E	S	C	U	R	O	F
F	B	E	M	T	E	V	I	P	I	R	A	T	A	Q	V	E
T	A	T	A	R	É	D	O	C	E	R	R	A	D	O	X	C
S	Q	Z	C	C	L	H	C	J	C	W	U	Q	T	H	Y	E

ASA-DE-TELHA-PÁLIDO, BEM-TE-VI-PIRATA, BICO-DE-LANÇA, CHORORÓ-ESCURO, FRUTA-DO-CONDE, LAGARTO ÁPODO, MUTUM--DO-NORDESTE, ORELHA-DE-GATO, PATURI-PRETA, TATARÉ DO CERRADO, TICO-TICO-DO-MATO, TIMBOZINHO, URUTU-AMARELO

H	M	U	J	O	A	P	I	H	O	T	H	H	D	K	L	Y
G	W	G	R	Q	G	R	A	M	A	C	O	R	E	A	N	A
H	Á	R	V	O	R	E	D	A	P	A	T	A	C	A	M	C
S	E	H	H	K	P	W	Y	L	Á	P	I	V	M	D	F	O
G	Z	L	A	N	M	S	X	B	S	I	I	D	S	G	R	H
P	A	N	T	W	C	O	I	E	S	M	S	D	C	R	O	A
I	R	A	P	R	L	I	X	A	A	L	J	Y	E	F	H	J
L	A	P	R	K	X	H	D	T	R	I	G	F	V	I	X	D
Q	C	F	Q	M	T	N	I	Y	O	M	O	Q	J	D	Á	Z
K	U	T	O	K	M	F	Z	T	D	Ã	L	J	D	I	U	A
J	Ã	E	E	F	M	Q	E	M	E	O	F	J	A	Q	O	M
D	P	C	Y	E	R	H	I	L	F	T	I	D	B	T	U	O
I	I	J	S	L	A	U	A	O	O	I	N	Y	A	Y	O	H
T	N	N	F	F	D	M	T	F	G	I	H	M	L	H	E	C
A	T	K	H	B	A	E	G	A	O	K	O	X	G	X	Q	Q
L	A	M	C	C	G	K	P	R	D	D	L	G	O	L	H	P
Y	D	R	O	W	E	D	I	D	O	O	I	F	D	W	G	T
R	O	X	A	D	Q	E	B	R	Q	P	S	N	Ã	E	M	E
N	Q	Z	N	P	U	I	I	K	V	O	T	A	O	X	A	V
Z	T	I	X	Q	A	E	E	S	C	H	R	M	B	A	W	L
M	F	M	O	X	O	Ç	Y	X	N	K	A	A	R	I	E	A
U	A	C	O	M	S	X	U	W	Q	U	D	X	A	J	Á	D
J	E	N	I	P	A	P	O	L	I	S	O	W	V	G	A	I
I	H	L	D	D	Q	R	H	X	I	F	I	N	O	R	Y	R
P	U	V	S	N	O	X	M	G	F	S	H	Q	M	F	X	H
Y	W	F	X	G	C	M	Y	I	F	V	O	Z	V	A	S	V

ALGODÃO-BRAVO, ARACUÃ-PINTADO, ARAPAÇU-LISO, ÁRVORE DA PATACA, CAMALEÃO-FERRO, CAPIM-LIMÃO, COQUEIRO-INDAIÁ, FRUTA-DO-SABIÁ, GOLFINHO-LISTRADO, GRAMA-COREANA, JENIPAPO-LISO, LIMOEIRO-DO-MATO, PÁSSARO-DE-FOGO

Respostas

Para encontrar as respostas é muito simples. Basta procurar pelo número do diagrama nas páginas de respostas!

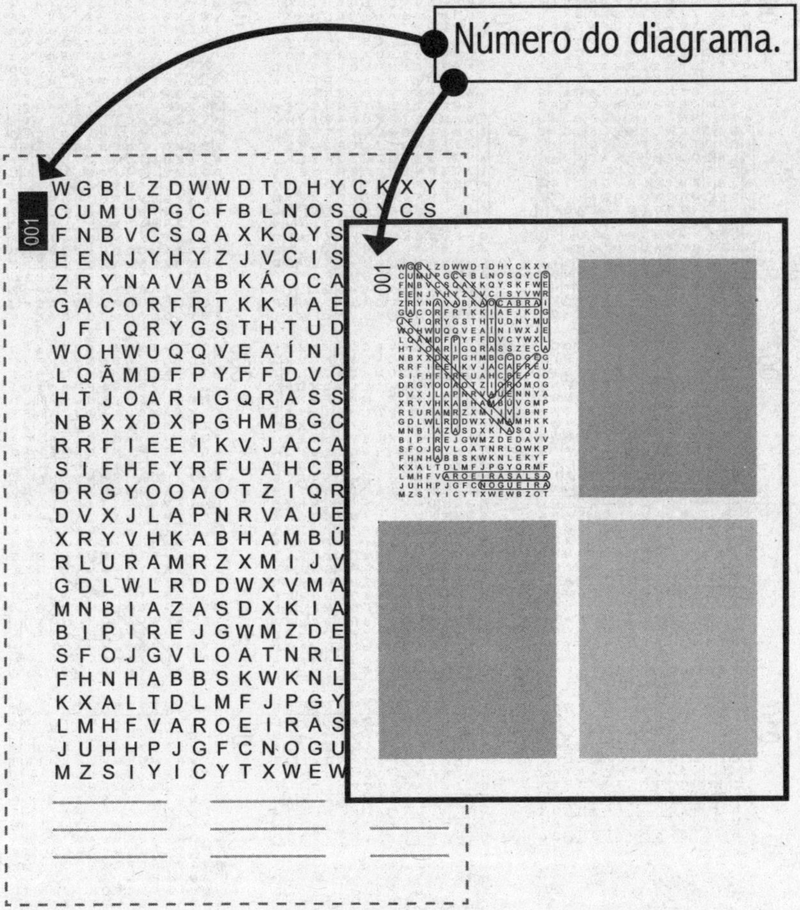

001

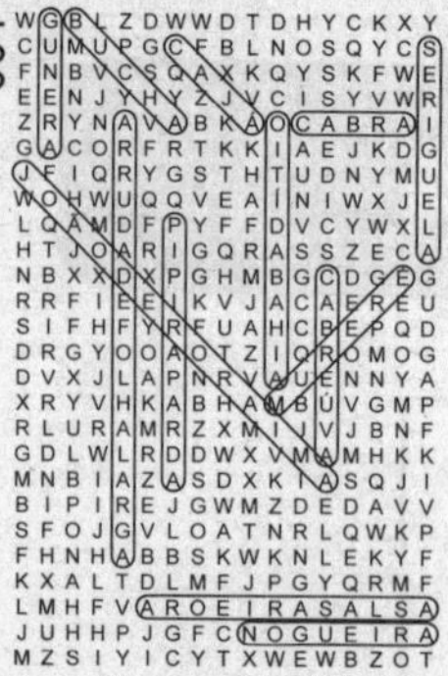

002

003

004

005

006

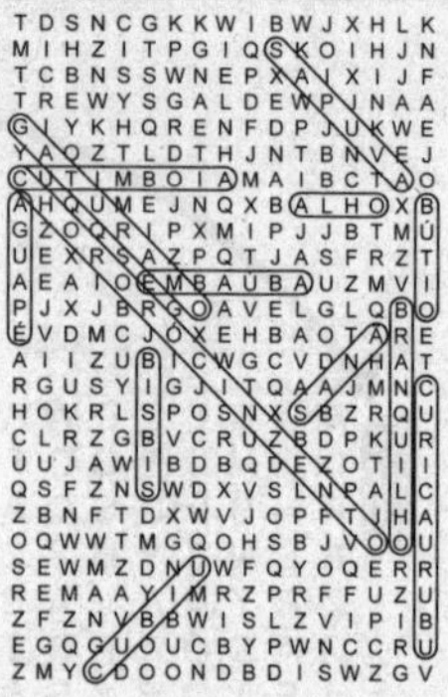

007

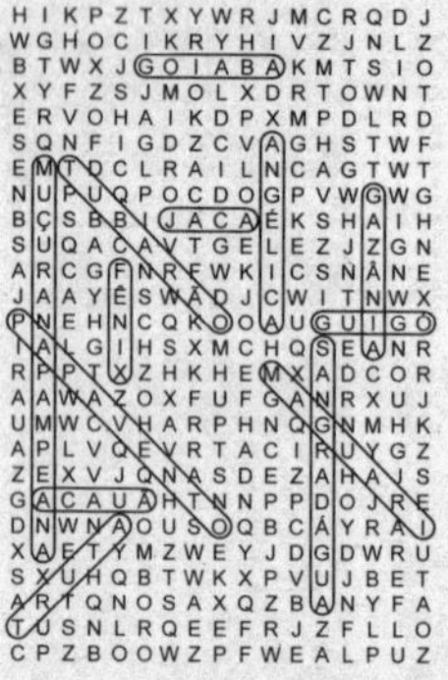

008

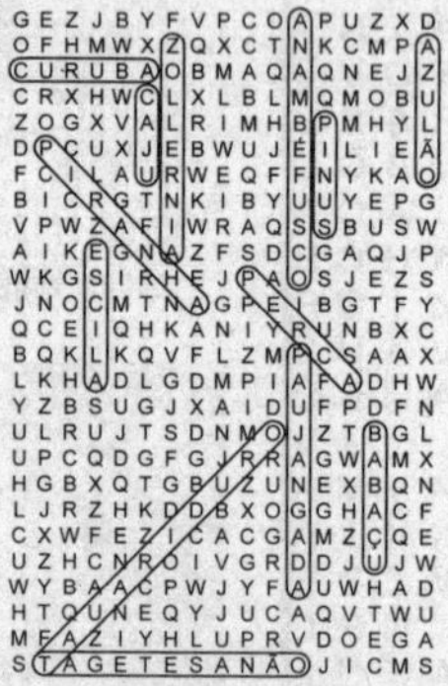

009

010

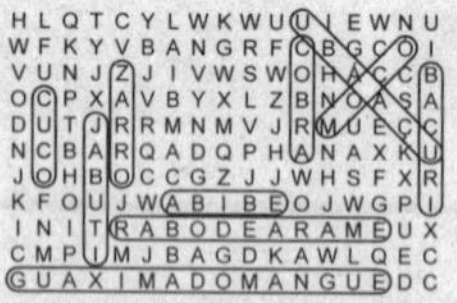

011

012

013

```
P M W I G W T O G U R I R I R B S
I F B M B U Ã N U Z R H P V Q Q I
N W T C F C A N M B C E G K S Y H
H A K G I F G I Z L E Q Z B U K G
E B R P C L N H Ç F Z C M U M A E
I H M R L N F W J A B I O D I R T
R Q J A U R U U X L R G K A Y A A
O V I J U D W Q V D G A B P Ç C R
B E R A X B A Y G Z C M M I W O U
R Z N R Q P P X C K A U R K A R M
A H V K X C J C U M F R T X L U Ã
V N G I O V I E A B A S L I M J B
O C F Z L A F S Q C R H P S E I R
Y B H H T D O E H T U I M T I N A
L Z F M X G B H C F W Q I J R H N
Z S A Z R D B D E S N G O P Ã A C
B G R A L H A G M M E Z P K O R O
D I P K W D Q U A S V B E U R E N
L S V H E C N Y I B D E U U O L H
A H Q G G E M O K D L T S O X Ó Y
C D T S E Z K F M D Q N S X O G J
D Q E A L P A C A K F G F Z E I B
S R K I O D D E M K S Y A H A O U
M H L Q E A D V L N N L L Z Q W N
J G C F N D G W E G O V W G Y G U
U C L T L P L G Q F N B L P J G S
```

014

```
M K V P D Y P G A U N F I Z Z X V
N G Y E R S W O F Z L G P V J V B
E Y Z I A U U F F H I C U P T F E
R S V D N W D E U T Z I A A N Y R
O Y F Z O C F G N A L Z H U X S A
M I I L W R R Z E M V Z J Z A E U
Q N F Y G V Y O X A D C R E V P W
T S F O G Z H W K R T K N T P H Q
L N X G N Y O I T I Á G D P J X S
S N Z T E R J D F L R O R B U D K
O H J X R N C Y N H S C N J Q K C
A E J Y I K I N O O I E Y L J I S
B Y N A R J M V H V O W T B Z N O
I H A G J U Q O N C I D I O H A C
I M F M U F N A I V X O M Y U L O
M I Q A A Z B G Y A R P H N V F Í
R M A Q M M Q A A V Q C R J B B Z
W J N U S Q O Q Z J B S E T A D I
L Z T B Y G U M A U Z B N L W P G
B G Q M Q S R I O Q Y B O B W J U
A J N D K L I V Y G B T F I Z M E
J O Y B U A C X R J F L N D F G Z
J N X S P D A Z X C U K H O D A A
Q G A S U O N Z D G B Y G O M D G
B N O O I S A Y H W T V R V H A U
C V N Q X Q K J M A B T S V B X E
```

015

```
G N Y Q X F B E S F R Y E R B X J
F Y J K I D O X V O C K P T A F U
T F M J X N M X M T U G E I T U S
W K R O U L B Q F N G M Z Q I C T
A S G U P P A U J N R F C S T P Í
J H I T I N W Q G U G E E H O W C
S N L V Q A J V A I E B R B S A I
G J K Z O Y S S O C O H U X S L A
S C H O Y L O F K Y A Q W D A L J
X S Y O H L V B X E D T B F J A I
C O K B H V Q P H P B R R U D B R
B S U Z M K M U M X A U I A J Y L
F H Q Z K V F P L D W E B X C F D
A D R S P I L U H V W R W H Q A K
E Z O P V X W N C V Q D W T I V I
X B W B I Z L H S E M Â N I A Z Y
D O F F G U G A U H H N I E G C G
I K R U I C H I C H A F U G S D E
K K H W R W N L I D W X M Z Z I R
S G H R K R Z K L Y V K X Z T D Â
Q G R K X U M L Y H Q H Z G G R N
B N S T T O N G I U R W J R B C I
Q Q C K Z O C O T E A I A B A J O
L Y Q Y P X E T F V R D C T R K I
K G G Z D X J O B L D W U F U A J
S B U I W S P X K Y T L K R S G P
```

016

```
O Q T W X Z Y B A R A P A Ç U R L
E O H I B X L V Q G R U W Q R S M
S O R T V B W V Q N G T G V L P K
S L D G J Q R Z T U V A T I N G A
P B W R Z F C Y B Z L W J G N T H
A X E U E P U S Z K C F H P T Z S
K X J R A F V K O T H E M L J R V
Z H V I F Y O U A K A N L I Z E U
D B V N V O N K R S O K G J H E Q
A K O I I Z Y H O A C V D G T X C
V T B Q G F S G E C U Y W R G T O
V I G U A X I N I M I F E U M D R
E I I I Y Z X K R F H J L M R X A
H X J M W P G W A P T X A I B Y L
T L T A P I R U D X K O G X X B Z
R T N A E D R S O U Z W L A L N I
A M E T I S T A B J K L L M G M N
H G M L W R F Q R D Z U S A R W H
U V Z M Y O V I E N Y W V Q A O A
Q M R F B C I N J F H M K H N B X
M T S Q E A U B O K C V N S A M Z
I S J A T A N Z T M Y V X K D W Q
V R B U G G A H D Y V A E G I B Q
Q Z R S T A J M D O K H I L L G L
T U I M S A N T O O G J P A H L R
L Z W F K S R W U Z G V C B O Z O
```

017

```
G U X J L Y G B D P E X D Z D R H
A X R P U U O J D M Y K Y Y H R S
V J F P S U E U W H I A V W Z W O
I E U L F Y P C T I M R M J R Y L
Ã W W G J A R A R A C A R V A M H
O W W J S H Z G A E H V G Y W J O
B T R T M J X P A X I H I K W P D
E C G K E A S U F E M W G S T S E
L V I H I Q A F S Z A Z N W L J P
O L M D N Z C V T Z N D S N T L A
U N A O V R A D Z C G O O Z L R V
F R R E W B S L Q U O P X T H I Ã
U K I B K W C B V V O M U J X R O
M H A T T V A Y X E P D J S F H J
O D M S N H D F L C R N Q D A S F
B P O J H A A R O T E B O F N P F
R C L Y X X N Q I B G F P T S F O
A O E A X Q T G A Z U L O N A G X
V G M D M I A V I O I X L D X E Q
O B G Y V R O U U C Ç H N J I R J
I P D B T X M Y X F O C W I R W P
N F A N F C U V V W S R C M O D W
B G F E P J S K S R A C O W S A W
A O W W X I N U P Q A K X X A H J
M G Y C V K Q W C F H J W O O E N
B B J L D W P L A P V I N G K V F
```

018

```
F X N G U V H N Y S M K D Z Y W K
I H C O U N P Q S G V G Y L B P J
S A U A G U T S C O T R H Z T Q D
X L Q B C M J A Y N O C J G Q O A
C S D U R O R D Z G J R I I B F Z
Y U S U P I G E X Y S O P N D B M
Y I R Z E F O O N H K G I J V A S
I I R U Z C Q Z E C W C A P I D O
R G G A Q U Y N S T K C U V K R N
C I U M T X F H W L E E D G M F S
F C D O P I L A Q U T T E K I A L
I Q J U L A M K I G D B C I U F E
H L A M S X V A H R I Y O J J D J
L E V W O T I B L E V L S F O S U
M I R M X G K Q L U R Y T C E N H
B T R W I W P P N T T N A H Y M A
K E L M H B A P P J A V S I Z E U
R I Y Q V K Z B F Q Ú B C R A V O
V R F A H F P V W I I Z L I Q Ô A
Y O X I E S B S V C J J A T Q N O
A S D N O M H R L B D B R O L I T
M D C X K E V W H J I M A R E M S
C N R C W W Y M M X Z E S P K O J
H K Z Z J W E T G P Y I R C P Z K
D W R D O J O Y D K L J T T N D K
I I D F W R C S U R F X L R E L A
```

019

```
J D J J L Y N Q F X R V F X L X N
U E C C Y A F X V D F J Q P M A K
J R Z O M W S G K E I Y R I A R E
I O S L Z S I C B B Y W F E Ç B V
T F A O Q S N G Q O L Y V G Ã U B
Z P U H C G I K N R B S D X W S V
A A H A A T N M T V B W M B X T B
T E B A U M H W F I I N J U K O T
D X O G Z X O U F F Ê E W E B B W
G U Q T P A H V V Z F G F F R O E
G C Q V G R K T P B A I A I L R Q
N B P I D Á W H M Y C T Q L B B E
N D B I R U U H T X Z L S Q O O G
L L O H D Y L A G S S G M Y M L P
I C C V R M K E H A H A R K T E P
B N Y T S K N C O X V J C M Z T F
R N Y N K I U G I B I R A U N A S
R L H A G F E K F W H P Y G F Q Q
E N F B X J X E A U Y R V G G L N
P C J L Y U D T E E R S C Y I N Q
I W P W N R N E N E S V D P O P L
B C N J H A S H B W E K F W Z I B
W X T U R W T N G R I C I A Z X T
S N T A P H A D R T U N G U E O J
R A U K T R O K H N K Q V J Y X I
B G Q F C S C D Z P N G C P A Ó M
```

020

```
R X L H X M Z T J S U Y G S V G J
S W X R B C R C M K Z P A Y L K V
F I I W E B K K J H R D R A G J M
V O P I X Z M F G R Y G A U L O G
F T X Ê D B V B I X W E C M I C R
T C U M U A H J E G H F U Q R H L
W A M E U N T M D Q O U Ã Q W M F
S S B L O G A W D Z U M P U O I W
A F U Z X I L Z E K O J E A E N R
E N C J R C Y Y X I V W Q H M G M
V R A M T O S R C Y E H U G B A H
F J J A Z V H C A T R W E G Q R V
W P Á N T E Q A D O S Z N L I A P
X V C G N R J F N T H O O C Y N C
G Y S A K M E P E S V A C R U A C
C X P B D E U H K V D H L Ç A V A
P O I R C L I S Q I N C A U D R J
S F N A U H L G Q W G R W M B M A
K E H V U O W F C W I F I O D J B
W G Ã A K P Y Q D U L R C K M W U
J V O I U P U A Y É G U A K A I T
B T B U E Q O F A Z L P J J R U I
G T R Z T Z D P M T T E U W A J B
F O A W Q F K K W G Z J N F N W O
A D V E X Q L C Y E A D T K G Y I
X W O I U A Q A J Q C W E C W K A
```

021

```
O G G C Q G O S X E A J W P P F J
H T V V V B P S R A A V G K V S I
Q C O R I X P W Z F Y Q P G C Q A
N S C C P X R C P U N M A N H R D
Q C R C I P M G U I T Y A G E M M
X Z E R A O U T M T Y S G T R U K
N H L R K P N W O J A N N S N L A
B V A O N Q T J R G J A O W E N N
H U S Q U V S M S Z P O T L E H H
G A L O Z Z G O A X N R O R L N I
H Y V T I P A K B B W J E O J R N
```

022

```
I Y T Q J A B I R U K Z P W T E N
V V A N X M E Z H Y X R H T D D K
A G I Ú T G W P N X D U E O Z N R
Í Q C T B V D Y C S Q D B M K H I
B C J R I I H K T K E G V H Z G L
B J G I P N Z J O X Y B F S L O L
S U I A R P G Z A A V O T R U T A
H Q Z K P Z D A R Q Z F C D M I U
L T Q P D Z L O J F F S P G L M T
L Y F M A R T A J Y P A I R E R Ê
```

023

```
T R X K M R T B A F U S A K U Y M
H C M O H H N T I D X K A W S N M
E L B D Q A W G P O T F S Z B X B
V G P J M H F Y I F F C A U S W I
L H W Z A M V W H R R O W C N M A
S O R L E O S L D O D N I L A I U
N T G Z J Z J D G N G O V Z Q R M
P P M Q N P V N Y F G E I R N P O
L Q I T R G A U M F E A C J T R C
S P J S K L T S H N Y C R K R K I
Q N P L A T G P F A O A C W C H T
S C G C C M Y G Q G B T H U A G C
L Q F N P Q I D L A Y A J E G U E
O Z M F O N U S B L T I W L A T A
P O B B R K U Q O Z X A E M E D C
P I U E U O S B I I M T O K I V A
V X E E S T C L R X R R G X W I R
B N S J K T R C K M U U C N Y B Á
V E O G Y Y A Z I O P A B R I C Ó
U P N H V N Q M L W K V X F J E H
K J L C C U O G E D K N R Z W C O
D F A X A T Z R C P Y C E Q G B H
J X T U T N H A N D I A X I Y Ó A
J F I N U I B A Z Y W K U H N T I
C K D X K C T I B Q R V W M Z I D
I X S E A X S U U G V W Z W O A E
```

024

```
P R E C G Y T H X Z T U X X K Z Z
Y G P V J E U D H J B P Z L U A V
Z D M C U D I M M C A Q A P C F O
Y F B I W V W A R S T V C S B M G
E O M T E E B X O M G V A G K T W
K S F A R A B P E A N J R L G J D
Q Q A B U U V W A R R W Y G I W W
I U U T Y M W C V I N S Y M M K O
C N A S A Y G N G R K L K O O T Q
U C W G O N N S C O R H V N O I B
S S A U R A G I K S B A E B F Q O
I K S J I C P A Q A R P R R Z Z Q
Y V G D Y Q J K R A L L Ô T A S K
P H R V P W W G B A D S N A J Y Z
E K S L C Z R M H G O S I H G L S
J E K R M K U T F M A V C O O Y E
J J M K G D D L X P J V A Ã X T U
M J M X U N H M O F N N I W Y C B
L B C E R C C Q I R S P V Y U U F
G Y Z D Z O S Z G B U U X Q S R E
Y Z Z X L Q E Q S R G E J Z M U I
C F J I L X C T R Y C Q X S Q N I
M L R X H Y S O M E Z S M A V D T
W B F V C M C B P D U K I C A I K
A T V O N V Q Q M M E N J O P U Y
S N T M R V K L F T G U W B O C R
```

025
D S A O H N V S H I N A M M M U I
G M D P A R O B C B X F O A R F C
R I B E X Z D W Q I H H Q U U W U
S Z U G G Y T F J B D E J X J I R
X J E R I V A L T O Y A W T K P U
J H D L F B K N B C Q Z T J Y T T
L L Y Y O F D G S A W Z C P L N I
V E C A U I P S H J J J N I H K É
Q U J T Q I W C P E J V B S J G A
H D I S D D G D W Y E W R N C K G
X J S Z J X D W G O O C G A P C S
N K W M R J B R L Q Q A B E I A Z
E C Y Q Z V I R A T O S D H R A B
G W I X E G Y C R I F B W E X B G
A Q A V V Y L W D Q T X Z A I X O
M H A B Q O B B R T I C E F P L M
I Y A L E N K O F I D W E C B L T
O P Z L J X N Y E P E V P S M E G
V S K Q R Z R X K U Q T A N U M G
A Z V C O F N M S I N M M L R U D
U A O C Q B I D R M U I H P S L R
L U T O I P R J N R T V J M M A F
B H P P U F V Q A S K A D Q X B Z
W G P C P F J T H T D I V J X P O
W V S I T O G E N W J Z E I T F M
S A R G E N T O P B D Z G G Y Y Z

026
D T P A O F Z U J G A O P G F O W
Y X R T B T Y T G R W A U Z F C A
N Q J D T T W Q E S Z K W F T R B
B A K D N B V T S Y B O O O H O R
V J A Z R W N Z B A Z X I P X C I
Z F Z J B A I W C K I F P E Q O B
L I J S D D G U E R S L S R I D A
S V L I U W I Q I R Q V O R J I I
V L C B G L B R Q K V D C A A L D
T A A Y Y J I N U M N V O W P O C
T V U O L P Y J A J W W Y B A U K
O Z A A A H W I Y L E Q Y Y R Y I
Y K B T C A S B A Z V O H I A O N
U D P F A T M A R R E C Ã O N I Z
Q J D W L M K F U I X Z D U D W G
O A R D H D O L W X Z T X U U G I
K C I G D F T O K Y B Z D U B O K
V Z Y C G Z Q R S W V Y L I A B C
O K S G F K F D L N Q K H H F K G
X J A M E L Ã O Q Q D S U T G R D
F W R B A W M C O U G L H B M I Q
V D Q Q Z A S A A W T O C N A L T
G Y R F Y P Q C P T S M Q V J L S
L K R J F M K T A U A G Q D G X V
G U A R I T A O R R K Q L T H E T
T M M B M T K K W F E X K S D H P

027
Q C A R R A S C O A B D W O J X O
V Q U F J V M V R N E L B Q J V Z
N H L N G R U A G U A N O V W C P
F U L X D C Ç H U L T K L K T U M
U N X F G I U J Z I Y C W Q Y K I
P G I C A Q R C F Y I R K J E E G
J N P C M D A T A X I A V Y M H X
L U H J O G N H O Z D V O W A K C
O I C H R S A H K H C I R I Ç Y P
V S M Y A O P M J N R N C C A S T
P A A Z V Z A O D B W A Y Z R N D
A Z U A E M R B X D Z G Z Q I X R
U C V V R W D U S G N I V Z C P X
M M L S D I A B W F A X N Z O M P
X H G R E U J W T V I V C I D R A
R Q T O B O Z E C A Ç A R I E Q F
V X F I N C S V V F L I C K B L W
X M J N J H Z G B U G D K R I R W
T I J O L N W F A F N N X U C O A
T K J B D W N W U O P R J Q O V M
L Z O C Z M P A B E X D O G V C U
Z X I A R W C O S L D V O B I C V
Í F T X U A Z E T I O T O H R F X
N F S O R T M U Z J T X C J A V G
I M B A U B A Y I Y U U G Y D S G
A E J V A X Q G D I V O C A O V K

028
L O U J O T G N Ç A R A N X K P B
T E G A O X A I B S S A I O M N E
R S B S I I R Z B P G X B X Y Z U
Z P Q B P W Ç W T A J Y U R N S W
H P V D C D A V A K T O T B H O Y
H B B O R U R L T A N Â A T U L M
N H M X E A E N A J J U O S U R X
A R E Q N H A C P N L X B U E L S
X B E E M A L W V H I K I J O E D
O P R D Y G X S F R Y D L N A K S
F D I E F N I J Q T X U I Q G M D
G F C Q A Q O W G H I I H L L W R
M W X J T S Y W C T X G Q C Ê R C
S Z S C T B A X E I D K R Z M C R
C U E H D S E P X Z O S G C U V W
K L R S J R A T H C I K C J R N O
D N I Z F R N V Q U O D F I E P F
Q L E W A L N H V G O R I D S Z O
D Q M R R S T I O A H H N F J Q C
P F A Y U Q Y F I P A S L O T X Y
Q M G S A K W L J N E V E N S S N
E I O C T H K O I D T D S E U Z O
D O S Q Y A V D A L C A L C E P V
C F R N A S N T N J R I M W I X U
L F E K T A D G C R Y P Z A H U H
J C Q V N T G V O N T M I D E T G

029
I E I J X G D L T R C I H B A N R
Y J X U Z P A L V Y P D D O S P B
U T X T A R B Y C Í I N Z F L L T
Z G P E O N B G U Z D F X N L T H
E S H C U J A Z B L F C W C H N B
Z I J A F S M X E A S J E G F X A
P G W P U F Y Z A M Z R L K S M T
M J F W K I S O K X S R S A U I M
A M G B K V L Q Y B S Q B P E Q V
R P G D K F T Y U C N P A D N Y E
M L G W A Y S I A K F L H Y L F O
E K V E L E I T E I R O E M P N U
L Z Z E U A C C A B E L E I R A P
A N V G L W O R M J P E M L K R D
D F X E N E X U K T C V Z V D Q F
A S T F F C A N E B Q Q O U U S R
Y H W S L B Z D P U C L E O M E M
L K Z H E J G P C X Q M K H A S Z
B R Q P U G H H Q X H I O V R T N
F W A P W C Y V E T S H D M O N O
A B B N N Q N G T K W U F S D Q E
X W E X A O A Q A R N L J Y Y V D
B B R E C R S X R Q F M E T A D G
W B J X B V H E C R G N B G Q Y W
V U O É J U B A T U I R A X P Y Q
D Q Z U Q L L L M L M M O S U S E

030
C K N G Y M G N M K P Q E Z W T D
O G Q W Z W O L R G R A Z I N A F
W L V V U C X M A F J G A K E M R
R F D Q P Q U U R M R U S Y A V N
O B K Z G W N L W F W M K O U T H
O K B C T E C P Y H B F X B C N H
Q A T A D M M G G I P N S R G J G
L D A G D Q I X I L P K A L Z P A
Q B R U I E R G H S U B D Q M I R
I P T A A Y M H J I D D M D D M Ç
O P A Í M R K R I N J T A Q P E A
X B R I Q X A R E W G P H X R N R
K F U X O G R P I C C I A I D T O
D B G X M R Z D O M A I N M K Ã X
E U A H L K H R A S W X K W O O A
X S P S D G R D M L Ã Y J N P R I
A T E Á R A L P C U X O G Y U A A
K B Q J M H D B S J L G U O N N Q
A O U P Y T O V C A N G A T I E X
W J E D Z M P Z L C J T P W O N P
Q O N L H A J L I A P D E V Y Ú R
X U A P A M B K Q J N I R F P F J
U M R Z V N E A K U Z T Ó W A A C
V K P Q N C D K C Í K K A X D R M
R P H E W L Z E I E E G G N L L U
B R H K Z W Y E N M Y J W P A U H

031
E H J B G W J M L R A D A O E F E
Q S U Z E V P I U M I L E G F D C
P M H H C Y H N Q K E W E G Q N M
W N Q S S I Y I R B I R S J B F I
B C O W P R P A U E S T O P A A L
O A G D I F S E I R X O D J M S K
N J A G R I I W C A F W I P H A I
F U I I R W Y P X X H V X G H R W
N D Z W U O R I W U D N F W B E Z
V A W M U F L S H D M Q M P W N J
S P T L A G A R T O V E R D E G W
M R E H T V E L V N A W F R H A M
F A X E Z M C O U V E T I N G A Z
C I N F O R Z F U L G H P D O O B
L A B C U R S Y Z F I A F R E N I
H F J E A Q I S P D L X Y V I Q I
V H Z S S P H E G L Y A W Z C S O
J Y W T U H A T A L T C H S Z F T
Y Q N O V P F C B K F T V D E M D
G M V D X Y T V E U P P R M O C A
Y H A E S S W S Q T Z H T K O C I
F S I O N L E J H K I C D L W A J
P W G U A K D N I L G N I S U X D
V Z I R C I S N E X L R H U H T L
A D C O I Z T O R X G Q H O Q S M
F N B T D W U H L V K E Z S S F Y

032
L X F X M U Q R R E P P V Z A X W
Z B Z T J A Q K L G N G B U N A U
A R O E I R A D O C A M P O Z V K
Y V K D J U O C R S J Q X Y D I Q
V A S E M A C U R A N A U G X C N
F C U N A L H V I Q T Q I L A U Y
D U L E O N C U I U F R I O N N Q
N M G I V C B Y H P A F C U G H D
S O C B Q A B T K C D Z I R Ó A S
M I G Q D R V O A J Z P Z O E N Z
D S M R M E Z U X Y M A W U S U I

033
B A R O E I R A D O S E R T Ã O I
A I G Q Z C X I X A U I M W T A Q
T J G P I S L Z C I E F H X O H G
F I B U Q I R Z S L H V N E R B Q
E K M Q A K A D T T Z Z A Q D Z M
G S X H K I P G H P O V R E O G I
V W K U D B W Z A K Y W V I H R L
P G J N Z H P E S I R I A Q J I C
G M A S B P L E A S R U L D Z L Y
V H K T R K G O P D U V M X C O T
N N B X R Y M J O P O L V O W X W

034
F G N U L D X I T H A E X B F J A
T K S W S G U A Ç A T O N G A X Q
H A U S S T H Q W U X V V I D C P
C I O C A U N A J K O M P X G A W
Z S J T L Y H E R C S B W T K C R
Z N U W O U T C T S L C O V B M X
Z N V S V C E Q F E M N V W G L G
B Z J Z Z L I D X F C G T Q R W A
G V J Y G S K O S X S I C H L N M
H M O H W N W R N G A D T F I G K
V H H K L W K H T I X N V V F B T
E Y A X N L E E A C L X W C A F N
C G P M Q C Q J D J N E C D V E Y
I X B E M T E V I V L A S R V H V
H K A J L F Q K R M O E O X M F Y
U B C H A R A P A P N O S B J I Y
D R R F N G Z W M I S P M S X J C
Z P Y A U I E A O X P G B U W V N
M O G O P M C Y Y E I H G S G H E
Q Z L U N O X P T D E F G L A Y L
C A O Y D Q S E S U J Z I M J J U
E Z M O G D A A R A J R K A B D S
E T C F T P G A Z M R U B T S G Z
O E E C Q I S G A J M S K I Y P F
G I W C A C J A R A H F Y X X M G
M D V T M X K U L C J R N Q A N O

035
L B V V S K W P A U R E I S T O E
B E J S O H B B S G P G C Á V B U
M R P W O V L Z H K K V A L Y B G
O T L L E Ã O N C P N S J V T B E
I M E C B B L H H M R G M I Y X K
R G L L U M M D S B T O X A I V P
O N M B G R O S I H Z A X R J E X
S Q L B U I A J C L W R C I T H I
A S A P O T A J F U T A W P N K R
L C J X X J F E U N O P J I E H A
O O G C D D J K O I N A S L J K O
U I C O B C J B F Q M Ç O C E Q D
C T J D R H U O V I O U V I P M G
A M V W G I M W N D N E T V D E V
M I C Z I T L W E R H S R G W R A
B I P F K W F A T E F C I V C L X
G F X F T Z H C U M B A R U Y U K
P I I M T D I W Q W J M Q O W Z Y
O G P B Z T N A J A O O G Z Q A O
P N L D K W R G V L C S W N E V I
T A M A R I L L O Y G O E I R E A
U E A J Y Y R V O X D R F F J H O
S J P F Y M E Q N V G W O V N S Y
U P Y T C F E T O N B H K T B C Y
K L W F D H W P J P T J W X U J A
A O F S O F J C P H A B X M Q H Y

036
F H L H P V U L K C B O V A O B P
Y A T O U R O P N E W R D K B M H
E E F G B U G V K M X R T P Q A Z
Z K L V U N L B H A A M H E E W D
C A M A R Ã O X F S V T T V N O U
O S C X H L C J O I H Y U E L F L
I T O M A D H A M C J E L R D B G
C I U B R I I V Z I T R O N E D F
A F P H P I U E Q I L M Y W G J O
W O L B T B D I G O J W O I U R Y
R A E R D O X A U Q K N M P R T N
U F N X G C R Ç V L Q A Y O Z V I
D E S C T U U M E L Y E M J P P R
U Z Z Y O C E Y J G L O U B F L D
M G I L A Q S R X O D H F N W R L
W I W V J L L N M E R V A X Q O I
T I O E O X K O P V C I R K C U R
C T V Z E X R I H E X T N F A A I
J T O I R U B F O R C N X C B S O
G Z X B O I T D I E E Q A P N X D
G F W L B E O Q Y V L C W X T G A
Y A Q C Z Q E E V U Ó G B B S R P
D I U U Y A X E N O S L V I E L A
R C N A B T E I S Y I X R X A R Z
C A B E C I N H A C A S T A N H A
P H D M J W T S A J G A L J V T N

037

```
UMKLDHIMAVJSEJVZN
SPSJDOQEJKSZLALSK
DXXUQMTUACKVUYWIN
SKNSOGQHSTAWJDWUG
VQBOWNBPAWOCSNHEX
SWSALSOCHORÃOMMBS
IMVIIRWIXWLCNMACQ
CQLZCQAPGUNRRPBPS
WKOKCHROVMOVIQORO
RBPZLHVFYQXPUMQIC
EQOOEANMEHMCEUUBA
EZSRPYZYAFDWWFEBV
PGMSPMNOIVNCKRETM
IGTOIXVBTKVQXPOEJ
ICVDBVYLKIEIIKONQ
GMELGGZBHJUQDTFUN
FLMPHQOVKPBPEAZFU
ECYKIMYUBMLRGFLOX
DZXSMPIQZKPZXPNHO
EICGYAÉGUIOLMYSOC
GJOKHVKRUVBUMUQCR
OBRHFÃLIOKUPDRLSV
SYIVBOPSUSDXLIRIO
OERUADPTSJARRJXUF
STFIMCEPRAPIBJJXX
ONVQPTAEPXFJOVVEJ
```

038

```
DZYLCKEONDBYLSPFB
HBCOYAZRQLEVUWGAU
IAVKTVLEJHMKTAQCN
ZDGRFCEZWYZBIJAWJ
MENSNPGRONÇAKSBOT
JHBMDCSVRXCQSUPCI
NAPNLSJNUUSADFQBM
HMEXJWDERBGEXUABA
XCEUVOKURDAOYHVZL
NYJUKZGLUIOSSHQWV
UJIEHDWWWCCZQAXVA
RFTEWIZGRTGOPGAEA
ZDSVTLAJBSIXAHDCV
DLGTWPASSUARETAXV
NZMENEPYPWTRUIQBZ
GQCNFPPCEFYEQUIRI
WKIZWIFXGKQNIBIXM
GFPPVNATGDSRVRMXB
RSÓUCDYQIRDHCZJTÉ
AFOQFAXALJFCTRSDA
KCLWNÍFHODMEDKPMU
ZGHJHBALVIWWPSAWL
ODUJHASABDBRXOKNR
NRDVJGUGIFAFSNEUQ
JKAQWBRIMCXCJIHYQ
DBSIGLPPKIIQARARA
```

039

```
TRÊSMARIASQNIROLA
KVÉUDENOIVAEHAKVR
CAGAMEHHESSGGUBMO
AUKIITINJFJYXUAIS
RRTTPRPJACAREUBAL
AHWBRNGZKZQYDACWY
CISUMSSYETFRKEPCV
UETZIMCENXFPFCUAB
ÃIUIEIKSBPUSSFHMY
DAPISAFEGSPCTXRBE
ECISGOXRNFCCKXGRZ
SSNMBVFWBBODCISOT
OTDRCFZKSKRCOBUEI
BXADGLPEKWDWFNPKK
RMÍMJVAKSVINDXYVD
ATVMLSEIFOAMVACUM
NFARVSHYVOPFXQHMB
CARARIBAPVRALZXZU
EZURMBUKMHEMRKWSW
LNPIYFFSLRTKYRFYT
HIHAXCFFXTANOAAYR
AEHTNAPDOBCÃETHIP
SYWMKDRFJKMMWRUEA
VLYPHLARAISFCUBEP
JCIEDGMNUZMPCPCCA
RUKARNPIOMOXGVCML
```

040

```
QTXGZIMSGIFRPMGJR
ITCPRFJCLEVJMHGGU
IWRPSILWIOCVKCHYT
YQOOCRGSBDPDFKCXI
ZTHDAFTLANBJVAKJP
MVALCBTEWKYFMNVSC
QDGQFQBOAPOHHFPNP
JEDQIRHONLXYNRONH
GRTDRCDQZQUJVCDNA
SJZIOSTRZJKJNHKNW
SALVERDETPXATUKIT
FSPHOLYLPIRJBMBAT
LRLLVMIKEBTUMBOPO
OUNMQTPBEYTGBEWVL
RWZTXWMUHVUELGKYE
DEJMJDGCPQCVRUOOI
EPIDENDROUCSYACQT
COHNALJIMKGJYÇRZE
EJLMJWGHPTXCJUAGI
RRENDADINHOSUEVTR
AKVCWITZPBUUTYEZA
JOAFTOOOFOZOELIAR
USRWCGTQBACPCXRSX
CSNBPZRJHASEVGOOM
ÁGGPJORHYJYINMPJN
TICOTICOREICINZAV
```

041

```
NKGLXDPJQRAFXXLGZ
AMCSBPMFZXTAKWTTF
OCOAFEUMJQBALYAJQ
NLAGARTIUCGWNOWAF
YBDPREZAYMSGDAIBL
LRPDANJYRSSUTWRUY
BWBXÇQDJRALQKJSTX
KDWHÁASFOCFPLOTIY
LWSUGGUANANDIDXMX
DVDJOWQVCDQXMBUSP
RDAPIPZONXNJEBJKV
AOMPAUNRRSJEIMNPX
SGYHBKFQLCRHRAMGA
JMRZAYWZSVCEAWWXU
AJMKFPMGARIRANHAK
UVDKKUWTQKUABPZOR
WVMMUUMWYMUDPKXED
NMHEMESYPOCALNMJV
ODEXLHXYADFALZJHQ
ECEDROROSABLRXKPS
CHXTMDGHRMOGAODRF
UFGUOPUOIAAÉJQJIW
VVJÁYOLMLISRKCENM
UBMTIQVGDXIZNHIY
JAMBOROXOJBAEFWDO
DARSFVYWYKMTJZMOD
```

042

```
UQHZOGKRHHMGOIIMJ
MMGHGTYARNYMQLLOR
BRTFPCQXDCRIKYFMB
UFTRDEIKLDAUTCZQD
ZEPQVFXNEYOTLXZVI
EEXXAKQLAYJCEXMYI
IXJYKOOKECQRJNHJS
RVJTXXHINJIKGKDDT
OBJFGOEMYTDNPQNEW
XBEQWLEOFVFOAUNSI
ODLKGRXWJMXLNHKLP
YMEOZPGEOILYIAGUI
CKUDTSHEDCWVFDNSD
AMENDOIMBRAVOHHHY
AGTUSJCENSIXORAUO
DKYKICBCXAOKORQVW
VRASIEIJOÃDZQOGGD
EEHNJVBYPRRCPVAHP
GGIJNQAAYZUMHIMUE
WJMWWBTTNZIJJBKH
KBLWZUPVIABGFÁRG
QJMARSQEYNAIÇNUKT
AUUFAWLZTSGWOTJGM
WCPBWMYHBACURIAÇU
QÁLYHQUXZOCYIMBHV
GKYSUROFOQMASGQHI
```

043

```
SSABBLYDVWPKLPEOH
NTRKSIALJPKDYKBBZ
CFFXVCDIWKZIMIPKO
IOIDTUCMEGOXKFNRX
PACKUROAAASSRTRPT
BMXYTARQBFIAHUWUY
PABJFNÇLBKTEBAGRE
LKJAOAAQEVVWAICHX
SNRTGARÇAGXCBOAAE
NIANFSALAZULÃODAD
GMDZQWHNKWFGEÁKWH
```

044

```
VOMSOMEGRNAVTQQJB
CGFTBZEDRDZZYUKAN
AOORYVQGYAAIAIYLC
IBWXBSUSAPUYVWSPO
MIUAIVIGVVKNHMZAR
ÃEJFSGDKFGIHAHPCU
OYRTÃJNBUBXÃNUTAJ
ZVJBONAZZIBGONBYA
LTUHSWWCAQDKQNENL
TIOPSCLYIXPQSJGUF
XIQCZVAABMZILULAD
```

045

```
JACARÉANÃODIASAPC
KYYMFPSAXXWOJDUHW
JSMNHFXYSUJXHUFLO
CWFAJVFURTRXUIGTK
TVUBRKGTJYORFRSII
OEHPOMBBSOYAQIUOW
RCIZUPEWTUOWFBETT
AGLUGZBLAOBYTOROU
PQJDHSPZEYZLBQBDH
RMBDLAAVFISPVCMOM
OLHZETNXLNRFBPONP
NQIZMBFYCWVOUFSRI
ÓKEVOSGTSSPBWRTBZ
BANONNQASHPNMVAUV
IJRHYFBTPUEZFLRPV
SFIOSTIUIABTQNDPY
HJMTSUTCDTINJVAID
ZRSCOERANAZTSPIWH
FPUGVIHNNTTSSGCRH
ZHEYICJALAYTABXPN
FWMXJRZSZGXGPQCHW
TGALAGOTXIDOTQJVI
RISGIUPRFWHEMICZB
IEFGGANAHIFLBYNSC
GKQHKPOQEJZBSGPPR
OYVJKDIHQXBLVOMHH
```

046

```
ANDORINHADEBANDOI
EHDXHBRHYSWDLDLCW
XVJHXEEENVLQFNPTQ
MKSLZELRFGOLJPFPP
REZDMKONUWDLSVZGA
ANIWDJSORTWERJQRU
WTIVQMMLUINBEYUQR
XNNFXSKJBYBQJHTTO
LISVPETQUHNSAHFEX
NNCXUYNORGNYCTCYO
MHRGBUEJETAIAQYRS
JJGWWNMYIHGZRKOAW
LRFZOIIXDJUAASZNB
VOMEDUSAQGONTLVGQ
BYMIKEMJYNWWIDEDP
IAITXQHPMULAARJII
OEXKYTAQUGTQKOZHA
UEUELUDABQJLFNINM
ZACQSISMRXEEGGZSS
MAFUXGPEDREIROIAS
BGDMMYUUUCZAAIPZZ
ACMEXJMXOTUSXUHAX
LSQNFUKVEAPYAVUNI
IICZIPQWWWEBJJSKI
ABUXKKCLJIFFCZLAZ
OOJLIMPAMATOXXURI
```

047

```
APÉACUSLDXDALSUUM
NXTOUBINUOBDCNDWA
CRGUISXLDWIALWMXÇ
IXLTUWZRPZKZEKORA
AIJWMQOBOIRULLAVR
UTATATINBOTQLNQBI
CVGKOWNSSAQVUALAC
NJJYHMSZHMZÁVBJNO
ODDEYPKAXPDDGELAE
WXHZZAQOYNOGCLVNS
TDJWIYVRAWBDHHEAQ
CKDMZTXRWUCLBAFDU
GXGPRVADXFRVTAHÁI
CASUTCUIIXUUCMBGM
AZJMACZLPBFBTAIUÓ
TFPJEMRGCOYPURFAU
LZWLWFABVWENCERZQ
EKUYIUMDEZLISLEDD
IWDUMNGVGZRNTANCY
ABRÓCOLISZNXEIAJP
IEGHXTCJQEJYCIRUR
FÉRICAJPGKAVUBIXB
QPCCFENZMLNJCIAEE
BYRCGYCWPNEBWONKS
GCWVFLKBSMAJZVAFP
YIRKXVXZWGHPEDEOR
```

048

```
PEIDTUFZEKIEHMLNI
DERVUEPCEXTKWUTPV
APNRDMTBVCVFXTWBK
HREDLDUKPSMLWJPLN
NPATUNXYBRWZNPHSB
RJUEHLNUJWKNSIYUA
QVPSIKAUWESAHYMDY
NNLOPFCOMPCOLBFÉC
QTOULPMTCLGENGPLT
SIXRGWQMUJPDNBQEJ
UJEIDADNBDIOVARFE
MSRNESOXPFTUDNAAR
PZYHIOPFOKODMCKNI
XIMAXYRVMPPAOHWTZ
TLUMLFKVPCVBHSTEE
NKAIIRLRSNOABXCZL
WJFUFWFQIBHIJMPOU
EBVLMVSWIMPXNQALV
PMTWHPXBLDGKRAYCT
LVAYRUIHÁGLCHJMAA
AGSWYFNUSFGAJCXIU
XMAKNWLYHIYDCENMH
WPOTIQEBWATUMRXÃA
BUZGOPZTCUGUABAOY
WHSCRUDDOGIASBZIX
ULBZCWICWIRPNDTFA
```

049

050

051

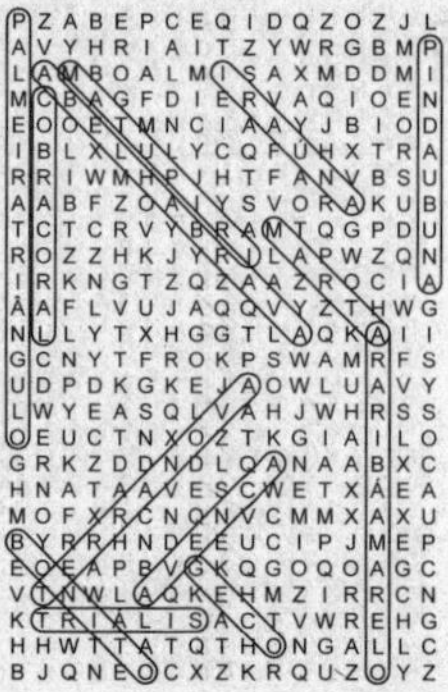

052

053

054

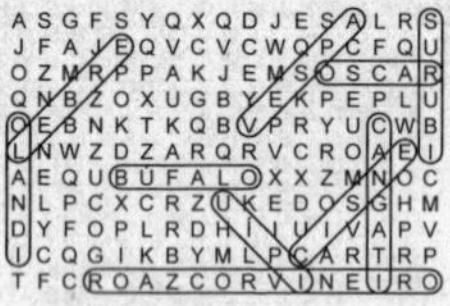

055

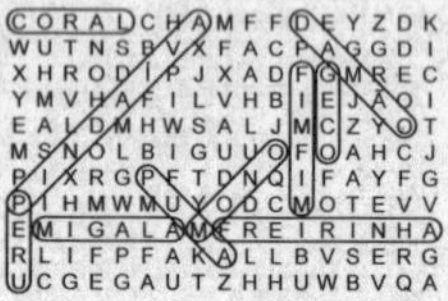

056

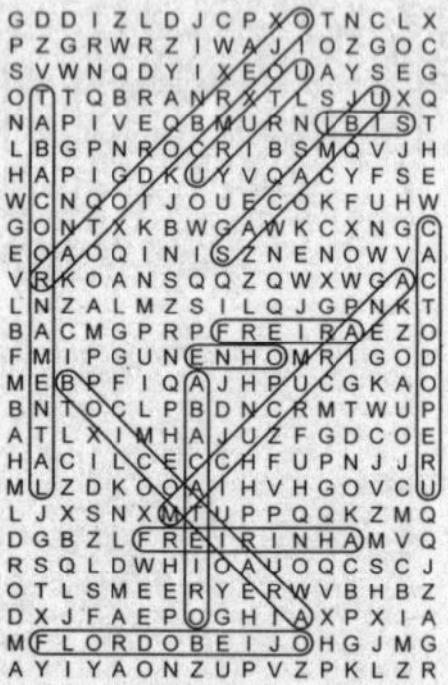

057

058

059

060

061

062

063

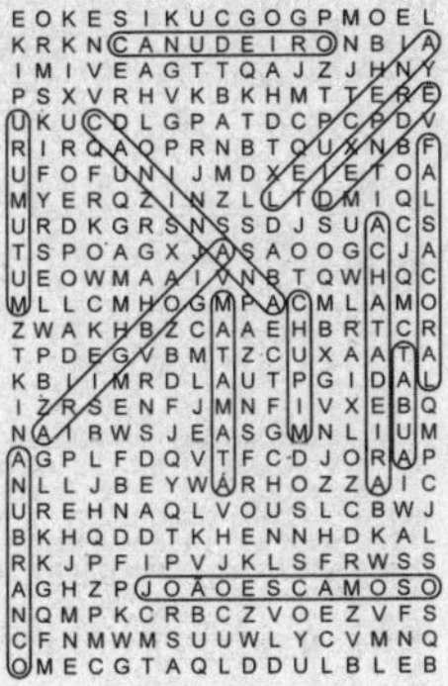

064

065

066

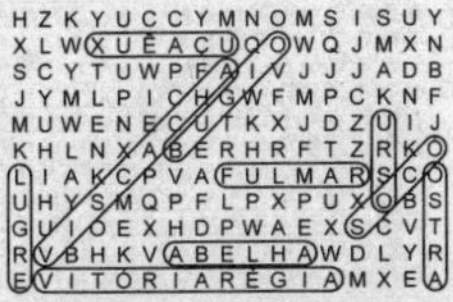

067

068

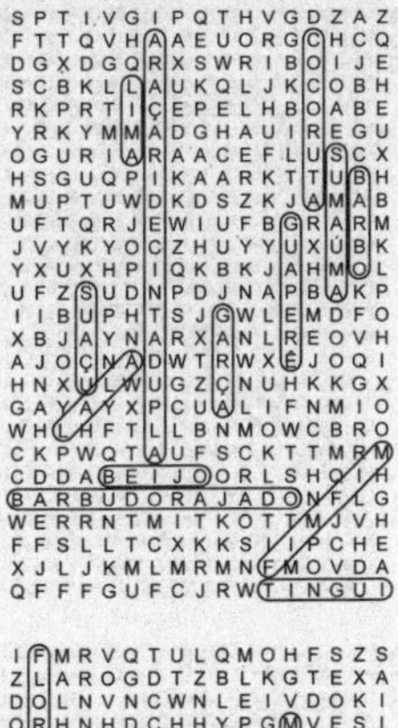

069

070

071

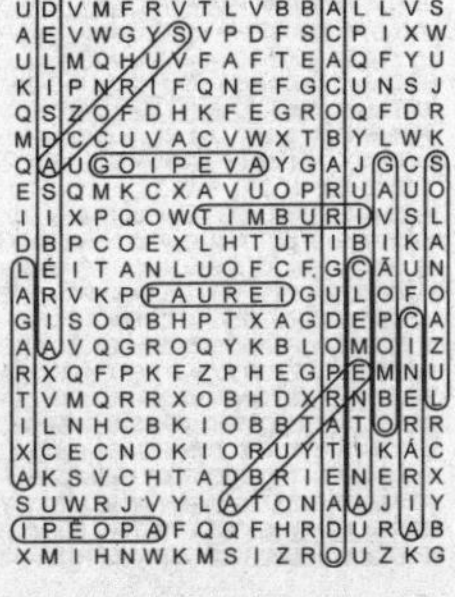

072

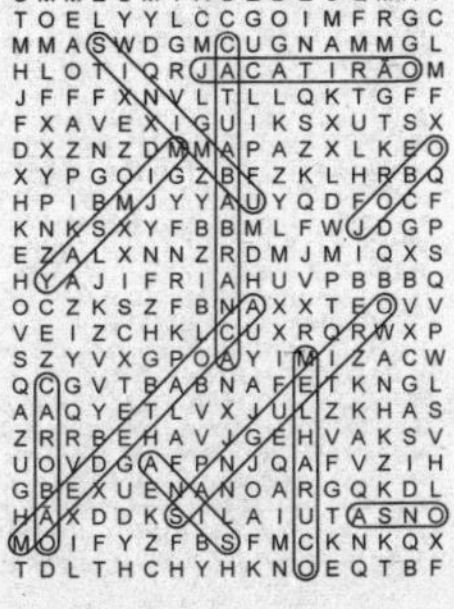

073

074

075

076

077

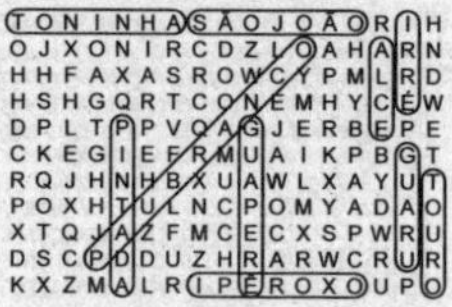

078

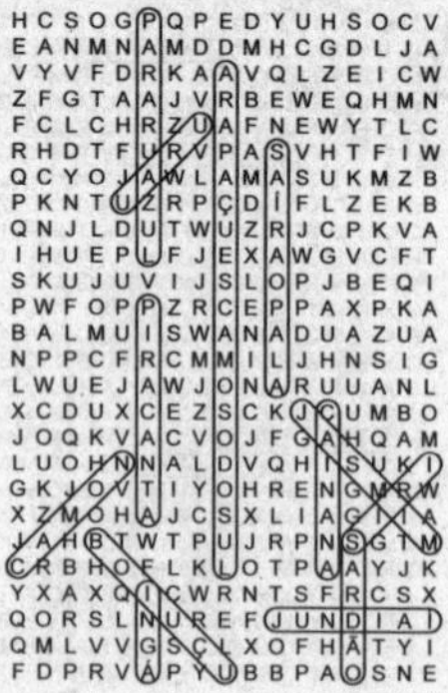

079

080

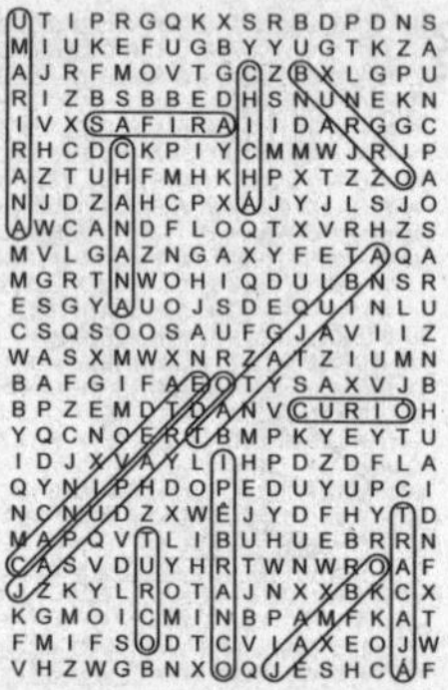

081

082

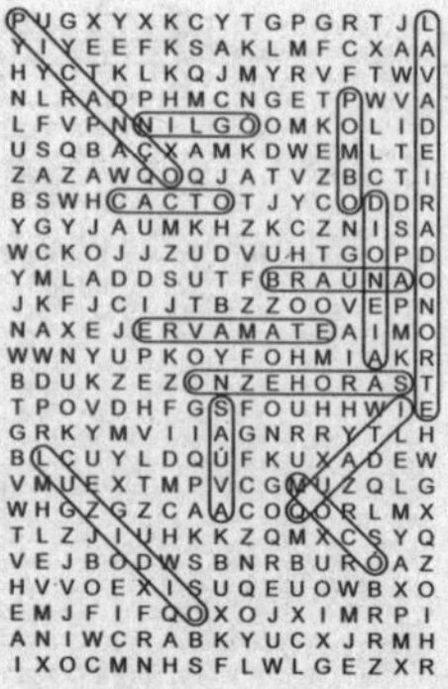

083

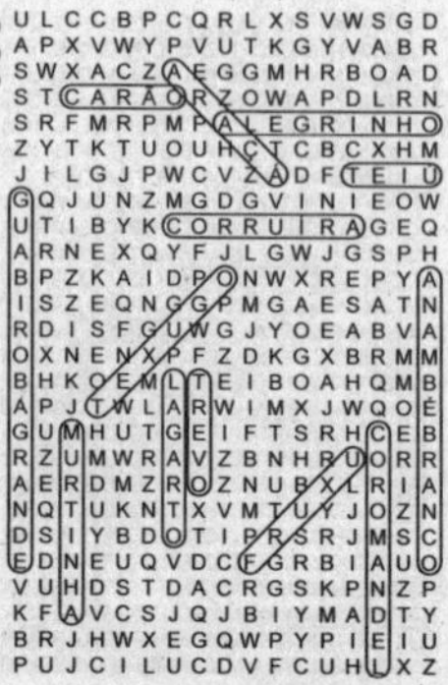

084

085

```
B H P I L L A D I A D L S T M R B
E M P W K V T F X C O W H H T C H
J J M D D L A W M R V V J A C W R
F T I Z X I L I A D O G M Z I Q H
D M N R Z P H H T S L L A C G A M
J S O K Z C C N S N P F N I C O E
N T E E P Á S W G C X B G L U A B
I G L O U G Z G A H A R A R U R V
H B C G J A R Q U Z X B B S I L I
N Y I A B D S B V Z J M E N G M O
A M C F T O B V G U W Y I Ç T Q X
T N W L E P E Y U Q U T R J Ú S Z
Y P W Y A R Z C O F Y F A G C D Z
V F V K B E I Y Q S A E L Q U X A
U T L A D T M S U A M W N K M A U
B O A D R O O E O H D B N R M B U
J A U W C H A I X U X Q C E E R Y
N W O H K P B M P N B A N S U K R
T I P E N J V A J E L O Y C R Y K
A V Q K P N K N Y M R I I B O L R
R W G N L E I G R I W P G S O R T
A M A P B E T U P Z A A É W G V P
R H B O E L T S K T R R I T H K J
I R G T Q R E T X M C S Q C U G O
B O S B F X Q O N I S A Ú C O A G
Á E K Y A M O R E I R A N E G R A
```

086

```
I L I S X Z N Q I G B A F T P G X
H V N M A E A A W Z M J K Q E C M
O H E W E G J Q V A Y C Q V R L X
F L R N O T B E H D V I I H O F N
U A M L K E E L H O T E O R B S R
N W C U Y T R J X I L U Y G A T A
Q S A Z W W F U U R L E C O D J P
X S G P F B E L A Q M U I U E F A
W U U X R W W S U A T V B K M P P
Y H I J A Q Z S M S H R T J I A A
X U A D G V Q U B E Z M A L C D R
O U R U O V J D C M V O M R O K A
N X E C N Y P J T R D R M G A V P
S G A E A E G D Y N D J I U T G A
R U L C N H H U I I S O S T K P R
N N V H D T O R A Q B L P H V A Á
W L E A R N A T P M S M E G B I U
X L C N A M E G O X V M X E I N G
I C Q W A A L P M Q L O N W G A V
L H I T N C É R C E I J W B R A H
R T E T C B S U Q P T N J L Q M O
Y B T I M F P I C O D E J A C A R
B E F A M O M W U X F D B A D R Y
L H N Z P X H F N P I Q U I A E A
H A D X Q U B X Z A R X S W S L K
Z F G Y B R C V R E V T Z C C A J
```

087

```
G M C C O T E H Y Y V K H I E N A
Y E V K W K K H X X A O N V A X F
Q N Í J T B A R B A Ç A S L A U O
A V B T U R H U J G U R Q M G F S
A G O H A J R D E I J R Ú A U U M
J I R H I H S Q Z R D A F B X X Q
S F A P U M O C O Y H I K Q A D J
Z I T C I B K Ç J N S A Z W N P G
U O A W N Ú A Y I U W C B B C R E
H J G Y G G N Y X P B Q O M T Q S
A B R E A S A A B S C V O G N T C
```

088

```
A B X E R Z K V I Y X G A E J Y T
W P P O H Z X Q V A M A S T R U Z
W P C M M X O U S P J D X X U S W
F P A T I W Z T X A Y N P O S M E
U H G B B N R H Z R T Y C N S H T
U N A T I F H M K A D Q H A P Z M
V K R S E E N O G R H J I N P U O
E O R K H Z N F C A K C T D F M S
T V A T D J D C U A P U A U W A C
V D A S U C R X W C M F D H Q R A
A V X Z J L N F R E I R A U B L O
```

089

```
H M A G J T M D V X Z E Q Q Z W T
E A H I L K T G B A U O W Q R O I
V R T Q C D F E O P Y G R G Z Y H
U R V T L F G B B X X J W C A T I
K E J P D N C K D D W D I E A M K
Q C H B I G H C Q S C H P B U N I
I A U A C J R U P N A M K M O Y P
C D P A A W W E L F M R A E N I Ê
E E P H N M R Z B M J U D U W Q P
Z C T M E W U D W W I B X Ã F T R
S A X T L W H T U N H A I S O B E
K B K I E S F L P V Q G T W B O T
P E S W I I M T P V B U E X E Z O
A Ç Y S R K V T D N U A N V T Z Q
U A T T O N L F A J P Ç M A Z Y F
S P G C V Y M X K Q E Ú R S Y A U
A R S I N B I K U L E Q K W O C A
N E X X Y L E K E K G U G K L U F
G T V Q E P Q M B M D N R H X B M
U A S D K R O L E O N L M G Q S H
E D U I G E Q R Í X I F Y P Z Y X
D A M E L P J B X M O U V L D X H
P K A P X A L P O V U P N T U L X
Y P U V O F A O K G O L Q A P R C
W O M Q K K H A B E S L O G M M T
A K A D B D T F P O Z S K C T L Y
```

090

```
X Q N C P Q K X I S A E T F L R K
S R C Q P T B A K C O T R E A B P
Q A H L L J R O E O D R T A F W Z
B B E I A O U P C C P T O W K X X
W D Z W T K Z T R G W U N R P B P
E A C S O O K M Z D N U J G O A H
Z P A K N S Q G T G P Z N N S C P
B C N H I O X E B M J O Q V V A A
Q J V R A E H Q O O U X C M M C T
P Q F S S C U D I U Q D X T A U O
O C C X I L Z L C X D H H G R P D
I P U Z I Y Y Z I V H X H Z A R E
S U P D N B F D N A B J Q K C E C
O F A R X I Z M I X B N J M Á T R
L N U U A U W F N Z M P P E D O I
E Z D Q M W D C G M N U S Y K O S
A U E Y J N J C A V P K A T M U T
S Y P Q F A C O C H I C H O Ç O A
S F O F D Á L I A Y F I I A S Z T
O R M T Q H A Z M O B E U N L R I
B T B T R G W O F J Z P K X I J L
I O A F W D L R F P U R C D H Y Y
E Q H Y M G E R G C H Z F W T P S
I I R Z R Q V P Y F F M C O S M S
R K B D N R K J B I P T W M B W G
A N B V O B Y G D C A Y A V E T B
```

091

```
K H Q M T B I Z L H O W D D O O Y
A Q Q N P Q N Z J Y A B V C H L Q
E T E S R Q D Q H N P G O S Z O P
P D V Z N H D H I E N C Y U T G Z
Z S E J R K V B O J Z M E N J U J
T N F A B R U H Y L U Q B P I P A
O S K C W J U W C Y G A I A W N H
C S Q A I A O Q B C Y Z C N G W G
B K W T Q N N J A G V M A H P R K
B Y I U P G U L E H Q S F Q O O E
D V R P C I L A H G O C T Z U Z N
J K X É I C I R U L J M F G O A T
V X Z E U O P G E K Q T P J T E I
V P H T R B Ê F J A M E R I G H A
A H T Y X R R O E B W W F V B U L
P C F K E A O Q V W G X Z V Z R M
W H J R B N X S W S B W H T R I Q
X O W P F C O B B Q R F C E B X R
D R X T S O S W C O E V Z E Z W H
M Ã Q Z Z H I A A H I L M N E M G
P O Q I C N X J R N H N L Y M X R
A C A N G U Ç U A B E E I Z E L R
G J D P P P Z Q C K J R P N M B J
A T R A L J G X A T J W P L H N P
B V U L E V R B L L B E C V D A N
R H U S E R V Q M Y X K W V F W A
```

092

```
T I Q J F E L I N M C G M B C R J
U J V H Z S H P A U J A C A R É T
I B A B O S A B R A N C A B C B A
A I G C M K X S C M B V N V B B R
J C R I S Â N T E M O G F S N H H
A P A M L H T G L F E I A C Z W U
C T E B Q T F N F Y I S M X C N S
A W K L P W L D W Z U M B U F Q H
R C M N U R A B B K X A J A A U P
É Y A Q L C S U M K A V R X A C S
F H T I K H P Q U W O C Y T S L S
P O R K J Z D D D F X G U J E E D
O S C U O T V F U H U R O B V M Z
C H O R Ó B O I M T U E Q U U A E
W E X H J N B A N A I I H X X T E
N O M Y T K Z C P G F N H J R I R
W C S C L C F A J S Z W M W G T B
M A R U L A P P S R G B T Q H E O
H K Q B J F P R E G U I Ç A J H X
C H E R I M O I A F A B M D C U F
X V T I A A M W H Y P G Q N E N M
M J M S B P E X Z V N Q U V J U N
A M F H W S X Z A V X F Z F I Y Z
C T A R D W W M K J J U Q R F X O
Z Q F P R I G I U T L K P B A W A
D I W T X K C Z R V Q A S F J E R
```

093

```
N I X X C K Y A D H X H Z V I A M
L I G R D Y E F W A W Z U C G L A
Z O U A O J M U Q W G C I N C H O
U X S V A Z N Q K J M V U M N W N
P R R E L E L H K U F B W I C E Y
K O A L D T U M W L M Q N D B Z S
C R J A T B W M L A H A Z B R D Z
S P F M E G O U H E U N Y Q O R K
R G H E X Z N N X G X V Q F X P V
G R W X E J I Y I Z F A Z Z O Y P
R A C U S A B L N N F R U D M L D
H D B E S Z V Q N C A T A T A U W
T H G Q T F A U Z R I G Z X J I F
H V P A B S U I B V G B A H Z R Q
B E A Z N X Z H I E T F K J Z X U
N Q Z L R M G I Y P D I J G Q V E
G N B S Z I E R H X J E J O U G O
L G Q Y J I L P A M D F Z U Y X X
P N J P J V J I N P R J K N B D P
Z F X F M A N F Y M J Q K Y C Ú A
S O R C A A P O J O C F T Y M W U
H D W S F O E O Q V S D X M E K T
H P M E I O H B B I F C D F I R E
F C T W W D S T K O O M B P J N R
C S F V N K K S D D I U N S T N R
E O M P V X J I A U I A Q E M K A
```

094

```
L V A S B Q V B A C U R I I B N K
J H A P O X D E J A C I A O K X L
P E I A H C S V R S F J H K R L B
A M Z U X G I Y B D V G G T C O V
B S V D T W C C V T E P D T A Z R
Q Q A E G V V T L U G R E A S Y G
P N I V C K B Y K K I M A N K Y T
Q D Y I K G L A B C W D G G E T B
K A P N J X V M C E X O X E C H X
B L C H J M M J T A E J H R A F D
N Á S O F K K E T K B O X I F R B
L Y L D U H I A J T S A É N Q X Y
A V S S B Q F P Y Q L L Ç A K K O
G U Z Y A U F Q M B D H T U V C X
A V H L C M Y P E U O U F S K G V
R Z X X O Z O T B I J E O R M K R
T A J G P S G C N X U E R R X I Q
O O C O A S A B I Á P R E T O D Y
D R R F Í N J B P T X J P J N G O
A P I L B M I H A K U U E N J T U
C T F Y A Q N W K Q H Q X Y M R D
A I G K O V D R M K P M P H N W T
U K Z A R A P A Ç U G A L I N H A
D J W M J R J Q V P E F B M M C G
A O V X Z M R U P R S F M P U G W
E N J R U É L I A A Z U L I I H K
```

095

```
D U D X F W K D U L T N R I I U J
I T V X R K C C I C L W H V T H S
A W F M R B X M Y A U I K M P S R
N Q Q B H U H R Q L Z Ú N Q A J V
M H J S O N X U Y G L G B F R G G
O V K P R F D N B B Q S T A O U V
U H Y R M S U J V C E E V H E F S
J I H P Y T K X J Q O T A P I A T
X I S J M H E M J S K A R Y R B A
P A P O D E P E R U H G T W A Y P
R B D U I Y J Y S U F X O I P Q U
L Y N E T B L P V N K O G J I T R
B D U V N A J I A J A O H Q M A U
Y D V V G R B K D T F B V U E L S
L K D B D B M Q I U T Q O G N C F
L W F N P A B V C C P P Z A T A M
F V M V A T A D D Y G G R E E T D
Q R H E V I Q Z X S E R L Y I R X
M I C O F M F L K E Y A L C R A A
P Y E Y D Ã B G X B K V A S A Z U
E G C T M O P H N J I I R M T D E
R C I J J V B K R F X O A X H D M
Z A X U D P F M Q L G L N K M M B
F E B S W X C Z T J M A J H K D I
I M K V S B H O L E O P A R D O R
N E W O T E P A H J C W W I Z C A
```

096

```
B R U M Y V Y U J L I X X Y N K V
R N E O R E G E L I A Q I A C X G
A G Q K E R R O Y P U Z Z P S G D
N T P H B H M F R O M Ã Z E I R A
Ú K Y J I G B K B R V T W Z K U A
N K L E Z I A N J R D E N U R F R
C V C B S J A O E T A C N Y B T A
U H A J K Q P I T A G I Q Z F A P
L I E H R V W F X L A H N E P L A
O N P N C H W L W B R V B D V R Ç
J U R U V I A R A E Ç E S E H Q U
D N G J K N S W T Q A A L N J Z B
C T K P B Y G K U I N B U Y S X E
Y F D M R Z B N C P E Z F T O M I
O R I F X A X K T L G T V M T A J
L H G N M T F O L R R B A M X N A
T A Y X X A W H A Z A J M K K U F
S Q R E E J P R T V U Q L D W P L
B B Z A W J I S Y P J M G Y B R O
K T J I N E P B K Y O Y V A L E R
W Q L X H J N K S U B V T I I T F
D F R C S X I W G I W T I X N O O
F G I P N K E N C P E F M X C K S
H F Y S Y H S X H B I X I D E H C
J H F L B S A W O A K C F S Y V Q
G P U Q O O R E A N G E L Ô N I A
```

097

```
OEAZIGAAVNAGKTFKI
YINNXJXQDPYDTSHSF
FMWFPAPPAHYPRTKHR
GAMYZECRHJACAMIMK
TVLOJUABFABJYHFPO
SOYUGCURPXEHMXVCA
TWNFOLHODEBOILAYO
PEKTJFLWIVDIUUATL
AAFMGMUCGECSYAYSH
RRYPTZNMWMACDSQEO
IDCFJFBXMDFGITMZD
RNISULGSPNGAGRPGE
IZTTRNAIQVCBUOHLG
LOGREPPLBUNÉAMTMA
WOWUMAHUFHCLEÉOAT
EMUBACKZOBEISLMQO
BLKRIAJRPRFABIAZR
NWDAOALBAIHCKATUL
UCGLFPBMKTBHXOEWO
YBUPULAIGJVCOAITR
VNJIKÍLRMQJUMURRQ
BIYGAULZDRYEDAOTV
BFESJOFYSOPAPBWRF
DFJTHVGINASXIZGWM
NULLADKSTLPQXHAFY
IACOMDLIBNKBTULLW
```

098

```
AROEIRAVERDADEIRA
CPBOGSGZLYAILMRBU
ABFOQPAZXQONGOSWY
NUMKUWMKJDULTHEBA
GEAZTLORQGVSOATAQ
UKCKZDHZDAANTYEJR
RZATGOETECEUUTCMU
UWCGDDDRPRMABWAOL
LHOPKGYHZYURKGPNK
MATAPAULQSLNGFACC
ESWTLWCPFSAABTSPW
```

099

```
HKUOIROMBUDOXULAK
EAVELAMERRQHYEXWT
HWJPYOQPAHOYMCRXU
OXFGNMFTPHJHPVOOB
VQAROEIRAVERMELHA
PFKLTBWCXGLDFYLCR
FAHOVPDAALCATRAZÃ
ZECODMNAPIQGWGLBO
LGQANAYOOGAHWXLWS
UUACSJURITIXXJCXE
AABEFTEFHOWDYUGAH
```

100

```
ITOLHODEDRAGÃONLO
XCHCOZZMYBARLÉRIA
TRZCZFZHDWZIPGQOC
BQANCRHRRAVVAPIYC
KINNQUBNPTCRPDBVA
QCFAHTRNFAAQRGUJC
JSXJCAJLMIAUFJYCZ
XQRVHDYMTVQCDEKAO
CWDNXENOFEOCJBYXR
MFIMPECUXEUCSJXAW
UUKNPMNXEPALNPQPU
CHAAXABQACXOJKYKS
KSLTGXIQGMAKQPUUM
RUAXEZVEUNBWLTGLR
ULNKOTDALPJLUQEHN
TNCPTQBJHAVEACOIE
JXHPDCKIETAOWBVFB
ZNOVMNYDIBMTULILF
CSEQKCBERWRGZAHGG
YVLKUKPVOWUSQNTKO
BKJÇDLJZERLBBCPEA
DNUKGIINSVBHZHPEY
BBRBFGTKNUIBSOFXZ
UEUWVDUGUETIAVRCQ
FFTLJKJJJIERQAPHV
TDÉRENDEIRAOWRBFX
```

101

```
ABFHHIXOWCIAFAAAW
LELRXQPISULMHFMYJ
OXANIRIAPJYNQTRIZ
PPUOSLNBCEADVXFYQ
LITDGVTVETKQGPSMZ
BNIBNHOFANKLVESFQ
ZGMANGRRACUAMBOIA
ZORBVFAFODETHUOQZ
EDUVBWQVWJLAJUYLH
EEIUHBKDBSCEQQTNT
NOVAJARARAQUINHAP
BUOCIOJGXFTIRLPCR
QRQÁCBQMMKWAZJWBY
GOTCYNCKWZMNSAOHM
BAUIYBRAXBFAORXOK
OTCAADIOKMIPLJOQQ
RDXBZPBPDAFGAQNJH
UWARFHXMLCFRNPZZY
RRMAJQWTEANIDGEMM
BIYNMUXEBÍEFRGHYJ
DXDCUOLSYBXÍAAOBO
ZGJAFAHODAXNYKRQG
XZFFOWOUCUTIARAWY
JQSNCYHRQAWADTSNV
DVPMTXMÃAWIZYSAOV
MPBTLYQOPBSLKEZXX
```

102

```
PAPALESMAZOHRERTQ
KFEHYFOWHUWXQASEY
LSQSZICBYFPDSYIZA
RLNVQHELOZAOLLERX
GJXMGJXHKONYYZIKX
ISKROEEIAAEZIVYPT
BFKVOQJQLOPBIFKHD
BUWUSHHAQBTABXYTW
CDTPZFCZFTUIDUNTN
FTEEDÍAANGBVMMXBR
AQXDUTVFBKYERBXPB
HPMCSYNSRPWXBEODJ
NDBJUIPJCKOYORYMW
SUTTASNJNLRXRGUÃV
EHDOAHOZKTBIOASEY
HMPOLAFVMPXMJDLDC
VFODNDLAPDXBÓUDEE
AUPRBKNURJABIRUMH
KUZJSURUMBETAWLIS
WJAFRPVXUARQLHPLX
ADMAUFRXCPADJTQHC
ZZPSXAGEXAXTOAMAO
QIYICRDTWTYXLPKRR
SKWSMVERNONIAEZEA
HEIELSRWWNBUETVSL
QUEGLUGHOHBBBEFST
```

103

```
VSLXTNSKGXWLNIDDT
PHPMDYWGUIELALSEF
FKHYRHLETANCRJLRT
UIBINNGAYRKIIGZDN
UAPCHZPKXAJRGPCNA
HANLWADGAÇLCUJZFM
AASDMOIGCÁSKDFUKW
SCJPOBZGURRIAHMJM
SCOZARSSSOCDCCQWW
QHEFQRIDMXKHESVNK
AVAXXAGNDOYKNHCKP
JUFFAUIOHJOGXIHAC
EADQANRHPAWWAFYLU
XZNSWFTRTLDEDXSXC
QQPXOLHETEUOAPLKF
IQTXWIJKOMBMMNMDM
GVKJCKHCHKIBAAEDD
QTIEZGAYRJCCNXRGE
KLUWJNBBBYJYVVEPN
KKCAAWAONUGSRONAU
RFXUBOCUDARMPXDPF
IFGPQIFSVUAUNBIAS
FFFSFDPUIYOJTSBOE
BNPSXRRQJBZZGIAVY
MUZNBYXNMQPYTCFAM
WODCEBLEZKUPUMNCF
```

104

```
LJEWMEWMKTMEBNGRO
UOTYDFLOVSYFWUKKS
TTHTKHCLIBHRPJBBD
GNECMNAIRUCUKTHJX
OGFATVCYLSSJFUJBU
DCHPUOBMCANCÃOGTR
GQUIIKNNHWMIQGTYG
QEYUUMVNCMAECSPUE
LLTLIHIZNAMRURWMQ
GRYKÚAJGSMAPJHSUA
VLNJCNPQSQCCSGAIM
OYKUBVAKPBAOQHRJV
FTPICZUNRLDUNBUJE
VAWJCTACHIEQQUÉTY
SWBAOWMZEILAOTIÃN
OPWMLEEEQCARXIOMW
DEXBIVNMPTVQTÁXAK
HIROGZDTBBEGYZHRA
QAZLCYOHUPRCXYKAI
KXRÃJYIEIZMYARGVG
BPHOEAWUANEUUCPWC
RENYHSRTXCLCMPFNG
LFNDCHMAPMHLFBTRV
KWNHWJOQQFAPGXEWD
ZDZAISUCUUBAGHTLN
TAXRKGMNBAIZGZPRA
```

105

```
DWWUUOJSEWJVHAULU
JFYTUHVUAFPQTAHUT
GXWWFHQMQQGETFMEC
ZHRMKJCMGRRAWJRPA
GPKFWDCBZPNMEENUI
PPMOWKZOAASJLUZRX
ACWYIKYITECMSUWUE
NEQBZFUÇMIDJSWQCT
GIVSOBHUYSEOPJLHA
EFSKMCPNRHCRERSÉV
LCAIKUUNRNTULESMA
ITIJREMIUIBCJQRZF
MQAEXNDJVDISWTADS
VQBRHQYOHKSMJBSEH
WKRIAPAGJWMHANXKY
VDAVTNTRMFHCWOBGQ
SWNÁSGHBULIJAYXRV
CHCIWWZRYBVZDVFZQ
HPAYXYCQFLAIDRAHT
RVREFIOUJVOFOLXLJ
GDKBULOIVDRWEQBZA
UHEGXWDKYQZNNXJNC
SQVWIXJABSINTOQDQ
EPHLGTVRSMNNYXTYC
NAMSQHRUSVJAVOVCO
HQBAOBCEFXSSEKCLQ
```

106

```
GIWNDLCFDXVRSDJOL
BGSXADPOPUBOGJVDC
CRJNXXIKIRFPKCHOV
GRBXNBBOZBOIIDQNC
UZCSHZCFDCTAPRCTC
AKHCKOVNNFGRJKIOÁ
IJDHCLMAELSUDDYNS
AXUIFRRRYENANTJES
NTXWNBAWIQDAUYPMI
ÃOZSOWZUSVLRPVFAA
LZGRWVEANOZCZHXJR
DNDXHBINYAHOLCYYO
FEVQRATDLACDUXXDS
CARIEOOOUNHEXMKKA
AOZQAKNRBNAPETZMI
LSIKMKAIAJSIUCVCD
UZFAHPUNRZEPYARVO
KBXLONNHAPEAJFIIO
OTMTANJANUAXMRYNO
WULNJFUDAYZUYROSM
MQIFIVSOSWBFDTZNY
JUPZSPIMLHLTOAIOT
SKOXBKGARKQRSMLHN
YYIQFWNTIICKXGIHK
JQCNUPUOMNVTTBXFO
WEKPAELBCDKZAJUKJ
```

107

```
OQPTNPFYXSCANDFKD
ORAEHQKSAFBZIUXMM
ZRFLEYTXXPZNYZOWU
GGVEEASLFJCAWSGZT
AXPLKWAKPGAEJHYQA
WRKJJSIBXKCEHOPTM
AABFCNJLSGSADJEJB
CURHXJTDTONINHAAO
ÁJFJUQCLIAAAOGUCN
FIUNHFHICNCEOQUUD
ETGAMSSPAQAAQBZRG
REDIZYLKUDTLREZUU
RSJIQLIIBJJYZRJAO
OEBDXMVZRNFBNIDRF
MFPRQCJCTYECMNWUH
HPHOPLXQPYOLDJLGP
EYGNLWZZEHCBYEYLI
EPNGLHIQQLUSMLZVP
GAOAYLOZXLFAYAVVE
TQNQOZQPCTVNQFIUT
GSDPIDZNICDZZEOLÚ
TJVXYHZOLFGTGHLNN
PMOSTNVCORTICAELI
ABACYSYIUJCSBJTQA
SHCYEFTAKUKWWAAIZ
BEIJAFLORCINZAORP
```

108

```
CDZUHPPATUDGHHVRC
SRIHMBCLGHIIZOGBS
ICEDROJMCITXJUPMQ
BSYPRKXVTCARBWUMF
DALDKHZQVEMHPVFIH
BEROKGWEOLAIFYVXK
XTOCSPGIUANEUBAGE
GIBKBHTSODQSETYKP
AZFGJNQFOFUHSUVOA
DFXFDFCHÁDEBUGRET
DYJJKGVADHIIWCHGA
PFEHAICKNNRJJLYDT
UDSETEFOLHASAOFJU
MBIVDZXZONUONVAYÁ
GGGXLFXVZSÃXDXECM
TCTGLTNILRDLZRIIB
WFDSMWGLINVSFEZLN
VAQLJVZEKWUGTRTHR
PMOOEALTQQSNEYZYD
IYHDPIARHOAJDQKTH
XZMSLNHMÃBLCUUWOV
OVVGATOSICSJIERFP
XMNYUFIHPLARRUHGK
ORZGPBCQJBXEIFEYV
BZRABODECUTIAJCMQ
CZZGPMESCABEÇUDOT
```

109
I A Q U E P Z J S E A S N O Q W S
I C U U K M Y X A Z E U G W K C A
Q G E G W S X Y L G E K Z I S U L
G G I W D E G U M Z V B C A U P E
M K X C H J Q E Ã I E C B K S I M
E U A Q A N U J O M H H N O Z M A
G O D A O G Q G I M U O N H I J Y
Y F A Q H E O J E N I Y X R K J Q
H H A R U I P V P J A W S O L H A
M A K G P Q Q Q G Z R J I A Y I V
T K G Z Y S Z X O B H G A X G H O

110
E P W A P Q I P I E M M K C K K Q
U X C C U N K J S P I R A N H A L
T W X A V M W M P C Ê A W K G S Q
I E H D K V Y O V F L U E W O A R
G X R E G R H J V G Q A N T I P E
R G U B K L U S M W E H L A A I I
E S S K E N G U H N B G P M B T G
J T Z O Q R C U R X Ó U N I A Z A
P G C C P D R O M A T U P I R I U
N R E Q L B G U Y X I G B D K R R
H Q K D S A X Y S L A N X R A T O

111
I G U A N A V E R D E H M V M G D
Y S T N X L F C T X G S M M Y E V
P U V W P J T W P U S X W I Z Q A
G X S T E Y X J L C J E C I V V O
A U C E I Y K S T D T H E J T U G
T H A E M A N T Z V M G T E C U U
H G O B R Z M P V I I B J U I A A
L U I I I B B R I V O T B V A L P
W Z A C E J E D S P O Q A U H A I
T S D K V W U G O V Q S L P X M N
G M H B V M O F N Q B S M L I O O
R J A K F R G W U V L X S Z M T L
R Z W Y A G R A X A I M G M D J Z
A C B F Z X L D Q D O U U D Z R O
W L D S W D P D X J B D I I H A X
C H A A C L W T D F K A X H R C S
F Y C M L E Q K Q G O U D U Q H B
B E B T A T S A K B R W C E M T L
T K I U F N L Z R U V U N Z J S O
U Z Z B N A D G C Y M T N I T O U
G Y J Q V S X A M X X L V L V P X
C A T E T O J B S Q V L E W Y A D
E B H R P R A W Z X P U K X Y X J
A A N D O R I N H A D O R I O P K
B S I Y C I V P Z O T E P W S G W
N C O W I B S H D G G A W M L R N

112
J E C L R U C Y V I D R F S R O F
H G W B S T U G O C I N C C E H V
Y W Y P K Q B D A I C Z A Q N E Y
W J L N C P C B K U O H R N X D K
X J X T X D P M P N N Y X V K X E
T K E H B T X T W O D A T E U K E
U J F V H C T U G L R X K I P V T
Z I D K K E E N X I A S N P A S U
D Q E O V U O R W N M T P K U I B
S M Y F S C Z R E G S J E M D U S
G W F U Q A G F K O C V F T E V Y
B R E B E L A D O N A A T W L W R
Z M V O B I C U D I N H O Z A R N
G S T N U P X S O V U F E P N Q V
N J Y C T T B H U X U A J A Ç B Q
X W Q X T O H L B B S K F R A X Z
B P X F K E M A M M Z F L D J S X
P Z F W C W G E G K G P O A O Y U
T D K V Y N I D E V U N H L I F K
A N K W E G I O V S I P R X X A O
T A V I D F W G J F U S E L O J X
P Y S C F N Y W N L E A D O R I X
R W T M A D G J F S I M M R A T D
S Y Q K J T Q L U U X L E B R E O
K I K X Q D U F G O Y R Q Q E C L
Y K I D F A L Á V D R A R H I S O

113
G J U Y J U R F O V S F O U Z A G
F A U X M G G P N Q O C R U Q J D
Z R S A M X C K V W B L H S X Q T
C A V Q Y R H A O S O Z T U Q I D
X R P U S B Q F V Q A Q H V V O Z
A A J U R Q N T H I C H D K M B U
X C B V G K H K E F Ú F Z R W F P
G A N Q M T C T D B O N U R U A A
A D E G A L A K A Z P C A I G Q P
V A V B H G H E T K F Z A U X A A
I C V Z C Z V N W B M Y L I H F G
Ã A L K O V F V D T V E C O D N A
O A C G G M T C P B B M N O U J I
P T S D J Z V P Q N Q P D Q H P O
A I N P G A G O U U A P J Z R I J
T N I M B U I A V E R M E L H A X
O G L I H K J O J D E M B I F H G
I A J A V A J M F C J X Q U P O S
A C O H Z N T S G Q W Y G A D E U
C N G W R T F T R D V K X A I T I
E U L Q J F T N U A O F U A Z W N
L A G T S D V A F E Y G A U U B Ã
G O X V C O L V S L N U S Y L I B
A M N U L S D S P I O V R T I R M
C O R U C Ã O Z L H T S H I W C D
G R A L H A D A G U I A N A T D J

114
W G W B B I O R M G B E W F K Y K
P U G V Z W J Q L U D C T I M B O
E E U P I G L P J X P B V E V L I
R F B O Y S P L J O Ã O B O B O I
O H R X T V G R K P E Q U I N A J
B U E S Y A J T V S D R I U A O C
A J Z G W B R H M Z U Z E F X H Z
R D C C C D J L S C R Z A F J A K
O T X X Y S T K G G X S D Q S B C
S R H M J F V D O I O Q N Q K R A
A M W N S I V P Y R C D B C V Ó N
N G U G H J F T R C M Q F M X T G
K L N Q W D L O B G W B O B P E I
F U S R D P C L O D N Ã E D B A C
Y O Y Z B A D R A C E N A P H H O
J Z V P S U O Z Q L P F O J B H A
A D Z O X T Q G A H A K Y V S L M
D A R P N F D M M D U F U T J W A
G I I G U I A Y F S D Y Q J S E R
H C H R S C U R N Y E C P V I B E
X P C G O U N A Y R B P Z L P P L
U A B S H T C R G Y I Z N E L Z O
O R L J A E M U I T C O W Q H D J
D A K T P T Z I R S H Q U E L E A
F X O H P G H P P I O B J G P P I
I P Ê R O X O R R S A B K J J P X

115
C D D P E Y D O V E G T W N K S E
M H K O J E J Z N U K W K Y L M N
T B U B U R I T I G P B C L R D P
O K R P E D N Q K M F T P K Z T U
F P S U A D L K P U R H A I N J F
C Y G B X F E L S T K E C N N Z P
H P P W M Z E M P A A U N G G G M
Q B S E U B G R P M L Y R U E O A
W H R W L C D U R B Q J Y I O O R
G D U O M T I V O O W Y E O E V P
O A F Q Q X A F Y W P O I M T A Y
E Z R S G X B J U X H A N A P L D
S I U A Y E L C D H L N G L D T X
Z W J G B Q O J D W C L Á M Z Z K
M R Q E H O T W C O P A F É H F S
Q Y J W F V I B T F T J E C X A A
X J G C E G M A K M K H R E A V N
A G X P T X M M Y V F X R G J L Ã
D N A L R O C S S L C F A A V X A
G H H U D Q P K B S L F D T A J M
J U O O H J F V Y V J Z U H N X A
D D T H K L G N E G Z V R V S Q R
M A P A N A R E H R A J A R B X E
P E H I R A P U C A G V S Z P O L
S G Z Z H W L I O F N N F Z A E A
G N Y F P D Z G O K T P Q W X T U

116
L J T H O H R N K C L R X R T Q S
G L N U K M A V Y J X G Z X F B V
C D X A K C B F B I S S L M R I Y
C T F G A L A Q I J M P F G F T J
C G B N X E N X L S N N B P K A A
V V V W B H E L B E A B R P F P T
T U O P N V T K V H K L L R S E P
R W P O S R E Z A N I K I E F R Q
T Z A N O W O T P Q F D V S W U F
P O D U E K F L P K U V J Q Y Ç B
Z H C Y L K I K D A K Q C F I U E
B L Q C Y B P M C J A C I R A D W
H X K D V J H C C B D T T B J E Q
W O H P T A U O W C V Y U R Q M V
I G K Z A Y Q R F U G A U L D E S
V T C Z B X C O V H C R R U Y N A
M N K G E Z F B S I R U P W N T P
C A F Z B J V J U B S C G U Q O U
A X R U U C E Q D Z M K X L Y B C
A L X I I F I Y H F Q X V I S R A
V E B O A A V K H M P K W C M A I
O Y A F U P P H V R G O M X G N A
C S M G W F R Y Z W U P P S Q C F
A O G V Q G X E S A A P S C L O Q
D S O T B B A U T G R A B U T U A
O K S K U E T C V A U Z D Z W A V

117
G R U M I X A M A M I R I M E I Z
P G P O X F S U C U R I J U C E U
K H J Y T R M C W A E Y C C A D K
S W M Ã E D A S A Ú V A A I N G Y
Z C O I J E J A F O J B T J D G V
V G S F T N L V H M S G M Y E D U
N L C R D D W U D U N L A E I Y S
E N A A V R N M O Z N Y R K A R X
D C F M A O H U A I H W A J U T G
D W I B G H L Z U E V C N R K Z C
R M C O I F C K Z D D R H N U T H
Q L K E W C X P Z Q T W A D R Q A
Y C I S X N N X V J L Z C N P B X
V P Q A W X C L C X N L A G C K U
R K Y J X Z B H P H G Z R N T X Q
D J T K S C V Z D Q P U A Q C V Y
W P Y V T B Z D T C I U N B T W J
M L B U D G V V X L U Q G V P X R
N O U F K P W F K W T Y U V C Q B
C B R A U N A P R E T A E N J J S
V Z R X D D T A S F P U J U T B B
A D D P W R V H E N E J E C E Q F
C E P U D U Q S X P P C I D T S G
U K Q P A C Y Z M C É Y R R R C Y
M I F T Q Q I R Q X U G A M A B K
G J K W C D S H D K A B J B O Q S

118
N K J E P H X E G P M G R A Ú N A
J Y D I D C A M B A R Á G U A Ç U
A R O H W Y S R Y X X Y Y O A F D
Q Z O U H M P W O Y F R T W A J E
U H S S I U U Q J W N V M L G A J
E I J P B T A C U H G K A A R R B
I G U A N A R A J A D A S Y I A F
R I D Z V I G O N H O H T A Ã R P
A Y M J A T W W Z X L J R L O A P
L B Z J T G Q N O H S D U T D C I
G J C T R E N G C N H H Z A O Ã B
P U H F K C A V I Ú N A G E S O J
R M Q K C O X L E I F A N B E Q S
N J O O Z X T X C L L X I M C F D
L Z V K X G B S T L V U X D O Q L
U C P H A V B K R F A D W E R X N
W O E H C C I D P E D F R B A C B
X U M N U A L U V D K X M A R N S
O E U I T L C A C A U A L M F M S
Z R C F I W I J Q T U O X K I X V
Q C F Y O O Q Q W G Q K Q F K M Y
K H G S I S X Z O R U U J Z A L B
Z T Z E A O X Z T A W K J K K B X
C Y Q V J D K L W S P N E H A S C
R Z V Q I X R F T A U N S Q P M A
L Á P A R O W F L V B C W R O L E

119
Z I R J N G A I H O N Y X F U X T
E D K A Q P I X K Z A A T L V Z S
I Q D A P R Z N V S B R D A C U B
H B F J V J O I X Z P A G U O L O
O A A Y V J X R F X H R Q T N X G
U C R O S C W V U C B A F I G E U
U H G I B K S K A A K A A M O H A
I V T I Y Á O L F F U Z K D N I C
T T E R E Q C X M T F U L A H W A
D X M F N K B T C Z C L Q A A Z R
K H I N H A P I M J H W L M K C I
O Y P X T Z V B Q E H Y F A J H V
M Z K A C I S C F S S G V Z B M A
J K Q Y P E L G W T M K K Ô N I T
K F F O P A X H B H H T X N N N C
O P G U V M G Q E W H U O I U H K
U O U P B Z L A L T S H T A R O R
A I O K P I M D I D L D N R I C S
D U J Y L F X T L O H B K P C Ã A
S I D G L C H L I C G G I X A O Q
Ã V C H O D I P L A I A P Z N L X
O K H U L R Q O Y K Z M L X A R P
J K O B C B A M V V B I X E M B I
O O Q E G H V Z B O P E V A G Y F
Ã Y Z B G L E B A U I E B L I O P
O A Z T X E W G Z V G F M W G B O

120
D B D T F D R Y R G O N L O K Z G
Q O C I A U X O Z H G V K Q P Z U
Z C D N L C G C N U M E Z H A Z G
M K Z Ô B Z H E K K E M C H T C K
B L O T U J O I Q F R B N T O I M
U V Z O M N D J H X O I K B O C T
B P U E I M X Q R A L N S R J F Z
A R I R C E B F M O E M O I P A L
U W I R V N M U R T O R C U L Y U
L G C B S C Z H M G O V X B V K L
E B I R A T O B A T R Q Z Z A N G

121

Y H R J S U B G A X B D Y Q C K F
U J I Q O A L C K O G C T C N P G
D R M S W T U L G X U Z A C H Z C
C G A T O J X F M A A I T U Y O A
V Q G U A B J A U G I P U L D M M
V D V K N L I O T Y L V O R G K A
U L P A Y V H O S Q I S O S K N R
Y T D L O L H O D E C Ã O T D C Ã
B U S T N E I X W J U V A I A Q O
C X O X L E O Q P E H S C B U U A
W C Q D K K B T Z A R A P A Ç U Q

122

G V P W H Z Z O R G I A N H V S S
L J M O G J U F F S I A F N U B F
R J A B A J G U U M K Q M M W C B
A W T G Q F M Z A R K S T E I D E
H U M U U A X Z H O I Z U M B O M
H O Z A C A C A D O E G I A S N X
P E G U P T T U O A Y C C S C Q U
R A M V P Q P I B P Z B I C X W P
J A U Q N L E L R W K L B D G L X
C D S M E C A S S I A B K T I O H
V H Z F A Y T I P X C O Z E R W H
N M Ê J P R F F B R L A E V T E V
R P S P Q H F Y I V X G L F K U E
I M R K Q B Y I L A H N E C T R C
U A A K G A S O M R H Q V J A X Q
F A S L W T D Z U V V W A U Y K D
Q P T N Y W F A X J J W S R V G W
T E A C A D Y P H R B S F A M A S
X G P K F I Y E P I A A R R A V P
Y A M T B L Y F A P U P R Á I G E
C O G H R Z P N A P E S F O A X Q
K J E R E B A T F R O G Y S T H K
V L Y J U N B W Q Q U G Z J E A E
Q J T H A T R A I R Ã O Q N P P G
T D R H Y M F U Q D Q X W N S D N
L T N T X N H Z V V L X Q Z L X M

123

C J S K Z T K B J H I B V E J D R
P T S K P R V S F U F H U X E U I
W H O E X S R R F M R V U F Y L Y
P J T O S A J C K G W W I U Y G A
G U Y A I F M E X Q B B L E N I R
A I T V P A B G T L B W K X T U Q
A S R O O I H P Q B A N X U P B I
R J L C J R T H B B G I C G K U P
T B L U K C P I S Y F J Y D T X T
C J D P I Y F M O Q E Z G N O N I
N D P Y K V Z Y Q B G A V S C Z U
M D R Z V J C C V T U C U M A I X
N F B K M X E M Y F L I E S Y J N
P T Q Q H N B T Y L G U I X D B U
S M A Y S W O N B C A H N C W Z E
Z N A M G N L S A B J F H H O T E
Z A D N D H A M G R X J A E E Y U
V L I N G A B R A V O R M R S N S
D E T F V A P J Y R D N E N H P Z
H C O Z J N B M W Y O T A E Y V F
H R L I F I B A N V A M W J T T J
N I C A I M I T O C R Y O H C P O
U M Ã O D E G A T O D I A N E L A
D U Y W C S J M Y X V J X D L M K
L B X N M F U A Q U Z J O X M T Z
J I X Z B X G M Z E R E T H E U G

124

X L A E A L O R N E N B H C Z B W
Y X C I H X N E L X S Y A V K Q D
J Q N L E Q J Q R Q V Z G L P R L
T O E M I S N X Y C M X X P X C R
G W Ã I J Z O J H D E M M V Y P N
U A U O O G V L F N M U K K W A T
W S V V D Y V B A M J O X S K L Q
B F Y L P E Q I K D A B P Y E M U
B R S W W S P W L U P V Y E Y E Q
H C Y V C U L A N Q U B H S I I F
P W D A G K X Q U H V T M U E R U
L U D C O T I R A P E I A C E A M
G P O U R X N C B H R S J W R B L
O M M P K E R F X K D E B N W U I
I L O O R V C A S R E M I M A T M
R I Q A T X I F H C B Z U F M I P
E K C X S U C U R I R A N A P Á A
P A Z X T R Q A I O L T O X I D C
J F X N V U X U Q K K W B R X O A
B W N M B T S V E Q O Y I K Q C M
L Z X K O U A G L H Y R T B T E P
E J J H P P P L M Z A L N X Z R O
T I E C C R O K W W Q H F J N R Y
X S G S N E T P Z C U W P D J A G
J Z U U K T E Z Q E R S P Z E D M
Z K U S A A H L L V I B O R A O X

125

S S Q A R R A B I O C A Z X L Y C
E X O C R D W P A K V E F U F C T
R O G W C W J I R K U G R K V Y W
R O D H C W T V G E R V O K X C K
A R O V D S V X J S U I D E B Q L
A T Y W S N D S A R S B O C W C J
Z H E D Z Q M T R K C U X O R R H
U F S C L Q I B E R K X X R L U Z
L N A Z O M I Y Y D Q M K Ó V S Q
S E R M O V D C H M Y L U C B W C
C K Z V E W T V A I V A U O Z I C
E Y O D U I Z W L M H I E R J E T
E T O W P P X O R N P S T O N D J
P Q B A O B M E B U E A Y E B V U
Z K B C L O F X I B O N N E L T P
E D O J V R T B A R Q Z N U G A U
G I G M O S E P V E A W E F L R E
I B T R G T D S R F J N A L V A L
O Q B F P P I B M J A T F Y K R S
Q U C I C R K B A T M U L J O A A
L W U H R A B G A K F Y P U F Ú Z
B X V B I C R T P L R B F O Ó B U
N L P C A W Z I R F Y X S D R A J
M R J J N G E P S P G R M M M U X
P Ê S S E G O T T S V F C I I X S
D J T M O R C J S L A E F K O C U

126

E W G B Y T O V S T R L A O T S U
P H Z E W N G Q F U T G G A J O T
F D X T K H X L T C Q G L S Y O A
T F L R N F Y T I D N X X R V I S
A U N X W D B X L O J R E T V K A
I H I H W N J T I K W E S L I W P
W H Q S P I G Q W A M V A E R A E
I G X D Q F U Z S J N S J C A V S
P C P J P L O A I R O J F B Ç J A
X U A T I Q A G Q B I W X L Ã U P
U T T H Q T A U B B K N M B O B E
H L G H L V T L A V R T A I J Q J
R C H O R A C H U V A P R E T O M
U P S K Y V L A U U N W K X K N A
F Y N G A L I N H E I R A S W S T
S F K Z N H T Q F W E T C V V Z A
S G O Z R Y R T M I T Z A J V O P
J M C A E B K P N Y H X T I P W A
T L L G I L D C T I L Q U M X Z U
P N S M U S O C Y B U I A O P O F
D Y A H Z R H Z W O O Q B G L N M
J H H D P Q H V G E N I A N T N U
X U F E Q D B W F M G A P O A J R
O Z D R N K Q B N M A R M E L O I
J K A D Y L I G Q X L C Q C V I C
F J Y M U B D M Z J S F Z T I A I

127

W S X J A R A E L W R R Y V X Z A
U U V R G A S I S Q E N W O K I R
Q K A I Z U K A H D X K A U V V A
N U L C Z I E W I A J H N P U Z T
G M M D U M E S Z S J W A Q C M I
C Y J J E K H J F Z A K B R X E C
A V J U C X O G D U S J U G E T U
R D V A S S A C U Z E I R O E I M
A S R F H F A C H E R F M R G R D
S W E X H I R E I G E G G E H I O
U R M U T C A W I N F U I X J B B
J B U M I F B T M S U C U R I A R
A I P T V X A L K R M K Z L C H E
E N V X Y N S A W Q A I R P R P J
L J G F D S U K R U G M P Z A C O
K L S Z A V C D A A T H G Z Z V Y
I S E X N M Q N Z E R S V T K D O
U M V E X K N N O E T A Q E K R M
X O V Z R K I S U P N R C P Y K D
M T W T H C I U W I G R A A C A L
O C J H Ã L E J Z X Á C X T N P S
R S T N O D C P X O M C W K M G V
O C A A T P E D S X I D H M D U A
R S O L Q M N Z B V R P O F K W N
Ó J V X W C X K L N I Q B I Z K E
D A D B S V F A S H M K I I X A E

128

G O B O U X E V U H B N Z O U C D
S C R J N N F O Z S C I C L A M E
P W E Y K B I J B R N L M V A C L
U A U C O W P A U D I A L H O B B
D Q B C I N H I S R Q W N P X A I
F U R Q N B U R K G A I Y U X D T
V A A Z T E E T B E U T X W A F J
Z T N M E Z S L Q G B J E B P G I
N I C Y M W X H N K T T N B W N O
P P O L C J V A L J H Y Q B B P S
T U C N B S T Z N W Y Z G L Y Y S
E R T H T I R M C G V S Y O Z W O
J U J N P M T T I E S P V Q C C D
U A D S F S G T W U B A M E H A E
A Ç M S Y E Y F F U R R G U E M B
Ç U C V E T S M Q C K L H K W B U
U R E W G E D O O J C V Q E E U R
R U R P Z I J R B P N Y X O V C R
O M Z O C W U J O N O Q E S B Ã O
S A N Q J O V I Z B U R B Z F J D
R H H S L Z Y B R G K V O E Y M O
C I K I T H T O U K G T R N Z F Q
W H H I R A X I H X C R I R G V J
P M B W G H N A V R F U K N H O N
S W R L C X U X J E J W N D H R J
Y W U C H Q O P A Q K H V B U G I

129

X B J G O C M Y C T F C N M S C K
O C G L U A E M J L K H I K A H F
J Q M V Q A G X Z A Y N Z X D Z D
B M E B V T T N N F E Q X A S T F
J V B M Q L Q A I P U I K Z N G E
U J Z G E R R I M D N R Y V T X I
Ç M R A E A A P T B G B R T D I L
A N B A P N X H H B U F J B P U J
R Q Y I E X I E T M S L K K D G T
A G N Z Q U R P X A N G O C X A K
S E L G W K O L A X B M I O I N M
J F R J N Y N D K P D P D R L S Y
C H K U S O Z K G B O B Q E A O W
R T H C I R J V B B J R M U J F X
O T R P M F A A R P M I H T A U A
D U M H K D Q B T P S L G É C M M
V I L I J N H L Y Q Z H L R U Z A
H O P O D B C W F K E A F I A X L
Q J M G H L E S A T G N R A Ç A H
D A Q M E I K B N X O T S N U A A
B L N B W V G H Q P I I H O X O D
Z V Y N L I H P N L P N Z E V R E
H K N J A V Y U R R E A H O C O T
T I S N F Q O G J M B P G U W O E
F R M R N J K U R R A Y V M P E I
T A N H E I R O I K I K K A Y R Ú

130

P I A C O B R A Q Y S D Z H P P C
T G W W H J O Y A L Q M I D I X D
F D K J B X S H V K K V C W A O O
J E W H U D A V D Y W Q I D U I Q
D Y O M T L D A O A A T U B R Y O
H N M P A S A T O I Z H J L O D A
T H Y V J D V H X K W T L J G R I
F V R X U B E H C K O D J Y B K A
J A H J G N N H H G Y T Q T W C R
N C Z E A Y E P O V R S Z B I Z A
V I G Y N Y Z I Q B G J Y C B A F
B W Y Z R Z U D U B A C A Z M K T
F U Q Y O V E U I G S N K W P I Y
G S E X G X L P N S N A R K X A K
D Q Q M M Z A I H Z W Z H A C Q I
B E X U U Y A K A L I I K U O J D
I F B V Z C I Z D B Z U C Y N X W
L Q T Z R S Y Y E Q X S R W G I E
G N Z E J H N O A U T J A B É U B
I Y Q Z L L A W L N L T U V I T K
Q Y F E Y D A Z A Y S S B N A B S
Y S T U A X D X G A F M P K G Z A
W M W R W N C I O L N Q A I U J L
P M U C H U V A A G U A N H U M A
A O T H B R L H S J O E C U X U K
D O L V R X F L U Y D B W Ã C P R

131

C G L B S F Q A U A J Q X C B D X
A F K V V P N B O Y K Y X F R C H
R L R V I A T S H J N C E T M A U
R C H D Q P N D F R T M C O C M R
I L F K Q A Y A E W X H M T R U U
Ç S Q E G R X I B U K R C S D R B
A O B Z Q A S F W Q A A I L K Ç U
I P T U Z T Y N O L X C T O N A U
A J F M E O D R A C A U A P O I S
Y U T V W S O R F S A J U R E M A
Z N J A B U T R E A J S P T D V K

132

W M L O Y M O L G R Y E A H D X T
O J A R A Q U I T I N P U L G A V
H W X R J E X B C X U Z N Z E B U
F F R V U O D A I O Y U D I E M I
S J H F A P G Z R Q O Q G S L O I
Z F Z C I T A A O Y B Y N K J G D
P Z L K Q F G A F Y G N N I E N O
C A J Q Y A V Z L P Á S S A R O M
F E Z D U W O R B R D L M O I T I
Q L G X Y F C I V J V I I W M I W
O B N Q S W Q I S S Z G N T A M X

133

F V G B C G M J C T A T A R E M I
A U Y L Z I W F I J R K L U M A Z
M L E Z A W F X Z F N D N C D Z H
Q A R C B Z G E H X T G V A C N D
Z S J T C G W K W E T C T U B C U
J Z E R G M G P T C L N N E R U H
W Y K B P Y P Y D M I R T I L O C
U Q J I I U N E D P M H B M H D Y
D V U X V T A U I A P Z R P H A Y
Q E Q E D B O F I N A R B N V U Z
F Q W Z I R I P V A L W I I F R K
A O H F J X Á Y C K A A O Y A G I
T N Q B S R A J E E U P A N V W S
C X I E G O N D R P M U C H I T A
I V N B B M P V A A T Z D E H V U
Y J N Z X A B W O D V T H M Z M B
L N L D T P C S H L E H A E R S B
M F H H T H L A G T E D W R Z C L
D J R M A A O M P I Y E J O V Y V
X O J T F N X N S E L R J C T Y N
C O D O R N I N H A R N Z A A S O
V Z H F R L Y M E P N E S L Z U L
S L P C V D T Z B O Y D M E Z N Z
O A L M M L G I E G M W V A J G V
A Y Y O V Z B O S S F F M O D M H
Y N T T T D V V U G M K V I B S U

134

K D G U A B I R A B A D G V E G Y
D D H Q F N F A G X W B F A I U U
N Z C B N O T V L G J G H L C Y A
V C P N R C M Ú C V U N M E H O E
Y U V G K C G S R P K A X S O A P
P H F Z N K O E O I W K B D C X D
C E Z A V T M C U L O F C W A L J
S B X Y V Z C K D M Y H C H P T J
J I L Y R E Z A W X O N H I R D O
D T Q R H E I E C R Z V D H E M Y
R X U V V X M R I A V B R Y T Z B
G K T U X Y Q E O P C V L A A W N
V G M V D E R V U W E I K G E J D
R T U Y M E T Ó E I V C A I C E D
D L X G H O V L B B O F Q O I K X
K O Q L G C F V P B A R D A N A U
N E O C O T F U X X D C G Z Z F A
I C V G T O S L N W E A P H A A P
M G J H Y C O O U U I M I G S B D
V G H C S C Z Y V W R B C R Y C V
D I N O S S A U R O A U I R D O U
I M B U I A C L A R A Í S U B S O
Z R C S Q H P D T H Y K E Y P L J
W M L J J Q U J X I J J Y L F E Y
T Z L O A Q J M K B U N A T A M C
N F L A A J A N G A D A B R A V A

135

M L N G S T T S I S I U T Q U M T
W M N C O K C U R M N X Y N F A H
I C U Ê M X Z T B J D R J I H B N
C R I C S X Z Z T I U X Y L K L O
J G P O S P M M F Q W M E T M S H
A B Ê D I C E R P C T V Q L G P R
G A T K A N F R I R A D S R C U T
C F A C Z W B G A R R C V K C E G
V N B H T R O R R Q U U L I Z S G
G C A M P U C E D C M S L P H C F
N T C B G H S A H D A H Y Ê E I G
E A O X P L Q O M D Í R R P E C I
N R Z T H W P X E B P M I R I W T
T Q E X X I N D M O O C U E H N U
C M L O W A S A T G Z A R T T C D
U V G H S A Z A A W P N T O V Z Y
D B U L Z A G P H I U J K Ã H E Z
O I C V I E Y E T A S L C V C S Y
S Y J O D D I A C X V C R E J O Á
T F E A F A W P A W D Y A Z L D Y
L X V B W N N R R T X U Z J L I E
R R I T A R U M A R A N A R E F R
E K M U H Y R L Ú C O R O C O X Ó
P D P F Z T D V B I X B Q B F G Q
E Y V G Q T E N A Q N Y P G C R T
A Y D Y W Y J F L F B V Q O O M H

136

F T G I P K T E E K L N Z Q M N I
Q X S Z R U O K R C Z F R D D Y J
S Z F P C I L G O A Z A S X E N G
I E X Y D L M O I O X A C Z H O E
N D A E I V O A H C Q A E S C P I
B F R Q D E T C Z O E N Q C I G N
N R S J E A J H V Z S F Q B B G S
A H T H M C Q V M T N T K J T B O
N S V A M H G F R Z W K R L P H J
A E R M K R X Y G U G D F A L D O
R A L S W Y N A S N Y P X A O S C
J M Q T L W Y C K H Z Q M R S I R
P Z N E Z F Z I K P D E I I R W N
H Y L R D E K A C N D E L E O D A
W M P M D Y W P G U H A Y S U I D
T X Q E F N T C A C X F V N R B F
O Y I U F M H P E K J B X Á T A I
B F K L B Z W D T C E L C C C C Q
X R Q U I N A D O C E U K C B U Y
E K K H M H W C A L A L U M A R F
E Y D L L W T B Y R X O Z A V I R
G W B I A Z Z V A X Y F A Z E M K
G C V C O C O D E P U R G A L I B
V R M I D N Y G E U T K X I U Ú Q
E B A G J C N K T D B S S W D D F
U R C L T J I G Z L D O I X O O I

137

G F I V D Q Z S Z L R B F V Y M W
L P C R Y D G G Z X F U M F I I A
I U O M S K A S J P H O C W F J R
C P M D W X I K K H M D D A U A A
Í I A I I D V O X B X F D V I B T
N C O S B R O Y T C G W L U A U U
I A H G I E T C W G Z S I Q R T Á
A C Q T R U Ã T T S M X G E Z I Q
H A H Q Z B O P E U U L Z K K V R
D U E G W H P L J C C O C S A N T
B E N T E G C H T J A X E H S P Q
L I L Q U V R Z P A H A R T A P R
T R G P N B Q W C Z D S Y O B N P
W O Q B D Y W M R U U W Q Z R J W
O Z F V A P K I L Y R G K D A D P
Q T F R Z R B E B G Y O S C N Z T
R Y P V H N B M M E E T P H C O E
O F R J W A E R S N B Y T N A D V
Y I T H C J Q H V E B S I Q W R W
A H H V J S G T I Ú Z N O E W G P
N X Q T T F B A I N Q L T K Q N D
M W L A R M V G A A G U I N C H O
S Y Z X I Y S N U O M W O J N F V
R I C K S P A E U L M J D A B D O
U T K I E Ç A F J A J M G Q N F G
X Q F V A F B X H L T Y H B P M C

138

A S K X E F T X I X A U N G K S C
K K V O C Y L C F N V B L H O A A
C F Y W Z X Q V E X D O M J W C Q
M G A Y N G R C O R U I N F A R P
X P U G G K U P O M U T C T R H J
J F R E Q Ç Z W I P O I I O I R L
U S K X A P Z M G K G A M R U T X
C Q O A O S B X L H M B W P R P Z
N E N N S P B A T M V O Y J T N M
E W F P F K E B W U A I G X I S F
J T T A J A F F Z S F A R U G R S
B T E L K N O F C K O U A V A A O
W G C M E B F L V J D K R Q O Q B
I F X E P B C W C Q E F T Ã E V J
Q E Y I E W Q H H S J Z G T O E M
W I E R L D X W R G X A L X P R N
C G M A O W K H O I R B E R I B A
Z T M L X L I O G T A I C N W E X
S W E A J V I M S G P M L H Á N D
W I J C Q V M E Y G Q U O V S A F
J C U A C G B N I D Z I B M O S M
L W H I D V H Z R R Q I E T X U N
O G C G C P Q I C Z O V I Q R E P
P A L M E I R A F U S O R K B O N
I W S B O E B M N I I K A Z H T X
Y T C L A H Z S X Y F E T S M E X

139

Q C I C Q L V J V T U R U T U R U
R D T A S R V Z Z K J J L F R G W
V Q N Y M I N I B A M B U A O J A
M S Z S P M Y U E I F Q J P P T P
T A L P Q U U T N H C L D Z B E S
P Y T E T V E L C N D O P L W X F
R C C A S M R H Q T U T D B A V S
F Z S J M V H D V C P O J O P O P
E F J L T A W J N D S K F S C J X
Z T U N B Y T Q K O E D A C H E T
G Q C H V O W A X R P O M A Z C X
P O G L K A N B I M N M K R S N Y
U H L J A R X W X I Z A L H V W B
E U I R B V L T U D S M Y A U U Y
V G D L V N I Q J E T F J W I S F
U G W R B Z Y J N I L M A W A N G
G U I P O M E I A R A S C I Y U N
B J R A R R H F A A S E U H M W Q
H X Y W R C D L B C U H R R N X D
E Q G R A R U I X I L A U D S M G
U P L R G E M J S N S R X K G D H
B A O C E Y Q M H Z Y A I R Z E T
G X I X M B W G S E V R W E E O E
I A D W G O V R Y N N U V I K P Y
X R L N A K T N T T L V C T I F Q
M C A X F K A P L A O A U S F H J

140

P A P L A H Z A M Z B D J W O K M
T W X J F G O G Z M Q N M T J O J
C H R P F G R W C P X R E J F E Z
O X W Q N G V W M X R R E A R P D
R F A O T L P V Z Y P W N O V N G
R F G Y S P W E P O I G N W F R K
E U R F S P B H Ã Z S O K V K F O
D A N L E A V I Q G N A T K Y G Y
E G Y A X T V B F B V B N C G D D
I R V M M A A Z E M F Q M O J Z F
R X J I G D Z M R I H C A U C U I
A D Y N L E X B N V Q S L J T D G
D X V G V V U D Z C Y K B F U Q U
O Z W O C A P Z J I P A G Y L H E
M X E O V C F A H K A K X W F O I
A J X M I A E Y K N R R K M X L R
T K Z Y M I L X P T R E D S I I A
O U R B F Y O S J N E S A Í V V L
O F M S Y H H D C A I O C U S E I
N G I M K K D Z G L R B R O X I R
D P W U O B J A G U A R O D T R A
U P P C E N Q U E T Z A L X A A A
L A K U Q L E B A E I J O U I R G
A I C O G K A W J Z T I N K U V H
D Z B K P M D Y I Z P E B S V H G
A S H E S B R G P H O U P S A F F

141

G O I A B A D O C A M P O G V K Q
Z H C V M C Q H E D Z Q O K T U J
L D O Z A X Y E X R J A L M D K R
Z Q R T V R E L L B P U P B E D G
T F C M Z U B X R G R F I E A P F
G Z D A M I Y D Q X Q A Y P P T T
O A A T L J N A T X Q O P S E H O
Q W V R I G T U S F D W T B Q C K
U K H I I D R A T Y P Y C M H J J
I Y T W Ã I D B I Q L L K X U M P
R H N O D O J Y Z T U C O T U C O
I F A J Z P A N W E I U M S Y R G
R H R G G K D Z H N G I U N P U S
I G C N O L L A U L U P J E C P A
P E E H M Y P E P L Z W Q A X G U
I A J M I U H O G H A W I C D R B
T F A M D W Y D A L O A U J I S R
Á K Q U É M K K J S B Z R A J J I
M S Q Y S T M U W Q T V Q S G O E
X Y Z Q I C M M U C N R T Z Ã D T
D M G B A B A O E H M C A I B U I
E W D Q A C K N P U C L R P X M A
C A U R E B I M E C M G C X É T T
X R I A F Z A A J L A L S V K I I
G O C P T F Q Ç A J A I Q Z C W A
D H P F O C B E U T G P G D M C P

142

V Y S B A E L G X C U Z P O X I H
Y T N T V P O M B E I R O S C J E
B I I J Y I R J D J E K Z G A U M
W W K M U W S J I H Y S N E R V Z
V U P G B G V C Á G A D O Y A J L
V K N Q N O S U M D R Q V Q C K G
H I N O P A R A U A C U J Q O I F
K N B U B B Q Ê Y H Z S S B L W N
B O S G I T E Y R O T Á R I A I C
L Y P F U Y M W R N O P Z W V Y K
V P R V S B X N N O L H E T E T M

143

E G P T V T I O P Z X K X O C P O
P B S T R P R E G U I Ç A Q S N N
A Z W G H C N T Q O X T D R E V E
U Q J B M V T U X M C T J A P U P
D Y E A A O E O M F L A M I N G O
E Q N C W D R K M B Y A W K R A R
C N I Q P E E G C A A V T I Y Z Q
A A P E P Z Z J D T E T L E W F A
N J A I K C Q L O N T R A V I A A
G A P W H F P D H X B C K H X C O
A T O O Q Z Y U L C U D N R V Z M

144

C G S J K R A Y G P R W G U F K B
U M G I Y R C X I L E A T O G W A
I J R Z N F H G M B U U D H V I E
N L O L L G X E A S R I M V H X S
U P H C X G Ô H H U I N X Z A Q N
Q A A H G Z M N C P W O C C Z V V
B P Y M G C U A I F S T R N G K N
B A H P O U J C B O H K S E T W Y
O C K P V V L A I Y E S P O N J A
Z A F Q L W N Q R E H C B Z C L L
N P E P V T Z S I T J D O Y X H V
L I Q U I D Â M B A R O P Y X G E
R M M L M C W M Á T J N P Q O P R
T D X D K O U M E D J V L V D L V
E O C J L U I V D T H X P L I F I
L B U U C V P U Q M B Z T Y K B L
R A F N D Y Ê I Y Y B E I Z Q B H
F N F V C N B L N D A T N A O G A
N A Z Y V U R R K S J B G I Z N S
C N U P X B A R Z M P F E F D D R
F A L O I H N F X D U Y C L C I Y
N L I V I F C V K G L P U B H Z Z
S H F S F Y O S J L G E I Y R A V
O U D K X Z W V M J A W A M Q K K
H V W J F P N L S M V I U Y O M P
V D Z H S Q T N V I T E V I T E O

145

```
CNLFWWRCARANGUEJO
JHEJBQTABFUFPJUZQ
NARPPHATBSIVASZTR
OGCIWNWOHPRIILLVB
UIEUSWCDQRZFTVYLN
ZNHBPFLMIQAQCCIHR
AJHEKEOFZQRSBAFOR
KCJCDIMVSMARACANA
EGQALYMBTFDGNTGRK
QMDOMRKXAUWDDODJB
QDSDYEBEPDFPODQMX
WFCVVYLLHRXALEXBV
WFLAUTIMNYVNEDDCH
SRSTRBTSDRQGTAMLQ
XGUKQJFKYCVZALWIH
HCVQKXCUWRKCEIAIR
KWGHAPIYNAUAVSSRV
YGGQHXXRCNEMRHJYI
NXSMEVSICHEAQYAXR
YANHNFNOAOIRJLCSD
COXDARPOGGNINWUHD
PVQFACACAUWNOMMIO
VJHFITAPIAMHCAIIF
QTVHGSUJTICAFIRPV
UZZHFXHMAYQPHWISC
ETVGFHRDAIFIMIMUW
```

146

```
LOKIMQKEBPHXCWEOH
CVDOBZWMWTHQSAZBO
XOBIKXHOXXRZYCDKE
SYZREFOGRAVETEIRO
CPEITICAJGKNNPTKI
CDQXDAELNTVNROEAZ
PARAUACURDQWRDJAT
VOELRATTOERQRDMTI
RCMBOXOMGGJEZAAEM
ITMBDKTXCKVSHSPBB
ÉKTRXVGCEERCWCINA
SVUGQLNFPMIOOMMPÚ
IDHXTOTIUMHBNYWXV
ATGIKBPVUPWBDOHQA
HOSNFYTRKAFIYOOXG
OFKBAKGWTUAXNIBIT
RQQCMVSKIRELFIRUW
KZJFREDQMLLXJODGI
WYQWILJOBCJUDXIJK
NIFKFUBDUUKAKULUO
FICOIDEWIOLKMRECA
YQYCMOVEAAOLMCNBL
VJQXNRFETNQITZGEA
HADCAODSMIYXQEIGJ
SZFGTXENPDILFMJKL
GWQVCOCODRILOMLZT
```

147

```
LWCDZGBQCTPIBYZJB
DRAEVAMRIAYMYSPPF
FXXJXHNRAQVMQPGJY
FHIFXMAGLWSUSZERS
UUNLNULANERDYSHCQ
CYGNAMBVOQEPJHVZP
ZGUTXTNGHTPJJFHUJ
GVEJQVBAWFAKXXYWC
RSLJHMORWRSRFFACE
AIÉMANGABEIRAJSHP
VDWUSISMYXQALLYKA
AZAKJLUAXKLYJRRME
TMHFGJETLZKCLEVLC
ÁDAAAROAMAHRBBHOA
JLCCBIFORVQBÁKLFM
TZMNOQJDUOPELSIXB
VTAKBUMORGIMSZGYU
IKNOORBIGOVJAZHQÍ
ACWMREEPAOVMMBFGR
NRBCEFAQQAREOKJLO
TALNIQLNMPJSLNQKX
VEBLRKLEZOMYHHRBO
DJUYAYLGYFRCFOAMO
NTFUPIEZAQGPQFSMT
CIPRESTEDOURADOTR
UATNLDUBCAXMLVRYA
```

148

```
FUMOBRAVOCLMNMJOG
MMWCJDJQETBUPADQT
KAEWYLVLFDARWLLCH
JYRUZUMWPIEILMDHB
XSZIREQTNDCCHENHC
QKHMAHXÍZNMIVQLTG
BUNXDBBWTNIDBUEMT
JNYTYOECODOWEXAJ
JTXPCEPNZMPCQRWPA
IWYAMROTIOMAAASEC
KJJTNVCBETLMRFLSH
SAOXPASKFDAPUECTG
NQXJLMMOOHOOYNKRZ
WCPDZASLZLBGAYCEO
PEMHCTKUEJYOQUOLL
PCHENEGRSMTCIUIW
KANOTEAPMLYCLÇJTB
JQUQIMDFMYXUATTZY
BAVFASAQWIGVHRDIQ
SYREAPKSIXETYBFAI
TKPTZVKZAPAWQRNYJ
QIJASCAYIBFLIEKVX
KDYTSGIODATCILKEL
IBOAIEBHPMPHOKVCD
CMZRBNLAKLRRPMVOQ
FQAÉKKKVFZIGRSOZE
```

149

```
HXKRTRGFEPWISVIDJ
DCJRLWOFDRYNSTSZY
YGYVWCOGBSRHXAVER
OHMASEYLAGUFXDGCY
BKQIXOJFDBOICIPOO
PMBLJSEXUSIVFJAQP
LIXIVOAGYMHJBMWTC
HHIYDOFCLIGLDEGYS
MCPUFQGREEEVJTPXN
AYCKBGTHIPECUAJNT
CIRZDBPXUROMBUDOI
BBGASLXBVIRMOCHOM
OHPIBDSKIFLKPDDNA
MLKWFUBQCMCEHXMOR
NABIWVDCMIETDFWIL
TUABWIOOIXYGGULVI
RERRWILZQPMCZZRIÉ
TAABJIADKROLXSCNR
XKTFYBGCXPVBHAGHI
FBAOFCFPQBFPIBNAA
VEYMDICIGWXMICGKJ
SVKPSAGEMUBGRTUOL
OPBFKUGLICXMQXODQ
ANKKJKRUPVXTRIVCA
JQKQQPVTACGETVPDO
ZBWIGYEZERZEOGNHW
```

150

```
NMKCCFIICSAGUIUNA
XNNAVSMFCPTKIWOXD
NTVRNAZOZOEJILFEV
ILCAHZYYSRQQAWEAZ
PBJXSVZKTCUHEDQCP
TXXUPSKAUZELOLFCA
NAOÉAFIFFUTBURBJL
JHIDEIIGOAECUICMM
CRXEGVBEHDQBRQXKI
ZKHBWEMNOOUFYEDKT
LNJIHMIAZHECASOUE
CPDCWURREKAEVNALI
THBOQGHFMAKWXCQVR
HKKAFITZREOMRWNUO
UCVMBHVDBNGXOUCGH
IOTASUZECTIQTCQAC
TEVRJIBOINHARIYVW
GNTEQPBWYLWHLFLIO
RCYLVOCYTGCTFAXÃV
MVPOFUWMOGEJIWYOI
KRVIAZULÃODOSULGC
TQTYMZMGFXSUVATAI
QSMQQEZIFTJEMZTTT
ZABELENTOROMTORQM
FVAOOXZTVNWAONWJW
QIAUYNHDAZUQJYHAD
```

151

```
PPNZSMKICVUSJJYTF
YABWLUXOMVJEYOBZD
FGPDLUIRKKDSSUFFB
ZNEOMWNQCISIKUWKH
XNCVUYQUVOFGSOOBQ
SIEKLLDÍIDOVNPUVX
GAYSRXADGSTXCBBSJ
HJXJVKGECRTHZWIHR
ZVCAPIVARAPBBENZN
JVHDGSFGTUSMSMBRA
IYEEEUARHFGJKOERP
CUESIGSABBQNYREUA
PCFLNCVPRRUNLSMLG
AXWIMLHEKCAMTAZAM
RTRLOJCTVERRFMCNU
MOQHXCEXDELWCXGY
MOGXAIYKWRSQTICSE
ZAYAJBESAIMKXPSAE
GUVHGJAUYNEXKÓJTP
EOATSADCIHIBWUEFS
VPXEWÓVGAQRSFVFAD
QIHNWDKXHTAZUAJJS
FLMWUOVEOYEIIOECC
FWZOXSVWZMINNRFTN
HZVSFUCLSXIUHUYCN
DBXLPUSINEHGAKKSU
```

152

```
BPJRBSRZRSJEKRVIM
LIZHSXIPÊVERDEWLQ
THJXHZWSGWRGUSIYX
FGAUWBGVTBYQEKWUA
VDHEPGWGUPECUGKDW
NGUAMIRIMDUNCDVZI
GSNGVARWFVDMOTSHC
ETXRUOEAPJAZCNKNA
KANZQMCUFUJLBEBHT
PDGKIDEYLMQANZUBE
MIPTHURUTUFALSANN
QNUXXNWHEWNXUEIUG
XXINHALANNPCPDPQA
YSNLLBQTJAIOAURAB
TCTVZHSIWEILEIEAR
YLXWMMIVWRESULNLT
CNANLPUIIRCHWEAOT
RJODMDXLAYAGUMKUK
UXYWOQSMUFYNHBLVP
IIZMZCAMYNPKCIGEB
BTKNNAUEEFGHHRVIA
BMKORXBXHIOUAIDRC
UGLIRVKXERPHPNYAA
JKAKBKYHJAGIQHOPB
FSBCOYIRISUJSARHA
LZZWJLBEPGYETTPQS
```

153

```
WXTJJUCITHMKZXRVZ
YUDMFYKRPCLSFTRLR
IEHVUESSKMYNEIGQD
IHLDQBEBJXXNMOFCA
ABWNBYBGDJWRYEAVL
ZNIWNEIPINHAMBUIF
IFEJBXNPEJOVPPVÚA
TBMIVVHKXVRLJSOVI
BUWTNGOIABAPERAAA
BCRTJEVHROLIEIROT
VVOBUNIQUIMDLIFSE
```

154

```
AZULÃODONORDESTEC
CLXJGXDWVGOAFEGQZ
WWHLLDULTSUNQBOGC
YJWVEURUTAUAPRENA
DUIRAPUÁIITAIGMAT
UTKGROUMFHWEHMNQU
VUIOSÃOJNPZZAAXEÁ
PIOEGCVUNABYCNWEC
CUHNOPVUUAKAICFWN
LIFFULJOIDIUCAUW
BUTAFBOCXPTJNMEAQ
```

155

```
VYXUMRZAJELCAHUNS
CXVBGNNIXOYWTDEZB
KWNICÚPNOXTVORNBS
LKKETEHQUSUJMKMSG
WQNPFLDICVAYACFLX
HDOMCXAROKLLTDTPO
WEMNHZBAOOYZEUNPG
AHUIYMVFIATRDMGFB
CJGRJWYJKVROGZAFN
IDFYXQAROSTAAULTO
JHAPXCFFOULBNAADG
XCARZHUFKYCZZAPRJ
ERAWKBHMGHNXZSASI
GALRCFYECHCOPRGGN
ELMAAISEMRYPJCOTY
UJEGZMKTKEUCHMVJE
ZZCAZVBANVOTZCMEF
ZMEAVECOGRUFAHDZE
MZGKRDSRLLOHDPMGB
RJURQAFRFANDEYGVA
YUEEBFPRLIQZGOHES
GBIMBAVANTAMKXIDG
PEREIRAOPARAUACUI
PAAFUGDEXANQJXMOK
HMBHKQWDIONOXIIJU
MUIRAJUBAQGFWMMBU
```

156

```
ISQPRSPMCWAOHOBJW
DBEBGAOPCJPCPLLBJ
GECJEBTKIMBVAOMZX
ALCXXDBOAVBIUOAXH
DLXZBEOCBRTERTESR
STVXKMOGPAMQOTZTO
UXUHFDGJEODASDGDJ
CNWYADMTFJTOAASKY
QSBRNMWPJGPCCOHIN
VRÉEXCRXLSLGYALZN
UPMEOUPLZFAEIEBAR
JCAGUARABUNSHDNOP
TSXOOEHLBVTSIBCJU
YQAHERJMQDAAXHRCL
HKLZGIFBEVJGSZBEA
SQAOTJVNPMAUQVAQZ
CLLAUIYZDDIJSLBK
YUAYCLDXJEDSTEZS
KÍGHUAZZSQPEVHIUY
RCÁBVYTZCJKSEHAZV
AAMWVIRIITGALRAQC
EAZZIBAITOPTEVZQX
CPZSWFKDRASEWFUTY
KECGXTXRZIURUQUCC
COATIARABTSÉFHGCT
BALEIAJUBARTEBABS
```

157

```
U R U T U Z I N H O G Z I H O U F
N H R D J X S S Y I X S M P L G U
S K I Z S D R F C T T T A L U K C
U L N V C N O P O I Y V N P K M A
W I T S X Y J R K Z K N D E O Ç T
J S V W Y J D Y W E U F I T R T A
Q P D I O W E Q M I W N O O B J P
H I B Q U A P V L R X I C A R S O
E H I E Q I B N I O Y W Ã U Q Q R
H K B M Z C U J E G L N O P W T O
O B M U G H A X A S Q Y J Z F N R
A N G E L I M U T J P Y O G S Y O
P F C L H F V N T D V R Q N J V C
V P B R D R T W C Q I N Z W R S A
R Y L W J E J G N E G K O M H T M
B M E E K D L C Z O L C M E T O I
M Z Z U T E B I Y E B U I R P H Ú
I T J S W O C Y O L A M E G W X D
H T L I Z U E J E E A Q O U A J A
I T D W B R A T P B Q P W L Y N P
X O Z M R O S R S B G L I H W U A
U M A L V A V I S C O K P Ã M T M
Q C K X R O A D R D Y I L O R R V
P Q X M O M K Y H Y P Y O Q P I N
H A P N X M C R G Q E O T B T A K
Z L G J Y K F Q Q U A D Q D I J L
```

158

```
Y Q I G X N W V E D É L I A X T I
R X T C N Q D O Y S Y B J X H M C
A F T D W Q D R L D P O J T M J É
H G I H Y C R I N D I Ú V A M Q U
Z C U K Q G Y H Q V I F X M R P A
P U J F K K D V H X F O A R M E Z
Y E I A G I S O P F C X I F K H U
S S W Q V R O T F I I A Z O A A L
R S S R N G B I G E N V G X F G W
S G W S C F M E M T R X K T S H B
A M K Y U T X A I S L Z I Q V N T
A Z E S O U J N L J V E G Y O F I
T K P C I E X D Q X A T Q R U U I
A C F C C C L U S I A F T Z Y M R
W P W T F F X L M Q G X L C C Y I
S U T K M J E A W Z K F V O Y C H
V E V P G N E L S I Z F D O R Q W
F I V E J E S I O E O S H F V R Z
Z E Z R V D S C R W O E T Q H R P
R N H E X C O A G C F R D L U T E
C G V O B Y C N O P Q K G M D M C
F U U W S N V Ç T I H R I A H U O
J Q B L I D E O P K F J N N S W K
S E E V G R A M A A Z U L G O O I
C W A P J B R W N D W D L A F I X
B D D P A I N E I R A R O S A Y P
```

159

```
D N H B Y U Z H S L S D R R Y P D
D U O B V F X Z O T F F S G R A S
P H K G Q L O F N P Z E E X V R J
I P A T A W A M T A M A N D U A I
F J D R I K N Q C K G N T U Z R F
D D A Z F A A Q J A A U V S V U X
E Q S G S R M I N Z Q K U B T E P
K S A Z L D S U D T B U S H N S E
X S N L I K I A T B W E E W C P R
O H U Q K P Q H P T Z Q T R Y E O
Y M Y P N J L G D Z O L E J A L B
Z V U H S O P J F J R C B P T H A
R W N S R N K Q Z W G H I L O O D
Q V K Q S N W B C A F E B R A V O
I M Z P U U C V J L H U E Z K O C
M S D X X F R B A L B W R P U E A
Q F M Q R X K A V I R D I R C R M
X T Y Q S Z I P N H G J S T I U P
L Z T P K O X I Q A A I U R I E O
M A R A C U J A A Z U L U P O F L
N G U O P T H Y V H Z S O S M K E
V O S P E N G T I W H Q N E R O Q
E K O O C F B A G A G E I R O M H
P R X S F C S C E V K J R V V B N
G F S J I M T G S E K E K A L L Z
V H C M K A T V G F E P G L C C I
```

160

```
W V C O O V C D S Q T H Y E U T C
G S O N R S Q A B T K L Z N G R Z
K Z Z U J D F M M O R É I A K S G
J P E M H N Z B A B F M U A A C C
R I A B N G Q Q C O E S Q W X C B
I F I A B C A J U E I R O I Z L O
U B J T R O C A C W W F O E X J I
N J J J A D R W O F K E G N N B P
I Y M C J I F H K B N M W T I G E
O V M G E X F Y V X T D C J L A M
R O A Z C O R V I N E I R O K N I
J I U L M I K J E I J X E L P A P
E R U U Y E K W L B A K Z P H N A
C B V T R E T W L U T H G K K J S
M G A N Y M I T C R D E N D L P S
W J G I C X R B A E U P A G I S A
G I C C D Z F D R Q W J M R S R R
F P Y S M T Z X E K S M Q S N V I
C Q C Q X H Y L B R V Y G X R M Ú
H Y T G B I A E A P E M X L W D V
I K Y A G I O A D A S K Z B H M A
C E J H R D N A U T W X G Q Y L N
H O D A O S O K R I G Z A Q F M S
A E M C X J V E A Q S J Y R F O H
L J H L B R U F B J M J Q O É Z H
S B I K Q L U W A W W F V U R U I
```

161

```
Y F R T P N Y X F K I L D Q R J G
F J Z T K A L M C N X L A U I C Q
O L C V N R V J E D C A R N F A T
E I N A Z C K I Q D R U E C L P N
L Q N E V I D A L I A C C P V O U
P A R S O S Z C E J I E A M Q T H
B W W Q G O U T A O A M D N A E A
A C Z S B G A A X V N U E I Z I O
Q K T B A P T S L C H U L W U R K
C J C T A C Y G S P D B O W L A N
I X O R P H X K K V H H C F Ã J Y
Z B R Z I F G S P V D Y U X O P N
O A F G H V F F H U E Q B J W I O
C K H P B G P N B N Z B A H Q M R
B M Q D G X J I U S E L X L G E I
H N U A M M Z G Q T V R X A A N K
V V N V Q G H P R Z S C Q P U T S
X V D R D F G O I O M O Q P R A E
Y P F B K G N N K R A A M V A D O
J I B U O O V J K I O Z H H G O B
Q G Z I D C O J N T H K E B U M N
P M R I X N F O C Z A A R J C A X
B D V G D O G E P V C Z L T Y T L
N O M V I E F G M K C K S W B O Z
S Z O Q B R D Z C A L A N C H O E
E G C H U E C Ê R Q W E J I N T E
```

162

```
E W F D D M F E P G X W Z W O F P
G E A B T T C K V G T J K V L M Z
N E X U B K A O Y T S K H I Y N F
J G T I R A P S C X K G O U A U O
M Q B M C V I P B Y I V A V I C M
M L L D C T I E L Y S Z K I O T X
Q P K J X Q Q P Z E V Y A N I D O
V R Q O F P Q Q Q K L S A H I L O
T I D D D I L X V Q F M W A U A G
J A A M P L D I O W X W D B J K O
R A W O Q U Q Y H L M Y O S Q G E
J A U A C A N G A X P Q J E W O X
G I Z O F H Z E F Z B G K T I L A
E Y Y E U N A T F E J M N E G I D
F S M B W N Q N N O A H W C P N Y
P J X M S L X O S B U H J A Z H M
V M T E P Q M R O H I A T P D O K
D G M Q H P Z R H F O J P A D Y C
D L Q K N E A R Z E H L I S G O B
O O M W P C O A U S P T I W Ã H G
Z N F T G K D D S Y Q T Z T L X D
R Í V M N M D N Y J A P U I R A P
K C G L W P X Z L P L L F D D T F
P E Ô N I A E T A Y G H H Q R B K
U R Y O V T S R E F X A X Z D T H
V A C S T U A N B Z D T F K C H U
```

163

```
B A F U F X A N A D U F C W J N Q
O B V G D C H O W Z L L W J O X J
R I N U O M S B K Z V B O R H H C
B U L F G J I Y D G V J C J L T K
O P J K P A U D O C E D O A O R Q
L I M F Q D D X Z C Z U O T E M V
E L L S V Q D M H A Q A W O W C E
T O H Q R X A Q C N T L P B M V I
A S K F S X X J M J L Z C Á J J L
F O P Y C Z J Q O E Q E O C F E P
Z I R Z G Z U T T R N R R L U K U
F Y F M W P A Z K A G A U A Q E P
H E C E W Y D G Q N Q S J R C B T
G U K H U F W Z Z A E T I O L X C
F X V A Q B R S T I O A N O Z P V
F I W E Y X A P B R T R H W Q A Z
R P Y Z L N Z X D O P U A Q T C B
O V U F Ú Y I N T K Q Í S K K S T
L U X I J B E R X Z P R A I A J S
Q W V H C D B D P C I A P W I E H
Z A L T O P N Y V S H E O O K M O
C H W R W L V W Z S C F R W X D A
V J E Q M G E S E Z T G M W A X J
D L G Z J V Z X I S Z Y R E N Y O
C B R O M É L I A P I K V Z P U A
B I C H O P R E G U I Ç A B U H K
```

164

```
V K E C O L O K Y T Q G L U S H L
W I M P W D B X D Z R F H W A A H
H M I S A J S N A U A N S A R D A
K M M E L B G V I I V T O O D M D
A F V R M I N S X R V M M I Ã X V
K I J V Z C T I V U U E A V O A W
A Y S A M V R I N H R Q K R P B R
P Q B L Z U Z N F T D Z G R I F O
O A I Q C U C D X F T Z Z B O C V
K M N A N K H R D E U V F V F I Á
F R P G J Q I I W N D F D P V T K
```

165

```
X Z H M A S I N A G T S B B T P C
O Q I L R C M U R U T A I Ú E M O
N U F K S I F D K A B W Y G T U R
T Z Z C W O N W S R P B P D R I V
Z X V M I G U A N A F C E S A R O
O U N V X O Y R X X S S J Y I A D
L T I O C U W J Y A L W V O E J L
E V A Q Z U V Y C I Y C A L L U D
I N L R E K D N Q M K W R E Y B F
R F A O O R P X W V Y J A S P A C
Q A T O S D U N Y P Z W D F M W S
```

166

```
Y F I B E U L B J X U Y E K R C C
O E B U W V N S K M O T B S R H X
A F E S X R E C P W X I T W K I G
A N D A A Ç U A R A R I B A F N K
Y F V U E O U T H Y O T T O I C O
A N T D V I E Y G T D K H R V H Y
M B X U E A Ç U J P M N Y C K E S
V B K V L B J R A I N H A R N R I
J M I V O D W A K L Z T B W Z I O
L B S Y P T R E P B Q A B I B N H
J I W P G L U K Q O B T E F S C F
N M Y H E E P N G Q N Y R P S H T
E W T F Y I C M L P P E J F P E F
S E E Y D T J I E P K G S O H E T
Q C W M E E U C V R Z L R A Z G T
O E G I W I N G N L D Z K W A I X
J R U C C R Q J Z R G F R N F G B
X E K L A O U N I L N P A O O A H
O J F L X B I F G G P R B X G N S
J A X T E R L P R O A P K L O T Y
F C L P T A H T Y Ç H B T X A E P
S H I I A N O U A B L T Z J P K A
Z S Z Y P C V R M O P L D T A Z G
T C X C Y O A U A V B F U M G Q P
F N D P A U B R A N C O Z P O Y X
H M D R Q X G O R G I V D G U E X
```

167

```
E G T T E X T Y M Q O R N G O D D
X T R E Y H Y T F C P O M E L O P
P C R R T H A K A G O T V D I H N
F U R I W O O T O B E G S P A R L
K R N X N B A M C B P I A K Z J R
D R Z I D T M W I G U C E M C B M
F B R C W W A X B L O D U G D A Q
D P E L M J R R K P N M A S J R B
D R I W A E Z G É I K P A T T U M
T V T Z P Q G T R I T Ô N I A O O
F N W Z Q L S N S Q S B H O O Q R
E Z J I Q N K D A G S Ã A Q M F I
D Z V X B C L D Y Y U S R E N Y C
E P P U F P I K A R I T É T N W H
G Z L N O K O O L S M O O T I Y E
O S N A B Q U P M C U Ã G F D C K
S F P E Q R T D I J C M M K G J O
O P N T D B Z W L U Q Q F B J V G
G A W L X A I N T V H C C Z O I Z
I N I O M M N M N T R W M R Q C N
G L T S H J N D S B A D U F Y Z Z
A D R D K G V T I B I E J O P M W
N D R D K T U D B R O Y Z P I H N
T T I U V E R D E C A C W M U L A
E N F E R R U J A D O J D N Y W N
L S B I A R H F L Q Z D V R J U Y
```

168

```
M A R A C U J Á P E D R A H P V T
T H D J M J T Y F X D J C I D H O
A I E H H R N G G S N D Z Y C W I
N X Z S A F A Y N G V K N V F J T
D C P I B Z U R B A Z O U F N F I
O P P M U H L V U C K W K N G A D
R O J Q M G E U L Z U Q Q Y R S O
I X K U A V Y Z B D X A H I W U C
N R M Q B T M O Ó W I H E P E P E
H O J C F X J Y F L L B R Q V K E
A D Y Y Z V B E I V A W U K A V T
S V L M X L P G L I P G U F Z N U
E E N X W I U V O F X E N D R E O
R G O L A F U G R X U X U O V U E
R C Y B R O V Á L I A M J A N E R
A G I R B F X G S T Z B Z U Z N I
D A N D O R I N H A D O S U L T T
O Q H P S H K X L R C S R I U U A
R P A L M I T O J U Ç A R A K F Ú
A K Y B H D B J T O Z F C V O A B
F L O R L E O P A R D O T E S D A
U A V L G G V A Z V D S D L N O D
P Z D L E Y P A G J R M K L N E F
A O R X O Z B Y A Y D G J Y P Z G
O C R D B V D B P Y H B U K W G L
Z A R R O M E U T W Q A J B T H B
```

169

```
LLYSCCZGRSTAJLHJH
ADLPTOOXCRSUYLSFI
YKLBAKJYAJKCXYGMN
XWJYBMRXSCJDNQGOM
XICJKZVKCHBQGADNI
CKXEVFHCAFMMVOOEH
UTIPUANADCFSAIZCP
VGXJJOBUUAJABIMST
ERRWIKKURMFQGEASV
RPAKFIXNABFQETXTH
MPHCUSVKVARWXWUKE
FGXELLVJTCDHQCHVY
WBQAMVLYVIOTARLAQ
IMSLAQBNZCIEVUMLI
VDSURRIQHAKOXEJCM
MCSNTRAPOERABAUXA
YUFMDYLPVUQFRXIOA
LBUFOUZNORGGLJERR
BFEULXCAVNXSJCDRA
CMIGSRRTUAGGOIMOH
PGSOJÍHJACUARULCK
ONGXARPISVXCZJXOS
KNJSQSZIDBCPLKJNR
INEMDJKQPRAUPXNDM
BRAUNINHAUSALMÃOC
RKPYZDIGWUIXYFARU
```

170

```
CUGJFCPJFKABOSUSW
LAGKNNBTIEHZXTXPJ
EILIGTFUYVNYGQDIA
MMIPBUPJZSJEPPOPP
ÁVYQIUADWRFUCCMIA
TBRGCNSRIAXDXOYRC
IWDAYBIDAQFXFMVAA
SNCMEXYAZNFVYCADN
KHHMHUGTZRTGKRSEI
CHIBIKQUNEWADXSBM
IICHEGJGKQPNEBOIT
SKSWJBMKOEELTYUCG
CBBGDMMJEXXHDRROP
KNFZFOZFTEIGDVAVT
MDHRCBEGÔNIAREXEZ
YREGBQYXJMSBOSLRM
NRXADBSQBAHDTDWMX
FKRDVGUWSIFSDIMEC
ALBVTTOIGNZJGCKLZ
IDYIBOSFMUAOOIWHE
OLHBQPUSTCPYIMUOD
SAMARELINHAHVWUWO
EERSMSXCTGCBOYVJÁ
MFZJFCISCSLDWSNMR
DAXQELQSYYKBLABCI
BRKFJNABQGONUMAVA
```

171

```
IKHMICLLSTLQTLSNJ
UFRHMIPDILXWFJEHH
KUAEHABFCAIVMOPUO
YHGRKVSNPMMUVDPTO
KLDJBRSTECXRGPIDF
VLDTAUKLWETDDREFR
FOEHAQFNBMHPBFOXJ
TEIUCOMUMQVAOIHZB
ATSISAIEWKCIUEWQM
UDXUTJKGKIEVRFJZJ
MSSXGGEYOHRWOQCOA
BWSLBIWORVVFQLDCQ
VOGOCALANGOGRANDE
FOMTPSWCSNWUBXLMA
YLJVFYGEDOVVRXXTÇ
ZYJYDXRHHPTNEFTVO
ZJCOZBPCRRYCGIGCI
GYNIIQAELAQARCMAT
BSVGSFRGHIBQCCXDA
IUNJEQIMLNRUBUWZC
IETDYIUESVSIDTNIA
GHÁZAYVEOLXSOIACV
PBOBQVVNICRHLENBA
UIPICAPARRATGIGHL
GENGXEQSCIODPRWDO
UMBIGODEVIUVAABXB
```

172

```
VUXUNZOUBDXBXDFTI
LUQPDKOZERYCXAYGI
MAESGHTBIPEEBFROD
FANOWZWOZZCRDSRUU
HJAGUAPEVAMECQIDU
IQWNFUNQWIEJSTYXU
EVFMSRUFJNAATFFGT
FKTAAPGNUTPDURALX
CAGCMZMGSACOCCRVW
FNYAOXWETBNMUMIMU
BRLCMAIRRWDAXZNOB
VKTAUGITLWETIAHYA
MOTTOVJJTBYOPVAXL
AQCUUBNQKGGYFVSFE
OZDANBGLFQRHYGELI
XANAMBÉUNAENKICKA
ORVDJNUMJLRJAKAQA
WUFKVKHRGTRQPARUZ
GUPCORTARAMOSNOIU
UDCFNDGFAQKKDGMNL
YOXACYNMUCEAEIDAO
YDOECNÚUNPVKFCCTT
XBCWVALNXXGPPODOI
PBBLHXUVQUWAHBJTL
JESNQIAEPSFBWNVUT
NWIFLURJCNQFQGXAS
```

173

```
MARJTSYKOAHKWKYKX
RECFHRHRDUHJGGVBR
WXZGEVHQWVXJZJSOO
LRAPARWEBNKQSABIÁ
OIQYLPASSUARETYUC
UDXYFAQCQQHSHIQBM
RAHUSTTLYJCIYJAIQ
OXVZIDWAPSRVLKGYR
PXHBWQLUNTKHGDDOF
ADEQUIDNAONQOVHIR
RWDWDKADPZGOJCGHK
DXACOBRADOLODOADI
ONMTAHVDUDLMMLJVX
IFTSQOLMBTOOELYYI
ODIZDZUVQXDZMNXZY
NHHEOLMIHTAUARNUJ
JZTBFVAGZGUENCCCS
XADABNWMNFQTDRTCA
BELAMANHARJUUSEER
AXTTOUMKMÉDSISRVA
TASIIFFDLSWDRFPAC
WSOMFZZOCINVAFVDU
HCHVGJKISAMXNISAR
PEHUJLFNBIMAAKLNU
HFYBJKOUYTTLHYCRÇ
DMVAFVTPTDCOUBFLU
```

174

```
QYDUWFYOCKZEHFHDM
TSJMTBXJPACURIGNU
UCACHORRODOMATOTU
OYYGRZSDLJLAEKAAO
ZZSUUYIPMIEUEFPRW
UUAVOCIIFYGYKOBTN
IPLGADGVCKIFNPGAA
QCRDOFCOYQAMDWYRE
IFNKHHKVSKLMWTDUU
NMRALJNTDAMASCOGC
SSBMYZBGQOKBBUVAO
LVJOIWCUOKNAAXOAB
FJSRETFJJEDIULEVR
AKVAYQVRBBUANMWÓA
TDQBSDQRQANNITNAC
SOSRJKXAPJTOLHNLI
NIWAMSLJQOGPHIPFP
MGMNSVYKVBCRAGSNÓ
MXGCLMPMARIANEIRA
JXLAZOFIDGHVFGPGY
TOKQXDPPNTVNQACHC
XEMCFNYYFHNYBCHNY
GQPAPOULMPEGZEIRR
XKPOVGAKTZJINNHLT
VARREFORNORAROPTD
SGGVGNKSBZBHFOLPU
```

175

```
UBWEMDZOXPCOLRLEH
XTAPIRIEXAEFAEMSG
CLMJCNXNIPYTFBÁSA
AOXGOADGMHETDUPOH
NZLPUHRIAMASBKKTO
ÁCQGJXQTNFKPUFYHJ
RSDTZRAWGLSNVSCFP
IUMBUWCIOKOSUNXEJ
ODXIMBAÚBAEGIDUGM
QJQXHYRJBLNUSLAAD
BDHSKWOQCXGTEORQF
```

176

```
ACRXEYRRMILIGLTIO
PEQUIAKRDVUVXZAMU
TATAREVUTDEZAGTWB
JHAVIEOBEZTUSUUKA
NXIIPNXOYHAJATULR
ÁVFZRXHAOLBRIKATA
GLQZTMLAZBAWFOYUN
UAOLVARHIPKNKOTTA
IANKOESWABETGQNFK
ATZCJSYMNFAMQJVÇR
GSGUTWJYPWDKWEGUA
```

177

```
CAZFLISIANTODKJMD
CEEYMLCXFWTPJUCUH
YLOIHZHVOERZLRMVW
SNYZDBLHXEDLZNZLP
IUKUJJIPAPAGAIAIR
JGLQCMRCPFGRDJBWV
NHHOVKFSOFPNQTWUX
PCYQXGCWVDOLUWALX
SEJJNZANTEUQIDOGE
YUIRVBCFQUWRDQLYN
QPBSXLZNEATTOUVFI
JIOPTRRFSZYAZMDKR
VYITCFRTCEUFÓRBIA
HJARGCKPNRFHJJAME
AJHIFQYODQIWJRDAZ
AEMNEEGHUESYREXÇJ
NDUTDJXZAVULPZOAH
YKÇAIJEOLAGARTARV
CIURESEDAZPZISTIX
GZRÉFICAISCAISRCN
JHAIDVRFGLOROYTOB
NSNSPBKXNYCTHEPNU
GUARAIUVADGLMEIAR
PBZEXGPWKSDTOLYAI
LYCALVEEUPVWPSGMT
IUGLJUOTUVMCWWKLI
```

178

```
JNRFPHSXBRRPROSTO
QFTCCFHQDZADUHBXE
OJQDXURUTUTAPETEM
EWHBTWORSZDUGRPGV
PWGYFBDRCANARIOUU
UBFXVZRBGERQAGFAW
DQBINAMDNAXYBTITT
ALASNBNQPFILIPEAA
QTTIOZTOAIFKCUTMP
QZKWDNDCOAGQUFSBA
AGTEAÍVPMIQPRTRUU
ZBFCABLIOZTPTRMRA
NVIÇNWXXIFPNAAKVL
ITANRRBUERBVZDCVA
XNNQGTYSDUWHBJRHZ
UMGTGDCTITEOMSQIÃ
IUHAXNKIBMEADGCAO
UICYDSYDXMYJEXHXH
YELALEAEIDJLULTCO
TPRAZVMNOKTTIBUYJ
MUAEEBWEWZNVZCÚOF
RJLPXKPDTLEMARUPA
DKHVVHQHNRUQQBWVS
JDVDWBYVGPOKPVVEU
EORYSTQCYXHALKJVY
BZUHYMEATAROXINHO
```

179

```
TOETNJHEYTWFYNANP
TNZMWWMTEZAOPERFM
MNCFYXBXRMBQHNWGJ
BNARMJYBGTWRVIOXX
NQROBXMDIACROBATA
AYOSUBGYIVITINGAV
IMBIRUSEARCYBKJSI
PCIEGVMUMBZKJXYTN
MINSTWWGRSEHKIGRH
KSHPUTANKUHYHQOGÁ
CTAIQCRSZQCVXÃCNT
XKXRJPGSCQLURHOXI
VHBRCAAZMBCAASUWC
THZAPKNFLUMINAJQO
UHMDGHAQMAZEVNOKI
PHDERMZOCJESPVGEB
IJVITREJZMEUCSKJT
QGCRZCPDDYGAQCVDT
MQDAIRRFRAPÇCRJHU
JROMBYMUKZLUILKID
LISTOZPIQSEBYQOTX
MOCUUCJUPZXOEUACA
CAMALEÃOGZVILRGML
XUXXYOHPSYTAXNGCW
UQUFYWSXKMLFPZNIL
LKJEQJIMCNEXZAYEA
```

180

```
AIXRESACAMBUDWJRC
SIXSGJOMBJZKFXGEU
CMHOWBACUPARIXKGÍ
GAJNQWGTBEPCXRARC
UMNEMQVEWQWUAZLCA
KÃFKJXWCVFSSBRHDD
PONGCGRXAHFIAARQÁ
DZIJHIIEUYZPCXDHG
TIWOZXEFRIHUAOORU
LNEJGFYEYCATXHRVA
XHNBBEEMHEGÁITCCX
UOESDVKFAFAARUANÃ
AGLYVRHILRHNCCGPC
AQZRLQDVAEGJWLKOR
JXAPKJVPMHLDXZBPT
QPAPAGAIOECJNPRAF
TNDWYPDCGUWQWIEUE
VJIFCLPUYNPJJXJCZ
WAFLJMFDWKJAMXAIK
UQWWWBPUIHYCAHÚNA
CVBEYRMEANDATXVZL
SATNKHWFIGRRAUAAX
RDBZTVWGHTOABCUMK
HLBEPYJSQFSNONMXM
BDKMUVLKUDEDIAWSK
BVYJMFWVDDTÁBCIWH
```

181
```
KNQCPCQGORZUIABVO
LXQHNHLPQTZETUFIU
BXBURIPYDQFEDMJSF
LSRVHQMORANGOBGPU
NPQAOEFHHETBCRJRE
PUVDUQUWGVPTFVVSW
AMPEEUFLTNFBVGTQV
UMKODTJKTRITÃOKOL
AIZUBYIXZVOWGGLQY
MTARAEXCGQHMIUJFY
ENZOCRGDOYELEBGSC
NHCIRIGUELAGALJND
DACZYHWHSNXRVIUCI
OQLRJARARACAPRETA
IDNDWRTOVGTMBBAHC
MOHMRPEDUFNAOPCVA
YVCCNAOZEKCSSFOLN
DTLJZLGVSRJÃQPRAU
SISYVHGOTKXOHAUCC
BLTSTZBUOEPCNUJVO
ZCTZNRYLDEEAITAIR
MCNOPLOLDMCRGEPXO
FTKJJUUESJCLZRRYC
ONÇAPARDAZPOLREGA
KMYQOYNBHFPSAATAW
XKHTYBCTKTEBYZADF
```

182
```
MWZJNYMDTKFFBIYUL
MSKAPSOSMOEBSKPDJ
GIRSLGVNRTSWHHMLG
OUPKGHCNXAUHPWKHJ
CROAYBOABYRBAFMLA
BOATIOGPMHFJÁYDVR
JFNPOIXXOPWQFAFMA
OEMHDGPQERÂZICÇRR
ÃHPFYUCUELRNOMMUA
OCASCADANTAOUQZPC
ZHSUXÇPMQISYVLYVU
IRMIZUAZGFTNGXAJÇ
NMIILNMGIPSZUCFEU
HIHSAREDQYRLAQNOC
OHFCFSPLMCHFRGMXX
ZYINGBUIHAUOAQVUI
GRDEAJYRFOVYNOKKD
OSGBAJIAPLBEÁTIZS
JDXZKGLPSUYEXUNDY
GALINHAUVHACUTITE
EZJRADUÃHRYWTLCDW
FICDIXQDQMJNVPXOS
GOBFTRWKVUHWSBQKV
PLANTAVASOOEIYQGJ
ESFGNRTAYECZTVDMZ
BQWNPWOBNPJSEXZIY
```

183
```
XBPJITBAISOXMSVAG
ARYSHTLVHTPHEYNQA
ZJTZFRWENBZMRIBXR
VAFVNQVSEPEDZRVJA
ERVIIBTTTAQZNNHTP
EAQBLXYEHPFCECKSE
NRCDWZVAQABSLRZCI
EACBZBZMQPOPCYRRR
GCNYÚUIALIVGXGYOA
EAKVDFKRORQVOWJSN
WQARSMAELIAVSBSSB
EGRPSADLBXTBQMMAE
MMUXGRUAOEUJPAQNB
SWOACOIDVQCKQJMDN
RGQFPELMJQAREMVRP
KHIKAICMTSNBCNGAR
MHECHRRYHRUJYVZBJ
XSKAWANAFMÇMILTAI
TGKBVMXXLWUIWCERH
YHRUAONLJOFIVQJRO
TFYRKLQQYLCCYZÚEE
TLCÉPEZOCFYTVLAIC
WMYBZHIFKTHTSCÇRG
WKYYOIRZZKHSHIUOL
XEZQVQJVMRQACKHVX
KFFCLTVEKMZKFJFTG
```

184
```
BOADECROPANWLHFLQ
JIDZXBGAMXGXMOVWS
ILPBQWAGXOITPVKLD
ULPPRVXCFWDCSLNNY
ODXNNVVFALTTWQDBU
CHKYEMPORLAIBBAOZ
AMARÍLISAWKAAKGXP
JHHKKEXQÇLQMNESED
TWWLSNTPÁYYFCHWPF
XOMEANKCDJFOTKPVG
MQMRGUARAGGUXSNMR
ECWTUNPUMNLRNZUKD
TLDBIRYVAQELIGXFU
LINJADELTSAEUAXSW
FCUJNAAJAOPLLTXAL
SULXÃCNENCRLOOJPO
VRVIOTAGALITOPBOR
YAVBZITNVRNRJAVPQ
ANHZENKLMILQQLDEJ
KAQFHDAQEUZUUHZMM
PONTPBXTIMBOPEBAL
IIXFVIGQIHVLEIBSK
NKIRVYTRAPOYQRNVX
VCYDHNRACUSKNOCOF
QIXUBPGMIPILLEWSA
BUZFLQLVJAAVQWFIM
```

185
```
HZRYTIKLMQCDKKBKN
VQWTUWTTQRRWPKKAX
WQCWCXVLRNCJTFNPO
MSOQAKKNGBQRERCFO
ERHMNLCCMYXWZXAIM
LACBENZRUKZPMBGKE
EBDQLMTUCANEIROAC
TEKUAABAKEZMFUCUA
NXNIDXRWBDNQOANAT
FNQXEQMGZHANNZCHI
DYIHPIBNDHGACOWYG
ZVXMOKTOMCMGONDRU
IHCZRBFIVPQDRCMTÁ
XQNSCWUGDOTDRAMEA
ZKZTOGSDVEPVEMXYC
DBNQNUYUGLPLDUEJO
ESPIACAMINHOENRSB
VXPSUUVCREHPIDPAR
VEPBMQQPHAANRORPA
CIFAUEFSLOYQINPUD
VYEVRMIPZLOTNGECE
GUARAREMAZIJHOPAG
PQKNNHWQKKLFAAÉIU
MIGJWHHRLVZZIQUNI
PBWHAJWIBAIFXJAHZ
JDUJURITIPUPUVUAO
```

186
```
UMAFHGYJQAKVLMKKP
LIWIMBEYYBETTAGDL
ZAIMXDXUDTYNHPUQY
VMACAÍBAIAVNQFDUG
LMYKDEBVNXAXDILXR
QTAQIZFIICQCPEGAW
DKITNAVGSBOACGRPL
TXIVGRUKJAHVXIYNI
HMNBOGQFWLLAXNKVG
LXCCILOSBYWLEHVGR
XGDJFSCAPIVARAKRE
```

187
```
QYNBTEARCIPDJIMIF
SSOTRSMILODONTZRH
MRIZOOOAPOZHTICLE
BTMLOSVXDIAVPDAEO
UXENLAHXUEOPIEÇPK
TFFVJISORGLZRLÃCU
UERMJCNPJAFAEEOTR
TAXVXFADPFIECIUUU
RSCBKARGNUIAORRUV
AGTVAJJOGRPFUAIES
MCTYJTJAPLGHOOYFC
```

188
```
CTXXFOPSOMUMPIUAB
GAVJNSLPMYPRZTLAC
QMQXWRTANGKUKAYRQ
HQTUTGINZIWZPJLOQ
SVOMIJMQELCMGKCEU
IEPQVDBNJHASHSGIB
NVEEIKOQZTZSCWKRE
GXTRMZRMQOHYTCMAM
AZZSSRÉAAWASQIMPP
NCHOCAPRETAARDARP
GEJZRWLYTDODGPDEI
AKCZIGLTYYBTOTDTG
CYCTWIHLOTDAHQWAI
FQAYSDZRGCOBXFEBE
EQZNHLIAMJQKVZOJN
CSOTPEBSZDUEHJFJV
ZDPNNAYMEWRJOWBJI
JTMERMWLZZZBUKIOR
ZUFRZCFVIEBFWBVGA
VLTNVTODKWOTNTAJP
AHGXSHRCXYAOFADCR
MXSCDIDIPNQIXMBGE
TAPIÁGUAÇUMZLBFBT
EBBGMPKZCLHJIBOIA
PAUDEPAPAGAIOASFQ
BBZODXDNPLXWGXSAF
```

189
```
UCEDTKPKAOQOFASYH
CSCGZUSLRDIBDWMAQ
JASWRFKLONQWQKWPD
JBREPHUOGCIXPANDI
BBZRKARZZVIRRTAMB
GTIOADDNOADDABXIR
UGPCHPTVVJNXXTWEL
NPKUORIIKAEDQBIUW
GMSIGDTCIQKEFVDUM
IOFVFKELHYUOHHRCÃ
QRSYZMALPEZLPKSAE
JBCOTCAIAMIFMOPRD
XITEPEDROCEROULOE
ZIYQUXCFUORUOEXBT
BUBKEZQNHGDEUZOAA
ODPIQERLDWTQQCMDO
TUERRKISVOXTZAYOC
SCVHYREYWSIAQMWCA
TVPYRYOWGCILNUOAC
SRFOPHYGULPHARUMR
NLZXZFZGÁPDABÇSPI
BCAUBOARLOBMPALOS
GIJWPCBQDJIAEQWXT
NLUJXOZVNZKRJCASA
BABOSABRANCABPVKD
NIIXEMULIZKSPYWMA
```

190
```
YVMRUOFCZNFKYWFTS
JFVTWNOZNMYRNBAPE
OUCLWQTIPÊMULATOH
FASPAKÍDMQWDBBKSN
UPSVPZNXFFXGCMNGQ
EUIMBNIHJGBXKMYSI
XLXKUWAWLGWQNCKJT
TUBJACWSFDTRGAYKU
UPPSERIUUGMWDRXAE
MTICTKAANICOCONAM
MYZMKDCRROLINHABA
GEJOAHCIAZGXLWLRG
RXMRWYMIZTNDSLFQN
KZGEEÉVJZAUCZJVDÓ
UJVIRCCTWHHCVZHWL
EWFABTOBHZODUOGUI
ODCXJYPCNTWUQPNPA
BAURIDIDDYYYZAIQK
JUUKAUÚRNROVOMRHQ
OEVBYQVNWQRPUWHNN
DPDJIWAUYQDXPZFCO
OYGEFJAUQYCAMBARA
JLBBXDBEWSHHLBCZQ
NLAGARTINHOIVDVCT
CUPUAÇUJCMUKXOTKZ
FUNERTERAAWKWWXOA
```

191
```
SXWPECGPTBYKXHDCN
TJBKYQVLPIOXXUSAN
AEEVRIWMMECOOSMRJ
TCFZHMXSBUYGOXTRN
JQCKKSIWZSASEGRAL
ERVADOCEXLAQGGSPP
FJFTDOMAAGCSPGYEC
VQSBDAAGRDCYKMHTH
DQTVYIICPABNZTNAC
DKLPSMNIFFMOOINEC
ZMPSQNVNMIOUUUYWÁ
CDAWRTZEHARLJRRQG
LRRSFWQRYXIDGOIJA
BKTUXNVÁKYSANNXÇD
SNDTIFPRNWHHQHGCO
NFVOIQSIIURTIGÃOZ
ZMGTRFBANDTJVUKBV
TYNPKIQJFFDEUEPRK
IEABMOBRÉUDCIHLAQ
OVFIKJIKIBAPJCLNK
ZOÁGFELSACRVPFDOZ
BGLGDDLYAZWTQBYVY
BKIMQOSBZWQQEIPAI
XKOIWJKYUBIZMNXQU
EDNIOSUDLBTVNHFDF
HEUPAHWDOICMRUJQC
```

192
```
ANAMBÉPRETOMDJRPY
KWPJIPANTERATCXSO
IJDSCUEJCOAVAZLHG
KBCEEILMLADTUKVUH
QKIDMZGXTRYOABMHG
BRBKRXHSEMVVTECYC
TAUJBTHRCGZBÓIOBO
ARAPAÇUMARROMJOAU
DYQSGNMGYZLJIACRT
IQBYJQODPRIXÚFGRV
TBRWOSIFTJBJDLFII
DEDYCRVZMCFXOOQGL
ORMNEYMMOOFVCRQUB
AWDMGIVJRRFTMDUDD
EWAMFAEXROJZJEEOV
EJAGKEANFAUGIVTTC
GKXBZRSYZDJLIEIEU
OYYFIJVJZEKYTSJYT
RFBEXGMAKFHRATÁUF
SZLPAINEIRAKWEPQT
BOWALAZSMAZOUVAWR
BWCORFDMEDUZHEGVO
AGNAHSEIQEDGORAWB
PCCEHMVIIOKZGDZSP
BALCUCJFRBFBIEJBK
PVVRAFEMBLUDISIAC
```

193

M G Q H R K L C M H J T X T A F Q
V Y T V K T D X A Z E Y B L F X R
M Q N T O J I Q R M H I U S T D C
U K N I T H Q V I H F Ç X B M D U
P F B W W T D Z A W A M T W D J T
H R G U V E N Z P C P N Z O Z S A
J N N U O C Z I R M B A L C T B N
E L D E S O K Y E R P A R X D L G
R S H K C B L T T O Z F Q I O U E
W B H T Z R N Z A L L I G F S A L
J Q Q C O A H Q C Z P B U C B L I
U R U D O C A M P O U A E F N O M
B P H V E H R N A J W W C T L X A
K C A J L A O K U I L X U O Y P M
T G M K D T A R L A E P Í P V D A
D X N X T A N R D Q Q D O Q O Á R
E Q Y H W F W D Y C A V Q B X I G
K P F C S J X Q C L E H B F H Y O
V V K F W P J J G C E B O L Ã O S
W C Z E B V Q A C M T L Y O U H O
T N Z J U Q R C Q X N L K J A W Z
P Y C A B E L U D I N H A U M S C
E X T R N T X N V A Y E C R Z W K
Y E Y M W N Y D A U H E S U N W F
V W M O N G B Á U L J V Q V H W E
A R A Ç A N D I V A U W W A Z C L

194

W L R S L N N A G Y A U S L D E M
C T U R U P Z Q F B Q Z Q Q U C P
N X V U N F L M Ú G M R N X B E W
A K U S D K B I S N H U W V J P G
N R Q X N S T X Y S U M S F D P G
P V Y U T U E U O N I M A R I C A
N Q R D C M V T O L I G S L E A F
S R M R O E V M C A E L S R K J J
H T J K T Q N Z M N R A Z Y U Z Z
A W W N L K F I V N T T G T C A X
L O L N R G S L H H P B W N B V I
Q B O T Ã O D E O U R O E U O R E
W R P Z K S Q C V D L Ú A M U V B
F Q G R W B H E U G Z N C C X V S
R U Q O Q W Y H O A R L I U Z R N
P L N Y J C U J T A J L S X L W X
G U X G J P I M C O X M J L D A A
J Q N H K O W I G E E L Y O X A Y
D M O A A M R O Q A R W L O B C W
O N G Q M D F C H M T A P N O U Q
I K K U I A H X V O V H Y R A Q M
Z V E O L D K Q J A T O O L L Z Z
T A P E R E B A C G N O S T F H I
H D N G U A V I R O V E I R A F W
O A T V H Z J V J Z M K V O C B V
C K S D U H G D G J J U Q A E I W

195

S K U V K N G L Y N H E P C T J Q
K D F K Q L Z W Y J M K A V V Q C
L I S C S F C O N Q C I C G S S Z
L J K L E I T E I R O P R E T O A
F N R M Y X Z J C P A M Y Q P C O
J X V W Y I Q R B C A T X Y X W Q
M K O Z Q J Y X G I B C X C M O U
P M B Z G J R D D W S V E L A T E
N R W F N K Y E Q W R P L W W Y B
R R V R A Z N D H X P K G H A A R
K G S Y F D Y A R R Z R D W D M A
O M L R M T L L B A H R N O K N Q
Q O Q E F A O E W B P Z H F I M U
W J Q E C K V I P O E W L Q R X E
S B M A Q C I R X A H K J O N G B
E C R T O A C A R M C M H D S W R
K A G V C B S J L A Q P G S F U A
C R G O T Q Q V K R J C P R W G B
K V V I T E V I T E D O T E P U I
S O G V I D I S Z L A P V F Q A Y
A E R O F A L C Ã O M M H H N P R
J I A K X W K Z T L I A A P Q E W
P R E C U U K T G R S J R M Z R K
F O M V Y L E T C F T T J O O É Y
N I J O E Y M V U Y O G Z F L N F
V I B O R Ã O Z S Y L K N J M O A

196

X N G O E K N H I W M P H I E O M
D C K S D S K O S N S A E X B M Z
M L O B S X J W C H A L P L O I B
N G J D A A V A B L R J Y C N N D
O P K V B C T B Q K A Y Q T X C L
D S M G R W A Z K B P Y B A B W I
V R X A E F K B H F O R K R H Y C
Y Z S R A V T Y A L U K Í A I O A
D I W F S B Y D U A Q Q M M S Y N
R K P S A K E P L I Ç B P B U A Ç
X T G Q D Z Q X A G Y U W O U L O
D N T O A L V G Q U E M Z L F I A
Z A L S M C C E L S V S Y A Y Y T
C K L A A C E I O Z V I G U A N A
F C X U T A U X C N I I D K B P A
Y S U Y A C M Z I A M B U R A N A
E N C R Z T E H R Y A X O I O P G
N Z C N Z T T E A C Z W K D A C H
S P O V K N M R D A S B P W Z N N
G V F J F I C A B M F U B Z L E K
U V R Z U F G I T C B D L N B A Q
E F C Q Z P M E S I I X D L P X J
G G U A B I R A G U A Ç U P I T T
C I P W H N R I M H N M O I D M D
N M O D M E T E J D C L B G G P F
U Z B B T J R K R X C A Y U C U G

197

I Q O B N K Y G P R Q D X D T M Z
Q N B C T N S B X W E A J R C T A
S C H R H N O F C E R R J M K G H
A I P A F O U V L Í Y E D G A C O
O N H X L H R D H H Y N P U Q A Z
E H A N C A H P A A K Q Q A C X W
J A H W C L O A M J J U U R N G X
S S R G M D J G A O Z E Q I J D N
O A S C Z J I S D T A P I T I Z A
O M X X O H H F D G M N D Á U O K
W Z H U R L R X H T S F E N E C O

198

A W U X E A B Z F B F V T D T E W
T M A A U Y E P E V Z Y G M O O Q
Z P L A N O W V P X J C G C X E E
B A M A T I A M B U I O A B W L K
L M W X M R E V T U Z N F N C M K
H D R E I Y Z M K U A D A R T D P
L J S E T P B L Z U J O N D T V I
F R I S A D A Z G X F R H Z B P I
M V L O P T C E Y I S C O L A R Y
G W C Q I R G U Y N X U T C U W O
B E X H Á G J U N D I A O X O J D

199

C N N O V O D Q O P B Y V V W I M
Á S P N I N G Y F D Q N Z P Q Y Z
G Q O I L C I B A I L A R I N A C
A R H V A A M W K G A I B F W X H
D C A I N N P O P T C V B W D I Z
O V C L Y E N C P G Z B L S M W G
D O N D H L D R H T R T E E B X I
E F O T K A L L O K S L P E Q U S
C C B A R S A N H A C O P A R D O
A M O K U E E Z P G L F D L Q C D
B O M X D B H Q U I K X E O G K M
E I D X J O W D T L I R W N L H J
Ç A S O J E R N B U G K B C D X B
A C B T E Z A M G U E U P D Q N Z
D V G X J B R A B H Q W Y T J C O
E H O N K I R E V S E D K E X R B
S J B S M O D T X P Z J O C I A V
A O I N G A C H I N E L O E I V K
P D G H H C T S K V E Z R N H E V
O N E C H Y Z J P X L U I T X N Q
C U R U B U Z I N H O P L O T Z A
O J C F Y X B B J L L I O R S Z Y
M J X D X K Y O Q A Y Q R A M A F
U G Y R B B S I C S F B U N F Y K
M K Z F D F E A X A S P I J O W W
M K V S R I M T J V G M S A N T B

200

O H H E I S V A M L G X U B X Z S
G X C A T N H B W P T K H S Z N C
G W W Y C C F G B J S A I M A L X
L A Q H B O M N O M E X X K E E K
M I S X U Q H N Q F A E P Q V P F
V V T I N G U I P R E T O U A C Y
B X U V Q R B M A X W Q P T E U T
C D B M D T K P K W G D B N D K X
K U P K I F S S J J H G O R V F D
Y B R E R E I J O P A U V I D R O
H Y Y I U B B J J C E M E R I W Q
C A V B C Z P K N A R F K M J J K
M K U Q C A M A R Ã O R O S A V P
L W B Q K F C L A P H O C C C K I
Z Z X U L I S A Y V Y V J Q A S O
J B U A I T G D R Z U G A H R T L
N Q S M U J D J X T X S N T É U H
E P X H Z E I G N H E A Z N G C I
M C Y O S E D U M V I S T O S O N
U I W Y O E A A B Z T S A Y I K H
N T Q L O D U I K W K P G H Q X O
G K I D Y J X U K N I J U R I T I
U P M U L T G V V A Z F D C M N X
B P F Y O M C I H C Y W Q U S S P
A L C E L E M R J V G J N A M P L
H I O P L T O A D O B R W Z V R T

201

H E P L Q T M X Y D S E P W T G I
W W M E I H N M D T L O J H M O I
I U D O R X N P D O L M Y U A N Y
P F K M N O Z Q T B K F G O R T I
X R L L W H B A R X F H W N I B Z
E Z E O H E C A B A C H I B A T A
R Q D R O Z M R R C Y D A E F U E
J Q Y M F Y Y B C O Q K R H A E E
G C L S L A Y P A C S L C V C I R
C L O R G W D H U Ú Y A O N E H I
T A A C W K M D S L B A D M I V E
D G N X D A A Z D P I A E F R S N
Z Q C E V V Z D V T G F P W A L J
G S B B L L E S N F N O E R N Z L
B I R T J A Ç A N I N A N F E O O
N C E J Q A D R T A B E E Z T T R
A Q G K Y T I O B I D U I M R W A
K A H G A C G I C U F E R T I Y I
M E X L R N A N N A R O A I C L U
V A H L V T H P F F M A Z C O V X
I A X G E Q F X J U O P I O L W N
V T S B C A J A Z E I R O T I D W
G J M G F R S X P L M A D I N H T
S E G U T W S C W F O Y L C O M B
T F A L C Ã O C A B U R É O C B R
N D E L Z X C A T D X K H W I D N

202

U S C T Y I E T S A Q K D Z X S F
P H D T T N W I C S P K V P M E I
Y O U T S L Y Z Z E D K B P X J C
A R R Y T N H S P N Q Z F Y G X T
L V C J B F S Q M A D Q C E V G E
G M D Q I X H Q Q I S Z V F V V P
O E H P Y T G R S N A N J A J N P
D G U B N C Z P R P B L Y R N A L
Ã A J W K Q M G N O P T V A B B M
O Y Y W W S Y B O Y A O B T O E R
M C R J F S Q T N R Q L S I O G J
F K A M Y W A L F A F A Y C G X W
P G R W Y G G E V I V M X U S Q L
H E R A S U E C A U F I E M E W U
D W B V S C T G D A O N Q A Q J Q
D G U Y Q V K N R L I H M Ç U R P
X J D M N K A I C M T O Y U I J I
Z Z Y W K N E J T A Q C Q B N T P
A I F L A V C R I V M A F Y Á A I
K N Z S A L D I U C L B Y H C G R
I I O F F R Y C N L T J O E E B A
C E N T A U R E A A R V Z A A A A
C G B V A F B D F X M Q K N T C Z
G W B D A C H U C H U O U D T A U
I E L J H D C O A E H N M J Q I L
C M D R U W D B E M T A F O W U D

203

L L F X J M Z L E N Q D L S E B K
K A B M X T P B R B E C L X H U U
C G G I K P C O P A Í B A V X N S
K A Y G H U G M P C N O J T Y J Q
A R M Q I M B I R E M A M O V C L
A T P É E Y Y T H K X W T N I A C
F I I K L M Z O P P A U V I O L A
M X A S Q I M D P I O X E Z D Ê O
K A D H V E A O F V L A X A T N H
B V H N G W E J W C A M E L O D B
M E Y Y A H L G U W Y M H M X U B
Q R E I V C U I U C U I U S E L H
J D Q E G I M G D K K G K L T A I
E E R I D R S M J J M Y H G D Z C
J D C T Z K T C T A L O E N G U W
W A C S U P F F A E N B L U L Q J
M A O I V K C H N C N D I Z O K G
V M B U G X I T X L H K A O T T T
T A R T W P L E N C C A H I S C R
L Z A M Q Z D G R T N U N F A F T
O Ô C G B Q D L J V M T F C V A K
Q N A F J T L Y M H E A I É Q F K
F I P R V N V F K P S I L K I T S
S A I X X U Z J M D H L R M S A C
U X M C D Q Q Q H S N X C A M B X
Q O S E V F R B D V Y P K W B M Z

204

H D Z F I A H N C Q E H I Q A M L
O W U O Q L N L C O B A I A X K Y
B B M C A E F N J S I O O K L G Z
R S R N R O Y J O W B V D U G R D
M R M Q G V Y M N F P J M L G N U
M Q P T G H S P A J U R A Q L O S
X V K L K O Y T C T G S E O V I U
Q B H P C D L J E P X Q N O C T R
R U C A N E L A G U A I C A I I B
Q S H K S P X V U A K B Y Q G B R
M Q G Q Y R H A H G I L R S U Ó T
H W I U G N S E P T V D V U A A I
J H F L F A K J L S U S B H N L W
N G J F A X K H W I S J F P A H H
B A F A A U Y U V W C H P T O X O
W P F L B W M G E C K Ô I H T C G
X R T A Y O G S X T V C N P E N T
W A B R L M R K X I U I H I O V J
F P W A Q O F A F V T K A M A U W
X H D N F J J D N E U C D U A B C
H F K J U K O Z R D L Y O J E Q P
P M D E D H E P F U I Z B C H O P
V Y X I Y M M Z S O R P R I R X X
M S H R S A L H O D O C E C O N D
S S O A T L Q X F V C N J S M E C
D Z O I M Y J U G J O B O G D E V

205

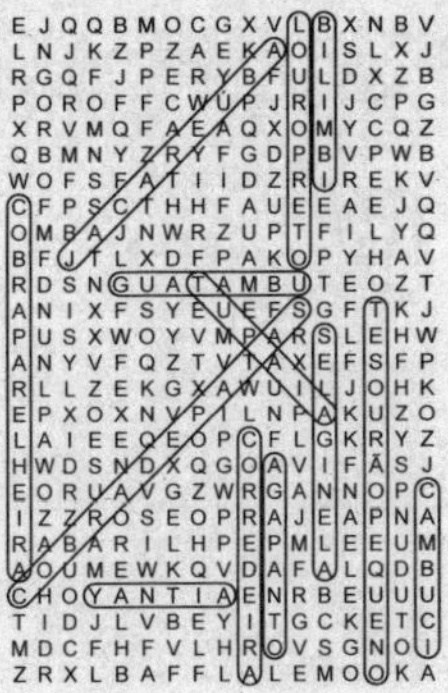

206

207

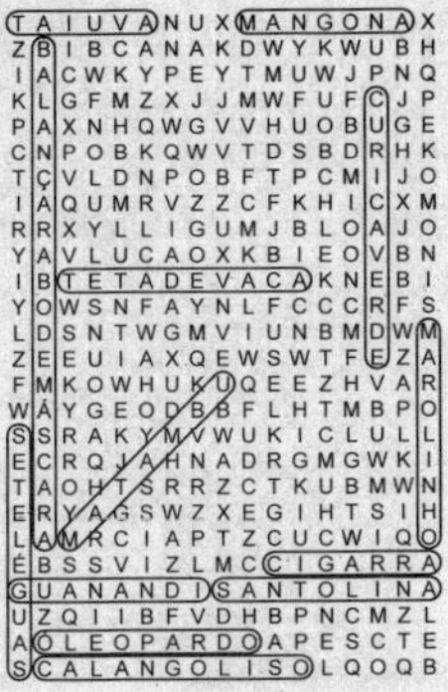

208

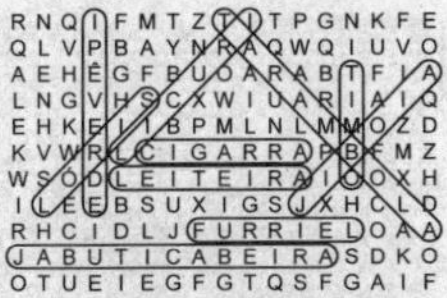

209

210

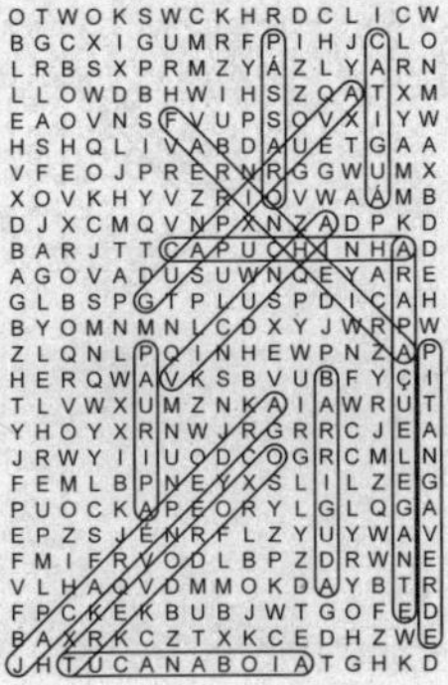

211

212

213

214

215

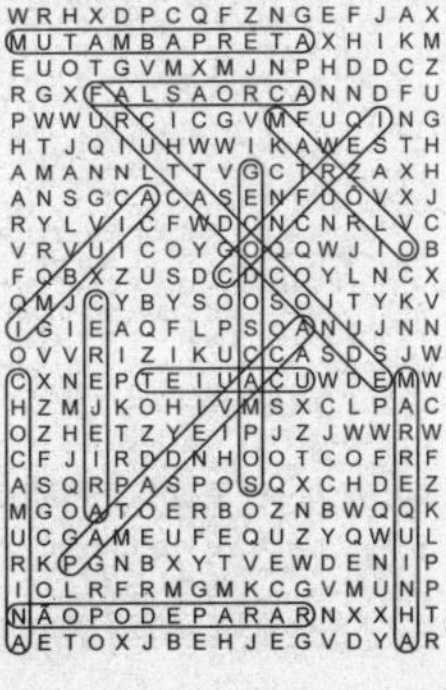

216

217

```
A L F H B I I N G A P E Q U E N O
R L R X A N O H O P Z O C H K D R
V O N K B T T N G J N D J Z Q O A
O U K P C P F Z C I P Z C R B G N
R R S R X Z C Z Y H E A C N M M G
E A A V D H L G B S A A T Y R A E
D M L H C X C U K L P L T L S L L
A Y D Z U B S F I D N O C O N S O
L A L M O P O F R P E F R H H H B
A G E F P T O X F G X A V T A E O
N W E W B E X X E L I N V H Y L A
S E T E C A S C A S J T O B S O F
H R K I I C O J S H T E X G F Q V
Q F F I J M T A M Y P R T R H V L
Y Y A Q A H C K S A N A M N U R L
U S M T U Z I O S M N O P H O C I
T E R N F L G Q A J C B N R Y A U
P A I V A U H D R U P D R L J Z Q
C T E S B Q E Q C U A E P O C W O
V J X Z G L D A V A F Z T Y F E B
W G K V F L M L N A Z N Q J O C V
N S M L N U J O C X R I Y V S Y M
T M G F A U Y N W H A R J P C F P
Z N T P I T I G U A R I V O S T B
O L D L I R O A K F W V U D Z D Z
V W X K T H S N Q D K T F D O X M
```

218

```
D V M W J D Z G F H E V O T P A K
L R A T N B Q X Z Z I C R C J B O
V E B G R L S F W E G O X Q Y G H
H G Q U A O U X B P J T F H S L M
N Z C A R D E A L J B P H K Q O J
I W Y B T J D T L H J E C J C X R
A K V L C C B X Z I A D G D L Í Y
C F A M Y L P A O T K C H X A N U
M O T E T L U K G W C K L P N I D
C G B P R U J K L O U Z D O D A C
I M W R L T W X R A Q I X N I U A
M A H H A U J O U G D N J F M A M
B I H J D P C L R H J K B N F R B
Í T T F S I R I J K L T P W R O O
D A K C T A J E W J H B U R J E I
I C U I T T R U T M M S V W N I M
O A O O U R T R O A L A G T V R C
C R Q X X O K W O H D R F G T Ã Y
H O F E K D M Ã B V C A C J R O M
D X C P D O C Y C V V N N Y V W U
Q A X O O N E V L G X D K A W A N
A M O R A G A R R A D U N H O F I
F O E S K N L P E N I C I L I N A
J C N T T Q O O Y M D G F M B Q O
S A X X C F Q U D A G C S N T L B
C B D C N G J G Q L B I L V K B R
```

219

```
M O X V U E S D D U E F K N U H Y
L X H Q K D G U A P E V A L H N Q
K M A M Ã O Z I N H O Z M A B R K
C B E W N J A A A D G U O C W X G
Z O J T R V C O M H M R T R I B R
T D T U U A Q X B H D G E A P A S
Q N G P R Z M Z E I R N Q I H Y N
C H A T S R Q G V P C H A A X V D
F S R A B I C U R T A N R R G P L
P J L R T U A M Z I H U T C S G Q
Q S A R A P O W I S E R P E N T E
```

220

```
H W F R E D C E G Y K U F X F N B
V Y U H I M O A Y H R N T Z M V I
I G I P V A D U G O N G O N E K O
C W E Y B A V W O H B A O C A F I
W C K O C A C N T P E P Q C K H K
C T T S J W C T R L O O N M P P W
A A E S L F P A E E Y C N W P K A
J P R E G G J U L V J U V E C N U
C F N P C W Q Y A H R J X Y L H U
T G B C A Z U Y I V A N H U M A
I N G A Z E I R O U A U D E P A L
```

221

```
T R M Y S Y J S K H C R V D X B O
M J U Y A J G V V P Z O Q S H R E
D A G M S F R S K D C S R N L O O
V J V C Y Z G V F W Q A I G A M C
P A T A D E L E B R E D F A O É Z
I O V K L V F A F Z E E F K L L W
I U S V P I E R T V J S U U Z I Z
X G C J U O Q W C P D A N P F A V
M B U U F P B G W C P R C T Z I M
W S F U T A D D T L O O D U Z M E
L I E E M A U K Q F K M A J U P R
K K C O D W M V V H D F B B N E C
C Q U Z Z I B N H Q K U M I V R U
H M V R C G A T A M B U A Ç U I R
L Y A I J C A P O R O R O C A A I
N B T U S L I F K Z D D J R L U N
D M A N Z A A O L Y B X C G O D H
C B F C O F B C O O C C E U E F O
N D O Q Y M L T E S D Z L A K O Y
R Q Y X A V H A A R Q C T X I C I
Q Q P J E S H I M C O N W U G C C
Z L N J A O X U U B I L I P E D D
F A J A Ç A N A N F O C A I H H L
C L Z Y L N F T R J D A A T P P P
Q T H U N O G V J H B I A R H W
K Y F E G K P J K Z S A K A L K D
```

222

```
T R A U Í R A J I M A B W Q A L J
P F B H Q M Y M C T G A M X L D T
I C F O J I F P C Q B K L O P X L
R X T R H F J Q C Q X A W F Y E B
O Z Y R T F T P L J S K I P D R F
C B A P U C W W R T S A P O T I X
D P Z F D U O A G U O K E A O M Z
T Q P R H U K E Y H O N A G I F W
J I X K T V D E N T E D E L E Ã O
A A A V O C Y H E T B C U X K F Y
E S N W T F M R N Y R I I Q S Q M
A P P J N L P H U O U O M C S A Z
J L S J E O C Z M R M C J U P H W
B W E W C Y R R C O G K N O I I O
P U L I Q J O D D T I J L I F L K
L X G I R L J G N M U M G L C Y F
P N C A E G T Q Q L C A Q C O D R
A Y S Ã L O C U R R I R L H H V W
D P R I O Y Y C L S Y F R I Q N Q
A Q J A S P L E N I O K H C O P G
X T V N W H R E E B P I T O M B A
C P E P F H T E W A J E T P Q T R
M G U M I R O A T C T D I I E F K
F B O L O W V L Z O Y R H R M R V
N P B H R I U X N U T P W E A F I
L N N M G P A L K F I W W S A J X
```

223

```
C A I Ç A C A G V V K O Y I B M X
C A R N E I R O Y S U A K R U J V
Z C R N V L B E L C Y T M C M R O
B Z I O Z M R T R J B L U L E X K
L Z S A N O Z C I X T R R L H S T
Q S S C E I R Y N O U T I L I U P
S E B J G L L T D A U Y R P M R V
S V T U F N B P P H L R V E E U W
X C F Z T H Y Y Q U C E I I R C A
T J E B X P O O A N G N L M O U P
F Z A G U C Z L N U B F L U P C U
Z X V K H N A K A O D M K C I U I
O J F S I U P M C R H P Q Ó Y A M
Q E Q Z B J U F O P R H O L K E D
F P B E C O V S N E L Q S E E I E
I Y P V B U M G D F N G W U R C C
I G B F C R Z P A X P S D S L J O
U C W K X U E E Z Y L H I E V B S
Y E H Z S B O F Z N Z S K A K V T
J Y A F H L W I O P S D Q D Q U A
T M A R M E L I N H O R H B J M S
S A G U I D E R O N D Ô N I A S A
X B L G E C C X X L Z C Z P T B Z
X N E K I P Ê A M A R E L O Y Y U
G A T U R A M O V E R D E J U N I
G T N Q Z C K K T Z V K Z O L I S
```

224

```
A S A L G U E I R O V E C T J H B
E M E U W Y R Y F Q F A I B R A J
V R Q I P O M F T T I Z P R T P R
S R U I A I J O M H X V A C D K G
K N F H N P N Z C B L J U G L L S
T X M R G L Y I T S D A D I M T T
I L D S J Z L D R L J E W G S K
O V O P O K F K R E T S P G L U B
F K B Y D H S Z R K V C O E F M S
A X G S N A P T B B B H M N Q K J
V P H R M U S B B C R D B I Y N J
E J O G R E C F L H Q A O P B H W
I R D R U U K B Y D U Z A A X I X
R X X T S X X O P F N H F P I B O
A M U Y S I I I W B W A V I N Q I
D R E P W U L C E S X U H N H I C
U B R A L Q H I X I P K Y H A M A
R Z H G Q W A N J W V R T O Í E L
A K S A V W H I P I N D A Í B A A
Q R U K T M X M X Z W W X Q A R N
T T J D P S H C E G I X A K L A G
K K H E T Z P P C U E M C C P T O
P P G L L P I X P A U D E B O I A
J O Q S N E O E W I F B J Z T C Z
I T X W P K P M Y C J U I G X U U
S W E M T Q D R D Á X R Y T L M L
```

225

```
C A T U R R I T A S J C O D U K L
E G H O W J P P I O Z C P C K I O
H D W B C R P S E C A N G A M B A
N S F H F X Z X O D P I E O I G P
Q V A P X J E A M O E V Z M P F A
Q D R V I T S I L G E J N Q M B R
X N W D A N A N L C K F A Z P Q A
R D X S C C P M N X M E M R V J R
F V A V N H U H Q E J C P N D F L
J Y O W F L V D J W U D X B R I O
P Y Q X R T I S E V P B R W H O M
J P T K N B N U V C H I M C B Y O
S W U O D O H C R Z O F W S Y O N
A K Q Z B T A U O C A R I C U R I
B W E F X O E P W I Q A O L V I O
O H X G S D L I Y M I L C A S P H
E N U I W O L R A Q E Q E J A Q X
I L V G E A X A J M R N B X X X M
R E H W E R Y W L M Z L O L M F H
O M X D G A R Ç A A Z U L P O P G
M J R J N G G V P L F E I S A Y O
U A K T S U X Y O L E A N D R O O
C E P R J A A I N I I M H U Q V C
H A J N Z I D O O K D H A R Z U G
Y P J Y A A A H T M T J R M A L M
Y I S G Y W P Y D I V E F K A P B
```

226

```
A E J N U W I R P C Q B U S B X C
W C P N S E Z W Z P S G V U A N L
B A M B U M O S S O I M D C N Z N
I F C J Q C Z B A A Q K A Z N G G
Q A N E P F Y U S F Z C X H Q P R
B R J R K Y W N M B U Q O L C N O
K J I T U L I P A C Z N Z I A S D
F C D O D A Q U A B P Q A G L K G
X B Q L W V Q J E X P T M H A I U
P B Q A I M H T M P N L I X N G A
X I I B P F N X B Z K K O S G U R
S F V L L J Y J L E Y V C W O T I
W V T L Q W H V M P F V U V D T T
K Q M Y Z F H B T E H R L L O Y Á
T X A S B A Z U E H A J C P A G H
Z W R O J A L L U Q C W A Q B C U
P V A B L M O T K Y N P S H A K R
E R C C U M U O A C A A E W E L N
R R A M O L T K W S G W R S T H O
I X B A M V E O X H R T V A E H X
N D O W T V R C U I F X W K N O G
H J I Z H H E I W S F A C G H H H
A O A A S A D E T E L H A M C S A
S A P U V U S S U X A H F N V J Z
P A T O C O R R E D O R G Z R D X
R G U G Y Y R V K F W M Q E U M Y
```

227

```
D E S L H I I W E Y H P U U I L I
L C D Z G K M V N U B C V D F F U
T T I E W K G K D X A U H F G N Q
I K O H J Y P O A U R W V S N N Q
S N J N I I V J I U T J K A W Y T
T W E C Y I E T P E K O Z X Q S W
B Y Q B R O S A R U G O S A Y A U
F I N A M B U C H I N T A K W B H
Q F A N C G S H D A G W Z O V I R
Q E G Q A B L T A B X R V C Z Á R
E S Y W G Z W C I W F L H B H G W
H T S B S U W E P Q W X Q B C O B
B U L A M P A W K L A R L F U N K
E C Q B B H H H G P H T G K X G Q
J A A O V X U C Y O M W V N I A H
V A E S U G T Z H H B D I R Ú F Z
T Z C A E M B I R U Ç U J M D S I
X U F U R A G L S K T N S M E F Q
P L E I T K R H R A L T O S H C R
Q F W L N I Y I P É F E L P U D O
V A X Y N M N N A M D D D A M I L
K D J Z R Y X G H K D Y W X B I Y
U V A C A M C R A U I M Q X O Z M
D B Y F P R U E V Q D E U G L Y T
L S B B J D G U A X I M B E D F J
D L W Z N R O M T A J R V T T M B
```

228

```
E I J Q A B B S T O S A P Z F A J
E N M G N L K T S U R U B I U G M
C U O W F Z B T U F Z Y A G C C I
H C K R S Z Y A L Y R R A V W F P
F I F V M C A T T K R D D C Q W F
T A G E T E S F U R C Á G A D O
O C Y R Q T C N P G O Y C S W W N
P Q Q G M N Y W N D J Z L E G P B
W O Y M F M Y A A B G Z R N J U S
A A Y A Y P L Y F M K J V E K I F
F P Y F P A P H R X D Y W T A C L
R G V V C N S N U N U S Y A Q L O
U G U E W T O H T U B H R X T T R
X Z Q I M J T U O O F P H H T A D
U Z Y H T Q H U D Z Z Y B S H S E
B B S U B L G B E V R T W L N V A
A F G X G O X T J U I X O I T L N
I U A D Q M R P A X R F L P N O I
A A R S I I F E C Z A P W Q V G S
N N E C N W P P U R J R C S U X Z
O R A A C C N E I L T J L J A T E
Z C T G E H P V N A C Y C H J Z E
N U I M L E K A I V G H Y N M E N
H Y H S E U W Y Q L Y K C V Z U N
T R E P A D O R Z I N H O G K F A
C A R R A P A T O T A M A N D U A
```

229

M U S S A E N D A R O S A C Z M N
A B A W P C P C R S O Q B K F V H
R J N Z S V K Z D B E H W F E Q G
I E O R S A R O O S B W Q S O O T
A I G M D G J U P J O H T N R V I
S Y U Q Y U I H F S S L P I W H E
E L Y B S A S T E M J B E D U O T
M O W U W Í A G N U V O U I A F I
V U T U Y G I U C P M O Z V O H N
E R J C G U K Y Z I F Z G W A U G
R O G Q P A S X L D E B G Q H Z A
G P I K T Ç I A H A M B E A I N S
O R R Z V U X N R O Z Y N Y E R T
N E J V J U W W R D K I U Q R V I
H T V C Q Z A L Y S I L Y I I X R
A O H Z S L H C G K Q N B E S F I
M A C K G E P I N H Ã O H D A S R
N M F L Z O T W O C C O U E D T I
L H K X F A L E T M B X E S I F C
T A P I R I R I C C X Y S S N R A
B O I A C I C A F A U L G G H R A
A F E X B B Y X Y N P Q T I A Z C
H X I Y R A L T W K K O B K K C X
T E A D Z L W L G R M L T N K P T
L C D E O T C S N Q F D K E E Q R
D H C U F M R B A L K I D B S K Z

230

O G N A M A L O Y E O A M C P C Y
H P T H C V N G S W N A I C R B E
I G T R S L O V G I B A T Ã O P C
I M E A X A A H U I R A Ç U T A R
J P P T V W I S G T F B C Z O U B
W P P D R R Q C A R G A N A Z S Y
U B M A U C Q M A A I N S M O A H
Z R S C P S R R O N G H V W Á N R
Z K I K X K N Y M C G C L J R T G
W N G E U I G C N K H A X H I O R
D G N Z V J A Y X P Z O G X O N X

231

M C V W T Á R S I O L X C E J P S
V F I T I M B A Ú V A G B F C L R
U L X H I I G Z E Q L K H N F C F
O I H T O K L U C H D T Z P M M J
F O A T R F G O R D I N H O H W U
N R D Q H N K C G I X B I X F B Ç
I V F P A P E G K M C S T F Y P A
N G R S R F J Y I E M P B X W A R
D V U R H T R B H B L B J E L V A
M A X F Q Q Y R X Q Ã X S X P Ã O
P A U D E L E I T E J O H A D O I

232

W S C X J A C A R É C O M U M T O
Z A A A D J A S M I M A Z U L A Y
J T V R S X Q N N B N M M W C J G
Q R B T S T Z C G Z R A V A C W G
E Q N P J X W D O W L L F V R C W
Q M H X K A S U G B K A G C B Ã L
M G Q U T I T Y Y N R K L V E P O
A F K Z W E B J Z B D A J X Y Y Q
H X E N T G V E O K J K D G J P C
P H F V C A Q C H U H M R A C V V
X P U W Q L U P S H M A M Q G O K
R G V Y U F B A O B M L V C Y U O
Y M O X Z A K G R G A O W A E G A
Q W E E N C Y W X I I B G L N B Y
Z N U O I E X N Z J C É B A Y V Y
G F U E W D N H Z G S L M B A A S
M D U B W Á T B B X U I A U I V D
O T U D Z G L U N D X A I R P E G
U E Q C R U N L A A F A P A O Y R
R Q M W V A F C D L C Z K E M F D
H S H M T Z H U O C K U M B B J E
R J S Z S E D N A B X L H I E A P
J A R A R A C A B I C U D A I Q Q
C E H E C P T B K P B O W R R H F
X Q V T E A W Q X M K Y Q V O X K
T A V W H G X K X F P K J F T P G

233

B M Y G R M D G I M D F O U S V E
A C V J I C U U R R X R S W T F T
L M A V C O A G J Q R R I S I J N
E E R Q L I G E E X H R L O B U J
I K E A D O S Q D L G U X T P Y T
A K C C C T K S I L Q O Q J J P Q
T U A K F E J Z E T V V J V P E D
R T D D O H D M V Q F L K H P O D
O J O K Y G L Y I W G S J Z W J U
P O U W P F K R K B W H G W R B B
I I R M Y C Á S S I A D E S I Ã O
C T A O M T F K W Z B P M T L P X
A I D N W H W I J C L N H C R G O
L C A L C G A F A N H O T O Q R U
J O O B N O A Q L Z X D P K I T E
Z R C G R F J T S D O E G E O A S
U Ó B W V L A O C M E Z O N W T T
D A P T Z Q C Y L Y J D D Q S U A
G Z X P S L I K P Z O J K H F M L
P I J A D P N M A G F K M C V U I
S K J K W O T F L N R W H O I L N
P M U P G B O A V B S M K J S I H
S A G U I L E Ã O Z I N H O S T O
T H M T I L Q D V D T J A N I A R
M L O R Y A T D T J J Z V Q Á S I
S A Í D E M Á S C A R A P R E T A

234

Q Y R Z O G M C H O L V D O N S Z
R I V J N U T T T E P X C E V R Z
M G O K I U T O P R G H W V I N T
V W G Y C Q T Y Y E O J H P P Y A
S T R A P O E R A B A R O X A G C
G Q C M R U Z G F Y H R U P S R H
L A A O J M S M E Y O A U I E A I
Z J M Z X H R P Y T E T P Y C L D
O L R V Z H K B C A N E L I N H A
D Q R I E Z O S W H G T A Z H A V
E T Y E N B Z G L G B D N G F D Á
O X Q G T Y F I N C C O T F C O R
D B E Z E N W P P O P E A E O C Z
R I O S M H F Z I E O S A J A A E
C U O E B M L R P T C G R Q N M A
S R A F I E E A I B G U A N M P T
J L B S R W C U Y A U T M V N O B
O C G F E T Q H R N H J E B S F O
X F R Y I I B I L P B W R I U X Q
W M M B R R E D E D G W B I G C M
J G K E A T A R U M Ã T U I R A A
K E P B I L I J I C I D R E I R A
L H X A E H T K T Q A N P Z I H U
G P G L G F P J C T X G O P X B B
D A J R E A W H C Z A I S R D P X
C P R U X B U O K A B G C W L U O

235

A H F D M E P B K R B J K A B A E
U R I J E C F P V F K C R B B L L
S T R F A E S X Y N L E H K Q G Z
Q G W U W I Z B D E M V D L S L E
C F Q A D F S M Q G W X T B P D H
K C Q C Q A Z N Y A S X W V H O H
U B G J Y A D N X K L I R I P E Z
Z Q O D Q M L A A W T Q Z R T H A
A O D O O W Z N M G M E R I I R C
I N G A Z E I R O A H P E R U C Á
Z Y G O A M F S K B T L F H A A G
C G D G R T G A E R E A Q N D V A
R G M F O T H J Y D H D A M E A D
I U U Z E E T C U U I V V Z I L O
C I P E I M Q A N M O I D J N O D
R C N Z R B P B A R S A H M S M E
I O U G A E S V E T J D O R T A H
Ó P L A D T Z P H R P Ã U K O R O
I S T F O A L M G J I I V P I I G
R I J J C R U R L R U M P S M N E
K V G E A I X F U I C J L V B H I
P I T O M B A D E L E I T E I O H
J U T G P E D V M T K H E K R I L
S Y W I O Z B E O E A Y G X U Y U
X X K Z X A G I J A E W K O Ç P K
T I C O T I C O R E I B N Q U A F

236

A N G I C O R O S A F Y X G B J P
Z M O A A B R E A S A D O A C R E
H B Y B B P M A K K K E F M I W Q
Z C V C U D N Y W W Z K E J P B W
I C R Q M A D C J Q L O P S M J N
C Q U J A E I R F L F H H V O G G
V S T C R H Q B F N I E C H E X C
Y C Í Q I C V M C Y X A N G A O I
C U U K A U A P W T B I I H C R A
C M E B P R V H Y Ú D A M E E I W
Q M U X R Z V V A U E G V L B I P
V F X N E O R C I S N T K U N U Y
M Q P Q T S A M V N P Q J U B V P
C S K L A M K L N Q K U I F D A E
B Y B U D N A I S P C Y K Q E C R
A W T C O M B A T E N T E J B U O
X V S N N S I S V G K J I U O R B
R A E H O C S P Z W R I M S I I A
J U G Q R X I E B N M N Z M C C O
Y W O D D Y M V P X M A O M O A S
J C G D E B A V F J X A Z C R C S
A L H O S O C I A L N K R H Á A O
C F K M T I S U C O L S S G H R G
W Y E K E W F G Q W Y L W N O E B
F L O R D E L Ó T U S V Z P E A I
W D O X K E R E E S O U C F J L E

237

O E I C J B P I G B O J N A P F S
E S E W O K E H B T R G P T G W N
K J W R A X A L D P S T Y D C O L
W E C C H N I P A W I V M M L K V
Z I P X I U F T Q E N K V C A B A
A S P I D I S T R A M U D H R Y D
V M T O O V F C K S F Í X R A X E
O Q C Y Y J I O F U A G L S Í J B
J P R C E C A B D K R F R I B B X
C B P T I S B R H X H A B B A C I
C A Z A P P P A T U F V M Z W A I
F Z M C A Z K C H N G E Y F H P I
V D K O I M L O R A Q I E J H U E
I F E M M T F R A J C R U C W T U
J B V R O I X A S V O O E X T U C
M S R O Y R L L S V P D H A A N Y
F L O R C A M A R A O O Q Y M A H
J V F M U Y L Á S T D C E B A P H
T I H P H Z A G D Z E E J F N S V
T C I T F D Q U V I L Z L H Q L A
O O R V O C H E Z G E A U S U H C
F L I T J X D L S L I N E S E F Q
I A A L M T H Y G O T B N E I E V
P R J I O C B L E W E W V G R Q G
M O Y D R U I Q K Q F R I S A D A
X N R L J O R M A N G A R O S A P

238

M H S T Z C O T P X J C J H R L V
W H U U F P M V W C K X T I K K D
G J A R A R A C A D O S U L K Z Y
U Q Ç A Y I G T H G J S O N I C A
A P U Q M F P V T G J H L D X E Y
Q G B G I K U M T H T G R P T N Y
S O O Y R M V I D J I E M Z M F H
V R I P E Z N B B V P W B R E K O
S K A K F P P C J R Z L M A G K J
V O A S I H K U T I Ê C A B U R E
Z P V F D X Z Z C H H D W O M X I
C W J K V B W U Y W A H H D S I C
A R R E D I O D O R I O L E B K Á
G P L H S O T Q M F Y X R T F Y G
L P Q I D G Q D A R U J Z U F H A
O M L E W O L U A Y Y V G C M G D
I Q E R V A C I D R E I R A G A O
D N X J V U F F V W C F W N Ç V D
X F Q K C X A G O E I J O O Q W E
T T O U P W J F U C G H M Z D I P
D I R N W S J T U R Y E R L H Y O
M U R U C U T U T U D J H Y I G Ç
S C A B I U N A R A J A D A T M A
P Q B I U Y H B T W H Z M X N X S
F T M S D X P I C W K F Q U P J C
N D V U E Q F O M X P A T R O N A

239

W C S C B E O F U W V R R Y C Z S
V L A M D R U D U P X M G F G A X
T X M V I H B Q B B C T H H N C Y
B I A E Z M S K J A Q M X H A E B
O J M M R N J Q E T W U G K E H R
K I B I V K M D E C R C I G T E N
V P A Q E E U E E E N M A O K I K
F B I D W N B D F N M Q A X P K F
S E A Z F E E W D G U Y U M Y E L
V A F P N L T A P O F P I O B X O
W N P C P N O J D T B X P M J M R
W T S F G N D R U R W H U O A Y D
L V B D A T Z R D W V X D G X K E
X R Y F N W V M M E A H K J K M P
J Y B S V H U L J U C U V D S A A
Q D A S T I D B G U T E M F D R G
C K S M W Q B W G Z C X T K P A O
Y G I I E T A J S T U C E I U N D
B I X L B J T C A L A D I O M T E
N F S O V G U I J Q J Q I D X A M
T Q U D X A Q S L L R A P A L C J
Y B B O I Q U I R A C G I R E I P
E H Y N Q H E P B V P O M V I N E
P I M E N T I N H A K Z V Q G Z Q
N O G U E I R A P E C A E E I A T
M Z P K Q J O P I A U P R E T O M

240

S M W V J S Z W H T X A R R O T S
V W W C C Q I I M H D X A O G I O
K Q X O Z V X D C R O C T Q A M D
C M L C W W L M A U I S S P L G H
Q Y H P U L A P U L A Z P D G D E
N X O G G I A T T P R M V C V T X
I F X J A I K R A T Z S B D I Q M
E J O Ã O D A P A L H A H O W Z U
Z H J B C A M U C A M U N F I I E
K A I L V I O V O D D A S X V A V
C J K P L I E E Y V O B O D G E L
G L Q C A B E Ç A B R A N C A M C
J G X C P N H E R G R T Z A X T S
U G M I V J C F R V M Y E C R O N
V V U S N C S E O H H R H O L V B
F Z J D Q J O N E X J H O E J R O
S W A M G H T B I L A Q R H M O M
D T K O A P O Q R Y W A A G R N D
R W E X R H A N A A M N S T O K T
C F U O T W G P Q A J X F E B Z T
L I R R U E E V U E U E J H A K I
P F G Y G M Q A F P H Y R M L R K
K G X F S N P N S P Q A H I O Q V
A J P J O Q O I Q M X Q V I C M S
L H B X O B E X S Y D T K E T O Z
I N X B D Y Q X X P X E I U J L Á

241

242

243

244

245

246

247

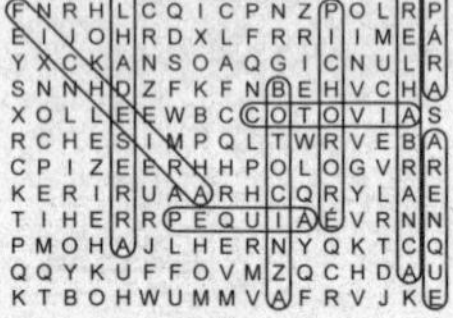

248

249

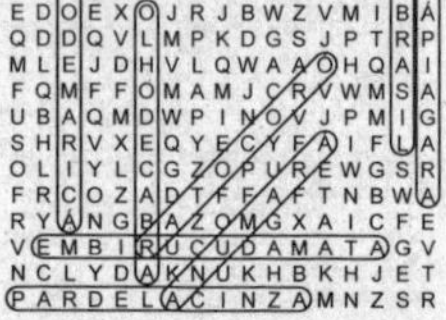

250

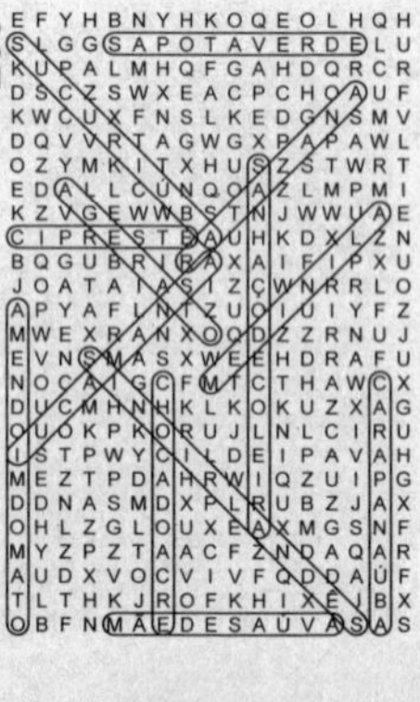

251

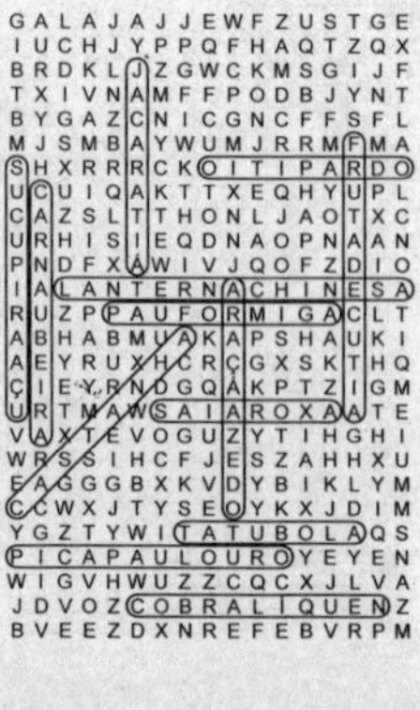

252

253

```
P W B A M O O Q F Q W S P M G R K
G F X G G C Z R D P R K E N V S M
U T L R E A L I T O X O A N G S R
R R S A S S A F R A S R A J A D O
H D B L L A G O S T A E J M L D X
S T U H E I C S J R I I O I I J I
X B Y A O X E T I Y R G H O N L A
O I L V Q U F J A M A N T A H Z V
M R R O R V J A I S A P U C A I A
Z E H F K O U Z F W L S Y T V T M
C C I D L F T M W J U P D U G T N
```

254

```
X Z Z F I M T X Q E C W A V A H T
Q Z N C H K P E T W P I N I N G A
M K O W Z S P O X D O A N Y P L E
S K N I T U E W Q J B A X U Q E R
Q G C G N Y K V S Í N I B B D J I
H H W O S A Í R A N E G A Ç A D T
K J J X I T S T C N E V Y V G S A
W F H G F K I V Z A O Z N X B J O
G D Z S A C V E W E B X E U W G R
Z C B X O D U C S L I R H L E W V
J Y C M C I M Q W A K T E C U F A
S N G E Q D C D A W P I R U I D A
E M G X V I R W R G E O Z Q V X V
M G E C F N H T A X M Z P M M A Q
P K E K C P F P Ç N S D B E F N I
R C U U S A B I Á P O C A I M W I
E Z G L N V X M R A P H Z G W A V
V G R X A Z G D O D R S F A Q X N
I G C Y Y F M A X A V B S V M X J
V Q W C E B E M O Z E U V I H H M
A S S A Y T N L N P E I Z Ã G I L
V D C G C X H O A P W P Z O S W F
F T Y A A O R X J N D N R R G N O
R R R R I S I Y Z C D A X E G T H
P P H R L O W A N M U R Z A G C O
T M W A V N F O Z B J F A L Z O O
```

255

```
A Y K E Y B G Z V H J E G M B W D
R I G D G X O B D K M R L G E V I
V B W T B Y G B I C H O I T A S A
O F A L S O B A R B A T I M Ã O B
R C Y F P P H A T U X Y I H L E O
E O K S U A Z M X L S L U Q D L D
D B U J E C P F S A C F I C S L A
A R N D S L H P H C M K P G N S T
P A X A X Q A I S D F G G M I N A
R D C T E P A D P F J L M Q H V S
E E C O D O R N A A X D E U O C M
G L K Y R T P A D L M A L A J T Â
U I C G F N E Z C M M Z U H C R N
I X X Y O D H P D E I V E Z O C I
Ç O F Y U C E L W I F O I L S A A
A N U V C A J U M R L C F U A L H
I W G X U H U U G Ã G E Y D N A J
A A A H E E S C N O V L X B Ã N R
O D P D V I R F L U G D E J Z G B
U K S M Z L V D O A O X I F E O V
A Q U N D I I C C P R K B C B U U
Z E N N P F K S Z D R A Q B R R J
G Y W Z M A W N J G J X Í S A B S
K S W Y A J P H G J Q U V B D A B
L M P P E Q U I A R A N A M A N L
O J O G R I F A G R S O U M E O P
```

256

```
B P G W L B Q W M V N U E X V N G
O I H R Q W T H O J C D V R F V D
I R R I V Z F G B H A B X I Q R D
D A J I V P U R U D N F X D D P N
B U I Y B O X R U R K W T P S P T
E W O X N A M A F T U W U E B I Y
G I L C I F S A C O W G I Q W N M
Ô G S L Z C A P T B X P U D L H X
N A G Q J A W S Z Q N M T V E A B
I R I N A M B U G A L I N H A D D
A Y O V M B J G É R B E R A P O L
N W B R S É B F V S N W K G S B D
E A H E X U P R Y P P Q U Q Y R B
G B N I D A Q K I P K Y H L O E W
R S O I Y N A X Z A Y Y Z I F J J
A V R A I N H A D O A B I S M O A
J I L T R A U S W J F F F W D A S
O R E M E Q A P W W V B M D T W M
N I W Z A T X E J S E L F E G C I
U E C H E V É R I A S T P C L W M
Z L U R O I I X O D V A Y S S I M
F T M Z B A N R G V R P P C T I A
H J B G I S P Z W R N Z P Y Y B N
T D J J N H F U A S S I L K T V G
B F Y B G A U C H A D A G U A A A
H I D F P H W W B D D P E C M M I
```

257

```
F O Q K C M T S U W D I S K C T O
B T J M F A G A K P P Q T R N T Y
Z E V O H R R O L X U Z P V N B E
I Y H M M I M B D S U O D A B R U
A E A Q E A K Z U C R G S D L G N
V I V V G P T E U J H U J E A E X
U Q U E Z E A G Q F A E R D H O M
F O W X E Q M U C P L Z F A A M Y
L R U R U U A R D M J O Z L J I F
M K C W H E R R J E D G X E E Y N
A O Q Y A N I Z I G L U Q I V R I
N E A N G A A E T W A E H R Q X A
J C T B Z W P H M A F R I O I P Z
E J X N Z S O L A Y Y A H T J R M
R I E A I N B C J P N B M M E A T
O K O M T U R H F J A O E P X F S
N S O Y A Y E A A F W D D R E Q J
A O Z L U L I V E Z A E I F R T N
S A N Q U E S I A M H F M O L Y W
H V D U T J E D E W J O W U E Y B
C L L I G N X N W Z E G G A N B R
Q S R C U I X J M P C O I Ç X U R
E A N U J O W K P N I S U U D L X
S H I K P O A L B N K R N B F X J
C P W R D F P S F O N B U Ó Q B T
P I M B B C L M G Z I R T I J B Z
```

258

```
P X Z D B T Q Y H N Z V O K J M Y
E E M X T Y N G K X D S A R B I V
U C I E B S M B Y X Z P O B Q C G
F N N T Q L E L P G C A P I X I M
B S F T O C M Q I I O P M L P I Q
D M O W Q P B N X C C Z W B R X S
W K Z T Q U I C P A U D E A N G U
N C K B O S R N B N Q B P H M M X
R S U G D J A A H V N I S Y P A M
U T R T D O B G R A O D E G A L O
G W R M F U R E V P O C U D L V J
Z N H G S Y A X Q D Q F L L T W X
X A R A B V N U Y Z Y I T N U P T
Y R X G S E C D P K S S G O C Z K
L H O K B L A A B E T E R R A B A
U Q V Y J C Q A H N L I A V N S C
J G Z H R U K O Q L E N V B E G F
E H J P W U T D A T G A A W I P H
W M A T B A I E E Q D M T U R I S
U A T Z M F R B V E V B A Q O P L
F B P A D O M O G K Y U Z C T I P
R J R C B O Q G T Z I G E O K W M
G U N I R R U S O X E U I A R V U
F R U T A D E P O M B A R L Q T U
S I O D Y P V Y R V T Ç O J A Y S
P Q Q I X M I Y E Y X U N D G W R
```

259

```
C I D R Q I L X R M S V C S W G B
C A N Z V X P Y A R K D E C C M O
B G J M J P S B P M W X I Y H T T
A V V A U H Q Q C B P Y I S I B O
T G A Z Z O W A I B Q X U F E W V
U T I É D E B A N D O E C M N U E
I D L T O M I S Z H N J B Q X T R
R K G F Q S P R P S U B B D Q J M
U F Y L M L N G O R V A M E Y R E
Ç I E T E M Z M M C Z N D A Y O L
U G Z I W M Q I C X K V V I Z F H
G R U V U G C M I R N E F C U Y O
M R D W H P I O X Y B E V O Q D Z
M P Z F M Y O M V M R Q P W T O C
G R A N D I Ú V A N I E D C G E J
O H H K M Q V C N R X K P O K B D
S U M L M G A W A X J V F J V V S
D X H U O R D Q M Q R E O W H R A
E Z H Q A V G R B B D O H O X Y C
R U M J H M G Y É U D W E N A O O
L Í R I O I M P A L A M I E E U D
R V P Z J Q P P Z V W S X B Y P E
W A R A P A Ç U U N I F O R M E B
A O Y F W L Z N L V Z Y I Z O F O
C H O R O R Ó D I D I R O C A Z D
G O R R O D E V A S C O E A W E E
```

260

```
A F S O Y T E D L K L Z C M O M K
V D W H Q I V F I E X N W L W B C
Z V V H A D Z S G A I Y N A F R L
L J S U A B D O O D L K Y T D B X
X G K T U Q U E P I U M W E E E V
N H B F L S S Y S P U C S S C I M
E N V E M L W Q L T N W I O H J F
R U U N P U Q Y Y Q Á G Y U J A B
U C C O T N W H F W W T T R D F I
B K P L U D I L L H O H I A M L C
D H A X I A D G Q B T S T C O O I
J B W A R M T C R H F S I I E R G
X W O N G G T B T S O R F N A D A
Z T M G R Z S N R A I O S Z L E R
O V C E G U H B M R G X F E I C R
V Z C L S G R Z I O K X R N G A A
P C B I K I X U F V V U L T G U P
L Q B M B S S E T N X E P A C D A
P J Z L D L D H W A B C A E B A R
N O Z I B A H B P K U A P O D D D
D L S S D J O A R M N G A U H O A
T Y G O N D G Z K N G A R A C U I
Z C R U Z E I R O R N G A A X R Z
M U T U M D O N O R T E T H N A K
V C H F V F J C Q S H W O Q R D U
V X Y R I C J U C Y Z B Y E P A E
```

261

```
J K A X M P Z Q R T W U J N W J N
W P M Q W R J N R G K U S D Q C K
A O O Q R X O H L P Ç F P E A L L
L P N A V Y Q P N A X R N I M C S
N I J N F W K O U G Y U L Y R N Z
B O O Q M E F G M W U T J R G N J
A K L E T M U S E A P O M N N V A
L V E N B J V Y J U C D F Y I A R
E J I J E E E E Y Z B E T M H I A
I E R T J K K H Q X O T D N S X R
A Z O X R V Y A Z K H A A U Z S A
F M A N É V E L H O I T O D T K C
R Z R R U Q U O O O S U N V Q E U
A L B O I A U N H A D A N T A M Ç
N F S T E B T F C C F I H R F C U
C H U O C A S A K I J V H U D A C
A H W E I K B D L E X Z G X S K U
A Y K L J M H G U R U C U R A N A
U Q J P A I N E I R A R O S A P M
S E G R S D F G Q B O K P U C F H
T E I O Y B X W R Q A S T Z A X Z
R R P R X I A N Ê M O N A T K A H
A R V U U Y E W B X A Z S R N N H
L H I M Q S C M F C I P Ó A L H O
U Q B M U R T A D O C A M P O R O
K A G U X U V U Z Y R M W A U S U
```

262

```
H N C Q M C O L N A H G L Y X R L
L Q U N O D G O L E X W X F H A B
F K X M B J Q A A P W F C Q R H C
U U I B W S H G A L B G D I K A J
P J J Q D A R C L B I J E F O L L
L J A A K K B K F Q A D I T V U N
K C C W A N E N A T A B E E Z C I
W X Z D P A I A Z P V U U A K Z S
B J A B E N J O E I R O I I U X X
Y F U A D G O R M H J A K P N U G
C T Y A B B T F A G S I A U Z O E
Y R E C B U U D Q F N C R E X M R
U T S U Q F R I C M E P L V P X I
Q C I I A G C L H D X M J C O F T
R P H R T I O X O Z U C Y U K B R
G C Z P U J K I R M K R N W S N I
A V T B G Y B J O B I A Y N T X N
R C G L C Ó F C R W A T Y V I Q A
I X I O R O O Q Ó C R I V U M U M
B S S D I G K M P A C Ê K K B V B
A N N Z N A J K R P B B J U O X V
L E P A L U M G E R R I L U Z G F
D J L K T M G T T G K C Z N I O P
L A S R D P J Y O F Z U K A N Q M
C N D S E I T P V G U D Z P H I V
L G N X F I C B F P W O F H O O L
```

263

```
Q W G E K Z Q Y X L J A Q V E T M
U Z H Z H K C R H S U C U R I T B
E B S T E T O T N A I O K X X D P
T T O C F G S I O P M G Q I D I Z
Z I N D U Z U M N K Z S A E W M S
A I G A N I R B C T X Z T Z F P A
L I M U L O U E N K E B D E E A U
C E W P W R C D K S G E S X R L D
M E C Q I F U I N H A Z R G Q A A
K N P R R T Á Z B C V P P O X D D
G C B N V W K N K A W O B J A H E
```

264

```
W G J P Y J W X O B D Z K U E X O
K U S P P H A J C M V G D H F P R
P A I A Q Q I C P H S C V A T D M
Z R I N U R G O U A S G L D I Z G
Z A J U C V C B S A W N G V P A C
Y Ú T Q D U A O X I Ç I X Z R W H
X N O Y T Z P Z U C Ç U S X O V V
U A R O L A H G U Z U A R A O P Z
J A C A R A N D Á F E R R O R X I
D U K D F Q F T E T R Q G A K U R
T D H A W N J A C A T U P E L E É
```

265

266

267

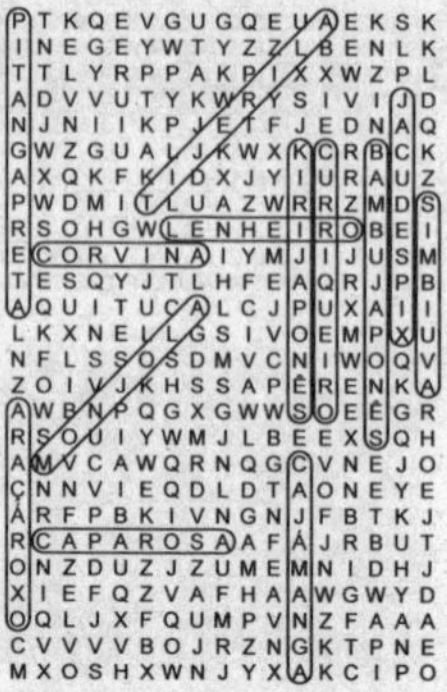

268

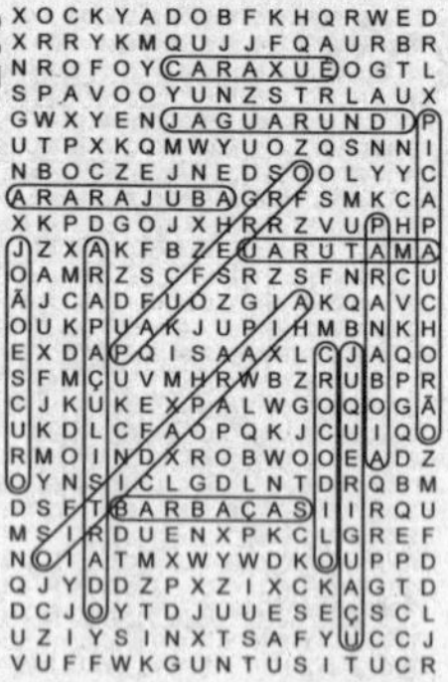

269

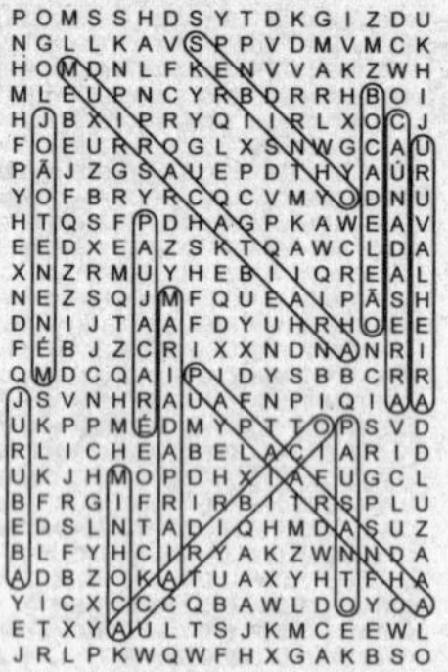

270

271

272

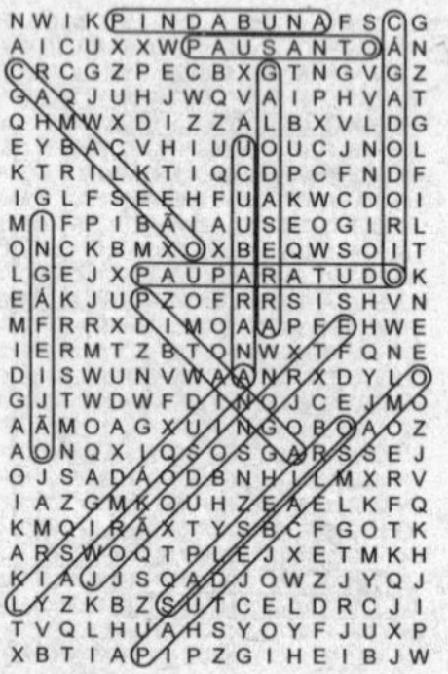

273

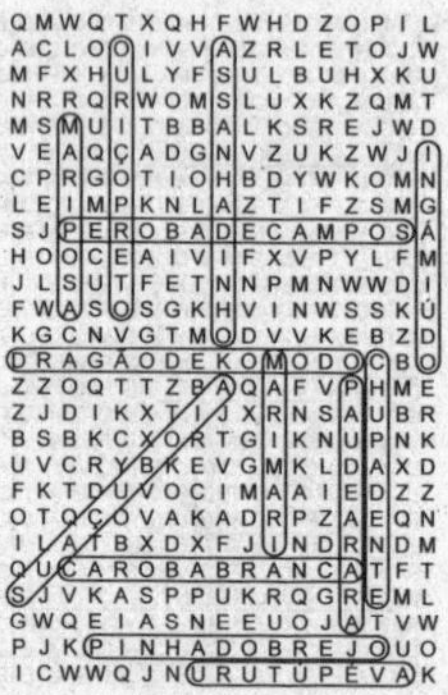

274

275

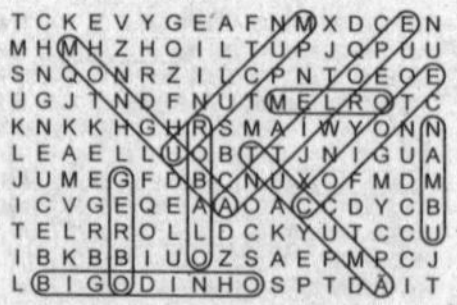

276

277

ANGELIMDOCEGTGYHW
DRZBNQDTZLWKQUSKJ
AMBZIKEJUDGZLDEFO
CNEJACARÉPAGUANEY
PINDAUVANRVBFSQVM
AAVBAABZOTNYSZDFM
RSEGDQCUIOTKSACDV
HNHCAAYLSUUTSCPQW
CNXZRTOIQFHOCSOQI
VHHEAZINCLRAOPPOQ
MLJXJQMHOEKDBAEFI
OXYKEKDOCBNARLVWK
MQSXNQJAYCNLAOIDD
BTJJOEIZIDOUBJAMM
ZHFLJNALUJGFAPDAD
RQQZÓLWJUXDQGKARA
JMXGXRUFHWFVUEUIL
VEEFXYZORHBBAZUAP
UBPOPUSDUVXLLCIPI
ELEFANTEASIÁTICOS
NDWWUIRAPURUBBABT
PIRAMBOIAPGOASMRE
LKARBEMTKWOCHABEZ
NSGYKVCWOJVIVFUZD
EQQHEKWBOHATTCCMF
LAGARTINHOLISOÁTK

278

BBFGQOOJWHFPGLHUJ
HOCGALINHADÁGUACS
OQTVALBVKPFTEBHAR
COXÃJMOWJFRHRAHPW
LCJMOIJPLSZZVSJIT
UYNJPDJUTMLSSGTXT
MFLWPUESEZOXARKIN
BQLNSBNOZRYBXAQNH
JTXQNGCPUXYPTLWGO
BZHJVAJCARIMNHHUO
AIQEVVIJVKOUMAOID
CNUSQITQUBAFICZWM
UAFXZÃHLVBXTNÁZGG
PJVVZOJQIRZAGNUQU
AAAWDUWTNTRKPCJLA
RZVZRRIWWBMGXÃCMX
IETIGUWFOAUJVJVKU
MISFQBUÃZCRLWWUDP
IRYEBUVMATAPASTOI
ÚOJAKRTXNHSREPTST
DSWYATCFTARTARUGA
OUCCNVXSOCTROWRDU
VIDBZUQRIHHOIDFYU
VFFIDWWPRDCLLZTYO
ZVYSDBRHCUYWGDGLS
SANÃDOCAPIMTLIOEA

279

PEIXEFRITOWLUKPAL
VCOBRAPAPAGAIOVLS
CANELADURAVKXSXFE
HTSRICJVCSUQVPZPH
HRXOHLMAEIQMZJJGT
EEQAGKIWGLTAAQTLH
BPPFFATMRLESLGNZE
EAFEGBNHIEGCYXRRL
MDXPBEAGSXMIIFWOE
BEMOHWSLFQFDRHDIF
IIZIKYKFTORÊNIACA
RRXYJORITLFJOBTHN
AAOITIDOSERTÃOXOT
DAURDVGSOGJOKAWUE
EFGDIOSDXFYOSHPPM
SRMRUZRECWLEFEKHA
AIVCLZYOVGVHXJAQR
PCIQCUXVWGJSEOUKI
OAGQPBROZAJVGAXLN
DNGFNFHSYUQLYKUAH
LAMGJJYHACGTWAVEO
DENDRÓBIOHYZKUADP
LTAMANQUEIROQODTT
QRDVLDSYHNCUDWWDC
WKCDBVXSEHIDVTMYP
WHECOMLFUOZVVPUMV

280

ROSADEGUELDRESSEH
YSOOCPMJNZVIKITNB
JWFQINVFBTLAKZWPX
LMUAROASWCPEPRAOE
SCLMLORJHZXKAPEXK
WSPTLSOJHESWYXSEJ
LXKHUEOSMNOBXZWSZ
FQBONFITYUUMHFWPN
NRTMOKMNIVSXZCPII
YNADIAIRMMEKYLINM
TOBKZRYDKVBZMWNAF
ESOFCKGKZHCOTUHFE
QECQYXQERTHYSJARP
UVURYFBJLIYLHGPEA
KLVPUIGWDHPBNCEPT
GBANXXQDEJNADIQCA
YIWJMVHSVDRBTGUUT
QBGKQVGHDILWKAETI
OIBTVKDTPXXAMRNSV
MRSYHKHANCEEQRAAA
TAACGWRSOSVYHAHIN
WPRNRIELBQMMGBBCS
BENGUIADOMARKAUAC
MPDMGJDOHPXXDMLNY
PÉMIZNGSFFVNXBBGW
PCAINANATEIUNUAAH

281

FORMIGUEIROCHUMBO
RWCPZKPEACWQLABWF
CTAAVRUSJOHRURJHU
PALUBMSXZRZGKOZQS
UYRDCUBNAATJNTYXV
JWLETCKTTLSFCRHDX
BMOFBNYLEDRQFBFTK
YZROOAVTXÁQHRTQAA
PJQRJVDZYGZXHLNCJ
YWUMIBGUVUJNQAICJ
QRÍIFRJSRAWYARPNT
EIDGMNVEZATHTNLAL
SEEAYJXBQINEBTSRX
EYARNQYCLILVDOAAM
PZGZWWYYXELJCVBÇF
NVAZOLPIAQGJOAIÁJ
QPRTHYTIZPFJUCÁDH
IQÇRGRUVBAOZVUFOD
GIAQAGFSHUVSEÇECK
GQMGNQJKXPJCCURAQ
TRAEOLBZHERZHXRMI
RLWWGXMKYRMHIOEPK
YPHFJEDDUENKNDIOC
UVTTOPLZFIPEEÓRLQ
CAÇADORACRHRSXOOF
HKEXMYKAVAXHAFOWH

282

RDVSFHZCWPXXTSQJB
PQICFRDHRAMOSTDAA
NFGAAYOXKUJJQIREV
CNLLDMFDISIEUDUHP
AAHAVLSRGAGYIAALE
XNNNUMRUZNPKDAZAD
PSXGGNCJOGUOAZGGI
OZAOAHBLQUQÇANIAU
RZNTULBPHEAÁQGQRY
HOTIEIHQSCBMMMKTJ
XSOJXACEITBSQJTIO
VURIEPIPIXHFLGANT
QXRBKDAFLRZZQHNHH
AAÉULHXFYCORUCGOY
DAIMLOCYTÁEGWIALI
XMAAEVWFASVWJBRIT
IXREIDOBOSQUEAASH
QGDRAGÃOZINHOJZTW
CLSJAFHVFAQGDUIRU
BEYKRIOFAGZFKRNAH
XSLBDYXCIRQQIUHDD
AUODVCASCAVELVOOB
ZTXESJJTGNIQZOFIK
ICBJPUGBRDRPMCYOM
OOQZEVXAPETVNARWJ
YFZJHIIRAGLAONEMA

283

PUWVKMIFNRXKFBXXO
YTWKFMYIPXFPAMIPH
RMMGAPQANCOBWVEJD
SGAWWLUXOPÚDCUGIL
OEMNXLQCUETUGJFWO
ZCGFDSZSRKFMKBBWR
JOGABAKACIPÓVERDE
CDTAVVCOKFYMCQJRR
HAJKIAEAYIBLDLWJS
OSDEJLMCRXTRJRQTB
CCIROQAYCUBLWVYBG
AAIKHWPRSARKGKRKW
BSOMJIYEDWISGTBGR
AACUNKWOEIBUSKLEY
RSPXMURSIDACSTCNX
RDWCCIEKAABUQDDGO
AGRJETAOLARRIIDIO
DLALNJBVMSIIKHEBG
AJOMJBHVAPLAWGSRB
XIQUVMTUNHHMWYCEU
VGYSUGWQEOAAGOOCQ
XLJVRTUDGMNRJFROQ
BSJMYRIARZTEFZPNL
OUREOAGUAZELZLICT
AROEIRASALSAOXÃHV
KSDKHGCEOTLIALOAC

284

PRMWXCABRIUTINGAY
BQMSFRPFHNKRCHCZL
CVNMMMGDGRUMIXAMA
PRNDATDSIKAFREFGE
PNALRUJLRVPUUEHYX
TOLLGWOWLRZQDQEWA
ECFQOHXWLYAQMIWBG
JICQNDGIRDKDUTPOK
QQONÇFNYEHLPNGACJ
HSLZAQVPWXBDXZRAF
HIUFLQMDPMWTQJADX
CBVSOAVSYDSIOMPEU
CIMQHXWRXHURHBALG
MPRCPVMBTLPIFOÇEP
LIHOLIRVFDGBQGUÃJ
BRQZUNQNGJKAJVROV
KUWLMPGDSCMFPQAWP
GNGEANRDFIXOROBWY
CANUDEIRAUGGQHURN
WJRIEHYSERFOKNDUT
ZPJUNROEJGTSGJOSC
DURBÉNHICHOCALISA
HHRUVTREDHVJXANÉQ
FWICORTICEIRANDLC
BUSHAGHQTKAJINYIH
VJVJMHCLORVQJVRAJ

285

RGNSTTPAVNKAAOAKY
AERHBSDWUIIBÃCVAG
BLWABWEYRAERNVJPJ
UEAUNBRRDTUIMPCHT
DFTMGOENIEPWLAERC
IABJYRIVFEOXIEFLM
NNJFSPEVHZMUZRMIT
HTQHZTCUIBGASOLAZ
OEESILNWVNRAQUATI
XMOVMCYCEEHHDFBAK
CVBOWXEOLVBANBZGS

286

BRBTQEAARJATAIUEN
PQDRVOPGORILAZPSH
AWTAWRZEWCITDDQKK
CRUZAJFEFBCQMUWPF
QLPQAVACABIJUPIRA
ADAHXVSGYNXQLINYC
QBMANDUGUAÇUVTSPF
MERGULHÃOAUPIOLHO
BEDVEUCYXERVSMKYP
BOVBWVSXDPESOBCQK
KNPYRDDTDNMMNAWYM

287

MACUQUINHOQCMKDPV
UYONYLBEFNYSAPFGD
CTEGOGKNGRKRMJTDF
VQUZDXOSSIYFEQDKK
JNCKRJUMOHRRNWEKL
FFFXBYWZLHBLDJSRA
HZHZETTEDGKWOHTUG
LKMJJPYTABPWIBRRR
OFJTVCJKDRKUMROUZ
UCOBXPAEISIWFDFCL
RXMDMUQDNTLBANAUX
OUCFYDYXHVOKLGNDG
AMVSWWHUORJSSSTAB
MJZYLZXIGGFFOUIMR
ETLYEASKVLTKZJNAI
RZSFVEFQDXIFVLATP
IQCACHALOTECVEEAS
CULPLBHCSDRVÍUZGÁ
AELCIFABURMUGNKKL
NTYAKSYLZVWMKOIPI
OETWLMAPEDVEINSAS
MDAMADANOITESNZHJ
ROOKTLIBADARMFSTL
ASSGRGGWHGGFAVGLP
RUAVORDYGUUDIZJAD
OLYFLXZHAZLAONMLA

288

HSHOZOSCFUDYNRPZC
IIFRRJVUNOIPEMYYO
PPSORVINHAZREAXCM
ICYDPVMBGCBUPRIQC
WGOCBDUTLOSJXVEVX
EOIRZNBCPHBWGONUO
FIRBJIVOVRMNHRYZV
BACFGGÃNCYINHELTX
LBPNCODJALIMVDTPG
IALNJPUULTBEAOVAH
BPQFRLYDADDIZVUEH
HEIWENYPNPZZTIERE
ZRBOMPAWGLLCAAZRJ
DABWDCETÃSLALJUDA
NBATATADOCETDAYPQ
ZXRVQESOUNAIRNXLF
IXOTSUFTHGARATZKF
JTXNLZNYEIMUBEWXJ
HNZWPJTLFVPMODWYE
TPETZXABBMBBDUSOD
VGYISGLLQEHAEGIZJ
HLSSAYITMZDVPUSPC
YPKRDLRHHLBAACUOA
SAIRADEBANDOLDAMC
TARUMÃPRETATHPPFS
SIEJHGJSPOQSALTQU

289

SGHNMRVRUMHYIQGJJ
JABGPCJXJLDXZETOP
PRATEADINHARULRJC
FÇNJQAMXECVKKIOON
VACYDKPSNBNZEDHAW
TVGABJHSCRJHTMVVP
DAEUFQPITANGUEIRA
MQUWJEPFMAPXIFXGV
RUWROFZLTOGTLVHPA
RENRXVWIFYJYRNPRC
GISGUKTQNLHRYRIOE
SRSQWYYEZHWQPETRH
QABAMBUDASORTEULW
VZZVTOELNTMIPBSIV
JIGSVPZSVBFQVXOSH
JDUIHHBQVAUEVCOCI
PILVPXAQIEEDTNJAH
EOZKIUWRLHAXDDIND
QHHMANAGCVHTPJOÇS
UZXISMHIVIGHCPDOI
IUNAZCQAGPFETNXFR
AGUIACINZENTANYTA
DORMIDEIRADOMATOI
OLWZICBEOUOGBLQAT
CBIUEDPDITYTOBYCI
EALJFCXZFVCYIVDAA

290

SAIRADIAMANTEBMBH
RNDQYRRJOVLSJTGAR
PLCQQJTAGLORIOSAR
CQOKSPGFRSAZFHPPP
IAUNBGJULPXFRXJSN
SABIÁCASTANHOVWLE
AMENDOIMDEMACACOG
RWXSMCEZAAHWAHOER
AMBUKHHSTTZKODVNI
RSRCVFPDLAGUFZSKN
ALGAUWORESQUILOAH
BYIENMQOPATYBLIGO
OYUYQSKFANVDZEZJD
IPKTMFDRULNNRFNYO
ANTCGTYHCFMAOWGEM
DGTTNQDRIKECCCBLA
SZEGHLFAGDYOYODET
SQHITWRGAYXAYNYFO
KLIIHBJXRFGNBSHHJ
SGHYYEIXRKIDDEZZZ
WPSZGTISABSUMRTJN
HUTORXLMAIVMPPCBW
QPRAOXQCFTKISEPQY
BUGUZUMINEIRINHOU
LATUCKCLUESIATLXJ
LESMERILHÃOMBEHVO

291

ALBATROZERRANTEPP
ROSACHAMPAGNEQKBS
BZPTEXRBGDTDUHDWD
ZDOWCXVWXMEFYEGFL
PYHHDVBACURIAÇUEA
WZHWTOPNSCEROHADG
TVCAREBAAMARELAPO
GSPUMWANPYIHSSTLS
LRKALANCHOESOFOAT
WKAQBMBWGIPNIBOSI
DXNMNGPDUQENECZVM
DPLKARNIMNFDVÁUEG
ZXHMAPBOEJAYSGHMS
EABSSURVJHGFAAXBD
UBVNOULELPDLEDJIN
VJNESAXOTKKOIOARG
SVIBRIFIVASRTAOAX
ABHOESYOUJGDJMPBY
HLCUCJDFOJTEEAMRM
YEECYIOPWNISNRLAQ
LIKJLNFTLXMÃYESNO
ZTYGEZQYNSCOQLQCQ
WEJOITWZCDTJHOCAB
LINRHUSANGVOOFHYU
PROHUYLGALCÃUFOKZ
GALKITOTACJOKCHDF

292

WALOBSRVKYBTURGVM
WCYCEHMPCEXHQXPSZ
JWMARUPAUBAGCATCC
SUARCSLNNNMPAZVAK
RVFHEIWMAJHQJQAFI
QZEGPPIEFTERÁOMEJ
RRLPSFATOAFRMEIEQ
CVAHNZAPWOSEIBHII
YHNRFUBPAKVLRCHRB
IODKFHCVAPFTIMAOT
SMRVMAECLIIMMTVOZ
PYABWUDTMIUNATOBI
FQCGPKRIAODSTBIAP
TCOYCAGTDBPKHOCNE
QQRWISUHEIYOQDHAH
XVASTCDDMSRWBBMNI
ITLMJBHQEMILCORES
VQLQACGVSCCJEPVID
EIBKBYAWTSOIEVSRF
RMCSOQTJREULBRCAW
FEKBTXLAEPQYHQCSA
RHCCIAQDGAMELEIRA
BIPXCFHZORVJVKRFT
FFARATICUMDEPACAI
CFWLBAWVTYQKGZWFN
TOISAPHRMGPXRKVPB

293

GAWCMYREEGSIWVVJV
PTHVRUCTXNMMSCUGD
UWEOHZQBVFHAAYXGZ
TETBKJYBKLSOJLARN
TETPUBURXAHWOANUD
BZKCVVPEQMQRTVTMV
RSZIHSFLNLXATQMIP
XMXELMPFBRMXAAKXU
URSOGBVDYAXRAPGAE
UFSNYOYMDISJEKFMD
WALIKEUUAFAISÃOAZ
LMABJUBMUNOUPMAWI
DOUWTUDDNBDEJQFLW
ARZJRLNBHQNIRQGUB
GAWUTROEWIVSOIBJC
ZVTLSLSEDRAOZCRPK
GEHHXJZOYLLSWMAOU
VRNUCTSLOBUJPPIMM
EMZESZPAUMULATOBB
WEYBGNMNCRUTCYOAU
NLHGXRABVAMNSJODG
ZHUYTEIUPIGMEUYOU
HAQODPENSTÊMONTCE
ZJUIQDUDHORXIYMAL
LIMOEIRODOMATOCBA
XMANÊMONADOJAPÃOB

294

CJSPCFSDOBMFPJIRB
GAIJMXEUBMOOQCIIX
IDSKOFIVPWPJAAYWL
SDZSQQXSMECBRIUCP
TCZKIUWSUVPIIANVM
ZYKJUAHDAVORCRXNO
LEVNHTRBGÍFOUALAP
QEHYJINODCCORROMV
ELIXKPFGSDAAAAPAI
REXWXUGZUAJPNCZMR
UPLMQRZIADCNAANTY
POVKMUSDZOJIWRRXC
BZIQGQSIGRMAMFPIF
RGGLRGWMNMHWAHVRO
AJAKGWFVZITBRIIIY
DEYJGVMDHDJIIVÚVE
UARAÇÁDASERRAVVFA
VPYZDBDAOISVMYABS
IYCVEIDSIRWRIENFA
PXFWRHNKMAVRRGENG
UNGGWHBMBSZOIRGNA
OKDNTIOTPQPEMURQF
MCORREDEIRADOMATO
YAGRIÃODATERRAKUA
RABODEBURROORRKBM
KKRZÁSTERDACHINAG

295

UCXSLLPMSFPRIJHNE
WFZKLVBZHWMWRGJFC
GAGOPETRELGRANDEH
JDDKDRUGWMQANSPFP
HXOJZMANGOSTIMAPQ
DFRHMOBXQEKOAJUAD
SYZAEAVIDJDDFTDLU
SECHNUDNHKAOLZEME
XRBGBHCLHLRMUQLIK
SKEOJFNHCMIAYVATC
BQGLDZWNECITYZCOA
OPGFPVQPERWODPRJF
IGOIABADOCAMPOEUÉ
PDUNRVHFKTGXAUEÇD
EGEHDIXHXNOWQWXÃO
VJDOSSDSKXXRCKFRM
ARECABAMBUAQRANAA
CVLOXWCXFCVJCUAVT
OUOMOUJRKXHAXIMTO
MJSUXRPAUXSXZGGKC
UUUMIOPDSSKVQFVDF
MMOSMWAYITTSVRUFU
EGFQSLGAQABYYPMBQ
TYNGMRCQNYHTKOHXH
QHMVDSVZZWPUQRPVU
PPIRBZTKQUDXCSTPU

296

YPNZTRXWRFJJJMYPX
KILXUACDAELLPUYHL
PNQNCCTGPKAEHÇPUF
KCAIUPILOJGMFUJUY
AUAGXZNPSROANRUMZ
QUSÁIMJAÃQSBSAURA
GZLLGIUUOKTYGNBKY
FGMAUKEFYSIENAQCE
NCKGXEPAFCMVMCQZS
XEAOOECVNBJECRZIT
ESPONJAAQTXXNUPNC

297

MGGHAORAJEIJTPRNB
ELANDEUTBATUIRAZY
QCOXGDWICNUAJQGXC
FCHPNSOTXHMMYHFSH
OSQALYQTIUJVYBSUI
JBMBATUIRUÇUWXAIN
AAOEEAAAVXZSMQHRC
TNRFVITYDONINHAIH
CZEKIÚCHKFAVJYIRI
BTIJGVLUNDDGLALIL
EXACCAFAWZOZHAUWA

298

GOIABASERRANATRKD
OXNJJRBDUOFUMWAWA
IHQYGBZTETXUIMBUD
ACZSRJUTFQYEMAOCW
BDRWKNASDJJTFYDBC
AYYSKZTYEJSRXZEVF
SNGSIUMUÇURANAAPW
IJRLYECUFYQSGURTI
LTZNMGMXPOHDGAAAN
VFCUMHGCIOFAZLMWR
ENWYVHCHLCDLEBEIT
SDITMSFDRAORNCRLH
TWZFWRJIRKTBEUUTA
RKUOWMCGESHZCRPXR
EILAPMNTEOLDCRAHA
VARAPACUPARDOITUÇ
LIVJSJRPICRSAOXEA
FKMIPUUAAOKIILQGR
MQXLPGQYOUPYGACSI
ZAGAGFQCUEMYRBPAB
MJRPCTAMTKSAEEONA
NIQWLWXSIHASRVEIN
UDACQJIIXHXFIFNCA
TWMUKREYAGCLSXIFN
KKWKTRTTWWBHTIHMA
CORTIÇALISAMEKYCK

299

CTTSIFGNUVRDYBZAM
AJXAFGUKKZOXFQALA
NOBBKLAEFNRAWYNDK
ELNIRWSCABEÇASECA
LMKÁTDSTUOXKYEPUU
AFSRVHAWWIAIWVWSZ
CRDUUGTHNLEARENTR
ODAITHUREISFPLVZO
QSBVHTNUDWQOWNSYU
ULYOSWGTHCNJQSASI
EJRLPAUFEDORENTOK
IIAQPJASMIMMANGAC
RTLABIOHCXINMJIJN
OYPEKLSDARNJYLCVI
IDNGWGIAFOMPDORMS
PPRBGXNOÉSPFCBDOJ
INOPHACADAKNOEAJO
VZZARKKYODBGNICZK
MPAUEZOCSEBRRROBF
IVÇPCWBEEJMWEABWN
DUHEAAHRREWDBDRDO
MQNOIXGHTRKWOAAOH
VMYEPONWÃIUBPMCIG
JPQEGVYROCLFEAEDP
XYNPKUDTXÓKPZTGKE
JEQUITIBÁREIAAAJP

300

RJXWXTFMCSUAVUXFC
NMGNZNYECOLNZQQAA
AEOCBOAYNIAUHIRZM
FWYHYYUCHXTOCRQVB
WCAMANACADASERRAA
QZVQVMNOLZVSXXRBR
LDJHSIZKLMARACUJA
OHQSHSATBDONDOQQD
SXKCLOPJOFGLWTDAO
ECHHDYCRUEWJRILVM
ETPBPUURWNWKBÚFKA
GRXAAOMCQQUWCVHPT
FTBHLIKSQHOOJEWOO
ZVDETMZHKYDWARMMU
RHVUAGEFUAUUCDKED
JDAEDYRIEIMZUACBH
JLOPTNGVRJIVRDCHB
FOLHADEPRATAAEGCZ
YSIUHDLZYWIORIKMN
VVJOAUOEJNAÇURADQ
PTIRGVIGBJDVÃOCNH
COBRAESPADAXADREZ
SOSBKJYQJQVGZYFXH
CVSFACUPTWSEGCAQG
SAITTRRECAVALINHA
EECAFSUWYITUADGUX

301

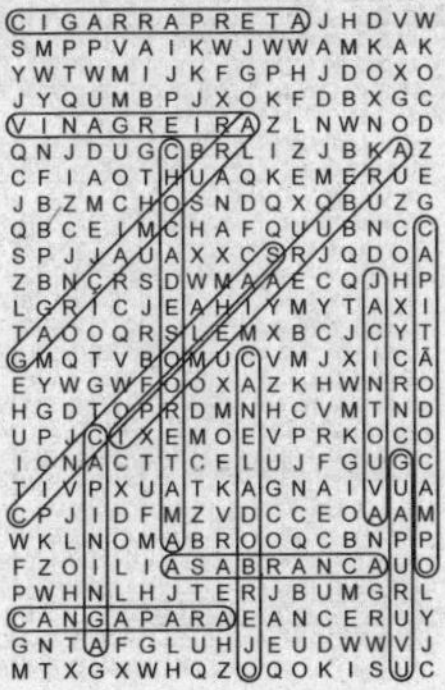

302

303

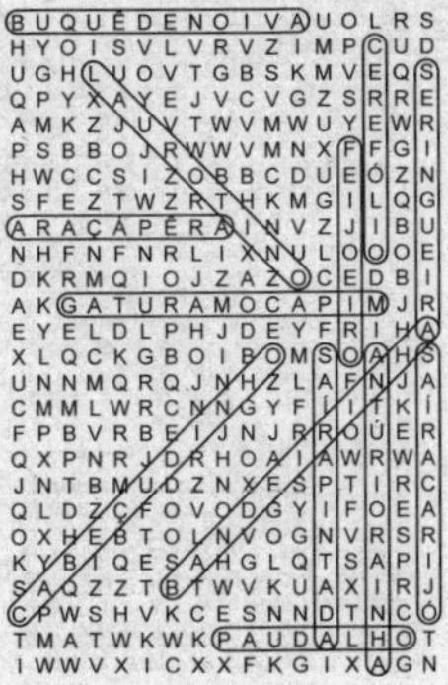

304

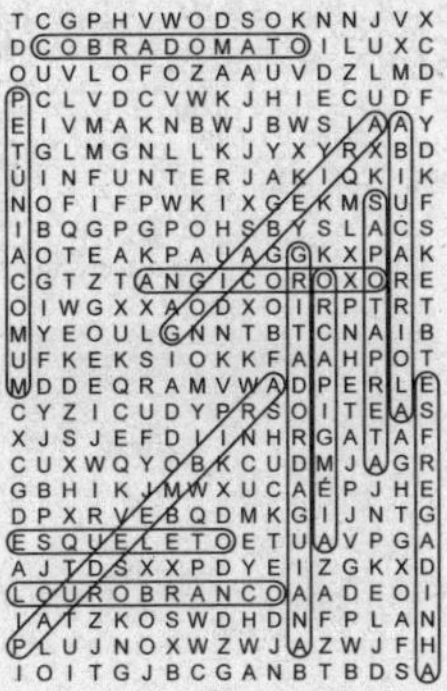

305

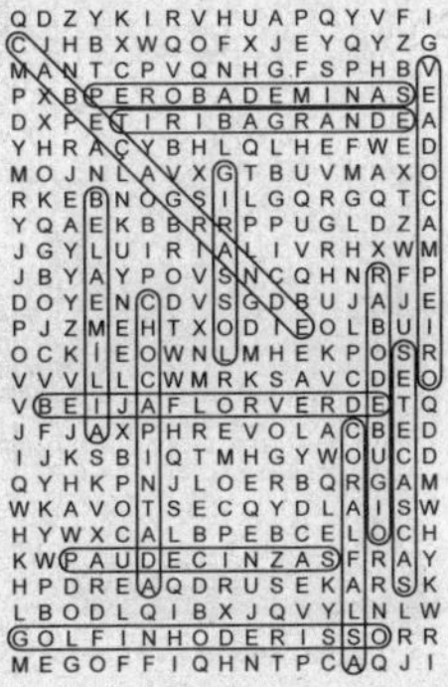

306

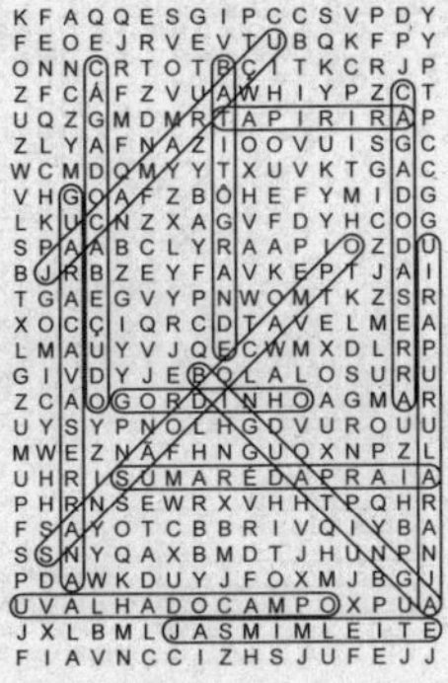

307

308

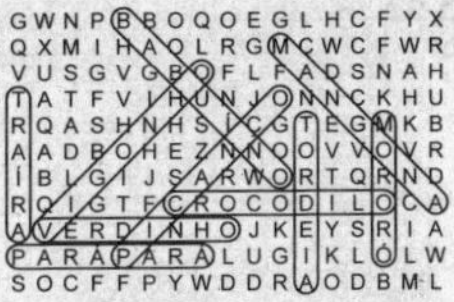

309

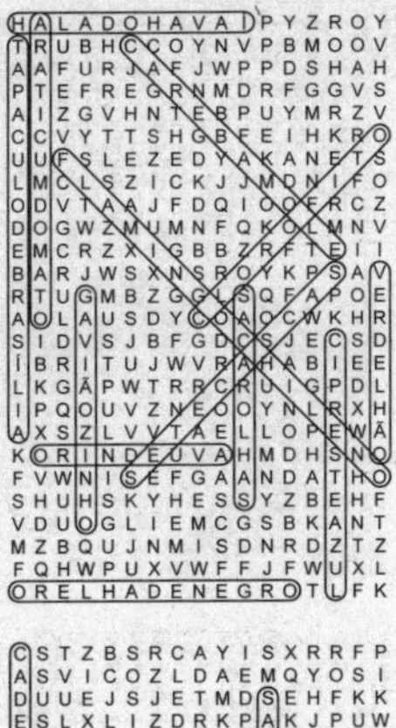

310

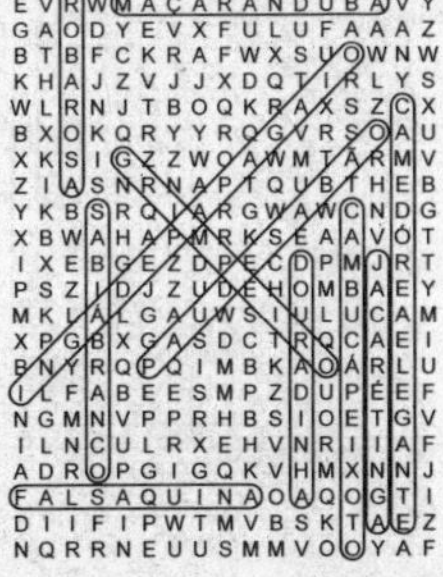

311

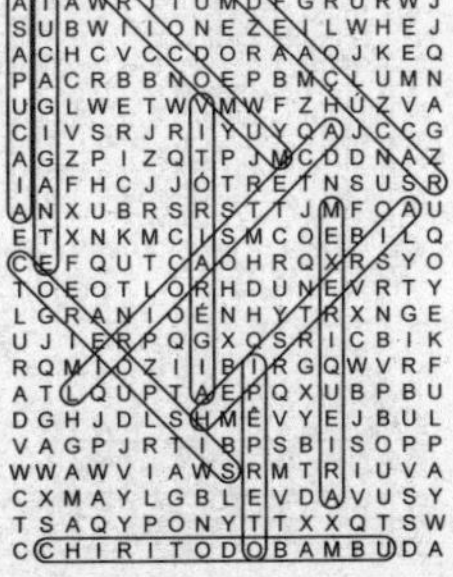

312

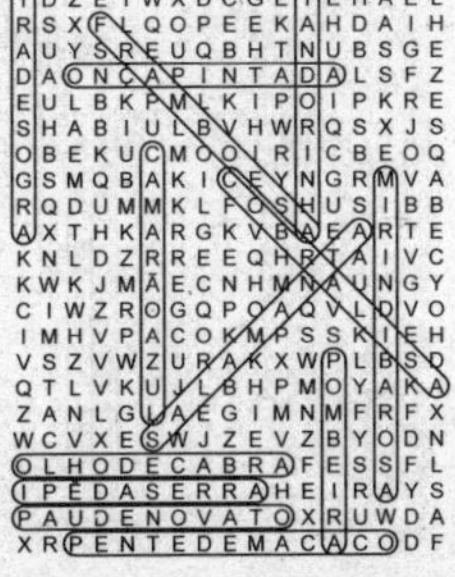

313

```
J I P Ê S E R R A N A J I Z V Q R
K C E D E Y J D T W H L W Y D M S
I P Ê V E R M E L H O I E N Z M I
J R K T Q Z U B Y U N Q X C Z L Q
D W X D Y O K A G G I Q B N F C K
F E B P U L G A K G R M N C T T U
L F C P T F J T C A J Á M I R I M
M Z Z P T R N Q D D X G P J O U G
O R X E N W N R J N O O R K K J G
G S Q J U A P I C A P A U R E I G
V O N W E J I Q L B I H E O M H Q
E V K G L Z L M A P R T H I J L M
G G Y O A M A K J Z I C R R E O H
R P T F X V K Q B W N A M J Q H F
S A Z I G B S W U U P O M C C S T
M R H B O U O V F A R Q S J E F V
U A Z Z L T X A R R K G R A S O H
J R X R F S L A U Y Z J N B K V A
C A C H I E U B H Z Z D U Y J B P
L C Q X N G E P T A J U V I N H A
U A Q A H D M A R I A N I N H A L
S N C L O Y S W Z U M O Q P I M C
K G L C F C V Q F R L J K C W O H
I A S W H C N L A J Y J I I C K Y
R A M M G G N O S P L R M G N W Y
C O B R A D E C H U M B I N H O V
```

314

```
B C O T N G I C E S P A T Ó D E A
B X D S P P Q X L O E C T M G N V
X T M X C L B Q E B L E Y U G W B
R S S A L G U E I R O D O R I O M
N H U X A J A W J F G R Q I K I X
G B K R Z N E C I L F O U C R F X
A E J X M Q L T B U E D D I U E U
I S I C R N G R O Q R O D R E B S
B V P L E I T E I R O B R A N C O
E M T T U H T C A H X R E S F V B
M T Q U B G L V V E D E Q T N I C
R H Q J K E O Q E K E J L E N N A
P M P P W I J K R J X O I I K H R
F K K H I Z F B M O B U J R S Á A
J C V W Q C E J E T D M I O C T N
G U V Q U N A S L V V G Z R W I G
W P Y H E T C P H E C Q J C F C U
R S J B B B P C A G E V P I C O E
J C U A R A P A Ç U D E S P I X J
F Q Q E A P V L W B D P F A I X E
P I C A P A U L I N D O S H Y S I
P A U D E T U C A N O V U S U T R
Z N K B D E S I M L P S V R M T A
W R N H R K I J C P B X M S A U W
M X O X A J W B Z D P U X S J D W
H E F E Y J Y O J D X K X S O Q O
```

315

```
S U C U P I R A B R A N C A N N E
D Z O N U A Y N Y F R H L P R P A
U V F K R J U R J Y I E F K B N B
N S O S W N T D N B D C S D A X Z
S G N F T H F P E R U J A N K F O
R Y V T C H L F A C Q S A K R G I
U U M O J G O I A B A B R A N C A
S V U M Y P H Q V U A N T Y A T M
D S Q U F L F U L S V C Z N G R Z
K H L T U X B S S J V A U I J T L
I V L V A M G A M R P B P R L E Q
G S Y X K M C K Z F Q E A J G S A
U P S K R M E P Q A E Ç T Y M O Z
Q W A P B B X G S H A A O O L U Z
E M D C C Y R Q B D O D M V V R U
S B A J W Y P V E R Q E E Q S Ã V
A Q R Z H D D Z I S E S R Q W O A
S K B U F B A E J S S A G L W G I
S U K F Y A L T O M A P U V P R A
G J X B B O S G P Y G O L X W A R
V Q W A C P L T I Q U Z H H S N E
H H I A R K D U N U A B Ã K I D D
Q O R D J O P V T G R A O Q K E O
G A R Ç A D A M A T A L T S Y E N
C D R C V F L V D C J D T B Z A D
U U S P I S L Q O B I U W B Z X A
```

316

```
B I C O R E T O A Z U L P O S K X
K K C E E T Q V D H T C E Y I B G
Q J L B E Z O X W R X J U V R A Q
D G D U P P C M S H F D B W I I C
D X E H E O S C K N S X C R S E X
D D T T E Y H P O C N S É D A R U
O E O C D S F W E F Y M Q R M D P
V X G B V V P A V R E E I F A P B
H K C J O O W E U O I S U M R B S
B C Y C T A M K R O O Q B U E P T
N Q Y B E G A T A Í Z I U M L D J
Q S N E N V S A G S D Y X I O R K
O W U H S L U O S M B I P V T X J
P L Q S A P I I W X O V O P N Ã J
E A Z I E H I U J F U N T T N R O
U E Q L W N E R E J C V D Z B D G
M U T A M B A P R E T A C Y O C G
I F M Y V F K N O A R Y U E R W F
S P M B X C V J B C D C U G R C T
C Á G A D O D E H O G E I F A J D
C A N E L A S A N T A O I P L T Y
V X J U C C Y X U L G A D R H R G
J O Ã O F O L H E I R O W V A K B
U N H A D E G A T O H H I E R B M
J Ó I A D O C A B O W N X W A O D
J D W X A S H W H H G W Q R R N L
```

317

```
Q Z K J M H A D D B K W K V M E N
L U B C K E Q O A U E E X K O G N
Z H P D U R S E Q H L I Q I G Z I
R H A K K J J S G O V R D E J X G
S N R R N O F A M S L T M P W N R
U D D D I W K A C E Q X W C L K W
C Z E M V R I J E A T A T B S L P
U U L F B R A M S R T L Z G Q E G
R F A Y A Y I M P A H I W P T X C
I B P M I F I E B P A P R S N M O
V O E C T Q D H M A U M E A B U B
E I Q V U C S A D Ç P O D Q O Y R
R P U Z A H T Z X U O R U P B A A
D E E G Q O Z A G D L K E D F Ç D
E V N T F Q C A A A K T W T R Ã O
A A A H W U A H R T N B B G A Í C
F R B N P I C S S A Q D Q I P D A
V A M D W N U R B O V O A B R O P
A J L S I H L Q D C I U X L Z P I
N A B R Z A I S A A T Y Q N D A M
K D R Z H C Y G U A P Q C Y Y R Z
A A R M N A O J H B U P H W G Á G
G O O M H R R T A T A J U V A G G
M A Ç A R I C O B R A N C O B U U
U U Y C Z J S Z B Z N C I K A D V
Y U W H P Ó K A W I D U A P R V N
```

318

```
G R U M I X A M A Y I S L L V T J
Y A C Z C W Y F Q Y X T R I T Ã O
G D E F M U T A M B O W L F J S N
V R L O L X O T E E M A J H V Q O
B D Á S E R Y C A M G M U A H U I
D J S P O V O T B T O K J J E Y T
A R O X I O T E R E R C B H F Z I
R H Q P S A U X Ó V Y L Z S Q E B
Z Y S O W A K U T I W R F I S B Ó
Z S L Y X B Y G E X W T U C E R U
J U P A R A W O A O R I C E B A S
```

319

```
D I A B L O T I M P A T T K O E I
K Q G U A T A M B U A M A R E L O
L K S T U C A Z E C B O N I T O V
V I T E L A Q H T M A Ç A R I C O
U P N O X V O X A V L O M N V W R
W N P G N E Z X R M A Y D P K N I
M D R O U D A T A H G K W V K K N
A L B F Y A H P I N D A U B U N A
O E N P Z E D G T X K T E F G R X
D O M F A F B O S Y B B V V T N S
E J M P X G M S A R A C U R A N O
```

320

```
G A V I Ã O P E N E I R A T B F E
N H L L C F A N R U V X M A Y N I
R O Z S B P C T S G S R M C B G B
J A C A R E T I N G A Z D N P A F
L C Y J K Z U N H A D E V A C A Y
A K H Q W W Z N M J G Z E Z H Q Z
R Y O W G R I M P E I R I N H O K
B M A M I N H A C A D E L A W S W
I A J C O M H K N O I O M A G L T
G W M C Z C P K O R R O M M B C S
O D E Z X H U J Z Q O B T I P Z A
D K K M C L K Y K U O Z C V X T K
I L H Z F J V T Z Í H D A U P P H
N N N A B R I C Ó D E M A C A C O
H Z J M O O C P K E M C W O V S F
O E N A T H X Q U A O N W N D A N
R N L N J U R O P P S B U M V S U
J O E D Z N F S I O Q I R N B N V
F B W U A D F U L M U C U S X T Y
B E R G A M O T A B I O B C U H M
K T P U H H V P W A T G N Y X Z E
N G U A R A X A I M I R Q V K M N
I N Z Ç S N W I N U N O E F J Q H
Y P I U K Q G E U N H S T X X B O
T R E X T M K M R T O S F Y B D T
O T Z T H L J K N O H O N A W J X
```

321

```
I P Ê R O X O D E B O L A L C G W
Z I E Z Q A K X Z E E O R Y E T X
M C H L Z D K U F L H J C D R X R
E A Q W P Q T O S A C A I B O I A
H P R M N L C A T S C M E P H R T
B A C I S Q S B M O V F C W I P H
A U L S A P C N T M O P Q Q B M W
L Z M D B T B O W B C O R U M J X
O I A N R U E F T R T Q T Q H Y I
A N F I F J P V W A V H U W A J E
N H S A F L R R I Q N B F Z P O E
N O B S Y X E F B U I V K N M Ã I
X D R I Z J O U B X Q V G B C O L
P E R P U I R A P U R U V E A D O
M B K S Y R X S H H J R C K P E U
P A A A E P S J H B N G G J B P R
C R M L A A Y Q X E J H S K P E O
J R C A M B U C A Z E I R O M I C
R A J X J A J U W G B O Q M B T A
U S C V M A D R E S S I L V A O B
D F I M A P S E R S E H L S U E E
F I Z K J Y M O G M D O F X I S L
I N G Á B A N A N A A Z R E C C U
S A P A U D E C O R T I Ç A D U D
Y S M K C W W A J M K O V R A R O
R L Z L S P E Z T X N D L O B O G
```

322

```
P F I G B A R U L H E N T O I A B
A U B Y M M M M Y A K H L Z G S J
I D P N D J U L F X H P S X U P X
N A S D N A R A N J I L L A A D C
E U O P T M B S Z C S C W S N C H
I T D G P G M X A K I V G U I V A
R M C P Q L M A N G U E R A N A D
A J O C X H C Q I I L N R E H R C
A Q Q P Z E C U O D O W H I A A O
M Z R O Q W C V K D Z W J U A Ç G
A X L Z L B J P R N Y A A E Z Á Z
R G C B Q Y P A K T I W C A U P Z
E U L A R O P D U A O K A B L I K
L M F K P U A W R C Z Y R U E R O
A U L O A K X P V A O N A R G A W
X H J T W R A A L X D O N U K N M
B S U X U D W O M S R T D T S G O
L R E L I S R R J I I S Á U L A F
U C N T P O X Z E G R Z B P G Y Y
I J I P Ã K K U T M A G R R C V K
M O L G X B G R O W W C A E Q S M
R N I H O N T R A O K Y N T T M Q
O A W X A Y V S F T X E C O K Y B
F Y V P G J L I K O M P O B E O W
G U A T A M B U B R A N C O C A C
W C T H R W K K R T C U R U M S X
```

323

```
B E G Ô N I A A S A D E A N J O K
C J L F O I A C U I N R P C U K A
D F L Y W U A T C E L M X K S R D
O L W Y D Y N P U S D U F A D B R
K R F Z L F T Z R Z K D V G Z A V
L F U S Q I R K I L P J I W S A P
M T H L U D Q B J N C D G N F R I
L T G J E C I O U Y P Q L S O O T
X W Y A V F U S B M R O O S U E I
E H I S P L X P A L K E I U O I Á
R U H M R C W O I N X L D H P R D
Z H Z I E T A P F R O N H E B A E
G S C M C L D B X R A M L J U P L
X H J C N L E O I A W B H C L R A
C A O A W Y V E V K O C R Q P E G
S O C F A W U U V N T S E A F T O
Q H B É S G D E R B A T I M N A A
V I V R I N S W C O U G W R F C E
M D E M A T Q D X Q P U N R L T A
J M R Ç Z V S D X M M H Q E N H V
W O A X K N O N K G E O V B F A J
F R Q U E B R A M A C H A D O C L
A S A U J N F R D S J G M U S F Y
Y M F L A M I N G O D A P U N A O
I P Ê A M A R E L O R P A Z D Q H
L O U R O B R A N C O A I L A T Q
```

324

```
J Y Y C B A C U R I P A R I A Q C
C S Q N Q C K F S P R B K U R O U
A R A Ç Á D O C E R R A D O A A L
X Y G T S Z V F E Z K Y V Y T B P
B H B Y W W M S K S W O M Y I A T
L H Z J O E A B S R C L W F C P X
J I V X C D J Q T B R E P D U E J
I Z M X Í Y A L K T O I F B M B K
E V V A D Z C U G H F T H Z M A U
Y H U F J O M N N C G E P E I P C
S G D S E R S I J A M I Q L R Ê O
A L U Y L W L F Z L I R S L I S B
S D M A Í E L X S A M O N A M S R
I I Y Z R C L I S N F V K R Y E A
X Z Y A I V L O B G I E F G B G E
W C M C O E N K Y O X R Y T N O S
R A F O D V G J O D T M W V H P P
K N O R O F P Q D E A E A Y W M A
V L O U Z A H C W M M L E U C J D
J L A N É D T T S U A H S H V O A
F F D P F S Q T C R N A Y O E Z P
N P Q I I H C A P O R O R O C Ã O
A N D O R I N H A A Z U L G C M K
R N J X O G C H P S N V F R Z R N
X F X O Q H M Q Q H J L U J X N W
X D Z B Z N O S H R T T Z Y V C N
```

325

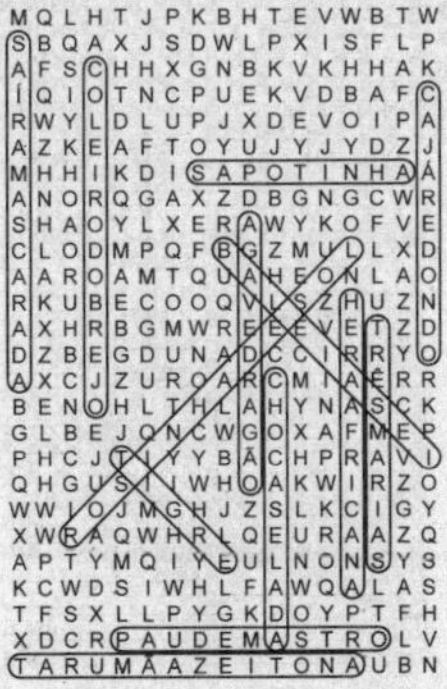

326

327

328

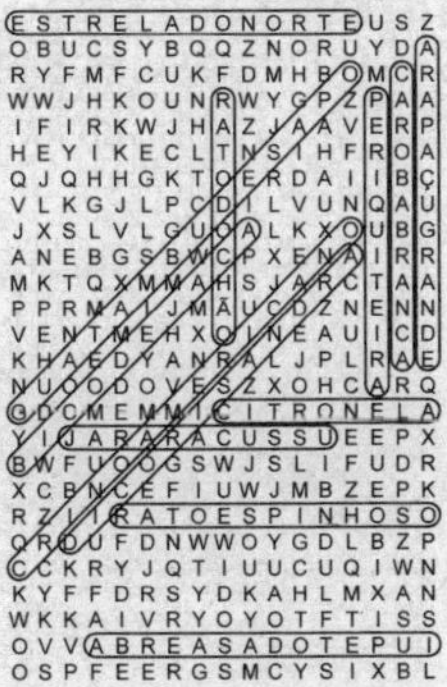

329

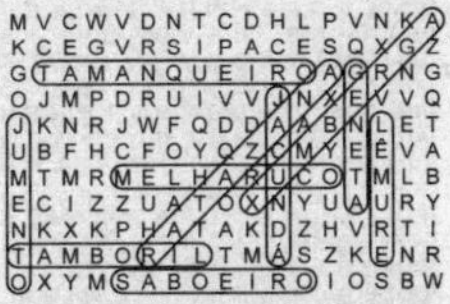

330

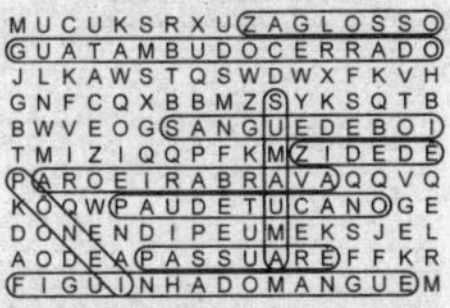

331

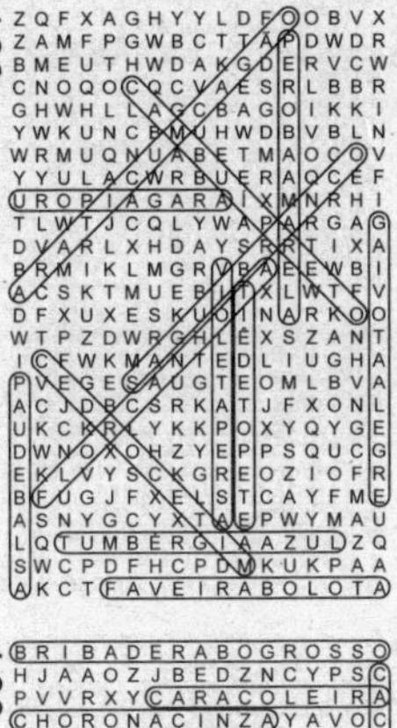

332

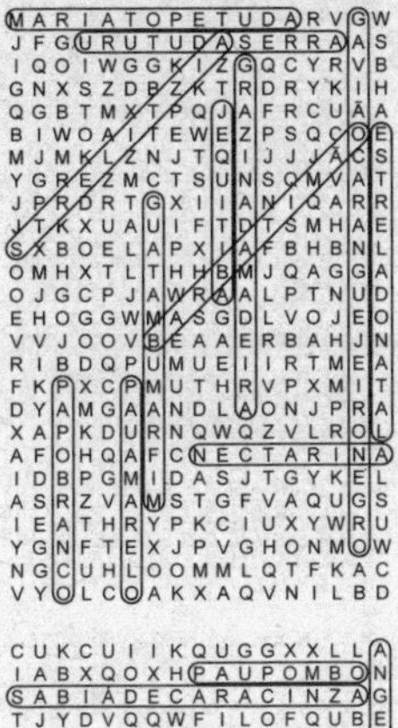

333

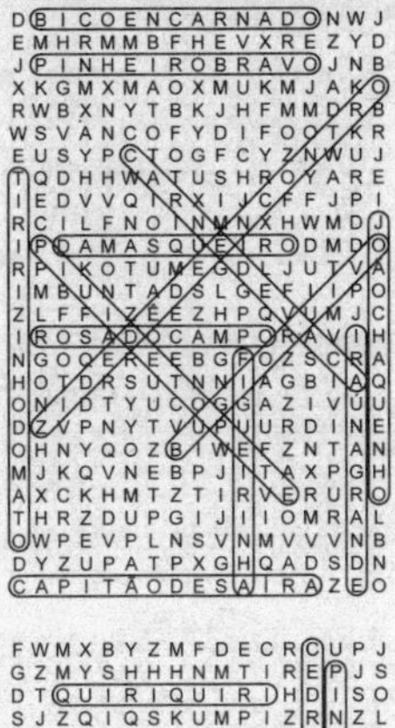

334

335

336

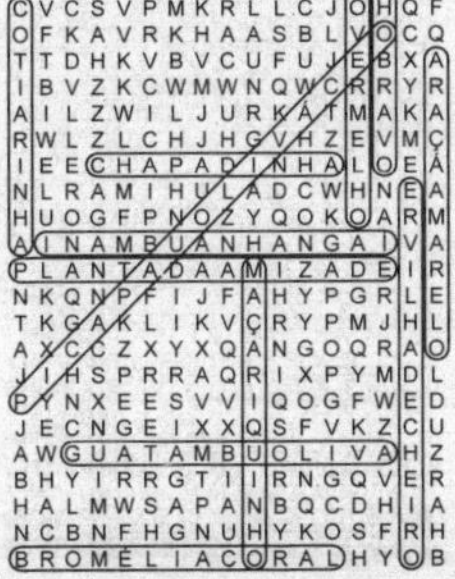

337

CMSRNOGQMROTNTLEF
FODAJGVOJGRBBHOUD
BTBRFPZUXHOQLDBMR
XXFRTKETYKWTILENR
IQRKAPNSOMWLOJQEM
RCAVWDFOCGÁIQQUGL
EGBJMWENCPDSCGOYW
SKOPWPUVOSEDIRQUC
JQDGGMZIIROAAFJOV
WVEGYMDQMDGFKLIFV
DQMULESKDHRSOOIKI
KOAQRUUITEDOFRETR
HDCRWGSRRYCBFDQOA
DBARKLNGKAZVIEXRÚ
JLCGPEITODEPOMBON
GSOZUTIRVXOMCAFMA
FSXTAECRHDQAAILDV
YQIRDLMWQSKPBOOOE
YBBVGZAFPLMBEARIL
COBRINHACIPOÇEDMA
CAWEMNXOXZTNAFEED
JADEVERMELHAPGCRA
ARATICUMLISORDEUB
WSTXXWGTIVJLEJRBL
XKUJUHICVNWQTOAGZ
LKZZHWHMZZWLALRHQ

338

GZYVRVXIOYAVCENAS
UBVKMAANFIIKABIWR
AOVZNTOJTTYQÚOUPQ
RAGEBFLIYBMNNNCIU
AREEUATBKEZMAOFMI
CZSBPPJOYLCTLISOQ
APERIQUITOREIUFPU
VEZLPMWACXVXSRXFW
APFKBSABLHINAAOJK
DZAINNTRIYQLJDEHD
EZFRCPTAWVVEÚAWKE
TASRDWZNFCOIJNENM
OJOKKEBCKMMPAÚHQ
PXLPXALARAMLJBIRB
EPATLBYAHLONEIAEO
THNFGYPLEIQVKOGRY
EBDNSOOFVSHRSAFVO
VWRNBFLEAMCDAZOAV
EEATAPDIMDJUPUGDH
RYAPYULMRSYKRUTEX
MEMBAUBABRANCAJGK
EIAPBDPINGODEOURO
LCRCWYQIMSLLIDIAC
HMEWTVOFIRHFQRULZ
OHLUSGALBEYHFMEHT
ZHABROMÉLIAZEBRAZ

339

HIFEITWIBPNHOAGAR
CDJJDZYXEEPVRTHRE
AASRPGQXRCAVZVZAI
YEEVKLFNWKPWWSWPP
PHOFUXFIGLAWPEEUU
GRVENMNCBEVCUBUTK
ZWAOHYDAZGEFCUKAU
XVXHAOMLOJNLKYFNP
MLUFDPYCBPTOOUIGA
MACREHXEBBORICWAF
ZQCNVUOLECBVZERQ
SUNUAIULPNOAYLCGJ
VLJOCWNÁVVMTJMNBC
XLJTAUOREQUONTOTE
IÍOPDXRIHSMMJHJSS
WNPPOMHACRPXNITAX
RGUBCEGZNFUIWESLY
XUDREXGPEAMBNQGSV
VAGTREJEBAZTRHKSK
JDSNRVOZSZKAZFOLY
YEACAXNLYGVZQXVPB
QSJWDPAPALAGARTAN
UOGFOBTNAMDIGDWUC
VGPPXYBMWNAQYLYZU
IRXBGUARACAVUÇUME
LAGARTOBRILHANTEJ

340

LBBARBUDOPARDOHPL
PATADEELEFANTEJOI
BGIQASDYYTSBCOBIA
RWJPAUJVZSBPIGGCA
JATOBÁPEQUENOBQAM
OSAUZFDHPUIOGBODE
YXWHTBCHCCJUJWBYI
IADGHYCABUAFUZMNL
BIAIAVUAXÚFUFNKSS
XMPAZLMRFBLNOYWDC
JWKMKAYWWAONNLSQR
AUBEREOCOBRABOLAB
CPHUZHXDSRRNJCTPM
AYMFUTKUMAOMHIRLA
RDTRTRWULNXPLXGGR
ÉNYZNUOKACOIJJZUR
VDAFVOTBRAMJTBQAE
EIHWOZCBHÉZOYHGTC
RVJVPJYOBYDTWNCAA
MJKYOMBMXHPTUVQMO
EILAAQAVCLTTKTBBV
LACBLNNPWGARBHEUE
HQKFAIGCSCKURZNRI
OCASTANHAJARANAOR
KBACURAUZINHOZSSA
UQXBBZGDKLIWVCIAF

341

EMSRGPSHNNNZOCVPP
MAAFDSIDIVDEQVNTB
BHGMTEXBZVRRVXGLK
IQLHILEUBOHGKBXCB
RFFNICWSBYMSTRHSU
AOQACDARXQGUVFYCA
DOGRXCADWEYYVILWN
EHYCOMPDEAALKBPKX
SVFPUNITTPWOAVMOH
APRCKRLIZNORMIUYR
PUUBEZUMWMARIQINK
ORBDCQERAUFTCIRUC
UGRVIUPWQGCXOAARÁ
PZORACXAMIXOLGCUS
WIAMCSTNBURUEEADS
ZMNBZARCAIEXÃCTEI
OMNDORNCEUUGOCITA
YRYOAPJULCSXPHAOI
YATCBIGFTDTNRORPM
JAHYYNBDGGNYECAEP
RGQCANMAIDWJTARTE
JJYRBKWQDAOQDAERR
KBOZGAAIDAKDSÁJZI
XMFGBYSBWQGSYGAZA
NLJBRAXUPEIUGUDIL
CARADOURADAEAAAWT

342

JARARACADOBREJOLT
PDPUCCQVWMHOAEQIR
HOTQFMGQOTEGRCAZO
ASHVEMIPEROBAROSA
VACMFXJOGUIKÇNQZA
VNILXNSJBQFTÁZPHC
NGKTRCKIVZBIGKXJT
PRBFSCGXXDIRREXNW
IAYKCGUSBWZZAHLPQ
MDXSNQQRJCNANRIDL
EÁWCUSPROÁDBDNVTG
NGVLXXDKWGUBEXSEP
TUJXIOUWHAPEZUCIA
EAMAGMFFGDVEYVUÚL
IGMFRIIXTOMJSOXGM
RFDWFAFRPFEWEJGIE
AZCPJFCMCEJLCGOGI
QISSAJAATIICWGVAR
XYXDYCNYVOKHNWZNA
LEECENOTWEWJTAUTJ
ZMTRTXCWRJRLWGOEE
WRRFUHZULUCMPKKRR
COBRADECAÇOTEWVMI
CCKKJYMGPFYVCLNCV
GFNIBARBUDINHOHCÁ
PAUDECUTIAETIFFOJ

343

SAIRAPÉROLAMJFFDK
MPHMKQERIJNUPLASC
NVJXOUQSMCHJUAASC
PGGXVDALXAXDFMPIE
WAOHBRJFQRUGUBVBF
XLUZBNESKAAJROHDV
GMEUIZOBQÇJPAYSUM
UMAKCYLLZÁMEFARLN
SPMVIDBSDALRLNAMK
ZZJFWLCOBMDOOTTAS
NOTXJRYJFAFBRIOKS
AVXKENMRIRBAGGDVC
PXXJTWYFZEDPRVOMR
FBTFUCGYALZOAXCPE
ZATEQCHTIOLCNSAÉK
WKULMQWSPAUADSCDI
DISQOWXVVYILEAAEW
JBHQWOCAIWLURZUCO
CÁGADOCOMUMXTSIOO
QFZWBATABKPQGKIEG
BNDUTYZJACUESTALO
FMPINGUIMREIWQKHN
DSOCOSTELADEADÃOL
VÇZDBLUNUILHSPHGA
ACBONLPTRZGCYDMEO
WTIHEXESTWSYCFXHS

344

PINGUIMTERXYOWZBD
PRACUÍBAVERMELHAF
MGJFPDHVUIOFIKEYA
BCTAHMZTNILSYEAXZ
LÍRIODOBREJOMOIOH
MARACANÃGUAÇUOWRS
KTLMDKCFGICIJVVEC
MQGGYSABMZOZUAALT
YGUATAMBUVERMELHO
PUAAJUTGGTRSURFAX
LIWHVTKHZJSKIZADQ
RPTAJKPMCVOMXTKEC
QMHARTEBAMFMEOGOL
COQUNFQUXJQSKFDNC
KUFZGGBPFYOPZKUÇJ
LABJYUAQTRDJWWBAS
HAPXHALTOFARDNDRT
NQHMXROTUTJGUKQAQ
WAFGSDRWEBWVXIWFM
BRAUNAPRETAVOMGDE
UKNMGVJKJZTFECHET
SDXANÁRPKCUMRJCGV
IGLTCRISTADEPERUG
BGQILZRABODEOSSOT
SYAROEIRASALSOKEL
AFZJHAIVXERCYZQLM

345

SMIUOADVVICPEIESR
HAVIUPLAWATLEWCSE
LMGLÁGUIASERRANAX
CIQWZWAJTCVHJWZAP
HCCOTSLDQNAZIUFBS
GALLBNUOWIQIEANST
XDSQZZTZBWTDFCYKX
MEQAADSMOBBZUAMAP
SPAGBDHDIPGZMRDTX
UOEWVIQRTLXNHIEWC
CRMOATÁGIHTYXPCMM
UCERDTOCPSTQLRPRA
RAXQFJYJOWPWXEPKR
IGEUXZHNRLBVBTLAC
MERÍBVLLAREKNOONC
AQIDGGBTNJUIKUDGU
LVCEGDPLANYZRQBIJ
HPAAJABQGABJAAQCÁ
AZDARAPAÇUVERDEOD
DCOBRADOFOLHIÇODO
AXMAWTGOGNRAENEOC
XZACANRMNFPHTVYME
QRTAUARIVERMELHOL
YSOXIBNEMSFLURXRY
UGTIWCZETVHWKEJRG
YZTZRXSONCSYOKKOK

346

BORDOJAPONÊSOQDOC
JANGADADOCAMPORBO
YOKIXNOVSUBPUIKRC
CPDSQBIHXTLEEWQIO
NCKLOIDQKIKZHBZSD
UPIPZUTLRGURTNGSE
XXAQUPIFHRBEKXKBE
RFWUSNXVCÉTSWIUKS
VFIIDHNUFDGYRRUUP
UVCDBETHUÁRUMOFCI
UIXHDUCRAGSXDIOFN
CPITRIQAWUAWRPUUH
ULLUCGWVNASXARHWO
UWJDRMEJLGDHCCGQL
GIJSVMRTWKAGEUHHL
FKBUCHODECARNEIRO
AHENTVERGAODAVVGX
LKMVNIDNZLRAVMQRJ
JZCPXTBKGKROECMAY
FRUTADOCONDERXWVS
GJABUTIAPEREMAYIA
FQCQDJRRKDQGELKTK
PREGUIÇAREALLZAIL
OOTVNYECMHJLHXZNT
PXKHDKJOKQTXAGOGQ
LAGARTIXAVERDERAX

347

PIYNXWNBNRZKOUECL
AFYXVUTCTXSTNDJJL
ICEQOXTBKNAERSICP
NMKVFHADUMUEUPBAL
EJFVDIPNOCVFAXONV
IIMLDGADXOJLSDIET
RHGQIAONTIHDZKALI
AUIECQVIBGVGQRDAM
BVKPTUUDXFSQQQODV
RCLIOQVXBKSPMOCEL
AKPLIPQJHEVOXQEVA
NAARITOHOHPXRRREA
CJECDWVTDAKKJERAF
APONKZOQAGDDSTADA
GDHQXVSYVMBZNYDOI
ZZLZSMDGQQOCAJQSN
CACTOCANDELABROKG
EFZRPGQKWOXRIXYCÁ
QEKATJRXVEKVUGTXD
XRMYLGMHJPQQTZGKO
TARTARUGAMARINHAB
NDTCHOCABATECABOR
ISOGYBJFJNGÚDNYE
CMFDGINLKRLSNJVMJ
CEREJEIRARAJADAEO
AMENDOIMDOCAMPOBK

348

JRBFFCKSTFRXDKXOB
OVTDBFOAHSIKIHBJI
ÃRWKNNAXVMDAQOBIA
OYQEUDNNFZMTLCGMW
DDYFDXOFVZQECOABU
OIJQUPMMGNDLNOTUH
PMDFIWTVIATRECIII
ABSRWAIRTSPFLAMAU
NUMWJZBUQAVODLBBJ
TIRAXDRWTFBUEAURR
AAVUUFMYIMBGLNIAF
NANVTIGZUEMKVGAST
AMDXVUWHDRQOSOCIA
LAPQJPCOKDNTLCLNM
LRYVGARRDAOSVAAAA
CEEZRIUKUSYHIBRAN
ULKBEELNAZKIVEASD
AAOHQHYPMAEAKÇWOU
QCNQHOTICTHIUWOÁ
GIBOPIUBACGLRDTYM
PCOTINGAAZULRWDI
GRAMABATATAISSLSR
ZOAHIEFRIZSEVICLI
RGUVLKZIFWLQQFJLM
PJCFXVIOLETEIRAVL
HRACWQYSZYPJDXFMO

349

J O Ã O B A I A N O H M I Y Q L E
M E M P K W F Y G D M Y H H T E Q
O U Q R G A V I Ã O D E A N T A H
D D U B V U C C E Y K D O I J F B
B F F U A M N O X T G I Q R I B G
G U O E O D J I B L S C T A O S V
G V K C H D N Q M R A P O G C B U
K P P O X P L J J H A R F V C T G
H T X R O Y D G N N I M I L Z N G
Q Y I T I V D I L E V D A A S Z J
D L M I Q U V L Z B A N A R V U C
J F L C H E Y A X T T I Y Z R U E
A E X E P F J D A N V L N H V O M
B J E I Y U K J C Y M S W M H I M
U Z O R C Y Á B D L A G O V F Y Q
X B A A L I G Q H O R R W G F U H
M P R O T O Z O Á R I O D S F F Z
Q A G U A R A R A C A N I N D É S
M V B Y Y V U F A L S A M U R T A
X C H I C H Á D O C E R R A D O Q
R C Y O I U Q V J Q B G A J K C Q
D G P R J U D A B X I N F Z O G Y
F Q S K F G S L T K N S V S Z Q G
Q G N V U Z B X H Q H I O M M V Z
C O B R A C E G A M A R R O M M H
X T Y Q T J Y H F K L C X Z A B H

350

S J D B I L A H V R A N U A F S R
H D L H C D D M T C V J H Y T U O
N C Z P R L Y Y U A M S A F C C S
C C S X P O J T Q N P R P K S E A
A A N E I K B W E A U P A H R D V
L N N R X W A K Q F U T F S Ú U E
I U H D X M A G Q Í T K K I B O R
C D T I K L B U K S R F M W S H M
A O D H I I I X I T W A C F D A E
R D Q J P Y U I G U H D V S P V L
P E O P B X D B R L Y Ó H O M B H
A P L E O R O B O A S L C I K Z A
C I U V Y F M F V B W A L M S P M
H T P N D J A Q R E D R O B J I U
I O E H J O T N L I M D Y U R I H
N E P K A O O F V Y V E U I X Z I
E W B N U X Ã E P C K P Z A K E E
S W Ú Y J R T O Y V X R S P D G U
A A H Q Y M M E G G Q A Y R U U K
C L G Z E C B X S R O T X E J I O
D F K B S F T K J F I A K T M E T
A K U E O H V B N Y E L K A E A U
B E I J O D E F R A D E O W N R A
C O R R E D O R C R E S T U D O W
C Z P I T A N G A P R E T A B H N
B C J A Z Y E F K J O Z H H E Y J

351

V T F K L X F Z T C D A I T Q O E
B F Y B H H E V G S S I R G W I H
P N O K T Q P T N B V I I D K R Q
D S G J Q A C U B X Q O S R T O V
T P A E V U G V A Y U F D D U O D
C A B E Ç A D E P R A T A L H I O
A V S K R V Y X C A F F P E G M B
M E D Z I K D P S K P D R Z R B N
V Q T P R K T A L U D C A X U U E
G O C A K F I L Y R W T I W M I P
W Z U X I T H H P L M Y A A I A V
C S F M W W R A N W H O N N X V O
A P D Q M V I B A M H B Q A A E E
S F X W K T Y R Z T F Y K M M R Z
T C Y B X E U A O Z L P Z B A M N
A L L R V T R N G B R I Q É R E P
N I Y C D Q P C U L N J B D O L J
H F Z A Q R X A E L Q J L E X H G
A C A O F W C D Z Q G E F C A A H
D P E R O B A P O C A N J O H R O
O V Y S M F K V G X L N F R E C X
P A U P A R A T U D O E E O U V L
A N A Q E U M C E S Z N N A N U W
R C H I C H Á D O C E R R A D O H
Á C A P I M D O S P A M P A S Z Y
C O B R A C I P Ó C O M U M M Z Q

352

R J N D O R O H P S Q H A G O H A
O O A K E S G Y Y S M B X Z N F Z
S N W B V Q F B J R U U K I Q S Z
A V P C U J U N Y J Z W O B P E A
D M M B E T J A U U G O B Y Z B X
O W D F H Q I R T D K E R B M I A
C S A O H O U C K R S P B N Z N G
E G D M U C R X A S O B N E Z H M
R D K Z U G N X G B Y V F Q N O W
R X U S H T Y M Z L A E E A R R I
A W D C R J R W Y S S S H N X A E
D G I G B O I N P I X C K F T I E
O T I N G U I P R E T O T M V A Y
G Q E R S V I D L J Y Q J Z U D S
E K Q W T E H D F K E B I N H O Y
R W Z B U V L H P X W V Y F C A I
E B F B C P E R O B A M I R I M P
U O L R J X W W F C W N A A H A Ê
E A W T N O K W M P H X O J R R A
W E P L X Z V I I V W B I Q E E M
T O P E T I N H O V E R D E R L A
J A B O T I C A B A A Z E D A O R
I P Ê B R A N C O E Y Q B E S Q E
T A P E T E P E R S A Q H X H Z L
B Y W E A K C P C D U R R Z Q C O
C O B R A V E A D E I R A W G T D

353

F I G U E I R A B R A N C A N O K
R E C U M B U C A D E M A C A C O
Y D I V J O L P X R M V O J X K V
R Z G E Q L V B T Q R D N H Y F H
O W E J T Y W A C W B R J Y V C V
B A M B U N I R C N N S C U S E R
X C Y V T W K U F T H O J M F S C
T J V G O C N D P L Y U C B K M U
R W G M O C H O D I A B O B I Ã I
R J T Z V X F C C B V R Q X J E T
Y R S K A L Q E G Z J P U Q T D C
K O X A T B C R H L H X E E X E V
W R W U E U J R Y N N H I M A T B
U L W K H I S A U D C U R U S A S
V Y G Y E D J D S A Q K O R X O K
S Z E A J X W O V R A V J I X C C
F Y O W F G G S O A W P E C Q A Á
C S Q C G C Z D T Ç I Q R I Y D G
K H Y J V H A L V Á X P I M K O A
Q B P C C P E R Z D P K V I C U D
T Z I I E A J T M E O M Á Ú I R O
U U C R A I N H A C L Á U D I A D
M A T C O B R A D O L I X O Q D Á
D P Y H I X L R X R M I N J O A G
E M X F C L Z Z L O N J A Y N G U
M A R I Q U I T A A Z U L S R G A

354

G C H S R I B W O S L O N P F L R
E Z Q D E P X A A K Z F V O U A Q
B Q W X Q D W P L X I Y X Z M B S
O N M J S P U V V K Z C A O X N N
O F P X H H I K V V B L D S I B V
M L Z Q T N O O I K E Z E J U L O
L G M R D E W E D R I N H A F A W
P N Z B P B S F T D O R I B B G F
G E T J K R K E R H J A W E H A E
I W T G V Q P E G Z R P A M O R M
O H A S P U P A U P M V I H O T B
R M X O C T S H A Z P F N D J O I
L O I L Q C R D T M R I U E Y S R
G A R X Z P U W A A Z L G U V E U
P P E B Q A D L M E E U D G H M Ç
J R M M R C K E B P B R N E C P U
J L U U W H D M U A O E S N U A D
Y C C I W O A Ç B I G I Q I X T A
Z A F S H N U F R P Y J D A I A M
B I C C A R F I A Y B E Q S Ú P A
N C A T I K M V N K N E M O P K T
N C S B E V T U C B H G C M R P A
D E M A G Y A C O N K Y O B E N A
P E T Ú N I A P E R E N E R T O E
E G Q Y N B L N S O I O A I O C U
M A X I L Á R I A C Ô C O A G O K

355

R T J N X H E Q Z B L Y K Y P O H
V B Q J W H C R L C J L L M H K Z
E G I Z G G F J R W Q Y H E C D X
D T F Z H L Z L T L D B U L G B J
U K T S Q O Y F S J T U G A E L T
L O U R O V E R M E L H O N T A P
J G F W B A G A D E M O R C E G O
A V I Z P M G G T T H K X I M U I
C I G J Z T K P I Z I T I A P I G
A Y U O Z G Q F Y M W T Y D E A G
R H I Y C H C Y K G G C X O R P R
A H N S A P O T A B R A N C A E U
N F H B F S J I Y C E R Y A V S A
D Q A F R V U Q V V G A G M I C T
Á Q D E M R G M G L C R S P O A R
M V O U C V T V B N V A N O L D G
I Q M V Z K K W A Y I V F E A O O
M C A R A Ç A R A S T E I R O R I
O G N R R X B K V G R R A Q Y A A
S E G O U A W C Z N O M L C I P B
O Q U N L O M O W T N E X B O D A
A D E E A O S P I I E L J B F V B
Q X N B C H A P É U C H I N Ê S R
J A N Y N R C G P K X A S P N W A
C H A F G G O B E T W K O O I R V
W N R F Q K S D N A C V N R O Z A

356

R F T X U K B Y T L J S I I D I W
K A J Q B C F M D K A M Z J M I U
I N P A I B L P C Z R Z M D A L X
Z L Q A D J G X Y I V E X A A W N
I B P U Z J E Z J U O J L H N I S
I J D F T I F C L G R W W Y A T T
H R Q I J M N K C P E M S Y M G S
O B T G R A U H L D S X U S B I I
V A W W B R S V O R A R J O É R C
P W V A I I U X T C M C O X P A Q
Y A Q Z S A C Á C I A M I M O S A
V O H U I P L A T B M R H Y M S R
I U X I S I G X Y B B Y I G B O X
E L B V H C O G O I A M J J O L J
P T G L N A D X S I I D H B O M S
R X I N B Ç Z O G A A M H K P E U
T C K N C A I X E T A M O L E X R
M I W E G N L B U Z H F F S T I U
V P Y E F Á B H U B I M E H M C C
I P Ê C U M B U C A W W D D W A U
C S J F M E C R L A Y T B X F N C
N A R V O R E D A C H I N A C O U
R O L I N H A C I N Z E N T A I L
H U R R M S D G W G C Q Y O U D I
G S C C O R O A D E F O G O U G S
R E W W S U S Z M I K C J R M C A

357

P X G V A S M Z R W J Q W F S J O
A M X N C W C A I T F T Z O I M K
I N N M O G O Y K Z I F Y R Z I I
N T S R T G B F Q P V X N M D M Z
E M I T T O R U I K G L Z I O K J
I J J V U D A L D W V L A G K B X
R I Q Z L D B F I I V F N U A K D
A E X O Z D I Z B N J O L E S X E
V P S A N Ã C A R I J O A I E G S
E D P K T T U B G J Q W G R Y S U
R K L W X H D C B A J S A O Y C I
M G C J P F A C N T O D R D Q N R
E B V H T S K A G J Ã D T E F O A
L S B A E Y R S O L O G I B C R P
H R D A M I G M J Q D D X A K A U
A Q A N P Z E R B F A X A R P S R
U U C U I V T Z J I C X D R L B U
N T C T J E N E E M A J O I I O Z
N U W B T P F K N R N C L G R I I
S I U I O J S L K W A I A A N C N
W M R R U F F F C V R N J P M O H
I P Ê D A V Á R Z E A I E R D T O
N B F K L T Q J K I N X D E R I P
P I N H O C U I A B A N O T H A L
R A B O D E D R A G Ã O Q A U R W
U X C A M A L E Ã O Z I N H O A J

358

F E Z M C E W K P N E M I Y P D G
I P Ê F E L P U D O M G P M X G B
R C U J P E C V C V P J Ê H W O A
O J I L T C D F Q O X I D I V I G
L J R V G Q R I S H J U O C A A D
W P A L O P Q Z R E A Z M R P B O
X S P O I C L U I N Z T O D N A Z
C O U N A C A M U M M C R Y Q C Y
X G R D B P D P R Z O X R Q E A M
M Q U C E E D I I Ã U R O G E S U
Z K C I I P H N H M U T O M C C T
P U I G R T Z C Z W C X X N A U U
E T G A A F N A D Q X H K Y P D M
S Z A Y B I T C H R W O O S I A C
S L R Z R Y Z B W N C N N R T S A
E C R R A W I S Z Z E Y C P Ã N V
G Q A Y N G P O G C R Z H C O O A
U G T P C C B F O B H Z T U Z U L
E L Q Q A M V A Y K T G T I I Y O
I M B I R U Ç U D A M A T A N Q K
R N L I T O A S D D I X R T H P L
O O S T X M Q W R N W J S G O B T
H A N C H P I T O M B E I R A H Z
P O M B A A N T Á R T I C A O X V
F Y I E M R O P O Q I P V K O Q N
A P M Z H U G Q W N U Y X C H G S

359

Z Q H V W W S T M A L Q W F O B T
R B J N L R H B G C E Z Z O K Q A
U F T B N G E N V T U G U R I S R
Z R Q M B J I I P L O Y S M K X U
K Y N V V T Y O W H Q H X I X D M
K A F H A P N O S P Z R Q G L I Ã
X W B C E F L K V Q T Q K U P C D
J P A L M E I R A L E Q U E I O A
L R Q D S A L T A M A R T I M R V
B C X Z R V Í T E J V O G R E A Á
V E L W J A R N C J T Y X O N Ç R
J J S E E S I R A Q X S R D T Ã Z
R S O C T B O X N N R J A O A O E
G I A T O O S S E O H C L N D D A
M R I B S V T D L K O B Q O E E H
A E V I U U A Z A I T Y P R M N N
C A J Z C P R D D I S K S D A E V
A L R S B G G N E F G V V E C G T
C N Y J X N A F C M Q Q C S A R L
O I K B P M Z M U L A D X T C O I
P O L T Ê H E G T R R C W E O A B
R I J P N H R U I S Y C A K S Z N
E K I L A B H F A T W Y S C J H K
G O G F G B D H Z E S I F H O A W
O L H O D E B O N E C A E A X A U
Q I H S F U J K Y T W R S A A L W

360

C T X R Z E I R P M N G T B H E O
O H P C C H N Z F L T I F A E R O
J H O H X P Z J H J Z V L R I V X
H A C C G Q U D C F S L K E H M V
H W M L A L K C J W F X H J D G A
V G A K R D H F W Z Z N G K W S T
Y D N I F V A R D H I V V H U X E
U C D E S N J M A R I A P R E T A
O A I Y O O V R A X V Z R J C H G
G N O O J E U M L T U U Q H I T S
S E C K I M Q C A D A T Q J F X U
V L A S H C X O R M C O N C A C A
S A B S A D U U H L Ã N K O S C H
U A R K X I F W D R R J Q L N I S
C M A N V E D Z R V O N T A C L P
U A V S E H W A J L T D R R A A C
R R A W D L C Y H H E B S D P R T
U E Z F S A C A S T A N H E I R A
J L W A M K D C B I W P O P M F Z
U A Z A V B X G É E W D X É D E H
V B I T J N V F F N C S F R O I O
A U Y D V O N O B H J C Q O T S G
T M Z V N I S U G R N H H L E E X
C A N I N A N A B A L Ã O A X W C
D L K B Q S G K Z J U V T S A L T
S U R U C U Á V A R I A D O S D C

361

```
V T T H S Q N Q F C G M H M Z H L
E B Q W R V J T S P W O A H D R A
I I S A Í D E B I C O C U R T O G
M Y Q O V G U B L Q W Y S E L S A
R E P R A P C M F N N Y K N O X R
X C B K G I S Q H D J M G F B K T
R J S V F R Z Q N F X J T Q O N I
A C U I A D E M A C A C O J M S X
R I G A V I Ã O C A R I J O A A A
Á Z V H S K C U B T B W W Z R H D
L N L L O A A R V Q G A V C I U O
I Q R V S H T U E T X P K A N K M
A W Q Z T Y I C O Q J T M M H T É
J Y I N L D M O X R G M W T O R S
A J X H Z F A R Z W D X P P D S T
P C A U V F R C N E H R L R O P I
O R F F D F G O C R C H Q H S P C
N B G O Z B A V O X W G L V U M A
E W M N P R R A D X V R L Q L W T
S G R P S P I D V P K E Y F K X R
A R R T I O D O D C Z U H J K Y O
F J A R A R A C A P I N T A D A P
P A L M E I R A I N D A I A Y K I
C H O C A L I S T R A D A C F Q C
U R U T U T Á B U A D E G R Z Y A
K W H B P A U D E T A M A N C O L
```

362

```
P A S U T A Q U A R A U O R V S X
X B I Q G D U N Y S O A K L E Ã O
D I A Q T F Z R R S P B B U Q B Q
M Z Y K U V I E X A R Q X R B B Z
P S T G F C P K Z Y E P Y D I O Z
Q Z X N K O G X T E Q H F T A P L
S X H R D O G X C B U M R N C T P
Z Z G U X N A W B F L O U Q B L V
S J C L X D A I E I Q U T Z N U E
S S R A U R V M P B Ç Q A Y A A C
E P O G U W H C E A W K D T W D I
K A Y B V T A D U Z Q C A T N O S
Z O B E N U D G J E Y M M J T P Q
B D V V D P U R L Y A W A E D T U
T O N J G J W U Y D P V R A V I E
A R A R I N H A A Z U L O Y S N I
P Z T B B F J X H Z U C L E U G R
B F A L C H I C Q R V E A Y R U O
E U G W V T Q D C Y K T L E I I D
G O X E R M G I I B P X Q V N P O
T Y P A L M I T O A Ç A I W G R R
Z B G P V A T O B Á G R A N D E I
P A Y L L Q U M T W R H P A Z T O
L A N G E L I M P E D R A C D O B
A K V V T T A Y S Y U P I W I A O
P A L M E I R A S A G U D U V J J
```

363

```
F A L C Ã O R E L Ó G I O P J I Q
B R R G R J J S E W N O F E F V O
N F S Q U P C B M F T L R Y A M M
U I Q Q A F I X X V G I E M L Y Q
G G A K N W L C S Z V K I N S R U
Z N S L G I P H B J M A R B A X X
B S T F I R E E E R N N I H C H A
U B T I C O T I C O C A N T O R X
Z B J B O O O T I G R E H T P P M
T E Q W D E G E I O L C A W A U Y
F Z B N A G Z C R Y T C D O Í P U
R W M T M C R A I R W H E C B V S
V Y O R A R Y K B A J N C F A E W
N W K X T Q G L I U G Z A L J V B
D N E Z A M N W Q R O D B J C U M
L M K K P Q X N T C O A E E B Y D
J O Ã O C O R T A P A U Ç B N T V
I Q P I C A P A U D O C A M P O X
N W G H G E E V J W S R C A V H N
É R I C A J A P O N E S A Y H I O
U H G T A P E R U Ç U E S C U R O
U G T V E H F T B J F P T O S O K
U J A R A R A C A R A N A M K Y J
C O R U J A D O M A T O N T U R L
N C H Q U E B R A M A C H A D O O
X L Q B Q R C U F O F F A Y K W S
```

364

```
L M F Z E O Q D U H Y A D G Z N V
Z X S T I C O T I C O D O M A T O
A T T I W Q N Z O T Q R Z J G V A
O J S I L H B G I I K Z P U D U S
E Q B M W B N H L M L I B R K S A
K D P M S U O H Y B A Y I U W C D
L A G A R T O Á P O D O C T O I E
M E D D V D F X W Z I E O U R T T
C U G H V W Z K P I W O D A E Y E
S I T W B L D C Y N F T E M L L L
P O P U Y Q W A Y H F D L A H J H
K Z F Y M M D G N O H I A R A D A
I F T T A D R C O M G E N E D C P
Y N G R L H O W M X D Q Ç L E N Á
X F D C P I H N T N J P A O G X L
M Y Z D K L L U O I Y D V M A O I
L F X X X S P C O R O T C G T K D
L Q Q L M L O X A H D I N E O M O
Z G K M U D J G B I K E F W F R H
O Y T H A F B H I K J G S G K N I
W U W T P A T U R I P R E T A V J
H U U Y F S P C D G V K U S E Z A
X R I C H O R O R Ó E S C U R O F
F B E M T E V I P I R A T A Q V E
T A T A R É D O C E R R A D O X C
S Q Z C C L H C J C W U Q T H Y E
```

365

```
H M U J O A P I H O T H H D K L Y
G W G R Q G R A M A C O R E A N A
H Á R V O R E D A P A T A C A M C
S E H H K P W Y L Á P I V M D F O
G Z L A N M S X B S I I D S G R H
P A N T W C O I E S M S D C R O A
I R A P R L I X A A L J Y E F H J
L A P R K X H D T R I G F V I X D
Q C F Q M T N I Y O M O Q J D A Z
K U T O K M F Z T D Ã L J D I U A
J Ã E E F M Q E M E O F J A Q O M
D P C Y E R H I L F T I D B T U O
I I J S L A U A O O I N Y A Y O H
T N N F F D M T F G I H M L H E C
A T K H B A E G A O K O X G X Q Q
L A M C C G K P R D D L G O L H P
Y D R O W E D I D O O I F D W G T
R O X A D Q E B R Q P S N Ã E M E
N Q Z N P U I I K V O T A O X A V
Z T I X Q A E E S C H R M B A W L
M F M O X O Ç Y X N K A A R I E A
U A C O M S X U W Q U D X A J Á D
J E N I P A P O L I S O W V G A I
I H L D D Q R H X I F I N O R Y R
P U V S N O X M G F S H Q M F X H
Y W F X G C M Y I F V O Z V A S V
```